集中治療医学レビュー

最新主要文献と解説

2020-'21

監修 岡元 和文

編集 大塚 将秀
佐藤 直樹
松田 直之

総合医学社

本書の構成

・本書は原則として，2年間(2017年7月～2019年6月)に発表された，集中治療に関する主要な文献を各領域の第一線の専門医が執筆者となって選択し，2020-'21年度版としてレビューしたものです.

・文献は，できるだけ公平な立場から選択し，また原則として，臨床的なトピックスを中心に構成しました.特に重要な文献，および本文中の重要箇所は太ゴチック文字で表示しました.

序 文

　米国に集中治療医学会が設立されたのは1972年のことです．そのわずか2年後には本邦でも第1回ICU研究会が開催されました．外科系および内科系疾患を問わず，呼吸，循環，代謝・内分泌，脳神経，肝臓・膵臓・腎臓，消化管などの臓器不全を伴う重症患者に対して，総合的な治療とケアを行う新しい専門医，集中治療医（intensivist/critical care physician）が必要不可欠であると認識され始めたのはこの頃です．

　したがって，集中治療医は，従来の臓器別診療科の枠に捉えられることなく，呼吸管理，循環管理，代謝・栄養管理，脳神経管理，血液浄化法，感染管理などの幅広い知識と技術を必要とします．一方，集中治療に関連した領域はあまりにも幅広く，また，本領域の進歩・発展は余りにも速いために，今日使えた知識と経験が，明日には使えなくなっているかもしれません．個々の集中治療医が，この広範な領域の国内外の最新の研究成果と新しい知識・技術を習得し続けるのは極めて困難といっても過言ではありません．このような読者の意見を耳にして本書は誕生しました．

　本書「集中治療医学レビュー2020-'21」では，最新の集中治療管理に関する14項目，最新の集中治療における検査・技術に関する9項目，最新のICU特有の病態・合併症に関する8項目，最新のトピックスに関する4項目，総計35項目の主要文献の解説を行いました．

　主要文献はそれぞれの領域におけるエキスパートに選別していただき，文献は，原則として，2017年7月～2019年6月までの2年間に国内外で発表されたものとしました．読者が読みやすくわかりやすいように，特に重要な文献や本文中の重要箇所は太ゴチック文字としました．

　本書は，集中治療専門医はもちろん，これから専門医を目指す方，内科医や外科医で重症患者管理を行っている方，レジデントや研修医などに極めて有用な最新情報を提供してくれると自信をもっています．ベッドサイドの座右の書としてお薦めいたします．

2020年1月

岡 元 和 文

信州大学名誉教授
丸子中央病院特別顧問

目 次

I章　集中治療管理

1. 神経集中治療（周術期を含む） ……………………………… 黒田泰弘　2
2. 鎮静・鎮痛・せん妄管理 ……………………………………… 布宮　伸　9
3. 呼吸管理 ………………………………………………………… 大塚将秀　17
4. 循環管理（ショックを含む） …………………………………… 佐藤直樹　23
5. 心臓・大血管術後管理関連 …………………………………… 垣花泰之　31
6. 消化管管理 ……………………………………………………… 高氏修平　37
7. 肝胆膵管理 ………………………………… 真弓俊彦，成田正男，石川成人　44
8. 腎・電解質管理 ………………………………………………… 土井研人　51
9. 内分泌・代謝管理 ……………………………………………… 江木盛時　57
10. 血液凝固線溶系管理 …………………………………………… 和田剛志　64
11. 輸血・血漿分画製剤 …………………………………………… 畠山　登　71
12. 感染管理（予防と治療） ………………………………………… 森兼啓太　77
13. Critical Care Nutrition：テーラーメード栄養の時代？ … 東別府直紀　83
14. 小児集中治療 ……………………………………… 新津健裕，植田育也　91

II章　集中治療における検査・技術

1. 集中治療のモニタリング　数馬　聡，山蔭道明　**100**

2. カテーテル・ドレーン　安田英人　**107**

3. 集中治療における非侵襲的人工呼吸（NIV）と
経鼻高流量療法（NHFT）　中根正樹，小野寺　悠　**114**

4. エコー診断　塩村玲子，山本　剛　**122**

5. 補助循環（ECMO, IABP, Impella®）　市場晋吾　**128**

6. 急性血液浄化法　森口武史，針井則一，後藤順子　**134**

7. 血液検査・バイオマーカー　梅村　穣，伊藤　弘，山川一馬　**141**

8. 低体温療法・体温管理療法，中枢神経保護・
再生療法　櫻井　淳，木下浩作　**148**

9. 気道確保・気道確保困難症　浅井　隆　**155**

III章　ICU特有の病態・合併症

1. 人工呼吸器関連肺炎　妙中浩紀，田中愛子，藤野裕士　**162**

2. ARDSの病態と治療　中西信人，西村匡司　**167**

3. 成人における心肺蘇生と心停止後症候群（Post-Cardiac Arrest Syndrome）
の管理　相引眞幸　**173**

4. 心不全の診断と治療　猪又孝元　**183**

5. 急性冠症候群の診断と治療　嘉嶋勇一郎，今村　浩　**188**

6. 不整脈の診断と治療　里見和浩　**199**

7. 敗血症の診断と治療　松田直之　**205**

8. PICSの病態と治療（含むICU-AW）　福家良太　**212**

IV章　トピックス

1. Rapid Response System における
集中治療連携 ……………………………………… 吉田　徹，藤谷茂樹　220

2. 集中治療における看護 ………………………………… 宇都宮明美　225

3. 集中治療における薬剤師の役割 ……………………… 入江利行　230

4. 集中治療における早期離床とリハビリテーション ……… 對東俊介　235

索　引………………………………………………………………… 241

I章 集中治療管理

1 神経集中治療（周術期を含む）………………………………………………………… 2

2 鎮静・鎮痛・せん妄管理 ……………………………………………………………… 9

3 呼吸管理 ………………………………………………………………………………… 17

4 循環管理（ショックを含む）…………………………………………………………… 23

5 心臓・大血管術後管理関連……………………………………………………………… 31

6 消化管管理 ……………………………………………………………………………… 37

7 肝胆膵管理 ……………………………………………………………………………… 44

8 腎・電解質管理 ………………………………………………………………………… 51

9 内分泌・代謝管理 ……………………………………………………………………… 57

10 血液凝固線溶系管理 …………………………………………………………………… 64

11 輸血・血漿分画製剤 …………………………………………………………………… 71

12 感染管理（予防と治療）………………………………………………………………… 77

13 Critical Care Nutrition：
テーラーメード栄養の時代？ ………………………………………………………… 83

14 小児集中治療 …………………………………………………………………………… 91

Ⅰ. 集中治療管理

1. 神経集中治療（周術期を含む）

黒田泰弘
香川大学医学部 救急災害医学

最近の動向とガイドライン

急性期持続脳波モニタリング，自動瞳孔計，脳組織酸素分圧において注目される研究が多い．そして意識障害患者に対する脳波による賦活（activation）の評価は，意識障害とは何かの根本的な課題を考えさせられる重要な研究である．ガイドラインでは，脳卒中治療ガイドライン 2015 の追補 2019，てんかん診療ガイドライン 2018 が参考になる．

自動瞳孔計

1. 転帰不良判断　心拍再開後

ESICM（ヨーロッパ集中治療医学会）は多施設研究レジストリシステムを持ち，研究支援を行っているが，これは neurocritical care における代表的検討である．

心拍再開後昏睡患者 477 人に対して，自動瞳孔計により 3ヵ月後の神経学的転帰不良〔脳機能カテゴリー（CPC）3～5〕が予測できるかどうかが前向きに検討されている[1]．結果は見事で，Neurological Pupil Index（NPi）の神経学的転帰不良に関する specificity は Day 1～3 で 1.0，さらに Day 1 でも 1.0 であった（ともに NPi の cut off 値 2.0）．もちろん sensitivity は低く，0.32（Day 1～3），0.22（Day 1）に過ぎない．

この研究は体温管理療法中の患者も当然含んでいる．この結果からは，体温管理療法中であっても Day 1 において NPi が 2.0 未満であったなら神経学的転帰は 100％不良であることが示唆される．したがって治療撤退の判断に重要な指標になるかもしれない．2020 年改訂予定の JRC 蘇生ガイドラインに掲載される成果であろう．しかし，もちろん現実にはこの結果のみで治療撤退という訳にはいかないだろう．誰もが思う不安は，**NPi が BIS と同様にその計算方法が公開されていない**ことである．ある学会で著者の Oddo 先生にそんな指標でよいのか？　と尋ねたら，「その質問はあちこちで受けている．でも結果はこの通り明確なんだ」という返答であった．

1) Oddo M, Sandroni C, Citerio G et al: Quantitative versus standard pupillary light reflex for early prognostication in comatose cardiac arrest patients: an international prospective multicenter double-blinded study. Intensive Care Med 44: 2102-2111, 2018

2. くも膜下出血　遅発性脳虚血

　自動瞳孔計によるNPiをくも膜下出血の遅発性脳虚血の診断に使用できるかが，TCD（経頭蓋ドプラ）と比較されている．

　56人のくも膜下出血患者で計635回評価した観察研究である[2]．10人で症状悪化（片麻痺，意識レベルの低下）が観察され，臨床的に遅発性脳虚血と診断されている．そのうち7人では，症状悪化の8時間以上前からNPiが3.0未満に低下したと報告されている．遅発性脳虚血診断に関するNPiのspecificityは0.84（カットオフ値3.0）であり，TCDのそれは0.76（中大脳動脈血流速度＞100 cm/sec，Lindegaard ratio＞3，で判断）に比して高値であった．

　遅発性脳虚血の予測は神経集中治療の大きなテーマの一つである．この研究では少なくとも**4時間ごとにNPi**が看護ケアとしてルーチンで計測されていて，さらに自動瞳孔計所見が異常，あるいは臨床所見が異常または変化すれば1時間ごとに測定されている．我々の施設では遅発性脳虚血を疑うサインとして，失語や片麻痺などの神経症状に加えて，頭痛，発熱を重視し，遅発性脳虚血を疑えば迅速な対応（輸液や昇圧）を行っている．研究デザインとして，何か異変を感じた時のルーチンとして1時間ごとの評価を行っているのは納得のいくところである．

▶ 高酸素血症

・くも膜下出血　神経学的転帰

　臓器障害がある場合には**（過剰な）高酸素血症を避けた**ほうがよいのではないか，は今やあらゆる疾患でみんなが思っていることである．くも膜下出血ではどうなのかもかなり検討されてきた．

　単施設後ろ向き研究で197例が検討されている[3]．入院24時間のPaO_2の時間加重平均値は，遅発性脳虚血発症群（186 mmHg）と非発症群（161 mmHg），転帰不良群（176 mmHg）と良好群（156 mmHg）で有意差があり，独立したリスク因子であると報告されている．一方，Day 6までのPaO_2の時間加重平均値は，両群間で差はなかった．

　この報告では，くも膜下出血の重症度を反映するHunt-Hess gradeが多変量解析の交絡因子として計算されていない．遅発性脳虚血や神経学的転帰不良と関連するPaO_2の入院24時間の時間加重平均値のカットオフ値が示されれば，臨床での有用性がさらに増すと考える．

　我々も自施設で同様の結果を得ている[4]．もちろんレジストリデータであり因果関係はわからない．くも膜下出血の転帰は，従来から言われてきた遅発性脳虚血よりもむしろearly brain injuryで決定される[5]と報告されており，発症早期の神経集中治療，この場合早期の過剰酸素回避が一層注目されるだろう．

2) Aoun SG, Stutzman SE, Vo PN et al：Detection of delayed cerebral ischemia using objective pupillometry in patients with aneurysmal subarachnoid hemorrhage. J Neurosurg：1-6, 2019 Jan 11 [Online ahead of print]

3) Fukuda S, Koga Y, Fujita M et al：Hyperoxemia during the hyperacute phase of aneurysmal subarachnoid hemorrhage is associated with delayed cerebral ischemia and poor outcome：a retrospective observational study. J Neurosurg 1-8, 2019 Nov 15

4) Yokoyama S, Hifumi T, Kawakita K et al：Early hyperoxia in the intensive care unit is significantly associated with unfavorable neurological outcomes in patients with mild-to-moderate aneurysmal subarachnoid hemorrhage. Shock 51：593-598, 2019

5) Lantigua H, Ortega-Gutierrez S, Schmidt JM et al：Subarachnoid hemorrhage：who dies, and why?. Crit Care 19：309, 2015

4   Ⅰ．集中治療管理

▶ 持続脳波モニタリング

・心拍再開後　神経学的転帰

持続脳波モニタリングによる心拍再開後の昏睡患者に対する神経学的転帰不良判断に関する，かなり信頼性の高い研究[6]である．

オランダの5つの施設における前向きコホート研究で，850人の連続患者〔18歳以上，GCS（Glasgow Coma Scale）＜8〕に対して標準的な集中治療（体温管理療法，鎮痛鎮静）を行っている．治療撤退はガイドラインに沿って行われている．転帰不良（CPC 3〜5）と関連した脳波パターンは，10 microV未満の suppression および synchronous pattern ＋ 50％以上の suppression であり，自己心拍再開後6時間にしてすでに specificity 1.0（補正後も）である（$n = 340$）．一方，転帰良好（CPC 1〜2）と関連する脳波パターンは，あらゆる周波数で continuous pattern であることで，自己心拍再開後6時間において specificity 0.91（$n = 340$）になっている．

持続脳波モニタリングを自己心拍再開後早期から行っているところがミソである．自動瞳孔計の結果もそうであるが，自己心拍再開後24時間以内，もっというと体温管理療法で目標体温に到達したあたりでも，転帰不良を示唆する所見が，脳波あるいは瞳孔所見から得られてきたということであり，これらは欧米諸国が求めている治療撤退方針に直接影響を与えることになるであろう．

▶ 脳血流

・心拍再開後

心拍再開後体温管理療法中の患者における脳を基準とした循環管理については，データが少なかった．頭蓋内圧にしても，痙攣などを起こさない限りそんなに上昇しないという少数のデータがあるのみであった．

Sekhon[7] は1施設の連続的研究10症例に対して，心拍再開後の体温管理療法中に multimodal monitoring（頭蓋内圧，脳組織酸素分圧 $PbtO_2$，内頸静脈酸素飽和度 SjO_2，脳組織酸素飽和度 rSO_2 など）を行い，平均動脈圧と頭蓋内圧の相関係数から pressure reactivity index を算出している．結果として，至適平均動脈圧89 mmHg，脳血流の自己調節範囲（82〜96 mmHg）が算出され，至適平均動脈圧は80 mmHg以上が多いこと，平均動脈圧が至適圧より低いと $PbtO_2$ が低下することを明らかにしている．

Sekhon は同一シリーズの検討で，心拍再開後には脳血流の自己調節域が狭くなり，また右方偏移すること[8]，および頭蓋内圧が20 mmHg以上になることは少ないことを報告している[9]．心拍再開後の神経集中治療では数年前から，脳循環を考えて平均動脈圧の管理目標を80 mmHg以上とすることが示唆されてきている[10]が，その裏打ちデータがさらに増えたことになる．

6) Ruijter BJ, Tjepkema-Cloostermans MC, Tromp SC et al：Early electroencephalography for outcome prediction of post-anoxic coma：a prospective cohort study. Ann Neurol 86：203-214, 2019

7) Sekhon MS, Gooderham P, Menon DK et al：The burden of brain hypoxia and optimal mean arterial pressure in patients with hypoxic ischemic brain injury after cardiac arrest. Crit Care Med 47：960-969, 2019

8) Sekhon MS, Ainslie PN, Griesdale DE：Clinical pathophysiology of hypoxic ischemic brain injury after cardiac arrest：a "two-hit" model. Crit Care 21：90, 2017

9) Sekhon MS, Griesdale DE, Ainslie PN et al：Intracranial pressure and compliance in hypoxic ischemic brain injury patients after cardiac arrest. Resuscitation 141：96-103, 2019

10) Elmer J, Polderman KH：Emergency neurological life support：resuscitation following cardiac arrest. Neurocrit Care 27：134-143, 2017

集中治療医学レビュー　2020⁻²¹

頭部外傷

・脳組織酸素分圧

重症頭部外傷患者において脳組織酸素分圧 $PbtO_2$ の低値は転帰不良と関連しているが，この BOOST-II トライアル[11] では $PbtO_2$ を頭蓋内圧モニタリングと組み合わせて研究している．ここ数年において重症頭部外傷患者に対する頭蓋内圧モニタリングに関して，最も重要な研究の一つでもある．

10 施設の前向きランダム化研究である．これらは 48 時間正常値が継続すれば抜去している（最長 5 日間）．頭蓋内圧単独モニタリング群 62 人と $PbtO_2$ ＋頭蓋内圧群 57 人で評価し，頭蓋内圧 20 mmHg と $PbtO_2$ 20 mmHg で 4 つに分けて検討している．頭蓋内圧と $PbtO_2$ に基づく治療は安全に施行でき，頭蓋内圧モニタリング単独よりも脳組織低酸素持続時間を有意に減少（45% vs. 16%）させることが示されている．$PbtO_2$ ＋頭蓋内圧群は頭蓋内圧単独群に比して死亡率が減少し，神経学的転帰良好患者が増加する傾向にあった．

この研究から，**脳組織酸素分圧＞ 20 mmHg は意味のある管理目標値である**ことが示唆される．ただ症例数が少なく，結果の有意性を示すにはパワー不足である．2018 年から BOOST-III トライアルとして，重症頂部外傷患者で頭蓋内圧モニタリング単独よりも頭蓋内圧に脳組織酸素分圧を併用したほうが，神経学的転帰がより改善するかどうかの試験が進行中で，その結果が待たれる．

くも膜下出血

・脳組織酸素分圧

持続モニタリングである脳組織酸素分圧 $PbtO_2$ は，現在重症頭部外傷で評価され，目標値として＞ 20 mmHg が示されている．ではくも膜下出血ではどうなのか？

2 施設での重症くも膜下出血 100 人（58 歳，GCS 3）に 11 日間にわたって multimodal brain monitoring を行ったコホート研究[12] である．$PbtO_2 < 20$ mmHg がみられたなら，ICP ＞ 20 mmHg であればそれを是正，脳灌流圧をあげるためにノルアドレナリンで平均動脈圧を 10 mmHg ずつ増加，PaO_2，$PaCO_2$ をチェックして PEEP 2〜4 cmH_2O 負荷や換気を調節，Hb ＜ 9 g/dL ならば輸血を行う，を骨子としたそれぞれの施設のプロトコルで管理されている．結果として脳組織低酸素状態はこのプロトコルによっても**両施設で 25%**にみられ，差はなかった．また脳組織低酸素状態においては，脳灌流圧減少（＜ 70 mmHg）27%，$PaCO_2 < 35$ mmHg 19%，$PaO_2 < 80$ mmHg 14%，Hb ＜ 9 g/dL 11%，脳代謝障害 7%，発熱（＞ 38.3℃）4% がそれぞれ観察されていた．

いろいろ頑張っても脳組織低酸素状態 25% というのは，頭部外傷患者[11] よ

11) Okonkwo DO, Shutter LA, Moore C et al：Brain oxygen optimization in severe traumatic brain injury phase-II：a phase II randomized trial. Crit Care Med 45：1907-1914, 2017

12) Rass V, Solari D, Ianosi B et al：Protocolized brain oxygen optimization in subarachnoid hemorrhage. Neurocrit Care 31：263-272, 2019

6   Ⅰ. 集中治療管理

りも頻度が高い．著者もさらに対応が必要であるとコメントしている．病変が
頭部外傷もくも膜下出血も heterogeneous であり，どこの脳局所の組織酸素
分圧かということが重要になることも問題を複雑にしている．ただ，頭部外傷
でも転帰との関係が示されているので，くも膜下出血でも症例数を蓄積すれば
方向がみえてくると考える．

▶ 意識障害

1. 脳 波

　2019 年の最も注目される論文の 1 つであり，**いままで転帰不良と思われて
きた昏睡患者が実は転帰改善したかもしれない**，ということにつながる重要な
報告 [13] である．NEJM 誌がプロモーションビデオを作成している．

　単施設で言語指示に従えない 104 人の急性脳障害患者（くも膜下出血，頭部
外傷，脳内出血，心拍再開後など）での前向き研究で，臨床的に従命反応がな
い患者の脳波活動を検討している．こんな無反応の患者のうちの幾人かは，**脳
波で賦活パターンがあれば後で意識が回復する**ことがわかっている．これを
"Cognitive - Motor dissociation" と称している．つまり指示による運動と脳活
動の解離である．この研究では，脳障害の最初の数日以内に脳波を見ながら，
右で離握手してください，あるいは離握手を止めてくださいという検討を 104
人に行った．12ヵ月後に extended GOS（Glasgow Outcome Scale）を電話で
尋ねている．脳波は自動解析を行っている．脳波上の賦活（activation）は，
発症 4 日後（中央値）に 15％の症例でみられた．退院時では賦活がみられた
患者の 50％が言語命令に従うことができた．一方，賦活なし群では，退院時
転帰良好（言葉に応じる確率）は 26％にすぎなかった．12ヵ月後での転帰良
好も賦活群 44％，非賦活群 14％と差があった．

　急性脳障害において，**指示による運動反応がなくても脳波上賦活がある**，つ
まり解離は 15％もの患者でみられていることが特徴のある結果となる．ただ
これをすすめようとする場合，患者が手を動かすように指示された場合の脳活
動がどんなものかを評価できる脳波自動学習解析ソフトが必要になる．この人
工知能の出来によって，解離発生の頻度は異なるはずである．でも疾患ごとの
検討も必要だし，今後非常に興味ある領域に間違いない．

2. 反応しない患者の意識を解析する

　2019 年注目された総説 [14] である．上記した Cognitive - Motor dissociation
研究 [13] において記載された Brain Computer Interface の仕組みが解説されて
いる．車椅子や照明，スクリーンなどあらゆるデバイスに指示を出力して患者
がそれを受け止めた場合，それが脳にフィードバックされて，脳活動がどのよ
うに賦活されるのかを脳波，皮質脳波，機能的 MRI，機能的 NIRS などでモ
ニタリングし，そのシグナルを取得，処理，特徴抽出，分類，当てはめを行っ

13) Claassen J, Doyle K, Matory A et al：Detection of brain activation in unresponsive patients with acute brain injury. New Engl J Med 380：2497-2505, 2019

14) Rohaut B, Eliseyev A, Claassen J：Uncovering consciousness in unresponsive ICU patients：technical, medical and ethical considerations. Crit Care 23：78, 2019

て，もう一度患者へのデバイス出力につなげるシステムが記載されている．

この総説の最後には，1972年にJennet & Plumが「意識の行動証拠（＝指示による運動）がないことをもって意識がないとすることの危険性」をすでに指摘している[15] ことが記載されている．GCSやJCS（Japan Coma Scale）の評価を超えるシステムが待たれてきた訳である．そして，やっと，主観的でない信頼できる手段として「命令に対応した行動」による評価などをコンピューター処理して，診断の精度をより上げる可能性がでてきたことになる．

▶ くも膜下出血

1. 持続脳波モニタリング　虚血診断

現在，虚血を診断するために持続脳波モニタリング使用が提案（suggest）されている疾患は，昏睡状態のくも膜下出血患者における遅発性脳虚血（delayed cerebral ischemia：DCI）診断のみである[16,17]．昏睡状態ではそもそも神経所見をとることができないので持続脳波の意義がある．

この前向き検討[18] では，103人のくも膜下出血患者に7.7日間持続脳波モニタリングが施行されている（Day 2からDay 14まで評価されている）．持続脳波の所見では，relative alpha variability（RAV）の減少（8〜12 Hz/1〜20 Hz），alpha delta ratio（ADR）（8〜13 Hz/1〜4 Hz）の増悪，focal slowingの増悪，てんかん様波形の遅発性出現，の4つを脳波上のアラーム指標として検討している．これらのアラーム指標の発生頻度は（focal slowingの増悪を除く），遅発性脳虚血発生群52例においては非発生群51例よりも有意に高値であった．遅発性脳虚血とアラーム脳波出現のタイミングの検討では，アラーム脳波が出現した60例のうち50例では遅発性脳虚血の出現前にアラーム脳波が出現している．一方，43例ではアラーム脳波の出現はなかったが，このうち2例ではアラーム脳波の出現なしで遅発性脳虚血が発生していた．アラーム脳波の出現から遅発性脳虚血までは中央値で1.9日であり，82％の症例では12時間以上経過していた．

くも膜下出血に対する持続脳波モニタリングにおける虚血診断においては以前，relative alpha variabilityの評価[19]，alpha delta ratio評価[20] の研究があり，この論文はそれに次ぐものである．ただ，いずれにしても脳波の解析ソフトが必要であり，このままでは普及しないことが問題である．

2. 痙攣予測　SAFARI score

くも膜下出血では，早期の痙攣は動脈瘤の再破裂および頭蓋内圧亢進のリスクを増加させる可能性がある．また，くも膜下出血患者の20％では病院到着前に痙攣が観察されるとの報告[21] がある．

これは単施設の検討で，くも膜下出血1,500人から入院時の痙攣予測スコア（SAFARI score）を作成し，850人でスコアをvalidateしている．入院後の痙

15) Jennett B, Plum F：Persistent vegetative state after brain damage. A syndrome in search of a name. Lancet 1：734-737, 1972

16) Claassen J, Taccone FS, Horn P et al：Recommendations on the use of EEG monitoring in critically ill patients：consensus statement from the neurointensive care section of the ESICM. Intensive Care Med 39：1337-1351, 2013

17) Le Roux P, Menon DK, Citerio G et al：Consensus summary statement of the International Multidisciplinary Consensus Conference on Multimodality Monitoring in Neurocritical Care：a statement for healthcare professionals from the Neurocritical Care Society and the European Society of Intensive Care Medicine. Neurocrit Care 21：S1-S26, 2014

18) Rosenthal ES, Biswal S, Zafar SF et al：Continuous electroencephalography predicts delayed cerebral ischemia after subarachnoid hemorrhage：A prospective study of diagnostic accuracy. Ann Neurol 83：958-969, 2018

19) Vespa PM, Nuwer MR, Juhász C et al：Early detection of vasospasm after acute subarachnoid hemorrhage using continuous EEG ICU monitoring. Electroencephalogr Clin Neurophysiol 103：607-615, 1997

20) Claassen J, Hirsch LJ, Kreiter KT et al：Quantiative continuous EEG for detecting delayed cerebral ischemia in patients with poor-grade subarachnoid hemorrhage. Clin Neurophysiol 115：2699-2710, 2004

21) Jaja BNR, Schweizer TA, Claassen J et al：The SAFARI score to assess the risk of convulsive seizure during admission for aneurysmal subarachnoid hemorrhage. Neurosurgery 82：887-893, 2018

8   Ⅰ. 集中治療管理

攣頻度は5〜10％である．SAFARI score は，**60歳以上，入院までの痙攣発症，前方循環の動脈瘤，髄液ドレナージが必要な水頭症，**の4項目で構成されている．

　ガイドラインでは，くも膜下出血直後に抗痙攣薬の予防投与を考慮してよく[22]，**動脈瘤の再破裂処置**までは，痙攣に関連する動脈瘤の再破裂を防止するため極めて**短期間の抗痙攣薬の予防投与**も行うことも記載されている．我々の施設では動脈瘤の再破裂処置までは気管挿管，鎮痛鎮静下に人工呼吸を行うが，その期間は短いこともあり予防的な抗痙攣薬は投与していない．ただ，この報告のようなリスク因子の評価は必要である．

22) Dringer MN, Scalfani MT, Zazulia AR et al：Cerebral hemodynamic and metabolic effects of equi-osmolar doses mannitol and 23.4% saline in patients with edema following large ischemic stroke. Neurocrit Care 14：11-17, 2011

I. 集中治療管理

2. 鎮痛・鎮静・せん妄管理

布宮　伸
自治医科大学医学部　麻酔科学・集中治療医学講座集中治療医学部門

最近の動向とガイドライン

　2013年に公表された「PADガイドライン」が改訂され，新たに不動（Immobility）と睡眠障害（Sleep disruption）が加わり，「Pain, Agitation/sedation, Delirium, Immobility, and Sleep disruptionに対する予防と管理のための臨床ガイドライン」（通称PADISガイドライン）として公表された[1]．前版が2010年までの文献レビューに基づいていたのに対し，PADISガイドラインでは対象を2015年まで広げている．詳細については，Society of Critical Care Medicineのホームページに日本語版が掲載されているので参照願いたいが，改訂内容は2013年以降の臨床研究の流れから予想された範囲内となっており，2016年以降の研究でも，「2013PADガイドライン」から続く鎮痛・鎮静・せん妄管理の潮流に変更はないと考えて良い．この領域の研究からは質の高いエビデンスを構築することが難しいが，エビデンスの質が低いことを理由にガイドラインの推奨を否定してはならないと考えられる報告もみられるようになってきている．

痛み管理

　現代ICUの患者管理の基本方針は「鎮痛優先の鎮静法（analgesia-first sedation）」もしくは「鎮痛を基盤とした鎮静法（analgesia-based sedation）」で変更はない．中枢神経系臓器障害の表現形であるせん妄をモニタリングするためには，患者をせん妄評価に値する意識レベルに置く必要があり，これは早期リハビリテーションを行ううえでも必須である．そのために不必要な鎮静を避け，最低限必要なレベルでの浅めの鎮静で患者管理を行うことが原則であるが，その前提条件となるのが痛みに対する適切な対応である．しかし，Seersら[2]は1990年〜2016年5月までの文献レビューで，医療者による痛み評価は，ほとんどの場合患者の自己評価による痛み強度を下回っており，過小評価しがちであることを報告し，このことが，いまだに痛みが十分に対処されていないことにつながっているとしている．また，Langerudら[3]はICU生存退室患者の健康関連生活の質（health-related quality of life：HRQOL）を調査し，ICU生存退室患者の3ヵ月後および1年後の身体的・精神的HRQOLは健

1) Devlin JW, Skrobik Y, Gélinas C et al：Clinical practice guidelines for the prevention and management of Pain, Agitation/sedation, Delirium, Immobility, and Sleep disruption in adult Patients in the ICU. Crit Care Med 46：e825-e873, 2018

2) Seers T, Derry S, Seers K et al：Professionals underestimate patients' pain：a comprehensive review. Pain 159：811-818, 2018

3) Langerud AK, Rustøen T, Småstuen MC et al：Health-related quality of life in intensive care survivors：associations with social support, comorbidity, and pain interference. PLoS One 13：e0199656, 2018

常人に比べて低下していることを確認しているが，中でも痛みによる障害が最も HRQOL を低下させる要因であったことを示している．これに対して，Phillips ら[4] は，ICU 看護師全員にトレーニングを義務付けたうえで日常臨床に Critical-Care Pain Observation Tool（CPOT）を導入すると，適切な痛み評価の回数が増えるとの仮説を立て，単施設 before-after study で検証した．その結果，CPOT の導入によって 24 時間の痛み評価の回数は，自己申告可能な患者で 7.2 回→7.9 回と大きな変化はなかったが，自己申告不能な患者で 3.0 回→8.9 回と有意に増え，さらに自己申告不能な患者に対する自己申告型スケールの誤使用が減り（1.3 回→0.2 回），オピオイドやアセトアミノフェン，神経障害性疼痛治療薬などの投与回数も有意に増えたとして，**適切な痛み評価の重要性**を報告している．

一方，Behavioral Pain Scale（BPS）や CPOT などの，評価者の主観が入ってしまう行動評価型スケールに代わって，心拍変動解析に基づいた電気生理学的モニターツールである analgesia nociception index（ANI，鎮痛侵害受容指数）の ICU 患者に対する有用性を検証した報告[5] が注目される．Chanques らは，ICU のルーチンケアの前，中，後で平均 ANI と即時 ANI を記録し，同時に評価した BPS と比較したところ，麻酔中とは異なり，平均 ANI は ICU での痛み検出には向かなかったものの，即時 ANI が最も識別能が高く，BPS と有意に相関し（$r = -0.30$, $P < 0.001$），カットオフ値を 42.5 とすると，感度，特異度，陽性および陰性的中率はそれぞれ 61.4%，77.4%，37.0%，90.4% となったとして，有意な痛みの存在を除外するには有効であると報告している．どのような形での臨床使用が可能なのか，より大規模な検討が必要であろう．

▶ 鎮静管理

1. 浅めの鎮静深度維持

必要以上に深すぎる鎮静深度（過鎮静）が患者予後を悪化させるという報告が，いまだに続いている．Stephens ら[6] は 2017 年までの文献レビューで，人工呼吸管理開始後 48 時間以内の深鎮静が患者予後に及ぼす影響を検証している．その結果，過去の鎮静深度に関する報告は「early（48 時間以内）」とはいえないものが多く，結局 9 研究，総計 4,521 人の患者しか抽出できなかったが，早期からの浅鎮静は深鎮静に比べて死亡率が低く（9.2 vs. 27.6%，OR：0.34，$P < 0.001$），人工呼吸期間（−2.1 日，$P = 0.008$），ICU 入室期間（−3.0 日，$P = 0.02$）が短縮し，入院期間（−5.9 日，ただし $P = 0.14$），せん妄頻度（28.7 vs. 48.5%，OR：0.50，ただし $P = 0.11$）が減る傾向にあったことを報告し，できる限り早期からの鎮静深度評価と浅鎮静を目指すべきであるとしている．また，Shehabi ら[7] も，人工呼吸開始後 48 時間の鎮静深度の程度と予後

4) Phillips ML, Kuruvilla V, Bailey M：Implementation of the Critical Care Pain Observation Tool increases the frequency of pain assessment for noncommunicative ICU patients. Aust Crit Care 32：367-372, 2019

5) Chanques G, Tarri T, Ride A et al：Analgesia nociception index for the assessment of pain in critically ill patients：a diagnostic accuracy study. Br J Anaesth 119：812-820, 2017

6) Stephens RJ, Dettmer MR, Roberts BW et al：Practice patterns and outcomes associated with early sedation depth in mechanically ventilated patients：a systematic review and meta-analysis. Crit Care Med 46：471-479, 2018

7) Shehabi Y, Bellomo R, Kadiman S et al：Sedation intensity in the first 48 hours of mechanical ventilation and 180-day mortality：a multinational prospective longitudinal cohort study. Crit Care Med 46：850-859, 2018

との関連を検証した国際的多施設前向きコホート研究（n = 703）で，鎮静レベルは深度依存性に，死亡（HR：1.29，P < 0.001），せん妄発症（HR：1.25，P = 0.001），抜管時間延長（HR：0.80，P < 0.001）の独立した危険因子となり，さらに不穏はその後のせん妄発症の独立した危険因子（HR：1.25，P = 0.02）であったことを報告し，鎮静深度が深まるにつれ，死亡，せん妄，抜管の遅れのリスクが高まることから，Richmond Agitation-Sedation Scale（RASS）= 0 に維持することが臨床的に望ましい目標であると結論付けている．これまでは習慣的に RASS = −2〜+1 を浅鎮静と見做すことが多かったが，この括りには根拠がなく，あくまでも「**理想は意識清明**」であることを確認したといえる．

2．デクスメデトミジン

意識清明な鎮静深度を実現する有力な手段の一つと目されているのが，各国で使用が広がっているデクスメデトミジン（DEX）で，初心者向けの教育的総説[8]もある．睡眠促進，急性脳血管障害，外傷，心臓手術後，敗血症，心臓手術後を含む小児患者など，さまざまな対象ごとに，実際の使用法について豊富な文献によって裏付けながら解説されており，一読の価値があるが，国内承認とは異なる内容もあるので注意が必要である．一方で，成人人工呼吸患者の鎮静剤として，DEX のみもしくは DEX を優先して使用する群と，プロポフォール（PRO）を優先しミダゾラム（MDZ）なども許可する通常治療群とを比較した国際的多施設オープンラベルランダム化比較試験（randomised controlled trial：RCT）[9]（目標鎮静深度は RASS = −2〜+1）が報告されている．4,000 人を適格判断後平均 4.6 時間で群分けし，intention-to-treat 解析で3,904 人を検証したところ，90 日全死亡率は DEX 群（566/1,948 人，29.1％），通常群（569/1,956 人，29.1％）で有意差なく（P = 0.98），副次所見で，目標鎮静深度に達するのに，DEX 群で 64％が PRO，3％が MDZ，7％は両者の追加を要し，また徐脈と低血圧が DEX 群でより多かった．結論として，ICU で人工呼吸管理を受ける成人患者では DEX も他の鎮静剤も死亡リスクは変わらず，また（上限が 1.5 μg なのに！）DEX のみでは鎮静深度が十分でない患者が多く，有害事象は DEX 群で多かったとしている．この報告と DEX の有効性を報告した過去の研究との違いは，目標鎮静深度をより浅めに明確化し，さらにより早期からの浅鎮静を大規模に実現したこととされている．しかし，浅鎮静を明確化したとはいっても，臨床的に深鎮静が適応となる患者を除外したわけではなく，実際には Day1〜2 にかけて，両群とも過半数が RASS ≦ −3 となっていることは，結果を解釈する上で考慮する必要がある．

3．吸入麻酔薬

わが国では off-label use とみなされるが，特にヨーロッパを中心とした海外では，揮発性吸入麻酔薬であるセボフルラン（SEVO），イソフルラン（ISO），

8) Romagnoli S, Amigoni A, Blangetti I et al：Light sedation with dexmedetomidine：a practical approach for the intensivist in different ICU patients. Minerva Anestesiol 84：731-746, 2018

9) Shehabi Y, Howe BD, Bellomo R et al：Early sedation with dexmedetomidine in critically ill patients. N Engl J Med 380：2506-2517, 2019

デスフルラン（DES）が人工呼吸中の鎮静薬として使用されている．これら吸入麻酔薬の ICU での使用には麻酔器や余剰ガス排泄設備が必要で，従来は難治性気管支喘息重責発作や痙攣重責発作などでの使用に限られ，また，特に麻酔科出身の集中治療医が少ない米国では広まりを見せていない．しかし，1999 年の Anesthesia Conserving Device（AnaConDa, Sedana Medical, Sweden）や，近年の MIRUS system（Pall Medical, Germany）の開発により，現在ではベッドサイドでの利用が格段に容易になっている．そもそも SEVO, ISO, DES は構造的に大きな違いはなく，強力かつ調節性に富む用量依存性の催眠作用，気管支拡張作用，抗けいれん作用があり，作用発現が迅速，肝代謝がわずか（SEVO で 5 ％，ISO は 0.2 ％，DES ではわずか 0.02 ％）で代謝産物の活性が極めて少ないなどの共通点があり，深鎮静後でも覚醒は速やかであることが特長である．一般的な ICU 鎮静では 0.2 〜 0.3 MAC で十分で，全身麻酔時のおよそ 1/3 程度で良い．これまでに心臓外科術後患者を中心とした短期間の鎮静で人工呼吸期間や高次脳機能の回復時間の短縮が報告されていたが，内科系患者の比較的長期（〜 96 時間）の鎮静でも同様の結果が報告されており，オピオイドの削減効果もみられている．注意すべきは悪性高熱であるが，頻度的には 1/50,000 〜 100,000 で，約 1 ％とされるプロポフォール注入症候群の頻度に比べればかなり低い．2017 年までに報告された文献レビュー[10]でも，AnaConDa による SEVO/ISO 吸入は，MDZ/PRO 静注に比べて覚醒時間を 80 分早め（$P = 0.004$），抜管を 196 分早めた（$P < 0.001$）．さらに心機能を検討した研究では，ICU 入室 6 時間後の血清トロポニン値は吸入群で有意に低かった（$P < 0.05$）．現時点では，従来の鎮静剤に比べて吸入中止後の覚醒が迅速で，抜管が早まる利点は明らかであるが，死亡率や人工呼吸期間，臓器保護効果，認知機能への影響などはまだ確立されておらず，より大規模な臨床研究が望まれる．

　一方で，小児や ARDS 患者などでは AnaConDa 装着による死腔の増大が問題となることがある．これに対して Bomberg ら[11]は，死腔を半減させた ACD-50 の効果を従来型との cross-over 試験で検証し，鎮静効果を変えることなく死腔減少が確認できたと報告している．

　また，ICU における揮発性吸入麻酔薬の使用には環境汚染の懸念があるが，Romagnoli ら[12]の報告は，一定の答えになり得る．対象は 18 歳以上の腹部手術後患者 62 人で，MIRUS system を用いた SEVO による鎮静を，目標鎮静深度を RASS ＝ − 3 〜 − 5 の深鎮静としてその安全性と実行可能性および環境汚染を検証した．その結果，平均 RASS ＝ − 4.5，平均投与 SEVO 濃度は 0.45 MAC で，吸気および呼気中の平均濃度はそれぞれ 0.79, 0.76 ％であった．平均覚醒時間は 4 分．平均投与時間は 3.33 時間で 7.89 mL/hr の消費量であった．循環動態は安定しており，肝腎障害も認めなかった．SEVO の室内濃度

10) Kim HY, Lee JE, Kim HY et al：Volatile sedation in the intensive care unit：a systematic review and meta-analysis. Medicine（Baltimore）96：e8976, 2017

11) Bomberg H, Meiser F, Zimmer S et al：Halving the volume of AnaConDa：initial clinical experience with a new small-volume anaesthetic reflector in critically ill patients-a quality improvement project. J Clin Monit Comput 32：639-646, 2018

12) Romagnoli S, Chelazzi C, Villa G et al：The new MIRUS system for short-term sedation in postsurgical ICU patients. Crit Care Med 45：e925-e931, 2017

は投与前が平均 0.10 ppm, 鎮静中のシステムの 15 cm 上部で 0.17 ppm, フィルターリフレクターから 15 cm 部分で 0.15 ppm であった. これらの結果から, MIRUS system は ICU での SEVO による短期鎮静に, 安全で期待できる代替手段であり, 鎮静中の SEVO の室内濃度は環境汚染の基準値を大きく下回ると結論付けている. 吸入麻酔薬の鎮静効果は, 従来の鎮静薬やオピオイドとは作用機序が異なるため, ICU せん妄が減少することが証明されれば, その使用はさらに広がる可能性がある.

4. ケタミン

わが国では一般的ではないが, 注射用全身麻酔薬であるケタミンの強力な鎮痛・鎮静効果を利用した「鎮痛優先の鎮静法」が, 海外では注目されている. ケタミンの薬理効果は, 高濃度では麻酔作用として, 低濃度では鎮痛・鎮静作用として表現される. 咽頭喉頭反射が維持され, 気道抵抗が低下し, 肺コンプライアンスが増加し, 呼吸抑制が少ないなど, ケタミンには従来の鎮静剤にはみられない特長があり, 交感神経刺激も他の鎮痛鎮静剤にはみられない. ケタミンの幻覚発現作用はせん妄発症の懸念材料であり, 用量とモニタリングに注意が必要であるが, オピオイドのような古典的薬剤とは異なる薬理学的特徴があるケタミンは, ICU における鎮痛優先の鎮静法に使用される薬剤として, 魅力的代替薬である. 人工呼吸中の ICU 患者に対する鎮静にケタミンを加えるとオピオイド量が減少するという仮説を検証した報告[13]では, 結果としてオピオイド消費量の減少は有意ではなかったが, 死亡率や ICU 入室期間に影響することなくせん妄の頻度とせん妄持続期間が有意に減ったとしている. また, 敗血症性ショックに対する小規模な検討[14]では, 低用量ケタミンの追加によりノルアドレナリンの使用量が減少し, フェンタニルや MDZ などの鎮痛鎮静剤の追加量も削減できたとしている. ケタミンには抗炎症作用も想定されており, これが敗血症には効果的なのかもしれない.

▶ せん妄管理

1. せん妄の影響

重症患者に対する集中治療の後遺症ともいうべき集中治療後症候群 (post intensive care syndrome：PICS) については, 集中治療領域における新たな課題として, 研究報告が盛んに行われるようになっている. PICS の詳細については他稿に譲るが, PICS の中でも **ICU 生存退室患者の長期的認知機能障害とせん妄発症との関連**が注目されている. Lingehall ら[15]は, 人工心肺下の予定心臓外科手術を受けた 70 歳以上で術前に認知症診断がなかった 114 人を追跡した結果, 5 年間で 30 人 (26.3％) が認知症となったが, その 87％に術後せん妄が発症しており, 心臓外科術後に発生するせん妄は 5 年以内の認知症発症の危険因子であることを報告している. また, Mitchell ら[16]は内科系・外

13) Perbet S, Verdonk F, Godet T et al：Low doses of ketamine reduce delirium but not opiate consumption in mechanically ventilated and sedated ICU patients：a randomised double-blind control trial. Anaesth Crit Care Pain Med 37：589-595, 2018

14) Reese JM, Sullivan VF, Boyer NL et al：A non-comparative prospective pilot study of ketamine for sedation in adult septic shock. Mil Med 183：e409-e413, 2018

15) Lingehall HC, Smulter NS, Lindahl E et al：Preoperative cognitive performance and postoperative delirium are independently associated with future dementia in older people who have undergone cardiac surgery：a longitudinal cohort study. Crit Care Med 45：1295-1303, 2017

16) Mitchell ML, Shum DHK, Mihala G et al：Long-term cognitive impairment and delirium in intensive care：a prospective cohort study. Aust Crit Care 31：204-211, 2018

科系 ICU で 12 時間以上の人工呼吸管理を受けた成人患者を対象に，3ヵ月，6ヵ月後の認知機能を評価したところ，せん妄発症は6ヵ月後の認知機能障害と関連しており，せん妄患者の平均情報処理速度は非せん妄群に比べて7.86秒（$P = 0.03$），遂行機能速度は24.0秒（$P = 0.04$），それぞれ延長したとして，ICU せん妄は6ヵ月後の情報処理能力や遂行機能の低下に関連していることを報告している．このような ICU 生存退室患者の長期的認知機能障害とせん妄との関連については，最近の総説[17]に詳しいので，一読をお勧めする．

2．せん妄予測

PADIS ガイドラインでも紹介された2つのせん妄発症予測式（PRE-DELIRIC モデル，E-PRE-DELIRIC モデル）の比較および使い分けに関する検討[18]が，このモデルの開発者らによって報告されている．7ヵ国の11施設による多施設研究で，参加施設はせん妄評価に信頼性がある ICU としている．その結果，せん妄発症に対する Area Under Receiver Operating Characteristic Curves（AUROC）は PRE-DELIRIC の0.74に対して，E-PRE-DELIRIC では0.68で有意差があり（$P < 0.01$），また，E-PRE-DELIRIC で低リスク（＜30％）とされた患者の約1/4が，24時間後に PRE-DELIRIC でハイリスクに分類され，感度が14％改善したことから，両モデルとも中等度〜良好なせん妄予測能を示すが，PRE-DELIRIC の方がより正確であり，一方，使いやすさは E-PRE-DELIRIC の方が勝っていたとして，患者入室時には E-PRE-DELIRIC モデルを用い，せん妄発症の低リスク患者では24時間後に PRE-DELIRIC モデルで再評価を行う2段階評価を勧めている．また，蘭州大学（中国）で開発された Lanzhou モデルを加えた3つのせん妄発症予測式の精度を実臨床で検証した Green らの報告[19]では，いずれのモデルも中等度〜良好な識別能を示し，AUROC はそれぞれ0.79，0.72，0.77と高かったことから，どのモデルも実臨床で使用できるとしている．精度を優先すれば PRE-DELIRIC，使いやすさと速さを優先すれば E-PRE-DELIRIC，というところだろうか．

3．薬理学的せん妄対策

ICU せん妄に対するハロペリドールの投与は根元的治療法ではなく，あくまでも一時しのぎに過ぎないが，Collet らによる近年の疫学調査[20]でも，依然としてその使用が続いていることが確認されている．13ヵ国にわたる99の ICU に対する2週間限定の調査で，せん妄を発症した患者の46％にハロペリドールが投与され，他の薬剤としては（重複あり），ベンゾジアゼピン（BNZ，36％），DEX（21％），クエチアピン（19％），オランザピン（9％）だったことが報告されている．また，非定型を含む抗精神病薬としても，Girard ら[21]の多施設ランダム化二重盲検比較試験，Thom ら[22]の後ろ向きコホート研究のいずれでも，ICU せん妄に対する有効性は認められないと結論

17) Sakusic A, Rabinstein AA：Cognitive outcomes after critical illness. Curr Opin Crit Care 24：410-414, 2018

18) Wassenaar A, Schoonhoven L, Devlin JW et al：Delirium prediction in the intensive care unit：comparison of two delirium prediction models. Crit Care 22：114, 2018

19) Green C, Bonavia W, Toh C et al：Prediction of ICU delirium：validation of current delirium predictive models in routine clinical practice. Crit Care Med 47：428-435, 2019

20) Collet MO, Caballero J, Sonneville R et al：Prevalence and risk factors related to haloperidol use for delirium in adult intensive care patients：the multinational AID-ICU inception cohort study. Intensive Care Med 44：1081-1089, 2018

21) Girard TD, Exline MC, Carson SS et al：Haloperidol and Ziprasidone for treatment of delirium in critical illness. N Engl J Med 379：2506-2516, 2018

22) Thom RP, Bui MP, Rosner B et al：A comparison of early, late, and no treatment of intensive care unit delirium with antipsychotics：a retrospective cohort study. Prim Care Companion CNS Disord 20：18m02320, 2018

付けられている．また，ハロペリドールのせん妄予防効果についても，2018年に報告されたvan den Boogaardら[23]のRCTを含む最新の文献レビュー[24]で有益性はないとされている．なおこのレビューでは，リハビリテーションや認知機能訓練などのせん妄に対する非薬理学的対応について，現時点ではデータ不足であるが，現在多くの臨床研究が進行中で，その結果によっては将来結論が変わるかもしれないと期待を寄せている．

総じて，ハロペリドールについては，ICUせん妄に対する予防効果も治療効果も期待できず[25]，むしろせん妄に対する安易な抗精神病薬の処方は，退院後の（特に非定形）抗精神病薬の漫然とした不必要な継続処方につながる[26]とする警鐘を，肝に銘じるべきである．

▶ ABCDEFバンドルの効果

成人重症患者に対する鎮痛・鎮静・せん妄管理の基本コンセプトが「ABCDEバンドル」（minor revisionされて現在では「ABCDEFバンドル」）であり，その包括的管理指針が2013PADガイドラインであり，2018PADISガイドラインである．バンドルの広まりについては，Morandiら[27]らの47ヵ国の集中治療医を対象としたweb-based-surveyがある．この調査では，回答者の57％でバンドルを実施していたが，その率は国によって大きく異なっていた．83％は痛み評価スケールを用いていたが，ツールはVisual Analogue Scale（VAS）＞Numeric Rating Scale（NRS）＞CPOT＞BPSの順だった．spontaneous awakning trial（SAT）およびspontaneous breathing trial（SBT）実施率はそれぞれ66％，67％に過ぎず，鎮静スケールは89％で使用されていたが，その22％はいまだにRamsayスケールだった．せん妄モニタリングは70％で行われていたが，40％で1日1回の評価に過ぎず，複数回実施しているのはわずか30％で，しかも妥当性が検証されたせん妄評価ツールを使っているのは42％（Confusion Assessment Method for the Intensive Care Unit 83％，Intensive Care Delirium Screening Checklist 17％）に過ぎなかった．早期リハビリテーションもほとんどがオーダーはしていたが，69％にはリハビリチームがなく，79％では正式な運動スケールを使っていなかった．Intensive Care Unit-Aquired Weaknessを評価しているのは36％にとどまった．家族の参加は67％で積極的に行われていたものの，家族支援のスタッフは33％に過ぎず，また65％では家族面会が24時間フリーではなかった．結論としてバンドルの広まりは項目や地域で濃淡があり，概して北米，アジアで高く，ヨーロッパ，オセアニア，アフリカで低いと報告した．おそらく初めての世界規模の調査であるが，参加国の分布に大きな偏りがあるのは欠点である．一方，バンドル導入の効果については，Punらの報告[28]が興味深い．米国29州とプエルトリコの，計68施設における20ヵ月間の多施設観察研究

23) van den Boogaard M, Slooter AJC, Brüggemann RJM et al：Effect of haloperidol on survival among critically ill adults with a high risk of delirium：The REDUCE randomized clinical trial. JAMA 319：680-690, 2018

24) Herling SF, Greve IE, Vasilevskis EE et al：Interventions for preventing intensive care unit delirium in adults. Cochrane Database Syst Rev 11：CD009783, 2018

25) Zayed Y, Barbarawi M, Kheiri B et al：Haloperidol for the management of delirium in adult intensive care unit patients：a systematic review and meta-analysis of randomized controlled trials. J Crit Care 50：280-286, 2019

26) Karamchandani K, Schoaps RS, Bonavia A et al：Continuation of atypical antipsychotic medications in critically ill patients discharged from the hospital：a single-center retrospective analysis. Ther Adv Drug Saf 10：2042098618809933, 2018

27) Morandi A, Piva S, Ely EW et al：Worldwide survey of the "Assessing Pain, Both Spontaneous Awakening and Breathing Trials, Choice of Drugs, Delirium Monitoring/Management, Early Exercise/Mobility, and Family Empowerment" (ABCDEF) Bundle. Crit Care Med 45：e1111-e1122, 2017

28) Pun BT, Balas MC, Barnes-Daly MA et al：Caring for critically ill patients with the ABCDEF bundle：results of the ICU liberation collaborative in over 15,000 adults. Crit Care Med 47：3-14, 2019

で，それぞれ6ヵ月（2015年1～6月）は後ろ向きに，14ヵ月（2016年1月～2017年3月）は前向きに最大7日間のデータ収集を行い，15,226人の成人患者でバンドルの実行程度と患者予後との関連を検証した．その結果，バンドルの完全実行により，7日以内の病院死亡（HR：0.32），翌日の人工呼吸管理（OR：0.28），昏睡（OR：0.35），せん妄（OR：0.60），身体抑制（OR：0.37），ICU再入室（OR：0.54），自宅以外への退院（OR：0.64）のいずれもが有意に減少し（すべて$P < 0.001$），これらの予後はバンドルの実行割合が増えるに比例して改善した（すべて$P < 0.002$）として，ABCDEFバンドルは統計学的にも臨床的にも有意な患者予後改善効果を示したと報告している．つまり，**バンドルは完全実行が望ましいが，実行できない項目があったとしてもやればやるだけの効果がある**ということである．さらに，オランダ国内の大学病院と市中病院におけるTrogrlićらの検討[29]では，「2013PADガイドライン」推奨項目の遵守率が上がると患者予後が改善することが示されている．このような流れから，今後しばらくは，PADISガイドラインの推奨項目調査（特に患者家族との関わり，リハビリテーションや睡眠など）が続くことが予想される．

29) Trogrlić Z, van der Jagt M, Lingsma H et al：Improved guideline adherence and reduced brain dysfunction after a multicenter multifaceted implementation of ICU delirium guidelines in 3,930 patients. Crit Care Med 47：419-427, 2019

I．集中治療管理

3. 呼吸管理

大塚将秀
横浜市立大学附属市民総合医療センター 集中治療部

最近の動向とガイドライン

　重症呼吸不全患者に対して，一回換気量を制限して高いPEEPを用いることはほぼ定着した．気道内圧に関しても，重要なのはプラトー圧ではなく駆動圧であり，自発呼吸がある場合は胸腔内陰圧を加味した経肺圧であるという考えも浸透してきた．理論的には，肺保護となる可能性を秘めている高頻度振動換気（high frequency oscillatory ventilation：HFOV）は，成人の acute respiratory distress syndrome（ARDS）では使用推奨されないことがほぼ確定した．

　最近のトピックスは，肺胞リクルートメント手技の実施と筋弛緩薬投与の是非であろう．最新のRCT結果を考慮すると，いずれも施行しないとする考えが優勢だが，十分なコンセンサスを得るには至っていない．

　この2年間に発表された主だったガイドラインには，ドイツ，イギリス，日本から発信された3つがある．ドイツからのガイドライン[1]では，HFOVを使用しないこと，重症ARDSでは高いPEEP table[2]に準じたPEEPを使用すること，非ARDSでも5 cmH$_2$O以上のPEEPを使用すること，一回換気量はARDSでは6 mL/kg以下，非ARDSでは6〜8 mL/kgとすること，プラトー圧は30 cmH$_2$O以下とすること，2型呼吸不全では圧波形・流量波形を参考に吸呼気比を決めること，気道確保時はカプノメトリで換気を確認すること，肺動脈カテーテルをルーチンで使用しないことが推奨されている．筋弛緩薬に関しては，ガイドライン作成後に発表されたROSE trial[3]に言及し，今後は使用しないことを推奨せざるを得ないと結論している．イギリスからのガイドライン[4]では，できるだけ少ない一回換気量と低い気道内圧，中等〜重症ARDSでは12時間以上の腹臥位とすること，およびHFOVは使用しないことが推奨されている．また，至適な肺保護戦略・一回換気量・PEEPとは何か？ 呼吸性アシドーシスへの対処法は？ 多くの団体が推奨しているリクルートメント手技の適用は推奨できない，有用性が示された個々のエビデンスを集積した治療が本当に有効な治療となる保証はないなど，多くの疑問を投げかける記載がある．日本からのもの[5]は，2016年に3学会合同で作成されたARDS診療ガイドライン2016の英訳版である．

18　I．集中治療管理

重症呼吸不全の長期的予後

　世界的な大規模横断観察研究である LUNG SAFE study[6] が 2016 年に行われた．その二次解析で，登録時に mild ARDS と診断された 580 人の経過が検討された[7]．発症後 1 週間までに 18％は軽快し，36％は mild ARDS のまま変わらず，46％は悪化した．全体の病院死亡率は 30％で，経過別ではそれぞれ 10％，30％，37％だった．病状悪化に関連する独立危険因子は，外傷・肺炎・肺を除く SOFA 高値・低 PaO_2/F_IO_2（P/F 比）・高い吸気圧だった．一般に mild ARDS の診断率は高くないとされるが，**ARDS の救命率を高めるためには初期の正確な診断が重要**であることを間接的に示している．

　ARDS 患者の ADL 回復や社会復帰率は高くないことが指摘されているが，ARDS 発症から 5 年間のフォロー結果が報告された[8]．診断から 2 年後に生存していた 138 人のうち 49％は発症前の職場に復帰していたが，31％は 5 年の間に一度も仕事に就くことができなかった．職場復帰時期に関連する因子は，Charlson Comorbidity Index（オッズ比：0.77，95％信頼区間：0.59〜0.99，以下同様），人工呼吸期間（0.67，0.55〜0.82），自宅以外への退院（0.49，0.26〜0.93）だった．5 年生存者の 77％は収入を失い，その 33％は健康保険に加入できなくなり，政府負担の医療費を 37％増加させる要因になっていた．

重症呼吸不全の治療

1. ARDS 治療の実態

　ARDS network の ARMA study[9] 以来，重症呼吸不全における肺保護換気の重要性が強調されている．その中で，moderate/severe ARDS 患者の治療の実態が報告された[10]．対象となった 664 人の第 1 病日の実測一回換気量は 7.5 ± 2.1 mL/kg（平均 ± 標準偏差，以下同様）で，80％は 6 mL/kg を超えていた．PEEP は 10.5 ± 3.7 cmH₂O で，87％は 15 cmH₂O 未満だった．併用療法として，筋弛緩薬使用 42％，肺血管拡張薬使用 18％，腹臥位療法 10％，ECMO 使用 4％，HFOV 使用 4％だった．**エビデンスに乏しい治療は中止し，有用性が認められている治療の実施促進が求められる**と結論している．

2. 至適 PEEP 値

　ARDS における PEEP の有用性に疑う余地はないが，至適 PEEP 値に関する明確な基準はいまだに示されていない．肺内の含気状態を 3 次元でリアルタイムに把握できる electrical impedance tomography（EIT）を参考にして PEEP を調節すると，圧量曲線の下変曲点 +2 cmH₂O に PEEP を設定とした群と比べて，治療開始 2 時間後の設定 PEEP は高く，肺胸郭コンプライアンスは高く，駆動圧は小さく，病院死亡率も低下していた[11]．対照群の PEEP の決め方が古いことに加え，小規模な historical control study なのでエビデン

1) Fichtner F, Moerer O, Weber-Carstens S et al：Clinical guideline for treating acute respiratory insufficiency with invasive ventilation and extracorporeal membrane oxygenation：evidence-based recommendations for choosing modes and setting parameters of mechanical ventilation. Respiration 98：357-372, 2019

2) Brower RG, Lanken PN, MacIntyre N et al：Higher versus lower positive end-expiratory pressures in patients with the acute respiratory distress syndrome. N Engl J Med 351：327-336, 2004

3) Moss M, Huang DT, Brower RG et al：Early neuromuscular blockade in the acute respiratory distress syndrome. N Engl J Med 380：1997-2008, 2019

4) Griffiths MJD, McAuley DF, Perkins GD et al：Guidelines on the management of acute respiratory distress syndrome. BMJ Open Respir Res 6：e000420, 2019

5) Hashimoto S, Sanui M, Egi M et al：The clinical guideline for the management of ARDS in Japan. J Intensive Care 5：50, 2017

6) Bellani G, Laffey JG, Pham T et al：Epidemiology, patterns of care, and mortality for patients with acute respiratory distress syndrome in intensive care units in 50 countries. JAMA 315：788-800, 2016

7) Pham T, Serpa Neto A, Pelosi P et al：Outcomes of patients presenting with mild acute respiratory distress syndrome：insight from the LUNG SAFE study. Anesthesiology 130：263-283, 2019

8) Kamdar BB, Sepulveda KA, Chong A et al：Return to work and lost earnings after acute respiratory distress syndrome：a 5-year prospective, longitudinal study of long-term survivors. Thorax 73：125-133, 2018

9) Brower RG, Matthay MA, Morris A et al：Ventilation with lower tidal volumes as compared with traditional tidal volumes for acute lung injury and the acute respiratory distress syndrome. N Engl J Med 342：1301-1308, 2000

10) Duan EH, Adhikari NKJ, D'Aragon F et al：Management of acute respiratory distress syndrome and refractory hypoxemia. A multicenter observational study. Ann Am Thorac Soc 14：1818-1826, 2017

11) Zhao Z, Chang MY, Chang MY et al：Positive end-expiratory pressure titlation with electrical impedance tomography and pressure-volume curve in severe acute respiratory distress syndrome. Ann Intensive Care 9：2019

スレベルは決して高くないが，新しいモニターである EIT の可能性を示している．

3. 高頻度振動換気

成人の ARDS に対する HFOV の効果は，過去の大きな 2 つの RCT[12, 13] で優位性がほぼ否定され，最近のガイドライン[1, 4, 5] でも使用しないことが推奨されている．システマティックレビュー[14] では，6 編の RCT のメタ解析で死亡率や 24 時間後の酸素化の改善はなく，圧外傷の合併症は増加しないものの，対照群を低一回換気量と高 PEEP の併用とした 1 編の RCT では HFOV 群で死亡率が高かったことから，**施行しないことが推奨**された．

4. 輸液制限

リポ多糖を気管内に注入して ARDS を誘発した幼弱（2〜3 週）および成熟（3〜4ヵ月）ラットで，輸液量制限の効果が検討された[15]．輸液量制限で，成熟ラットのみ血管外肺水分量が減少した．血管透過性は幼弱ラットで高いが，輸液量制限の影響は受けなかった．血清の IL-1β や TNF-α は，成熟ラットの輸液制限群でのみ上昇した．ARDS 患者では輸液量を制限することが推奨されているが，**患者の年齢によって効果が異なる可能性**を示した点でユニークな報告である．

5. 肺胞リクルートメント手技

肺胞リクルートメント手技は，無気肺を減少させることで atelectrauma を予防し，ARDS の予後を改善する可能性がある治療法として多くの研究が行われているが，明確な方向性はいまだに示されていない．ARDS を対象とした 15 編の RCT のメタ解析[16] では，病院死亡率（0.88，0.80〜0.97），28 日死亡率（0.83，0.71〜0.96），ICU 死亡率（0.77，0.65〜0.92）をいずれも低下させたと報告されている．成人 ARDS を対象とした 6 編の RCT のメタ解析[17] では，死亡率を低下させ（0.81，0.69〜0.95），24 時間後の酸素化を改善し，レスキューリクルートメントを減少させ，圧外傷を増加させず，循環抑制を生じないことが示された．しかし，リクルートメント後に高 PEEP を併用した RCT では死亡率の改善がないことや，統一されていないリクルート法や研究バイアスの存在を考慮すると，このメタ解析[17] のエビデンスレベルは決して高くないことが付記されている．

これらのメタ解析[16, 17] の後に，リクルートメントに関する別の RCT[18] が報告された．9ヵ国 120 の ICU を対象に行われた大規模多施設共同研究で，moderate/severe ARDS に対して，リクルート群と ARMA study[9] に基づいて呼吸管理する対照群が 28 日死亡率を主評価項目として比較された．リクルート群は，筋弛緩薬の投与後に駆動圧 15 cmH$_2$O の圧規定換気（PCV）で換気し，肺胞拡張目的に PEEP を 25，35，45 cmH$_2$O と順次上昇させた．その後，量規定換気下で PEEP を 23 cmH$_2$O から 3 cmH$_2$O ずつ下げてそれぞれの

12) Ferguson ND, Cook DJ, Guyatt GH et al：High-frequency oscillation in early acute respiratory distress syndrome. N Engl J Med 368：795-805, 2013
13) Young D, Lamb SE, Shah S et al：High-frequency oscillation for acute respiratory distress syndrome. N Engl J Med 368：806-813, 2013
14) Goligher EC, Munshi L, Adhikari NKJ et al：High-frequency oscillation for adult patients with acute respiratory distress syndrome. A systematic review and meta-analysis. Ann Am Thorac Soc 14：S289-S296, 2017
15) Ingelse SA, Juschten J, Maas MAW et al：Fluid restriction reduces pulmonary edema in a model of acute lung injury in mechanically ventilated rats. PloS One 14：e0210172, 2019

16) Lu J, Wang X, Chen M et al：An open lung strategy in the management of acute repiratory distress syndrome：a systematic review and meta-analysis. Shock 48：43-53, 2017
17) Goligher EC, Hodgson CL, Adhikari NKJ et al：Lung recruitment maneuvers for adult patients with acute respiratory distress syndrome. A systematic review and meta-analysis. Ann Am Thorac Soc 14：S304-S311, 2017

18) Cavalcanti AB, Suzumura EA, Laranjeira LN et al：Effect of lung recruitment and titrated positive end-expiratory pressure（PEEP）vs low PEEP on mortality in randomized clinical trial. JAMA 318：1335-1345, 2017

肺胸郭コンプライアンスを測定し，最もコンプライアンスが高くなる PEEP ＋2 cmH$_2$O を設定 PEEP として以後の人工呼吸管理を行った．その結果，リクルート群は対照群と比べて 28 日死亡率（55.3％ vs. 49.3％，1.20，1.01～1.42）と 6 ヵ月死亡率（65.3％ vs. 59.9％，1.18，1.01～1.38）を上昇させ，気胸や圧外傷も増加させた．**リクルートメント手技をルーチンに適用することは避けるべき**とのメッセージである．この結果は従来の報告[16,17]と大きく異なっていたため，同じグループがサブ解析[19]を行ったところ，肺炎が原因の ARDS で昇圧薬を要する症例ではリクルート群の死亡率が高いことが明らかとなった．関連すると考えられる因子の層別解析では，割付時の駆動圧が高いほどリクルート群と対照群の死亡率の差は小さくなり，18 cmH$_2$O を超える群では対照群の死亡率が高くなった．P/F 比では，91 を下回る群でリクルート群の死亡率が対照群より低下した．今後は最適なリクルートメント法の模索とともに，**適用すべき患者群を明らかにしていく必要がある**ことを示唆している．

6. 筋弛緩薬

重症 ARDS では，初期の 48 時間に筋弛緩薬である cisatracurium を併用することで死亡率を低下させられる可能性が 2010 年に報告（ACURASYS trial）され[20]，その後のメタ解析[21]で有意性が確認された．これに対して大規模な追試（ROSE trial）[3]が行われた．ROSE trial では，8 cmH$_2$O 以上の PEEP でも P/F 比 150 未満の ARDS が対象とされ，深鎮静下で 48 時間 cisatracurium を投与する被検群と，浅鎮静下で通常の肺保護換気とした対照群が 90 日死亡率を主要評価項目として比較された．その結果，患者数 1,006 人の段階の第 2 回中間解析で**両群間に死亡率の差を認めない**（42.5％ vs. 42.8％）と判断され，研究は中止された．ACURASYS trial[20]では両群とも深鎮静で PEEP も 9.2 cmH$_2$O と比較的低かったのに対し，ROSE trial[3]では筋弛緩薬を使用する被検群は深鎮静だが対照群は浅鎮静とし，PEEP も 12.6 cmH$_2$O と比較的高く保たれていた．2006 年から施行された ACURASYS trial に比べて，2016 年から施行された ROSE trial では最近の研究成果を取り入れた患者管理であり，より真実に近い可能性がある．見方を変えると，筋弛緩薬の効果はあるかもしれないが，それは深鎮静の合併症および高 PEEP の呼吸管理で打ち消されてしまう程度なのかもしれない．しかし，ROSE trial にも若干の問題があり，腹臥位療法の施行が 15.8％と比較的少ないこと，および割付前に筋弛緩薬が使用されていたことを理由に 13.5％もの患者が除外されていてバイアスになった可能性を否定できない．今後の更なる検討が望まれる．また本邦では cisatracurium は使用できないが，他の筋弛緩薬での有用性は検討されていない．

19) Zampieri FG, Costa EL, Iwashyna TJ et al：Heterogeneous effects of alveolar recruitment in acute respiratory distress syndrome：a machine learning reanalysis of the alveolar recruitment for acute respiratory distress syndrome trial. Br J Anaesthe 123：88-95, 2019

20) Papazian L, Forel JM, Gacouin A et al：Neuromuscular blockers in early acute respiratory distress syndrome. N Engl J Med 363：1107-1116, 2010

21) Alhazzani W, Alshahrani M, Jaeschke R et al：Neuromuscular blocking agents in acute respiratory distress syndrome：a systematic review and meta-analysis of randomized controlled trials. Crit Care 17：R43, 2013

7. 自発呼吸の温存

重症呼吸不全の軽快後に人工呼吸器から離脱できるかどうかは，呼吸筋の機能に負うところが大きいことに異論はないであろう．人工呼吸中に超音波検査で測定した横隔膜厚は191人中78人で10％以上減少し，この群は人工呼吸器の離脱率低下，ICU入室期間の延長，合併症の増加がみられた．一方191人中47人で横隔膜厚は増加したが，この群も人工呼吸期間が遷延した．また，吸呼気に伴う横隔膜厚の変化では，吸気時に15〜30％増加する群（健常人の安静呼吸に相当）の人工呼吸期間が最も短かった[22]．これらは，横隔膜の萎縮だけでなく過剰な負荷も人工呼吸期間延長の要因であることを示唆しており，**適度な横隔膜負荷を維持することの重要性**を示している．

以前は，酸素化改善や低気道内圧の維持，および横隔膜萎縮の予防に有用であるとして自発呼吸を残す管理が推奨されてきた．しかし，近年では過剰すぎる自発呼吸は経肺圧（transpulmonary pressure）を増加させて肺傷害悪化を誘発する危険性が指摘されている．この理論的背景のもとで筋弛緩薬を使用して死亡率低下を示した報告[20, 21]もあるが，それを覆す報告[3]もあり，十分なコンセンサスを得られるには至っていない．これらに関連して自発呼吸の功罪および部分筋弛緩（partial neuromuscular blockade）の概念がYoshidaらの総説[23]に紹介されている．

▶ 特殊な病態に対する呼吸管理

免疫不全患者では，人工呼吸器関連肺炎を避けるために気管挿管しない呼吸管理が推奨されている．免疫不全患者1,611人の観察研究[24]では，自然気道でICUに入室した56.8％のうち，53.9％は平圧の酸素療法，20.3％は経鼻高流量酸素療法（nasal high flow therapy：NHFT），17.2％は非侵襲的陽圧換気（noninvasive positive pressure ventilation：NPPV），8.6％はNHFT＋NPPVを受けていた．気管挿管への移行に関連した因子は，高齢，高SOFA値，入室時の低P/F比，ニューモシスチス肺炎，侵襲性肺アスペルギルス感染症，病因不明の呼吸不全，NHFT単独治療群だった．病院死亡率に関連した独立因子は，高齢，ICUへの直接入院，入室時の肺以外のSOFA高値，低P/F比，病因不明の呼吸不全だった．**経過中に気管挿管下で人工呼吸した群は死亡率が高く**，そのオッズ比は，NHFT＋NPPV，NPPV，平圧の酸素療法，NHFTからの移行群，および当初からの気管挿管群でそれぞれ2.31（1.09〜4.91），3.65（2.05〜6.53），4.16（2.91〜5.93），5.54（3.27〜9.38），2.55（1.94〜3.29）だった．**初期の非挿管下呼吸療法の種類は死亡率と関連がなかった**．これはあくまで観察研究であり，それぞれの治療法の優劣を直接示すものではない．

中東呼吸器症候群（Middle East respiratory syndrome：MERS）は，

22) Goligher EC, Dres M, Fan E et al：Mechanical ventilation-induced diaphragm atrophy strongly impacts clinical outcomes. Am J Respir Crit Care Med 197：204-213, 2018

23) Yoshida T, Amato MBP, Kavanagh BP et al：Impact of spontaneous breathing during mechanical ventilation in acute respiratory distress syndrome. Curr Opin Crit Care 25：192-198, 2019

24) Azoulay E, Pickkers P, Soares M et al：Acute hypoxemic respiratory failure in immunocompromised patients：the efraim multinational prospective cohort study. Intensive Care Med 43：1808-1819, 2017

MERS コロナウィルスが原因で重篤な呼吸不全を呈する感染症だが，適切な呼吸管理法に関するコンセンサスは得られていない．初期の呼吸管理法と転帰の関連を分析した302人の観察研究[25] では，初期の呼吸管理として35％でNPPVが選択され，65％は気管挿管下の人工呼吸だった．SOFAスコアが低値で，胸部X線写真の浸潤影が軽度の場合にNPPVが選択されていた．**NPPVを受けた患者の92.4％は気管挿管下人工呼吸に移行したが，当初から気管挿管されていた群との間で90日死亡率に差はなかった．**

頸髄損傷で横隔膜機能が障害された患者は長期人工呼吸を要する場合も多いが，横隔膜ペーシングが人工呼吸器離脱に有用だったとする症例報告が散見される．今回，横隔膜ペーシングを行った40人の頸髄損傷患者の観察研究[26] が報告された．ペーシングを行った患者は中央値7日で人工呼吸器を離脱し，非ペーシング患者と比べて入院期間が短く，死亡率も低下した．しかし，**リスクを調整して解析すると統計的有意差はなかった．**これは，ペーシングで安静換気は維持できるものの，深呼吸や咳による無気肺の予防や気道内分泌物排泄などの総合的な呼吸機能の獲得には至らなかったことが原因ではないかと考えられる．

▶ 呼吸管理に付随する治療

急性期の早期リハビリテーションの効果が近年注目を集めているが，エビデンスの蓄積はまだ十分とはいえない．今回，単施設の後方視的観察研究ではあるが，COPD急性増悪でICUに入室した患者の早期リハの影響が報告された[27]．多変量解析の結果，早期リハの非施行群に比べて早期リハ群では人工呼吸期間が短縮した．早期リハの効果をRCTで実証するのは，蓄積された昨今の知見を考慮すると倫理的に不可能と考えられるので，このような観察研究の積み重ねが重要と考えられる．

重症患者の栄養管理も重要なトピックスで，論点は投与開始時期・投与量・栄養組成・投与経路など多岐にわたる．必要な栄養の投与不足は避けなければならないが，NPPV中は摂食困難であることが多く，嘔吐を危惧した経口摂取・経管栄養制限が行われることも多い．今回，NPPV患者1,075人で絶食／経管栄養／静脈栄養／経口摂取に群分けして転帰を検討する観察研究[28] が行われた．その結果，**絶食に比べて経管栄養群は28日死亡率が高く，気管挿管率が高く，人工呼吸期間が延長した．絶食は死亡率を増加させなかった．**自ら食事を摂取する場合は，消化管の状態が不良なら食欲が無くなって摂食しないが，強制的に消化管に栄養を注入する経管栄養では，嘔吐や不顕性誤嚥などを増加させていることが原因なのかもしれない．

25) Alraddadi BM, Qushmaq I, Al-Hameed FM et al：Noninvasive ventilation in critically ill patients with the Middle East respiratory syndrome. Influenza Other Respir Viruses 13：382-390, 2019

26) Kerwin AJ, Yorkgitis BK, Ebler DJ et al：Use of diaphragm pacing in the management of acute cervical spinal cord injury. J Trauma Acute Care Surg 85：928-931, 2018

27) Chou W, Lai CC, Cheng KC et al：Effectiveness of early rehabilitation on patients with chronic obstructive lung disease and acute respiratory failure in intensive care units：a case-controlled study. Chron Respir Dis 16, 2019

28) Terzi N, Darmon M, Reignier J et al：Initial nutritional management during noninvasive ventilation and outcomes：a retrospective cohort study. Crit Care 21：293, 2017

I. 集中治療管理

4. 循環管理（ショックを含む）

佐藤直樹
かわぐち心臓呼吸器病院 循環器内科

最近の動向とガイドライン

　日本循環器学会から急性冠症候群ガイドラインが公表された．急性冠症候群の領域も，酸素投与を代表として，今までの常識が覆り見直しが少しずつなされている．新たな心筋梗塞の診断の定義が公表され，心筋障害の概念が提案された．急性心筋梗塞の急性期治療に関しては，door-to-balloon 時間の概念から door-to-unloading 時間という新たな概念が提案され，今後の臨床研究が注目される．心原性ショックの予後は依然として不良であり，改善するための方策が検討される必要がある一方で，臨床研究施行の困難さが相まってその解決は遅々として進まない．しかし，そうした中，多枝病変を伴う急性心筋梗塞に対する冠インターベンションは，ショックを伴わない場合と異なり，責任病変のみの治療のほうが予後良好であったと報告された．また，薬物療法においては，ノルエピネフリンのほうが，エピネフリンより心拍数の増加も少なく，難治性ショックの頻度も少ないことも明らかになった．急性心不全の領域では，ミネラルコルチコイド受容体拮抗薬の利尿増強効果が示され，将来的に日本でも使用可能となるアンジオテンシン・ネプリライシン阻害薬の入院中の導入により，エナラプリルよりも N 末端-pro ナトリウム利尿ペプチドを低下させることが明らかにされている．周術期の領域では，高リスク心臓手術の患者に対して大動脈内バルーンパンピングの有用性が期待されて使用されているが，研究の結果予後や重大合併症の軽減には寄与しないことが示されている．このように，循環器系集中治療領域において，今までエビデンスに乏しく，慣例として行われていた処置治療に関して，少しずつではあるが，エビデンスが構築されてきている．今後も新たな情報に注目していく必要がある．

診断

1. 急性冠症候群（acute coronary syndrome：ACS）

　日本循環器学会　急性冠症候群ガイドライン（2018 年改訂版）が公表された．診断目的で心筋トロポニン測定が推奨され，心筋トロポニンが測定できる条件下では，クレアチンキナーゼ（CK-MB）やミオグロビンは ACS 診断目的では推奨されない（クラスⅢ/No benefit）[1]．2018 年第 4 版心筋梗塞の国際定義が公表され，新たな改訂点として，心筋障害と心筋梗塞を区別し，前者はトロポニン陽性のみで判断し，心筋梗塞は従来の定義のように，トロポニン陽性

1) 日本循環器学会 他：急性冠症候群ガイドライン（2018 年改訂版）.
http://j-circ.or.jp/guideline/pdf/JCS2018_kimura.pdf

に加えて，①心筋虚血症状，②新規心電図虚血性変化，③病的 Q 波出現，④画像による新規生存心筋障害あるいは局所的な壁運動低下，⑤冠動脈血栓の証明，のいずれか一つあれば診断される．また，新たに頻脈性不整脈，ペーシング，心拍数に関連する伝導障害に伴う cardiac memory の考慮，心筋障害の原因検索のための心臓血管系核磁気共鳴検査（MRI）および心筋梗塞診断目的のための冠動脈 CT 検査が有用性であることが新たに言及されている[2]．この新たな定義をみると，かつてクレアチンキナーゼが高くなく，トロポニン陽性を不安定狭心症として扱っていた考え方に回帰するような印象を受ける．梗塞サイズを含む心筋障害の重症度が予後を規定することは過去の多くの研究で明らかであり，それをより明確にするための段階と考えられる．

2．心原性ショック時急性腎障害

心原性ショック時の急性腎障害（acute kidney injury：AKI）を，KDIGO 基準によるステージ分類で予後が異なることを，CardShock 研究のデータを利用して解析した報告がある．尿量よりも血清クレアチニン値を用いた AKI 分類が，強く 90 日予後と関連した．6 時間の血清クレアチニン値上昇 0.3 mg/kg/hr が，予後良好の閾値として有用であることが示された．血清クレアチニン値あるいは尿量による AKI は，静脈うっ血と低灌流を反映する血行動態的変動と関連があり，シスタチン C を指標とした AKI 診断や予後予測は代替法として使用できることも示された[3]．以前より，AKI の定義はいくつか報告されているが，実際の現場でなかなかその分類を利用してリスク層別化の参考とはされていないように思われる．今後，心原性ショックのみならず，急性心不全においても心腎症候群という概念をしっかりと把握して対応していくことが求められ，現時点では血清クレアチニンを利用した評価が最適であることを示している．

◤ 検 査

1．心原性ショックを合併した急性心筋梗塞における血糖値

心原性ショックを合併した急性心筋梗塞に対する大動脈内バルーンパンピング（IABP）の有用性を示せなかった研究である IABP-SHOCK II 試験のサブ解析による，入院時血糖値の臨床的意義を検討した報告がある．入院時の血糖値が中央値の 11.5 mmol/L（207.1 mg/dL）より高値であると，30 日および 1 年予後が有意に不良であり，これは糖尿病の有無にかかわらないことが示された[4]．さまざまな病態において，急性期は高血糖になり，高いほど予後不良であり，急性期から適切な血糖コントロールが求められている．急性心筋梗塞の重症例も例外でないことが示されたと解釈すべきと思われる．

2．急性心筋梗塞の心電図を用いた梗塞サイズ評価と予後

Selvester QRS スコアは Q，R，S 波の幅および形態を指標に，梗塞瘢痕を

2) Thygesen K, Alpert JS, Jaffe AS et al：Fourth universal definition of myocardial infarction（2018）. Eur Heart J 40：237-269, 2019

3) Tarvasmäki T, Haapio M, Mebazaa A et al：Acute kidney injury in cardiogenic shock：definitions, incidence, haemodynamic alterations, and mortality. Eur J Heart Fail 20：572-581, 2018

4) Abdin A, Pöss J, Fuernau G et al：Revision：prognostic impact of baseline glucose levels in acute myocardial infarction complicated by cardiogenic shock—a substudy of the IABP-SHOCK II -trial. Clin Res in Cardiol 107：517-523, 2018

評価するために開発されたが，自動的に心電図から解析ができれば，臨床的に有用である．急性心筋梗塞疑いの2,742例を用いて核医学検査による梗塞サイズとの関係を検討するとともに，救急外来を急性心不全の疑いで受診した1,151例において，コンピューターを用いたQRSスコアと予後の関係を前向きに検討した試験が報告された．その結果，スコアは，核医学検査を用いた梗塞サイズと関連性があることが検証され，その中央値である3以上の群は，総死亡も心血管系再入院も不良であることが示された[5]．今後，このような自動解析による疾患の予後判定に臨床応用される日も近く，心電図を取るだけでリスク層別化情報が表示されるようになるかもしれない．

▶ 小児における超音波ガイドによる内頸静脈確保の有用性

80の小児症例においてランダム化対照比較試験が行われた．超音波ガイドによる穿刺による成功率は95％対61％で，相対リスクは0.64と有意に有効で，さらに，1回の成功率や3回以内の成功率は高く，出血等の合併症も有意に低値であった．小児集中治療において，超音波ガイドによる内頸静脈確保が推奨されることが示された[6]．一般的に超音波ガイド血管確保が実践されているが，小児においても有用であることがランダム化試験で検証された点は評価される．

▶ 治 療

1. 急性冠症候群

①酸素療法

ST上昇型心筋梗塞の疑いで酸素飽和度90％以上の患者を対象として，6 L/minの6～12時間投与を行った群と行わない群にランダムに分けたDETO2X-SWEDEHEART試験が行われた．その結果，酸素投与は予後改善に寄与しないことが示された[7]．他の研究結果も含めて，日本循環器学会の急性冠症候群のガイドライン2018年改訂版では，初期治療時の酸素投与について，酸素飽和度90％以上の患者に対して，ルーチンの酸素投与は推奨されない（クラスⅢ/No benefit），としている[1]．急性疾患は総じて，酸素化が十分な根拠がなく行われた経緯があるが，一方で，過剰酸素が臓器障害をもたらすことも古くから多くの基礎研究で示されている．個々の病態においてどこまでの酸素化が必要かを明確にするような研究が今後求められる．

2. 急性心筋梗塞に伴う心原性ショック

① PCI（percutaneous coronary intervention）

多枝病変を伴う急性心筋梗塞による心原性ショックに対するPCIを，責任冠動脈病変のみに行うのと，多枝病変すべてにおいて行うのといずれが30日予後を改善するかについて，前向きに多施設で検討したランダム化試験が行わ

5) Badertscher P, Strebel I, Honegger U et al：Automatically computed ECG algorithm for the quantification of myocardial scar and the prediction of mortality. Clin Res in Cardiol 107：824-835, 2018

6) de Souza TH, Brandão MB, Santos TM et al：Ultrasound guidance for internal jugular vein cannulation in PICU：a randomised controlled trial. Arch Dis Child 103：952-956, 2018

7) Hofmann R, James SK, Jernberg T et al：Oxygen therapy in suspected acute myocardial infarction. N Engl J Med 377：1240-1249, 2017

れた．総死亡と腎代替療法の複合主要評価項目あるいは総死亡において，責任病変のみの PCI 群が有意に予後良好であることが示された．心原性ショックを伴う急性心筋梗塞に対しては，多枝病変に対する PCI は否定的であることが明らかになった[8]．ただし，ショックを伴わない場合は，多枝病変に対する PCI を行った方がよいとの報告が最近なされていることには注意を要する[9]．患者側からすると，有意な狭窄があれば，できるだけ回数少なく治療を行った方が良いことは言うまでもないことであるし，医療側もできるだけ有意な狭窄を解除した方が予後は良好と思われるが，一方で，侵襲的な介入による血管損傷であったり，出血等の合併症の起こる確率が高くなったりと，必ずしも多枝病変への一度のアプローチが良好というわけでない．最終的には，個々の病態に応じて対応することにあるが，得られたエビデンスをしっかりと把握したうえで対応することが望まれる．

②薬物療法

急性心筋梗塞に伴う心原性ショックに対する昇圧薬に関して，エピネフリン静注とノルエピネフリン静注の有用性に関する前向き二重盲検多施設ランダム化試験が報告されている．対象は，PCI による再灌流療法が成功し，昇圧剤なしで収縮期血圧が 90mm Hg 未満あるいは平均動脈圧が 65 mmHg 未満あるいは低血圧に対して昇圧剤を要する患者で，以下を満たす患者を対象としている．

①昇圧剤や強心薬なしで心係数 2.2 L/min/m² 未満

②肺動脈楔入圧 > 15 mmHg，あるいは心エコーで肺動脈楔入圧が高いことが示されている

③強心薬投与なしで心エコーで左室駆出率 < 40%

④組織低灌流所見を有する

⑤肺動脈カテーテルが挿入されている

主要評価項目は心係数改善，主要安全性項目は難治性ショックの頻度とした．その結果は，エピネフリン群では，ノルエピネフリン群と血圧や心係数上昇に関しては有意差を認めなかったが，投与初期の心拍数増加とそれに伴うダブルプロダクト上昇と難治性ショック頻度は有意に多いという結果であった．両薬剤の投与量であるが，平均動脈圧 65〜70 mmHg を目標として，原則 0.02 μg/kg/min ずつ増量を行った．その結果，平均動脈圧 70 mmHg に達成するために，エピネフリンは 0.7 ± 0.5 μg/kg/min，ノルエピネフリンは 0.6 ± 0.7 μg/kg/min であった[10]．この結果からは，急性心筋梗塞に伴う心原性ショックに対しては，ノルエピネフリン静注の方が良いことが示唆されている．心原性ショックを含むショックの場合の昇圧に関しては，ドパミンよりノルエピネフリンのほうが推奨されているが，急性心筋梗塞に伴う心原性ショックに対して前向きに検討した意義は大きく，このエビデンスを踏まえて日常臨床にあたるべきと考える．

8) Thiele H, Akin I, Sandri M et al：PCI strategies in patients with acute myocardial infarction and cardiogenic shock. N Engl J Med 377：2419-2432, 2017

9) Mehta SR, Wood DA, Storey RF et al：Complete revascularization with multivessel PCI for myocardial infarction. N Engl J Med 381：1411-1421, 2019

10) Levy B, Clere-Jehl R, Legras A et al：Epinephrine versus norepinephrine for cardiogenic shock after acute myocardial infarction. J Am Coll Cardiol 72：173-182, 2018

③低体温療法

体温が1℃低下するごとに全身の代謝が5～7%低下することが知られていることから，急性心筋梗塞に伴う心原性ショックにおいて血行動態的な有用性が期待できる可能性がある．このような背景を踏まえて，急性心筋梗塞に伴う心原性ショック患者を対象に，軽度低体温療法（33℃×24時間）を行った群と行わなかった群で，24時間のcardiac power index（CPI）に対する有用性を検証した．結果は，軽度低体温によるCPIに関する有用性は認められず，予後も同等であった[11]．従って，本研究からは急性心筋梗塞に伴う心原性ショック例に対する軽度低体温療法の血行動態的有用性は示されなかった．低体温療法によって一時的に血行動態が改善したとしても，心筋梗塞によるショック病態は数日で改善するものではなく，梗塞巣の安定化を促進するなど病変に対する有益性が得られないと，その有用性は見いだせないかのではないかと考える．

④補助循環用ポンプカテーテルによる左室負荷軽減

動物実験において，30分間の左室負荷軽減ののちの再灌流は，心保護サイトカインを抑制するstromal-derived factor-1αを抑制し，心筋梗塞サイズを縮小できることが示されている[12]．この結果を踏まえて，DTU-STEMI pilot studyは，補助循環用ポンプカテーテル（Impella®）による左室負荷軽減により，再灌流障害を抑制し梗塞サイズ減少をもたらすことができるかを検証するために行われたパイロット研究である．その結果，再灌流前の30分間の左室負荷軽減は，左室梗塞サイズを抑制はできなかったが，特に問題となる有害事象もなく，今後大規模試験を行う妥当性を示唆した[13]．このような新たな急性心筋梗塞に対するアプローチが実際に有用であることが検証されると，急性心筋梗塞治療のパラダイムシフトが起こると考えられ，非常に興味深い．

▶ ショックに対する対応のレジデント教育

ショックに対する対応は，状況によってはレジデントも関わることが多いが，その技術の習得は研修施設によって差があると思われる．このような状況において，e-learningシステムであるShock-instructor systemが構築された．症例ベースとガイドラインに基づく知識ベースの，2つの構成を基本としたシステムである．これを用いたトレーニングをすることで，救急外来や集中治療室レジデントのショックに対する対応を学ぶ時間が短縮することが示された[14]．今後，人工知能を利用した教育システムも医療の領域に導入されてくると思われるが，集中治療領域の対応は，現場の状況に応じた臨機応変さも求められるために，いつの時代も現場教育の重要性は変わらないと考える．

11) Fuernau G, Beck J, Desch S et al：Mild hypothermia in cardiogenic shock complicating myocardial infarction. Randomized SHOCK-COOL trial. Circulation 139：448-457, 2019

12) Esposito ML, Zhang Y, Qiao X et al：Left ventricular unloading before reperfusion promotes functional recovery after acute myocardial infarction. J Am Coll Cardiol 72：501-514, 2018

13) Kapur NK, Alkhouli MA, DeMartini TJ et al：Unloading the left ventricle before reperfusion in patients with anterior stsegment-elevation myocardial infarction. a pilot study using the impella cp. Circulation 139：337-346, 2019

14) Riaño D, Real F, Alonso JR et al：Improving resident's skills in the management of circulatory shock with a knowledge-based e-learning tool. Int J Med Inform 113：49-55, 2018

急性心不全

1. 急性心不全におけるミネラルコルチコイド受容体拮抗薬の有用性

ATHENA-HF 試験は，左室駆出率が低下（mid-range 含む）した急性心不全患者 360 名を対象として，高用量スピロノラクトン 100 mg とプラセボあるいはスピロノラクトン 25 mg を 96 時間投与し，N 末端 -pro ナトリウム利尿ペプチド（NT-proBNP）の変化を主要評価項目，臨床的うっ血スコア，呼吸困難，尿量，体重変化を副評価項目，高カリウム血症と腎機能変化を安全性評価項目として行われた．結果は，いずれも両群間で有意差を認めず，急性心不全における高用量スピロノラクトンの有用性は示されなかった[15]．しかし，実臨床の中で，高用量スピロノラクトンにより利尿が付き，改善を示す症例を経験する．このようなことから，さらに，スピロノラクトンの利尿についてのもうひとつの研究が行われた．急性心不全において，左室駆出率が低下していて利尿薬抵抗性となりうる心腎症候群のリスクが高い患者に対するミネラルコルチコイド受容体拮抗薬であるスピロノラクトンを，ループ利尿薬と併用で早期に使用した場合と退院前に使用した場合において，低カリウム血症，高カリウム治療の頻度を主要評価項目，ナトリウム利尿や 30 日予後について検討した DIURESIS-CHF 試験である．結果は，早期からスピロノラクトンを使用したほうが低カリウム血症の頻度は少なく，ナトリウム利尿も付きやすく，さらに高カリウム血症の頻度は多くないことが明らかにされた．しかし，30 日予後については有意差を認めなかった[16]．以上より，急性心不全におけるスピロノラクトンは，利尿抵抗性リスクの高い患者において利尿を図るという目的で使用する意義はあり，しかも安全性には問題がない．ただし，予後改善には結びつかないことが示唆された．

2. アンジオテンシン・ネプリライシン阻害の有用性

サクビトリル・バルサルタン合剤は，左室駆出率が低下した慢性心不全患者を対象に海外で行われた PARADIGM-HF 試験[17] によりエナラプリルよりも予後改善効果を示すことが明らかにされたが，日本でも同様な傾向がみられるかどうかについての検証が PARALLEL-HF 試験[18] として行われた．その結果を踏まえて，2020 年には使用可能となる予定であり，この薬剤を日本の心不全診療においてどのように使用するかが注目される．この薬剤の導入に関して，急性心不全に対しての研究が公表された．左室駆出率が低下した急性非代償性心不全を対象として，血行動態安定化した後に，サクビトリル・バルサルタン投与群とエナラプリル投与群にランダムに割り付けた試験である PIONEER-HF 試験が行われた．主要評価項目は，NT-proBNP 変化と安全性評価として腎機能悪化，高カリウム血症，症候性低血圧，血管性浮腫が調べられた．その結果，サクビトリル・バルサルタンは有意に NT-proBNP を低下さ

---

15) Butler J, Anstrom KJ, Felker GM et al：Efficacy and safety of spironolactone in acute heart failure：the ATHENA-HF randomized clinical trial. JAMA Cardiol 2：950-958, 2017

16) Verbrugge FH, Martens P, Ameloot K et al：Spironolactone to increase natriuresis in congestive heart failure with cardiorenal syndrome. Acta Cardiol 74：100-107, 2019

17) McMurray JJV, Packer M, Desai AS et al：Angiotensin-neprilysin inhibition versus enalapril in heart failure. N Engl J Med 371：993-1004, 2014

18) Tsutsui H, Momomura SI, Saito Y et al：Angiotensin receptor neprilysin inhibitor in japanese patients with heart failure and reduced ejection fraction –baseline characteristics and treatment of PARALLEL-HF Trial. Circ J 82：2575-2583, 2018

せ，安全性に差を認めなかった[19]．左室駆出率が低下した心不全患者の予後改善を目的として，レニン・アンジオテンシン系抑制薬とβ遮断薬は標準治療薬として導入される．これらの薬剤導入は，急性心不全で新規入院した患者には入院中に導入が開始されることが通常である．本新規薬剤を急性心不全で入院した患者にどのように導入し，どのような有益性があるのかを明らかにすることは重要であり，そのような観点からも参考にすべき試験である．

3. 急性心不全を合併した感染性心内膜炎の初期対応

急性心不全を合併した感染性心内膜炎（infective endocarditis：IE）は，そうでない IE に比して予後不良であることが知られており，早期の外科的対応が望ましいとされている．日本循環器学会の感染性心内膜炎の予防と治療に関するガイドラインによれば，NYHA 分類Ⅲ〜Ⅳ度の高度うっ血性心不全や心原性ショックを発症している場合は，内科治療のみを継続した場合の死亡率が高いため緊急外科治療の適応となるが，NYHA 分類Ⅰ〜Ⅱ度と軽度でかつ塞栓症のリスクが高くない場合は，手術適応については慎重に検討する，と記載されている[20]．

しかし，実際の臨床の場で，緊急外科治療を行った場合の予後も明確でない．このような背景を踏まえて，後ろ向きであるが，日本における活動性 IE に対する外科的，内科的対応と予後との関連性が調べられた．その結果，診断から3日以内に手術を行ったほうが予後良好であり，それ以降の場合は，待機的に手術を施行した方が予後良好であった．また，大動脈弁性 IE は外科的対応のほうが予後良好であり，僧帽弁に関しては内科的治療と予後に関する有意差は認めなかった．原因菌としては，黄色ブドウ球菌による IE は，教科書的にいわれているように緊急手術になるリスクが高いことが示された[21]．手術に関する対応は個々の国により差があり，日本におけるこのような研究結果は実診療において極めて重要であり，IE に対応する際の参考とすべき報告である．

▶ 高リスク心臓手術の際の 大動脈内バルーンパンピング使用

EuroSCORE 6点を超える，あるいは左室駆出率が40％未満の冠動脈バイパス術（CABG）および CABG を含む複合術の患者を対象とし，30日予後および重大合併症（心原性ショック，脳卒中，急性腎障害，縦隔炎，呼吸器管理遷延，再手術）を主目的として，IABP の有用性を検証する単施設ランダム化試験が行われた．その結果，周術期における IABP は予後および重大合併症の軽減には寄与しないことが示唆された[22]．高リスクの心臓手術患者に対して，IABP は，その作用機序を考え，導入することで安心できるため，使用していた状況がある．こうした中で，この研究はランダム化して施行されており，臨

19) Velazquez EJ, Morrow DA, DeVore AD et al：Angiotensin-neprilysin inhibition in acute decompensated heart failure. N Engl J Med 380：539-548, 2019

20) 日本循環器学会 他：感染性心内膜炎の予防と治療に関するガイドライン（2017年改訂版）
http://j-circ.or.jp/guideline/pdf/JCS2017_nakatani_h.pdf

21) Matsuura R, Yoshioka D, Toda K et al：Effect of the initial strategy for active endocarditis complicated with acute heart failure. Circ J 82：2896-2904, 2018

22) Rocha Ferreira GS, de Almeida JP, Landoni G et al：Effect of a perioperative intra-aortic balloon pump in high-risk cardiac surgery patients：a randomized clinical trial. Crit Care Med 46：e742-e750, 2018

床において参考にするべきである.

新規生体弁置換の有用性

　ウシ心嚢膜を利用した生体弁の有用性は多くの研究で示され，すでに本邦でも利用されている．この弁を用いた大動脈弁置換の2年の経過観察結果が公表された．弁置換後の2年間の生存率は，大動脈弁置換のみの場合は95.3％，弁置換に加えて冠動脈バイパス術等の他の手術を行ったすべての患者の2年予後は94.3％と良好であることが示された[23]．近年，経皮的に大動脈弁置換が行われるようになり，最近の報告では，2年予後は75％であり[24]，ドイツの疫学研究によると5年予後は59.1％であった[25]．今後，弁の質の向上に伴う外科的な弁置換と経皮的弁置換の長期予後の比較を明確にしていく必要がある．

23) Puskas JD, Bavaria JE, Svensson LG et al：The COMMENCE trial：2-year outcomes with an aortic bioprosthesis with RESILIA tissue. Eur J Cardiothorac Surg 52：432-439, 2017
24) Chakos A, Wilson-Smith A, Arora S et al：Long term outcomes of transcatheter aortic valve implantation（TAVI）：a systematic review of 5-year survival and beyond. Ann Cardiothorac Surg 6：432-443, 2017
25) Zahn R, Werner N, Gerckens U et al：Five-year follow-up after transcatheter aortic valve implantation for symptomatic aortic stenosis. Heart 103：1970-1976, 2017

I. 集中治療管理

5. 心臓・大血管術後管理関連

垣花泰之
鹿児島大学大学院医歯学総合研究科 救急・集中治療医学分野

最近の動向とガイドライン

　本年度は，脳梗塞やせん妄予防に平均動脈圧が重要であることが改めて示され，心臓手術ERAS（術後回復強化）プラクティスの専門家コンセンサスとして，目標指向型管理法（GDT）がclass Iとして推奨された．高齢化を反映して，せん妄，認知機能障害に関する論文が多数報告され，本年度はフレイルに関しても大きく取り上げられている．新たな治療戦略として，一酸化窒素（NO）とビタミンCが報告され，特に急性腎障害（AKI）の保護作用が注目を集めている．輸血療法に関しては，輸血量に伴い予後悪化が示され，輸血制限治療戦略の非劣勢が示されたが，ICU入室時のHt高値群が予後良好に関連するという一見異なった結果が報告されており，今後の展開が楽しみである．

循環・呼吸管理

　近年，循環パラメータに目標値（治療エンドポイント）を設定し，その達成による患者の予後改善を目指す目標指向型管理法〔goal-directed（fluid）therapy：GDT〕が注目されてきた．Johnstonら[1]は，心臓手術を行った症例（$n = 1,979$）を対象に観察研究を行い，術後にGDT（心係数＞2.5 L/min/m^2，平均血圧＞65 mmHg）を導入すると，急性腎障害（AKI）の発生頻度がオッズ比で37％減少した〔調整オッズ比（aOR）：0.63，95％信頼区間（CI）：0.43〜0.90〕と報告している．Enhanced Recovery After Surgery（ERAS：術後回復強化）Societyは，心臓手術患者の周術期ケアに関して，エビデンスを基に心臓手術ERASプラクティスの専門家コンセンサスを報告しているが，その中でGDTは強い推奨（class I，level B-R）となっている[2]．Sunら[3]は，心臓手術患者の観察研究（$n = 7,457$）から，CPB中の平均動脈圧＜65 mmHgは脳梗塞の独立したリスク因子（aOR：1.13，95％ CI：平均動脈圧55〜64 mmHgでは10分ごとに1.05〜1.21）であり，心臓手術患者の脳梗塞発症を減少させるには，平均動脈圧管理が極めて重要であると述べている．Brownら[4]は，55歳以上の人口心肺（CPB）導入症例（$n = 199$）に対するRCTを行い，脳の自己調節能モニタリング（近赤外線分光法によるrSO$_2$の変

1) Johnston LE, Thiele RH, Hawkins RB et al：Goal-directed resuscitation following cardiac surgery reduces acute kidney injury：a quality initiative pre-post analysis. J Thorac Cardiovasc Surg, 2019 May 17〔Online ahead of print〕
2) Engelman DT, Ben Ali W, Williams JB et al：Guidelines for perioperative care in cardiac surgery：enhanced recovery after surgery society recommendations. JAMA Surg 154：755-766, 2019
3) Sun LY, Chung AM, Farkouh ME et al：Defining an intraoperative hypotension threshold in association with stroke in cardiac surgery. Anesthesiology 129：440-447, 2018
4) Brown CH 4th, Neufeld KJ, Tian J et al：Effect of Targeting Mean Arterial Pressure During Cardiopulmonary Bypass by Monitoring Cerebral Autoregulation on Postsurgical Delirium Among Older Patients：A Nested Randomized Clinical Trial. JAMA Surg, 2019 May 22〔Online ahead of print〕

化）を用いた平均動脈圧管理を行うことで術後せん妄発生が45％減少したと報告している（OR：0.55, 95％CI：0.31〜0.97, p = 0.04）．Gershengornら[5]は，冠動脈バイパス術（CABG）症例（n = 142,225）を対象に，夜間抜管の影響に関して後ろ向き観察研究を行い，全体の半分近く（42.2％）が夜間抜管であり，病院30日死亡率に関しては日中抜管と有意差を認めなかったが，人工呼吸管理6〜8時間での夜間抜管は，再挿管の頻度を有意に上昇させ（日中抜管1.7％ vs. 夜間抜管2.2％，OR：1.27, 95％CI：1.04〜1.56），ICU滞在日数も延長することが示された．一方，人工呼吸管理が15〜17時間（OR：0.70, 95％CI：0.50〜0.97）および18〜20時間（OR：0.39, 95％CI：0.21〜0.72）の夜間抜管は，再挿管の頻度を低下させ，9〜20時間の夜間抜管は，ICU滞在日数を有意に減少させることが示された．

　本年度の心臓手術の周術期に関するレビューをまとめると，GDTの重要性がERASで推奨され，脳梗塞やせん妄予防には，平均動脈圧の維持の重要性が改めて示された．再挿管リスクを軽減するには，夜間抜管に関してはICU入室9時間以降が良さそうである．

▶ せん妄・認知機能障害・フレイル

　Kotfisら[6]は，60歳以上の心臓手術症例（n = 1,797）の後ろ向き観察研究を行い，年齢，低駆出率，糖尿病，動脈疾患，術後心房細動，肺炎，クレアチニン上昇，入院期間の延長がせん妄発症の独立危険因子であり，せん妄発症により入院およびICU滞在期間が長くなり，挿管時間も長くなるが，早期死亡率には有意な関係はなかったと報告している．Brownら[7]は，心臓手術症例（n = 142）を検討し，53.5％の症例に術後せん妄が発症し，せん妄発症1ヵ月後の複合認知Zスコアは有意に低下するが（p = 0.02），1年後にはほぼ有意差はみられなかったと報告している．Subramaniamら[8]は，心臓手術を行った60歳以上の症例（n = 121）に対しRCTで検討したところ，デクスメデトミジン対プロポフォールは，せん妄発症率には有意差を認めないが，アセトアミノフェン対プラセボでは，せん妄発症率を有意に低下させ（10％ vs. 28％，p = 0.01），せん妄の持続時間，ICU滞在時間，疼痛レスキューのモルヒネ量に関しても有意差を認めており，高齢患者の院内せん妄症予防に関しては，アセトアミノフェン＋プロポフォールまたはデクスメデトミジンの併用が有効であると報告している．Nomuraら[9]は，術前にフレイル評価を行った心臓手術症例133名（年齢70前後）を検討し，プレフレイル症例（OR：6.43, 95％CI：1.31〜31.64, p = 0.02）とフレイル症例（OR：6.31, 95％CI：1.18〜33.74, p = 0.03）のせん妄発症率が有意に高く，フレイル症例においてのみ1ヵ月後の認知機能低下に有意な低下が認められたが，1年後の低下は認められなかったと報告している．Tranら[10]は，カナダ19病院のCABGレジストリ

5) Gershengorn HB, Wunsch H, Hua M et al：Association of overnight extubation with outcomes after cardiac surgery in the intensive care unit. Ann Thorac Surg 108：432-442, 2019

6) Kotfis K, Szylińska A, Listewnik M et al：Early delirium after cardiac surgery：an analysis of incidence and risk factors in elderly (≥65 years) and very elderly (≥80 years) patients. Clin Interv Aging 13：1061-1070, 2018

7) Brown CH 4th, Probert J, Healy R et al：Cognitive decline after delirium in patients undergoing cardiac surgery. Anesthesiology 129：406-416, 2018

8) Subramaniam B, Shankar P, Shaefi S et al：Effect of intravenous acetaminophen vs placebo combined with propofol or dexmedetomidine on postoperative delirium among older patients following cardiac surgery：the DEXACET randomized clinical trial. JAMA 321：686-696, 2019

9) Nomura Y, Nakano M, Bush B et al：Observational study examining the association of baseline frailty and postcardiac surgery delirium and cognitive change. Anesth Analg 129：507-514, 2019

10) Tran DTT, Tu JV, Dupuis JY et al：Association of frailty and long-term survival in patients undergoing coronary artery bypass grafting. J Am Heart Assoc 7：e009882, 2018

データ（$n = 40,083$）を用いて後ろ向き観察研究を行い，22%がフレイルであり，フレイル症例は長期死亡のリスク増加と関連していた（調整ハザード比：1.20，95% CI：1.12〜1.28）と報告している．さらに，40〜74歳のフレイル患者は85歳以上の患者よりも生存率の差が大きかったことから，75歳未満の症例ではフレイルを回避するため，心臓リハビリテーション，栄養強化，心理社会的サポートなどの包括的な術前最適化プログラムが必要であり，手術適応患者の選択に関しては，より包括的な術前リスク層別化モデルが必要であると述べている．Hiraokaら[11]は，大動脈弓部置換術が行われた113症例を評価したところ，フレイルの低リスク群 vs. 高リスク群の合併症の割合は，歩行補助（11.5% vs. 47.1%，$p = 0.001$），嚥下障害（13.5% vs. 41.2%，$p = 0.012$），退院なし（13.5% vs. 47.1%，$p = 0.003$）であり，3年生存率に関しても高リスク群で有意な減少が示されていた（96.2% vs. 33.9%，$p < 0.001$）．以上の結果から，著者らは大動脈弓部置換術の中期死亡率のリスク層別化は，フレイルに関連したスコアで達成できると報告している．

せん妄・認知機能障害・フレイルに関するレビューをまとめると，心臓手術後のせん妄発症は，挿管時間，入院およびICU滞在期間を長くし，認知機能も低下させることからせん妄対策は重要であり，アセトアミノフェン＋プロポフォールまたはデクスメデトミジンの併用は有効なのかもしれない．また，高齢者に対して高リスク手術が行われるようになってきているが，手術適応患者の選択に関しては，単に年齢だけで決めるのではなく，フレイルに関連した包括的な評価が必要なのかもしれない．

▶ 一酸化窒素の臓器保護効果

Kamenshchikovら[12]は，心筋の虚血再灌流障害に対する一酸化窒素（NO）の心筋保護作用を解明するため，CPB下にCABGを行った症例（$n = 60$）を対象にRCTを行ったところ，コントロール群と比較してNO群で心特異的血液マーカーであるトロポニンI値（$p = 0.001$），CK-MB値（$p = 0.001$）や，カテコラミンインデックス（vasoactive inotropic score：VIS）は有意に低かったことから，CABG中のNO投与は，心筋保護効果を発揮すると報告している．一方，Sardoら[13]は，心臓手術におけるNO投与の有効性と安全性を検討するため，18のRCT（$n = 958$）のメタ解析を行い，NO治療群のICU滞在期間（$p = 0.005$），人工呼吸管理期間（$p = 0.002$）は有意に短縮されたが，予後に関して効果を認めず，NOの主要な臨床結果および費用対効果を評価するには，大規模なRCTが必要であると述べている．Leiら[14]は，長時間のCPB下に心臓手術が行われた症例（$n = 244$）を対象に検討したところ，術後AKIはNO群で有意に低下し（相対リスク：0.78，95% CI：0.62〜0.97，$p = 0.014$），30日，90日，1年後のAKI，ステージ3慢性腎臓病への移行，

11) Hiraoka A, Saito K, Chikazawa G et al：Modified predictive score based on frailty for mid-term outcomes in open total aortic arch surgery. Eur J Cardiothorac Surg 54：42-47, 2018

12) Kamenshchikov NO, Mandel IA, Podoksenov YK et al：Nitric oxide provides myocardial protection when added to the cardiopulmonary bypass circuit during cardiac surgery：randomized trial. J Thorac Cardiovasc Surg 157：2328-2336.e1, 2019

13) Sardo S, Osawa EA, Finco G et al：Nitric oxide in cardiac surgery：a meta-analysis of randomized controlled trials. J Cardiothorac Vasc Anesth 32：2512-2519, 2018

14) Lei C, Berra L, Rezoagli E et al：Nitric oxide decreases acute kidney injury and stage 3 chronic kidney disease after cardiac surgery. Am J Respir Crit Care Med 198：1279-1287, 2018

および主要な腎臓有害事象の発生率も減少したと報告している．Hu ら[15] は，これまで報告された 54 の研究の中で適合した 5 研究（$n = 579$）を抽出しメタ解析を行ったところ，NO は AKI のリスクを低下させるが〔リスク比（RR）：0.76，95% CI：0.62〜0.93，$I^2 = 0\%$〕，CPB 終了時に NO を開始しても AKI のリスクは減少しないため，NO 投与の量，タイミング，および投与期間を適切に決定する必要があると述べている．Spina ら[16] は，溶血が心臓手術後の AKI の発生と密接に関連し，NO ガスの投与が術後の AKI を大幅に減少させるメカニズムに関してレビューしているので一読していただきたい．

本年度の CPB 併用下の心臓手術に関する論文には，NO の臓器保護効果，特に腎保護作用が多く報告されていた．溶血が心臓手術後の AKI 発症と密接に関連していることを理解すると，NO がなぜ AKI のリスク減少につながるのかがよくわかる．

ビタミン C の臓器保護効果

Hill ら[17] は，CPB 下に心臓手術を行った症例（$n = 56$）の前向き観察研究を行い，術前にビタミン C 欠乏症例が全体の 56% 存在しており，ビタミン E に関しての欠乏例はなかったが，手術後にはビタミン C（$p < 0.0001$）もビタミン E（$p = 0.0002$）も大幅に減少することが示された．しかし，周術期にビタミン C 値が 50% 以上減少した症例を詳細に検討したところ，酸化ストレスや臓器機能不全の関連性は認めなかったと報告している．Emadi ら[18] は，心臓再灌流障害に対する高用量ビタミン C の効果を評価するため，CABG 症例（$n = 50$）を対象に二重盲検 RCT を行ったところ，ビタミン C 投与による心臓バイオマーカーの有意な変化は認めなかったが，術後 72 時間の心室機能（駆出率）を大幅に改善し，ICU 滞在期間を短縮したと報告している．

Putzu ら[19] は，臨床転帰に関するビタミン C の効果について検討するため，重症例の RCT16 件（$n = 2,857$）と心臓手術例の RCT28 件（$n = 3,598$）のメタ解析による系統的レビューを行ったところ，重症例に対するビタミン C 投与は死亡率，急性腎障害，ICU 滞在日数，入院期間に影響を及ぼさなかったが，心臓手術例に対するビタミン C 投与は，術後心房細動（POAF）の減少（$p < 0.0001$），ICU 滞在日数の短縮（$p = 0.0003$），入院期間の短縮（$p = 0.002$）を認めたと報告している．しかし，今回のエビデンスの質と量は確固たる結論を引き出すには不十分であり，さらなる研究が必要だと述べている．Shi ら[20] は，心臓手術後の患者の POAF の予防に対するビタミン C 補充の効果を評価するため，これまで報告された 13 件の RCT（$n = 1,956$）の系統的レビューとメタ解析を行ったところ，ビタミン C 補充は POAF の発生率を有意に低下させ（$p = 0.002$），ICU 滞在期間（$p = 0.023$）や病院滞在期間（$p = 0.007$）を短縮し，有害事象のリスク（RR：0.45，95% CI：0.21〜0.96，$p =$

15) Hu J, Spina S, Zadek F et al：Effect of nitric oxide on postoperative acute kidney injury in patients who underwent cardiopulmonary bypass：a systematic review and meta-analysis with trial sequential analysis. Ann Intensive Care 9：129, 2019

16) Spina S, Lei C, Pinciroli R et al：Hemolysis and kidney injury in cardiac surgery：the protective role of nitric oxide therapy. Semin Nephrol 39：484-495, 2019

17) Hill A, Borgs C, Fitzner C et al：Perioperative vitamin C and E levels in cardiac surgery patients and their clinical significance. Nutrients 11：2157, 2019

18) Emadi N, Nemati MH, Ghorbani M et al：The effect of high-dose vitamin C on biochemical markers of myocardial injury in coronary artery bypass surgery. Braz J Cardiovasc Surg 34：517-524, 2019

19) Putzu A, Daems AM, Lopez-Delgado JC et al：The effect of vitamin C on clinical outcome in critically ill patients：a systematic review with meta-analysis of randomized controlled trials. Crit Care Med 47：774-783, 2019

20) Shi R, Li ZH, Chen D et al：Sole and combined vitamin C supplementation can prevent postoperative atrial fibrillation after cardiac surgery：a systematic review and meta-analysis of randomized controlled trials. Clin Cardiol 41：871-878, 2018

0.039）を有意に低下させることが示されたことから，著者らはPOAFの予防のために心臓手術を受ける患者にビタミンC補充が推奨されるべきであると述べている．Hemiläら[21]は，ビタミンCがICU滞在期間と人工呼吸器の使用期間に影響を及ぼすのかを評価するため，これまで報告された12件の研究（$n = 1,766$）のメタ解析を行い，ビタミンCによりICU滞在期間が平均7.8%短縮（$p = 0.00003$）し，人工呼吸器の使用期間も18.2%短縮（$p = 0.001$）したと報告している．

　本年度はビタミンCに関する論文が散見され，心臓手術症例に関しては術後心房細動の発症を抑え，ICU滞在や病院滞在期間の有意な短縮が認められており，費用対効果やリスク・ベネフィットを考えても，心臓手術症例に対するビタミンC投与は今後注目を集めそうである．

▶ 出血のモニタリングと輸血療法

　心臓・大血管術後の臓器不全の発症・進行防止に関して，術後出血は大きな問題である．Ichikawaら[22]は，心臓手術における出血や輸血の要件，および術後の主要な合併症に関して，Thromboelastometry（ROTEM®）の有用性をCPB下の心臓手術症例（$n = 68$）を対象に検討したところ，ROTEM®群では，出血量の有意な減少（369.5 ± 261.6 vs. 706.4 ± 444.0 mL，$p < 0.001$）と赤血球（30.8 vs. 62.3%，$p < 0.001$）や新鮮凍結血症（25.0 vs. 56.5，$p < 0.001$）の必要量の低下だけでなく，術後入院期間の有意な短縮（$p = 0.002$）が認められたと報告している．Azarfarinら[23]は，抗血小板薬投与中の心臓術後出血に対するROTEM®の有用性を検討するため，クロピドグレル投与中の緊急CABGを行った症例（$n = 60$）を対象に検討したところ，ROTEM®パラメータの血餅強度を計測するMCF（maximum clot firmness）が50 mm未満の患者では，ICU入室後6，12，24時間における胸腔ドレーンの排液および血液製剤輸血の必要性が有意に高く，MCF以外のパラメータに関しても出血傾向を検出することができたことが示された．以上の結果から，著者らは血小板凝集測定が利用できない場合において，ROTEM®は抗血小板薬投与患者の緊急CABG後の出血リスクを予測するのに役立つと結論している．Haensigら[24]は，重大な術後出血（> 200 mL/hr）を呈した144人の患者を対象にROTEM®で評価し治療を行った群（ROTEM®群）とコントロール群で評価したところ，24時間の胸腔ドレーンからの出血はROTEM®群で少ない傾向がみられ（$p = 0.066$），びまん性凝固障害リスクとなる長時間（> 115 min）CPB症例（$n = 55$）のサブ解析では，胸腔ドレーンからの出血はROTEM®群で有意に低下し（ROTEM®群：1,538.2 ± 806.4 mL vs. コントロール群：2,056.8 ± 974.5 mL，$p = 0.032$），5年死亡率も有意な低下（ROTEM®群：0% vs. コントロール群：15%，$p = 0.03$）が認められたと報告している．Mazer

21）Hemilä H, Chalker E：Vitamin C can shorten the length of stay in the ICU：a meta-analysis. Nutrients 11：708, 2019

22）Ichikawa J, Marubuchi T, Nishiyama K et al：Introduction of thromboelastometry-guided administration of fresh-frozen plasma is associated with decreased allogeneic blood transfusions and post-operative blood loss in cardiopulmonary-bypass surgery. Blood Transfus 16：244-252, 2018

23）Azarfarin R, Noohi F, Kiavar M et al：Relationship between maximum clot firmness in ROTEM® and postoperative bleeding after coronary artery bypass graft surgery in patients using clopidogrel. Ann Card Anaesth 21：175-180, 2018

24）Haensig M, Kempfert J, Kempfert PM et al：Thrombelastometry guided blood-component therapy after cardiac surgery：a randomized study. BMC Anesthesiol 19：201, 2019

ら[25]は，心臓手術症例（$n = 5,243$）を対象に，Hb 値が＜7.5 g で輸血を開始する群（制限輸血群）と＜9.5 g で輸血を開始する群（寛容輸血群）に無作為に割り当て試験を行ったところ，死亡率は制限輸血群で 3.0 ％，寛容輸血群で 3.6 ％（OR：0.85，95 ％ CI：0.62〜1.16）であった．さらに，Mazer ら[26]は，上記症例の手術後 6 ヵ月までの検討から，死亡率は制限輸血群で 6.2 ％，寛容輸血群で 6.4 ％であり（OR：0.95，95 ％ CI：0.75〜1.21），心臓手術患者における赤血球輸血の制限的戦略の非劣勢が示されたと報告している．Garg ら[27]は，心臓手術症例（$n = 4,531$）を対象に，Hb 値が＜7.5 g/dL で輸血を開始する群（制限輸血群）と＜9.5 g/dL で輸血を開始する群（寛容輸血群）に無作為に割り当て試験を行ったところ，AKI 発症は，制限輸血群で 27.7 ％，寛容輸血群で 27.9 ％，慢性腎臓病患者の AKI 発症は，制限輸血群で 33.6 ％，寛容輸血群で 32.5 ％であったため，心臓手術症例において赤血球輸血の制限的戦略は，AKI のリスクを高めることはないと述べている．Merchant ら[28]は，経カテーテル大動脈弁置換術を受けている 116 人の患者を対象とした単一施設の後ろ向きコホート研究を行ったところ，赤血球輸血（$p = 0.01$）や，変力作用薬および昇圧薬の使用（$p = 0.01$）は，経カテーテル大動脈弁置換術後の急性腎障害と独立して関連することを報告している．Ming ら[29]は，輸血が心臓手術後の死亡および感染のリスク増加と関連しているかどうかを確認するため，心臓手術症例（$n = 8,238$）を対象に検討したところ，死亡率に関しては赤血球（OR：1.18，95 ％ CI：1.14〜1.22），新鮮凍結血漿（OR：1.24，95 ％ CI：1.18〜1.30），血小板（OR：1.12，95 ％ CI：1.07〜1.18）であり，それぞれの輸血は死亡率の増加と独立して関連しており，さらに感染症発生率の用量依存的増加とも関連していたことから，赤血球，新鮮凍結血漿，血小板の輸血は，心臓手術後の有害転帰（死亡および感染）の独立した危険因子であると結論している．Tsukinaga ら[30]は，心臓血管術後に 72 時間以上人工呼吸管理を必要とした 172 名を対象に，単一施設後ろ向きコホート研究を行ったところ，ICU 入室時のヘマトクリット（Ht）値の高い群は，長期死亡率の低下と有意に関連しており〔ハザード比（HR）：0.40，95 ％ CI：0.20〜0.80，$p = 0.0095$〕，一方，ICU 入院時の Ht 値の低下は長期死亡率増加の危険因子を示したことから，心臓血管手術後に人工呼吸管理を必要とする患者においては，Ht 値の上昇は，輸血のリスクを上回る可能性があると結論している．

　本年度の心臓手術の出血および輸血に関するレビューをまとめると，ROTEM®に関する論文が散見され，ROTEM®はこれまで抗血小板薬の効果を検出する能力は低いと言われていたが，今回の報告から新しい展開をみせるのか楽しみである．輸血療法に関しては，輸血量が予後や感染症の増悪因子であるという報告だけでなく，入室時の Ht 値の高い群が予後良好という新たな報告もされており，今後の大規模な研究結果に期待したい．

25) Mazer CD, Whitlock RP, Fergusson DA et al：Restrictive or liberal red-cell transfusion for cardiac surgery. N Engl J Med 377：2133-2144, 2017

26) Mazer CD, Whitlock RP, Fergusson DA et al：Six-month outcomes after restrictive or liberal transfusion for cardiac surgery. N Engl J Med 379：1224-1233, 2018

27) Garg AX, Badner N, Bagshaw SM et al：Safety of a restrictive versus liberal approach to red blood cell transfusion on the outcome of AKI in patients undergoing cardiac surgery：a randomized clinical trial. J Am Soc Nephrol 30：1294-1304, 2019

28) Merchant AM, Neyra JA, Minhajuddin A et al：Packed red blood cell transfusion associates with acute kidney injury after transcatheter aortic valve replacement. BMC Anesthesiol 19：99, 2019

29) Ming Y, Liu J, Zhang F et al：Transfusion of red blood cells, fresh frozen plasma, or platelets is associated with mortality and infection after cardiac surgery in a dose-dependent manner. Anesth Analg, 2019 Nov 5〔Online ahead of print〕

30) Tsukinaga A, Takaki S, Mihara T et al：Low hematocrit levels：a risk factor for long-term outcomes in patients requiring prolonged mechanical ventilation after cardiovascular surgery. A retrospective study. J Investig Med, 2019 Sep 26〔Online ahead of print〕

I. 集中治療管理

6. 消化管管理

高氏修平
旭川医科大学 救急医学講座

最近の動向とガイドライン

重症患者へのストレス潰瘍予防（stress ulcer prophylaxix：SUP）は多くのガイドラインで推奨されているが、集中治療の進歩などと合わせ、以前よりもストレス潰瘍の発生は減少し、SUPの有用性は不明確となっている。これについて大規模研究が報告されている（SUP-ICU trial）。腸内細菌領域ではdysbiosisと予後との関連が注目されている一方で、dysbiosisに陥った腸内細菌叢を回復させる治療として、プロバイオティクス、選択的消化管除菌（selective digestive decontamination：SDD）、糞便微生物移植法（fecal microbiota transplantation：FMT）については、いずれも日本版重症患者の栄養療法ガイドラインでの強い推奨はない。特にFMTは安全性が確保されておらず、ガイドラインでの記載はない。消化管蠕動促進薬では、グレリンアゴニストであるウリモレリンの大規模研究の結果が報告されている（PROMOTE trial）。消化管不全の領域では、消化管という臓器が予後に深く関わることが認識されてきているものの、消化管を適切に評価するスコアがないことが指摘されている。腸管虚血の診断では、敗血症のマーカーとして注目されているプレセプシンが心臓手術後の腸管虚血の診断に有用であるとの報告がされている。ここ2年間を概観すると、16S rRNA解析の時代となりICU患者に起こるdysbiosisが注目され、これをターゲットとした治療が大きな主流となっていくように感じた。一方で、ガイドラインに影響を与えるような大規模研究は少なく、今後の研究が期待される。

ストレス潰瘍予防

重症患者へのストレス潰瘍予防（SUP）は各国のガイドラインでも一貫して推奨され、ICU患者の80～90％でSUPがなされている[1]。また日本版重症患者の栄養療法ガイドライン[2]では弱い推奨がなされている。しかし近年、人工呼吸器関連肺炎（ventilator-associated pneumonia：VAP）やクロストディフィシル感染症（clostridium difficile infection：CDI）などの合併症の問題からプロトンポンプ阻害薬（proton pump inhibitor：PPI）の有用性が疑問視され、これに関連した研究が多い。

SUP-ICU study[3]はヨーロッパで行われた多施設無作為化比較試験で、ICUに入院となった急性期患者（3,298人）を対象とし、PPI（パントプラゾール40 mg静注）投与群（1,645人）とプラセボ群（1,653人）を比較した。この結

1) Cook D, Guyatt G：Prophylaxis against upper gastrointestinal bleeding in hospitalized patients. New Engl J Med 378：2506-2516, 2018
2) 小谷穣治, 江木盛時, 海塚安郎 他：日本版重症患者の栄養療法ガイドライン. 日集中医誌 23：185-281, 2016
3) Krag M, Marker S, Perner A et al：Pantoprazole in patients at risk for gastrointestinal bleeding in the ICU. New Engl J Med 379：2199-2208, 2018

果，90日死亡率は両群に有意差を認めず，合併症の発生率（消化管出血，肺炎，CDI，心筋虚血）も有意差を認めなかった．この結果は先行するPOP-UP study[4]と同様の結果となった．

さらにSUP-ICUのpost-hoc解析[5]では，SAPS Ⅱ＞53の重症な患者（1,140例）を対象として検討した．PPI投与群の272/579人（47％），プラセボ群の229/558人（41％）が死亡し，PPI投与群で死亡率が高かった〔相対リスク：1.13，95％信頼区間（CI）：1.00～1.29〕．この結果から，重症群にターゲットを絞るとPPI投与が悪影響を及ぼす可能性があることが示された．

SUP-ICU studyを含めた最新のメタ解析[6]では，PPI投与により，消化管出血のリスクは減少するものの，死亡率には影響しないことが示された．またPPI投与による合併症（肺炎，心筋虚血，CDI）発症への関係は不明であった．

以上の研究結果は現時点でのエビデンスとしてインパクトが高く，今後のガイドラインでの推奨に影響を与えることになるだろう．

薬剤の種類によるSUPの効果を比較した研究が報告されている．Alhazzaniら[7]は，ネットワークメタアナリシスにより57の無作為化比較試験を評価したところ，PPI，ヒスタミンH2受容体拮抗薬（histamine-receptor antagonist：H2RA），スクラルファートのうち，PPIが最もSUPに効果があったことを示した．一方で，PPIは他剤に比べ肺炎発症リスクを増加させることを示した．

Lillyら[8]は，後ろ向きコホート研究でH2RA投与群とPPI投与群に分けてプロペンシティマッチングで解析した結果，H2RA投与はPPI投与よりも重篤な消化管出血を減少させるという相反する結果を示した．H2RAとPPI投与の比較については，現在行われている大規模研究（PEPTIC study）[9]の結果が待たれる．

経腸栄養を施行中の患者を対象にしたSUPについてメタ解析を行った論文[10]では，SUP施行群とプラセボ群で，消化管出血，死亡率，CDIの発生，ICU滞在期間，人工呼吸器使用期間に両群間で有意差を認めなかった．またSUP群で院内肺炎のリスクが増加した．El-Kershら[11]も二重盲検化比較試験を行い，同様の結果を示している．まとめると，**これらの研究結果は，経腸栄養を行うこと自体がSUPに有効である可能性を示唆している**．

Granholmら[12]は，成人ICU患者で消化管出血の予測因子について解析し，急性腎障害，凝固異常，ショック，慢性肝疾患が消化管出血に関連していることを示した．

ICUでの治療内容（人工呼吸器管理や栄養管理）が進歩し，以前に比べて消化管出血の頻度が減少している現在，SUPの有用性は相対的に低下してきている印象がある．今後，消化管出血のリスクが高い患者を選別してSUPを

4) Selvanderan SP, Summers MJ, Finnis ME et al：Pantoprazole or Placebo for Stress Ulcer Prophylaxis (POP-UP)：randomized double-blind exploratory study. Crit Care Med 44：1842-1850, 2016

5) Marker S, Perner A, Wetterslev J et al：Pantoprazole prophylaxis in ICU patients with high severity of disease：a post hoc analysis of the placebo-controlled SUP-ICU trial. Intensive Care Med 45：609-618, 2019

6) Barbateskovic M, Marker S, Granholm A et al：Stress ulcer prophylaxis with proton pump inhibitors or histamin-2 receptor antagonists in adult intensive care patients：a systematic review with meta-analysis and trial sequential analysis. Intensive Care Med 45：143-158, 2019

7) Alhazzani W, Alshamsi F, Belley-Cote E et al：Efficacy and safety of stress ulcer prophylaxis in critically ill patients：a network meta-analysis of randomized trials. Intensive Care Med 44：1-11, 2018

8) Lilly CM, Aljawadi M, Badawi O et al：comparative effectiveness of proton pump inhibitors vs histamine type 2 receptor blockers for preventing clinically important gastrointestinal bleeding during intensive care：a population-based study. Chest 154：557-566, 2018

9) Young PJ, Bagshaw SM, Forbes A et al：A cluster randomised, crossover, registry-embedded clinical trial of proton pump inhibitors versus histamine-2 receptor blockers for ulcer prophylaxis therapy in the intensive care unit (PEPTIC study)：study protocol. Crit Care Resusc 20：182-189, 2018

10) Huang HB, Jiang W, Wang CY et al：Stress ulcer prophylaxis in intensive care unit patients receiving enteral nutrition：a systematic review and meta-analysis. Crit care 22：20, 2018

11) El-Kersh K, Jalil B, McClave SA et al：Enteral nutrition as stress ulcer prophylaxis in critically ill patients：a randomized controlled exploratory study. J Crit Care 43：108-113, 2018

12) Granholm A, Zeng L, Dionne JC et al：Predictors of gastrointestinal bleeding in adult ICU patients：a systematic review and meta-analysis. Intensive Care Med 45：1347-1359, 2019

行うように変化していく可能性がある.

腸内細菌叢と dysbiosis

近年の 16S rRNA 解析により，ICU 患者の腸内細菌叢は dysbiosis と呼ばれるバランスが崩れた状態に陥っていることが明らかとなった．この dysbiosis が ICU 患者の予後にどのような影響を与えているか，さらに dysbiosis 時の特定の菌種と生体の予後との関連について研究されている.

Freedberg ら[13] は単施設前向きコホート研究により，ICU 入院時に直腸スワブで便検体を採取し，その腸内細菌叢について分析した結果，バンコマイシン耐性腸球菌（VRE）と *Enterococcus* の検出（≧ 30％）が感染症発症や死亡に関連していることを示した.

Xu ら[14] は，神経疾患患者（98 人）と対象群（84 人）の入院時の腸内細菌叢を 16S rRNA 解析で評価し，死亡との関連を調べた結果，神経疾患患者では対照群と比べ有意に腸内細菌叢の多様性が低下していた．コックス回帰分析の結果，*Christensenellaceae* と *Erysipelotrichaceae* の増加は死亡リスクの上昇に関連があった．以上の研究から，特定菌種の増加が予後と関連している可能性が示された.

一方，これらの 16S rRNA 解析は，経済的，時間的理由により臨床で用いるには限界がある．腸内細菌叢が分泌する短鎖脂肪酸などの代謝物を指標に腸内細菌叢の dysbiosis を把握し，治療に役立てようとした研究がある．Wijeyesekera ら[15] は多施設前向きコホート研究で，人工呼吸器を使用した PICU 患者（60 人）と年齢をマッチングさせた健常小児（55 人）を比較した．この結果，便中の短鎖脂肪酸（ブチレート，プロピレート，アセテート）が患者群で有意に減少していた．また便中のブチレートは ICU-free days と関連していた（*p* = 0.03）．以上から，便中の腸内細菌が産出する代謝物をみることで重症疾患に起こる腸管の dysbiosis を間接的に診断し，治療を行うことが有用である可能性が示された.

プロバイオティクスと感染予防

プロバイオティクス投与が ICU 患者の感染症予防（VAP 予防など）に有効かどうかのエビデンスは十分ではなく，日本版重症患者の栄養療法ガイドライン[2] では弱い推奨（2B）にとどまる.

Angurana ら[16] は小児重症敗血症患者にプロバイオティクスを投与し，炎症性サイトカインの変化を調べた．単施設二重盲検化比較試験でプロバイオティクス群（50 人），プラセボ群（50 人）が割り当てられ，プロバイオティクス群では *Lactobacillus* や *Bifidobacterium* などの複数の菌を含む製剤が 7 日間投与された．この結果，プロバイオティクス群で炎症性サイトカイン（IL-6,

13) Freedberg DE, Zhou MJ, Cohen ME et al：Pathogen colonization of the gastrointestinal microbiome at intensive care unit admission and risk for subsequent death or infection. Intensive Care Med 44：1203-1211, 2018

14) Xu R, Tan C, Zhu J et al：Dysbiosis of the intestinal microbiota in neurocritically ill patients and the risk for death. Crit Care 23：195, 2019

15) Wijeyesekera A, Wagner J, De Goffau M et al：Multi-compartment profiling of bacterial and host metabolites identifies intestinal dysbiosis and its functional consequences in the critically ill child. Crit Care Med 47：e727-e734, 2019

16) Angurana SK, Bansal A, Singhi S et al：Evaluation of effect of probiotics on cytokine levels in critically ill children with severe sepsis：a double-blind, placebo-controlled trial. Crit Care Med 46：1656-1664, 2018

IL-12p70, IL-17, TNF-α）の減少，SOFA スコアの減少を認めた．また統計的な有意差は認めなかったが，院内感染症の減少，ICU 滞在期間の短縮を認めた．死亡率は両群間で有意差は認めなかった．本研究の意義は，プロバイオティクス単剤ではなく複数の菌種を用いることの有用性を示した点，および重症敗血症小児においてもプロバイオティクス投与が安全に用いられることを示した点である．

シンバイオティクスは，プロバイオティクスとプレバイオティクスを組み合わせた治療法であり，本邦からの研究が報告されている．Shimizu ら[17] は，ICU 入室後に人工呼吸器使用した敗血症患者を対象に，シンバイオティクスを投与した群（35 人）と対照群（37 人）を比較した．その結果，シンバイオティクス群は対照群と比べて腸炎発生（6.3% vs. 27.0%，$p < 0.05$），VAP 発生（14.3% vs. 48.6%，$p < 0.05$）が有意に減少した．菌血症の発生と死亡率に両群に有意な差は認めなかった．*Bifidobacterium* と *Lactobacillus*，および便中の有機酸濃度（特にアセテート量）はシンバイオティクス群で高かった（$p < 0.05$）．以上から，シンバイオティクス投与は腸内細菌叢を改変し，敗血症患者の腸炎や VAP 発生を予防する効果があることが示された．

上記 2 つの研究はいずれも小規模研究であるが，現在，大規模研究としてプロバイオティクス（*LactobacillusGG*）の有用性を検討した多施設研究（PROSPECT study）[18] が進行中であり，その結果が注目される．

▶ SDD と院内感染症

SDD は，非吸収性抗菌薬を消化管に投与し，腸内細菌を選択的に抑制することで，VAP や血流感染症などの院内感染症を防ぐ治療法である．日本版重症患者の栄養療法ガイドライン[2] では，耐性菌増加の懸念から，積極的には行わないことを弱く推奨している．これまでの大規模研究から抗菌薬耐性が低い地域では有効性が示されているが，薬剤耐性が高い地域での使用は議論が分かれている．

Wittekamp ら[19] は，中等度から高度抗菌薬耐性を有する ICU で，人工呼吸器使用患者を対象とし，クロルヘキシジン口腔洗浄，選択的口腔咽頭除菌（selective oropharynx decontamination：SOD），SDD がそれぞれ有効かどうかを検証する研究を行った．その結果，口腔洗浄，SOD，SDD の使用は標準ケアと比べて血流感染症の発生率に有意な差はなく，いずれも有用性を示せなかった．

一方，Sanchez-Ramirez ら[20] は，耐性菌率が高い ICU において人工呼吸器使用患者を対象に，非 SDD 群で院内感染を発症した 110 人と SDD 群で院内感染を発症した 258 人を比較した結果，SDD 群では多剤耐性菌による院内感染症が減少したことを示した．加えて VAP や血流感染症の発生は SDD 後に

17) Shimizu K, Yamada T, Ogura H et al：Synbiotics modulate gut microbiota and reduce enteritis and ventilator-associated pneumonia in patients with sepsis：a randomized controlled trial. Crit care 22：239, 2018

18) Johnstone J, Heels-Ansdell D, Thabane L et al：Evaluating probiotics for the prevention of ventilator-associated pneumonia：a randomised placebo-controlled multicentre trial protocol and statistical analysis plan for PROSPECT. BMJ Open 9：e025228, 2019

19) Wittekamp BH, Plantinga NL, Cooper BS et al：Decontamination strategies and bloodstream infections with antibiotic-resistant microorganisms in ventilated patients：a randomized clinical trial. JAMA 320：2087-2098, 2018

20) Sánchez-Ramírez C, Hípola-Escalada S, Cabrera-Santana M et al：Long-term use of selective digestive decontamination in an ICU highly endemic for bacterial resistance. Crit Care 22：141, 2018

有意に減少し，抗菌薬使用量も減少したことを報告した．

上記2つの論文の結果は互いに相反しており，薬剤耐性が高い地域における SDD の有用性は一致していない．

これまで ICU 退室後の耐性菌保菌率については研究されていなかった．Jonge ら[21] は，SOD 群と SDD 群を比較し，ICU 退室時には SOD 群と比べ SDD 群で抗菌薬耐性グラム陰性菌の腸管内保菌率は低かったが，ICU 退室後 10 日を経過するとその出現率は両群間で有意差がなくなることを示した．

Buitinck ら[22] は，21 年間の ICU での耐性菌について調査した結果，背景の耐性菌発生率は時代とともに上昇しているにもかかわらず，ICU での耐性菌発生率の上昇はみられなかったことを示し，SDD は耐性菌を増加させることなく安全に使用できると報告している．

SDD の有用性を考える場合には，背景の耐性菌の保菌率など他の因子が関与してくるため，海外でのデータをそのまま本邦に持ち込むことは適切ではないと考えられる．

▶ 重症患者への FMT

2013 年に CDI に対して FMT の有効性が報告され，ICU 領域でも近年，FMT を導入して治療を行った症例報告がなされた．しかし，**2019 年 6 月に米食品医薬品局（FDA）が FMT を介して多剤耐性菌が感染し，死亡例が出たことを報告し注意喚起を行ったとおり，FMT の安全性はまだ確立されていない．**このため ICU 領域で FMT についての大規模研究は行われておらず，ガイドラインでの記載はない．

Alagna ら[23] は，重症患者に対して安全に FMT を行ううえで，患者選択，タイミング，投与経路や形態（カプセル，凍結便，濾過液）を確立していく必要性を指摘している．FMT は将来的に ICU の死亡率を改善する可能性を秘めた治療であり，今後，安全性や有効性を評価する研究が期待される．

Dai ら[24] は，ICU 患者の抗菌薬起因性腸炎に対するレスキュー FMT の安全性，および効果について研究した．抗菌薬起因性腸炎患者 20 例（APACHE II スコア 平均値 21.7）を対象とし，FMT の副作用および有効性（腹部症状の改善や ICU 退室後の生存率）を評価した結果，解析対象となった 18 例中 7 例（38.9％）に下痢，腹痛，アミラーゼ上昇，発熱などの副作用を認めた．8 例（44.4％）で症状が回復し，再燃なく経過した．以上から ICU での抗菌薬起因性腸炎に対して FMT は重大な合併症なく，有効であったと報告している．

上記研究では重大な合併症はないものの，軽微な合併症は比較的高いことや治療効果が十分でないことなど，FMT 治療の課題は多い．

21) de Jonge E, de Wilde RBP, Juffermans NP et al：Carriage of antibiotic-resistant Gram-negative bacteria after discontinuation of selective decontamination of the digestive tract（SDD）or selective oropharyngeal decontamination（SOD）. Crit Care 22：243, 2018

22) Buitinck S, Jansen R, Rijkenberg S et al：The ecological effects of selective decontamination of the digestive tract（SDD）on antimicrobial resistance：a 21-year longitudinal single-centre study. Crit Care 23：208, 2019

23) Alagna L, Haak BW, Gori A：Fecal microbiota transplantation in the ICU：perspectives on future implementations. Intensive Care Med 45：998-1001, 2019

24) Dai M, Liu Y, Chen W et al：Rescue fecal microbiota transplantation for antibiotic-associated diarrhea in critically ill patients. Critical care 23：324, 2019

消化管蠕動促進薬と経腸栄養に対する不耐

経腸栄養に対する不耐とは，胃内残量が多量であり，経腸栄養の確立が困難な状態を表し，予後やICU入院の長期化に関連することが指摘されている．この改善を目的として消化管蠕動促進薬が使用され，日本版重症患者の栄養療法ガイドライン[2]では弱い推奨がなされている．

PROMOTE trial[25]は，経腸栄養に対して不耐を示すICU患者（120人）に対して，ウリモレリンとメトクロパミドの二重盲検無作為化比較試験である．ウリモレリンはグレリンのアゴニストであり，消化管蠕動促進に働く．この結果，ウリモレリン群とメトクロパミド群の間で経腸栄養の達成率や副作用に有意差は認めなかった．メトクロパミドには錐体外路症状やQT延長の副作用があり，これらの作用が懸念される患者ではウリモレリン投与がより安全に使用できる可能性がある．

消化管蠕動促進薬は経鼻栄養チューブの十二指腸留置に使用されることがある．Huら[26]は，エリスロマイシン投与群（167人）とメトクロパミド投与群（165人）でチューブの幽門輪後方留置の達成率について検討した．エリスロマイシン投与群が57.5％，メトクロパミド投与群が50.3％の達成率であり，メトクロパミドと比較してエリスロマイシンの非劣性が示された．

消化管不全と重症度

消化管は消化吸収以外に免疫機能やバリア機能など多様な働きをしており，消化管不全が起こると，宿主の予後に大きな影響を及ぼす．消化管不全を評価する指標として，2012年にAGI（acute gastrointestinal injury）gradeが欧州集中治療学会から提唱されているが，臨床での使用は限定的である．

Padarら[27]は，胃内残量≧500 mL，腸管蠕動音消失，嘔吐逆流，下痢，X線での腸管ガス増強，消化管出血の6項目中3項目以上を満たしたものを消化管不全と定義し，消化管不全と予後との関係を報告した．この結果，ICU患者の10.4％で消化管不全が発生し，人工呼吸器使用期間の延長，ICU滞在期間延長，ICU死亡率の上昇に関連していることを示した．

Asraniら[28]は，消化管不全を適切に評価できる妥当なスコアがないことを指摘している．今後，臨床の場で活用できるような消化管不全のスコアが作成されることが望まれる．

腸管虚血の診断

腸管虚血の診断は，造影CTがゴールドスタンダードである．しかし，造影剤を用いることが困難な患者では，血清バイオマーカーによる診断が有用と考えられる．心臓手術後の患者に発症する腸管虚血についてまとめた2つの論文

25) Heyland DK, van Zanten ARH, Grau-Carmona T et al：A multicenter, randomized, double-blind study of ulimorelin and metoclopramide in the treatment of critically ill patients with enteral feeding intolerance：PROMOTE trial. Intensive Care Med 45：647-656, 2019

26) Hu B, Ouyang X, Lei L et al：Erythromycin versus metoclopramide for post-pyloric spiral nasoenteric tube placement：a randomized non-inferiority trial. Intensive Care Med 44：2174-2182, 2018

27) Padar M, Starkopf J, Uusvel G et al：Gastrointestinal failure affects outcome of intensive care. J Crit Care 52：103-108, 2019

28) Asrani VM, Brown A, Huang W et al：Gastrointestinal dysfunction in critical illness：a review of scoring tools. JPEN J Parenter Enteral Nutr, 2019［Online ahead of print］

がみられた.

　Stroeder ら[29] は，839 例の心臓手術後の患者を対象とし，非 NOMI（non-occlusive mesenteric ischemia）患者（774 人）と NOMI 患者（65 人）のプレセプシンを比較したところ，NOMI 患者で有意なプレセプシンの上昇を認め，その他のバイオマーカーよりも高精度に診断できることを示した．プレセプシンは近年，敗血症の診断マーカーとして注目されているが，心臓術後の NOMI の診断にも有効である可能性が示された.

　Zogheib ら[30] は，心臓外科手術後の腸管虚血の診断目的に PALM スコアを提唱している．これは単施設後ろ向き研究で，心臓術後に ICU に入院した患者を対象とし，腸管虚血群（48 人）とマッチングさせた非腸管虚血群（98 人）の 2 群で比較検討したところ，AST > 449 UI/L，乳酸値 > 4 mmol/L，プロカルシトニン > 4.7 μg/L，ミオグロビン > 1,882 μg/L が腸管虚血に関連する因子として抽出された．これらをスコア化すると心臓手術後の腸管虚血を高い精度で診断することが可能であることを示した.

　腸管虚血は致死的な疾患となりうるため，上記研究のようにバイオマーカーを用いてプロトコルに従い腸管虚血を評価することは早期診断，早期治療に有効であるかもしれない.

29) Stroeder J, Bomberg H, Wagenpfeil S et al：Presepsin and inflammatory markers correlate with occurrence and severity of nonocclusive mesenteric ischemia after cardiovascular surgery. Crit Care Med 46：e575-e583, 2018

30) Zogheib E, Cosse C, Sabbagh C et al：Biological scoring system for early prediction of acute bowel ischemia after cardiac surgery：the PALM score. Ann Intensive Care 8：46, 2018

I. 集中治療管理

7. 肝胆膵管理

真弓俊彦[1]，成田正男[2]，石川成人[2]
[1] 産業医科大学医学部 救急医学講座，[2] 産業医科大学病院 救急科

最近の動向とガイドライン

新規薬剤である免疫チェックポイント阻害薬による免疫介在性肝炎，抗癌剤やリツキシマブなどによるB型肝炎ウィルス再燃に伴う急性肝不全が報告されている．しかし，肝不全に関する新たな治療法の報告はなかった．

急性胆管炎・胆嚢炎の診療ガイドライン（Tokyo Guidelines）が2018年に改訂された．診断基準や重症度判定基準はTokyo Guidelines 13から改変はないが，患者が低リスクで，高度技能を持った医師，施設であれば，重症急性胆嚢炎でも緊急の腹腔鏡下胆嚢摘出術が施行できるとされた．

急性膵炎診療ガイドラインは改訂作業が開始され，2020年出版予定である．膵炎の早期栄養や鎮痛薬，胆石性膵炎に対する早期胆嚢摘出術のRCTやメタ解析が報告され，また，感染性膵壊死に対する低侵襲アプローチ，特に内視鏡下のドレナージやネクロセクトミーの有用性が多数報告されている．外科的step-upアプローチの長期予後も報告され，開腹ネクロセクトミーよりも良いことが明らかとなった．

肝不全，肝障害

1．急性肝不全

厚生労働科学研究費補助金難治性疾患等政策研究事業「難治性の肝・胆道疾患に関する調査研究」班による全国調査によって，2010年から2015年での急性肝不全1,554例（96.9％）および遅発性肝不全（late onset hepatic failure：LOHF）49例（3.1％）の日本での実態が明らかになった[1]．急性肝不全のうち昏睡なしは832例（53.5％），昏睡ありが722例（46.5％）で，後者ではacute-typeが407例（56.4％，急性肝不全のうちでは26.2％），subacute-typeが315例（43.6％，同20.3％）と報告された．LOHFは全例昏睡を伴っていた．

急性肝不全では，肝炎によるものは1,234例（79.4％），非肝炎320例（20.6％）で，LOHFでは肝炎が46例（93.9％）であった．

生存率は昏睡なしが88.2％，acute type 47.4％，subacute type 43.1％，LOHF 15.2％であった．肝移植なしでの生存率は88.0％，39.9％，26.0％，

1) Nakao M, Nakayama N, Uchida Y et al : Nationwide survey for acute liver failure and late-onset hepatic failure in Japan. J Gastroenterol 53 : 752-769, 2018

2.8％で，肝移植ありでは100％，80.4％，84.5％，60.0％と肝移植によって LOHF の生存率は著明に改善していたが，それでも6割であった．

1998年から2009年の症例と比較し，高齢化と肝臓以外の併存疾患の増加を認めた．肝炎由来が依然多いものの，その頻度は低下し，薬剤性，自己免疫性の増加が報告されている．

2. acute-on-chronic liver failure

今までわが国の定義が明確でなかった acute-on-chronic liver failure（ACLF）の定義案が日本肝臓学会から報告された[2]．診断基準はアジア太平洋肝臓学会（APASL）の診断基準に準拠して，「Child-Pugh スコアが5～9点の代償性ないし非代償性肝硬変に，アルコール多飲，感染症，消化管出血，原疾患増悪などの増悪要因が加わって，28日以内に高度の肝機能異常に基づいて，プロトロンビン時間 INR が1.5以上ないし同活性が40％以下で，総ビリルビン濃度が5.0 mg/dL 以上を示す肝障害」と定義することになった．なお，その重症度に関しては，肝，腎，中枢神経，血液凝固，循環器，呼吸器の臓器機能障害の程度に応じて4段階に分類しているが詳細は原著を参照されたい[2]．

なお，中国から B 型肝炎由来の ACLF の診断基準や予後予測スコアが提唱され，臨床像はアルコール性と異なること，肝硬変の有無にかかわらず B 型肝炎でビリルビン値≧12 mg/dL で，PT INR≧1.5 は ACLF とすべきで，これにより今までより20％多くの患者を ACLF と診断でき，早期の治療介入が可能としている[3]．

北米，欧州の ACLF 患者867例で後方視的に the Chronic Liver Failure-Consortium Acute on Chronic Liver Failure score を検討した報告では（表1）[4,5]，acute on chronic liver failure 1 が169例（19％），grade 2 が302例

2）持田　智，中山伸朗，井戸章雄　他：我が国における Acute-On-Chronic Liver Failure（ACLF）の診断基準（案）．肝臓59：155-161, 2018

3）Wu T, Li J, Shao L et al：Development of diagnostic criteria and a prognostic score for hepatitis B virus-related acute-on-chronic liver failure. Gut 67：2181-2191, 2018

4）Karvellas CJ, Garcia-Lopez E, Fernandez J et al：Dynamic prognostication in critically ill cirrhotic patients with multiorgan failure in ICUs in Europe and North America：A multicenter analysis. Crit Care Med 46：1783-1791, 2018

5）Moreau R, Jalan R, Gines P et al：Acute-on-chronic liver failure is a distinct syndrome that develops in patients with acute decompensation of cirrhosis. Gastroenterology 144：1426-1437, 2013

表1　acute-on-chronic liver failure（ACLF）grade（文献4, 5を参照して作成）

ACLF grade	定義
grade 1（ACLF 1）	1) kidney failure（serum creatinine ≧ 2 mg/dL） 2) other single organ/system failure〔liver：serum bilirubin ≧ 12 mg/dL；brain：grades Ⅲ～Ⅳ hepatic encephalopathy（HE）based on West Haven criteria；coagulation：PT INR ≧ 2.5 or platelet count ≦ 20 × 10^9/L；circulation：treatment with vasoconstrictors to maintain arterial pressure or inotropes to improve cardiac output；and lungs：PaO$_2$/F$_I$O$_2$ ≦ 200 or oxygen saturation/F$_I$O$_2$ ≦ 214〕if associated with renal dysfunction（serum creatinine：1.5～1.9 mg/dL）and/or mild-to moderate grades Ⅰ～Ⅱ）HE.
grade 2（ACLF 2）	2 organ failures
grade 3（ACLF 3）	≧ 3 organ failures

The CLIF-C OF score is a simplified version of the CLIF-SOFA score based on 6 organ failures with a maximum total score of 18.

（35％），grade 3 が 396 例（46％）で，90 日死亡率は各々33％，40％，74％（p ＜ 0.001）であった．しかし，grade 3 でも 3 日目までに grade 1 か 2 に改善した症例の 90 日死亡率は 40％で，そうでなかった場合は 79％であった．入院時のこのスコアを用いた評価は 90 日死亡の予測において APACHE Ⅱ（*n* = 532, concordance index 0.67 vs. 0.62, *p* = 0.0027），Child-Turcotte-Pugh（*n* = 666, 0.68 vs. 0.64, *p* = 0.0035）よりも有意に優れ，Model for End-Stage Liver Disease と同等であったと報告している（*n* = 845, 0.68 vs. 0.67, *p* = 0.3）．ただし，アルコール性が多い欧米のデータをそのまま日本では適応できない．

3. 薬剤性肝障害

New England Journal of Medicine に Drug-Induced Liver Injury — Types and Phenotypes（薬物性肝障害—種類と表現型）の総説が掲載された[6]．発生は 100,000 人中 14〜19 人で，黄疸を伴うのは約 30％，黄疸で入院する患者の 3〜5％だが，西洋では急性肝不全の半数以上を占める．直接型，間接型，特異型があり，この順に頻度が多い．直接型は濃度に依存するが，抗菌薬などは特異型で濃度によらず発症する．有用な総説なので一読をお勧めする．

海外では非常に多いアセトアミノフェン中毒の対処法に関して，Cochrane systematic review が行われた[7]．検索によって得られた種々の治療法の 11 の RCT，約 700 例を検討した．活性炭は，アセトアミノフェンの血中濃度を下げると思われるが臨床的効果は不明である．しかし，便益／リスクは，4 時間以内に行われた場合に，活性炭は胃洗浄，トコンよりも高い．胃洗浄とトコンとの差はないが，何もしない場合よりは良い．活性炭による血液浄化の 16 例での RCT では有用性を示しえなかった．アセチルシステインはプラセボより優れ，副作用も dimercaprol や cysteamine よりも少なかった．アセチルシステインがメチオニンより優れているかは証明されていない．小規模な RCT でアセチルシステインが劇症肝不全の死亡率を改善することも報告されている〔Peto OR：0.29，95％ Confidence Interval（CI）：0.09 to 0.94〕．

しかしながらいずれの RCT も症例数が少なく，非常に信頼性が低い研究しかなく，十分な確証は得られていない．

近年，新規の抗悪性腫瘍薬の導入によって新たな肝障害も報告されるようになった．抗 PD-1 抗体のニボルマブなどの免疫チェックポイント阻害薬によって免疫介在性肝炎を生じ，急性肝不全を生じた症例も報告されている．

また，抗癌剤やリツキシマブなどによる B 型肝炎ウィルス再燃から急性肝不全を生じる．特に，リツキシマブ，オビヌツズマブ，フルダラビンは B 型肝炎ウィルスの再活性化の高リスク薬であり，使用前の高感度 HBV DNA モニタリング等のスクリーニングが必要である．（詳細は「日本肝臓学会．B 型肝炎治療ガイドライン」[8] 参照）．

6) Hoofnagle JH, Björnsson ES：Drug-induced liver injury - types and phenotypes. N Engl J Med 381：264-273, 2019

7) Chiew AL, Gluud C, Brok J et al：Interventions for paracetamol (acetaminophen) overdose. Cochrane Database of Syst Rev 2：CD003328, 2018

8) https://www.jsh.or.jp/files/uploads/HBV_GL_ver3.1_v1.2-1.pdf

4．肝移植後の糖質コルチコイド非使用の効果

　肝移植後に糖質コルチコイドの減量や非使用の有用性についてのCochrane systematic reviewが報告された[9]．16のRCT（1,347例）のメタ解析が行われた．10のRCTは術後非使用と短期間使用の比較で（782例），6のRCTは短期間と長期間の使用の比較（565例）であった．すべての研究のバイアスが高く，質の低い研究しかなかった．糖質コルチコイドの非使用または減量は，使用と比し，死亡率〔risk ratio（RR）：1.15，95％CI：0.93〜1.44〕，死亡も含んだgraft loss（RR：1.15，95％CI：0.90〜1.46），感染（RR：0.88，95％CI：0.73〜1.05）での差はなかった．

　急性拒絶と糖質コルチコイド抵抗性拒絶は，糖質コルチコイドの非使用または減量群で有意に多く，糖尿病や高血圧は有意に少なかった．

▶ 急性胆管炎・胆嚢炎

1．Tokyo Guidelines 2018 および急性胆管炎・胆嚢炎診療ガイドライン 2018

　Tokyo Guidelines 2018 および急性胆管炎・胆嚢炎診療ガイドライン 2018が刊行された．診断基準，重症度判定基準に大きな変更はないが，治療方針に若干変更があった[10, 11]．

　胆管炎では，急性期のドレナージの際に，適切な患者で経験を積んだ医師であれば，総胆管結石などの原因を一期的に治療することも推奨されるようになった．

　胆嚢炎では，重症（Grade Ⅲ）でも，耐術可能な患者で，高度技能を持った医師，施設であれば，腹腔鏡下胆嚢摘出術の施行も推奨されるようになった．また，安全な手術手技の項目も追加となった．

　ガイドラインの急性胆管炎バンドル，急性胆嚢炎バンドルに沿って，重症度に応じた診療を行うことに変化はない．

2．急性胆嚢炎胆嚢摘出術時の抗菌薬

　オランダの6つの教育病院で，軽症急性胆嚢炎の腹腔鏡下胆嚢摘出術での，術前単回のセファゾリン（2 g）群（$n = 73$）と，この単回投与後セフロキシム 750 mg ＋ メトロニダゾール 500 mg，1日3回，3日間追加投与を行う群（$n = 77$）での非劣勢RCT試験の結果が報告された[12]．primary endpointである術後30日以内の感染は両群とも4％で差がなく，入院期間の中央値は前者が1日，後者が3日であった．

　単回投与でも感染性合併症が増加しないことが明らかとなった．

3．急性胆嚢炎での腹腔鏡下胆嚢摘出術 vs. ドレナージ

　オランダの11の病院で，ハイリスクの急性胆嚢炎での腹腔鏡下胆嚢摘出術とドレナージとの比較を行ったRCTで[13]，primary endpointsは1年以内の死亡，重大な合併症発生（1ヵ月以内の感染や肺炎，肺塞栓，心筋梗塞），急性

9) Fairfield C, Penninga L, Powell J et al：Glucocorticosteroid-free versus glucocorticosteroid-containing immunosuppression for liver transplanted patients. Cochrane Database Syst Rev 4：CD007606, 2018

10) Takada T：Tokyo Guidelines 2018：updated Tokyo Guidelines for the management of acute cholangitis/acute cholecystitis. J Hepatobiliary Pancreat Sci 25：1-2, 2018

11) 急性胆管炎・胆嚢炎の診療ガイドライン改定出版委員会：急性胆管炎・胆嚢炎の診療ガイドライン 2018. 医学図書出版, 2018

12) Loozen CS, Kortram K, Kornmann VN：Randomized clinical trial of extended versus single-dose perioperative antibiotic prophylaxis for acute calculous cholecystitis. Br J Surg 104：e151-e157, 2017

13) Loozen CS, van Santvoort HC, van Duijvendijk P et al：Laparoscopic cholecystectomy versus percutaneous catheter drainage for acute cholecystitis in high risk patients（CHOCOLATE）：multicentre randomised clinical trial. BMJ 363：k3965, 2018

48　Ⅰ. 集中治療管理

胆嚢炎に関連した手術やドレナージ，内視鏡的介入，1年以内の胆道疾患の再発であった.

研究は中間解析の結果，予定より早期に終了した. 死亡率では差がなかった（胆摘群3% vs. ドレナージ群9%，$p = 0.27$）が，重大な合併症は胆摘群12%（8/66例），ドレナージ群65%（44/68例）（RR：0.19，95% CI：0.10〜0.37，$p < 0.001$）と有意に胆摘群で少なかった. 再介入は，胆摘群12%，ドレナージ群66%（$p < 0.001$）で要した. 胆道炎の再発は，胆摘群5%，ドレナージ群53%（$p < 0.001$）で，入院期間の中央値は胆摘群5日，ドレナージ群9日（$p < 0.001$）であった.

胆摘群で合併症が有意に少ない結果であったが，ドレナージ群での重大な合併症が65%に生じ，再介入を66%要し，共に通常では考えられないような高頻度であり，ドレナージ群の成績が余りにも悪く，そのまま日本では適応できないと思われる.

▶ 急性膵炎

1. 栄養開始，48時間以内か以降か？

急性膵炎で栄養を入院後48時間以内に開始する場合と，48時間より後に開始する場合を比較したRCTを用いたメタ解析が報告された[14]. 11のRCT，948例で，7つは軽症から中等症の膵炎で，4つは重症膵炎を対象としていた. 栄養投与ルートは経口（4研究），経胃（2研究），経空腸（4研究），経口または経腸（1研究）であった. 軽症から中等症では，7研究中4研究で早期栄養が入院期間を短縮させた（バイアスが少ない3研究中2研究）. 他のアウトカムは研究間でばらつきがあったが，早期栄養は副作用を増加させなかった. 一方，重症膵炎では，研究が限られているが早期と後期間で有意な差はなかったと報告されている.

今までは経腸栄養を開始するか行わないかの比較が多かったが，栄養開始時期で比較したメタ解析は初であろう.

2. 急性膵炎での鎮痛薬

急性膵炎でジクロフェナック75 mg静注とペンタゾシン30 mg静注を比較した小規模な（$n = 50$）二重盲検化RCTが報告された[15]. レスキュー鎮痛薬としてフェンタニルをpatient controlled analgesia pumpで使用した. primary outcomeはフェンタニル必要量，無痛時間等で，secondary outcomeは副作用であった.

ペンタゾシン群〔126 μg, interquartile range（IQR）65〜218 μg〕はジクロフェナック群（225.5 μg, IQR 133〜427 μg）よりもフェンタニルの使用量が少なく（$p = 0.028$），無痛時間が長かった（31.1 ± 8.2 hr vs. 27.9 ± 6.6 hr, $p = 0.047$）. 副作用に差はなかった.

14) Vaughn VM, Shuster D, Rogers MAM et al：Early versus delayed feeding in patients with acute pancreatitis：a systematic review. Ann Intern Med 166：883-892, 2017

15) Mahapatra SJ, Jain S, Bopanna S et al：Pentazocine, a kappa-opioid agonist, is better than diclofenac for analgesia in acute pancreatitis：a randomized controlled trial. Am J Gastroenterol 114：813-821, 2019

7. 肝胆膵管理　　49

少数例での検討で，日本では静注ジクロフェナックがないため，慎重に判断する必要がある.

3. 軽症胆石性膵炎での早期手術 vs. 軽快後手術

アメリカの単施設での総胆管結石の存在が少ない軽症胆石性膵炎で，入院24時間以内の腹腔鏡下胆嚢摘出術（$n = 49$）か，臨床的に軽快したのちの胆摘術を行うか（$n = 48$）を比較したRCT結果が発表された[16].

Primary outcomeは30日間の再入院も含めた入院期間で，secondary outcomesは手術時間，ERCP実施率，術後合併症である.

早期手術群はERCP実施率が少なく（15% vs. 29%，$p = 0.038$），手術までの時間が早く（16 hr vs. 43 hr，$p < 0.005$），入院期間が短かった（50 hr vs. 77 hr，RR：0.68，95% CI：0.65〜0.71，$p < 0.005$）. 合併症率は早期群6%，晩期群2%であった（$p = 0.613$）.

診断後24時間以内の早期手術も安全に施行できることが明らかとなったが，発症後膵炎が重症化する症例があったため，途中でプロトコルが改変され，発症後12時間経過し重症化しないことを確認してから手術を実施するようになった. 超早期では，膵炎が軽症のままであることの確認後に胆摘術を実施することが必要と思われる.

このRCT以前の5つのRCTを用いたメタ解析も行われている[17]. 前述のRCTよりももっと遅い，入院後3日以内などの早期手術群（$n = 318$）と，発症後約1ヵ月前後の晩期手術群（$n = 311$）を比較している. 早期手術により胆道疾患再発が有意に減少し〔odds ratio（OR）：0.17，95% CI：0.09〜0.33〕，術中（OR：0.58，95% CI：0.17〜1.92），術後（OR：0.78，95% CI：0.38〜1.62）合併症には差がなかった.

これらより軽症胆石性膵炎であることが確定したのちであれば，早期の胆摘術が好ましいと考えられる.

4. 感染性膵壊死に対する step up approach

感染性膵壊死に対する低侵襲手技，特に内視鏡下のドレナージが普及し，日本でも第一選択として実施されるようになってきた.

オランダの19の多施設で，介入が必要で，内視鏡的にも外科的にも介入可能な感染性膵壊死に内視鏡下ドレナージか外科的step-up approachかを行うRCT（$n = 98$）が実施された[18]. 前者は超音波内視鏡下ドレナージ後，必要であれば内視鏡的ネクロセクトミーを行い，後者は経皮的ドレナージ後，必要であれば，ビデオ補助下の経後腹膜的デブリードメントを行った.

Primary endpointは6ヵ月以内の死亡または重大な合併症発生で，内視鏡群43%（22/51例），外科群45%（21/47例，RR：0.97，95% CI：0.62〜1.51；$p = 0.88$）で，死亡も18%と13%で差がなく（RR：1.38，95% CI：0.53〜3.59，$p = 0.50$），重大な合併症も差がなかった.

16) Mueck KM, Wei S, Pedroza C et al：Gallstone pancreatitis：admission versus normal cholecystectomy-a randomized trial（Gallstone PANC Trial）. Ann Surg 270：519-527, 2019

17) Moody N, Adiamah A, Yanni F et al：Meta-analysis of randomized clinical trials of early versus delayed cholecystectomy for mild gallstone pancreatitis. Br J Surg 106：1442-1451, 2019

18) van Brunschot S, van Grinsven J, van Santvoort HC et al：Endoscopic or surgical step-up approach for infected necrotising pancreatitis：a multicentre randomised trial. Lancet 391：51-58, 2018

同様な RCT（$n = 66$）がアメリカの単施設でも行われ[19]，介入が必要な感染性膵壊死に対して内視鏡的（経消化管的ドレナージ±ネクロセクトミー，$n = 34$）か，外科的な介入（腹腔鏡かビデオ補助下の経後腹膜デブリードメント，$n = 32$）を行った．primary endpoint は 6 ヵ月以内の死亡や重大な合併症（新たな多臓器不全，新たな全身不全，腸瘻や膵皮膚瘻，消化管出血や穿孔）で，内視鏡群で 11.8％，外科群で 40.6％に生じた（RR：0.29，95％ CI：0.11〜0.80，$p = 0.007$）．死亡率では差はなかったが（内視鏡群 8.8％，外科群 6.3％），内視鏡群では腸瘻・膵皮膚瘻は生じず，外科群では 28.1％に生じた（$p = 0.001$）．1 人あたりの重大な合併症発生数は内視鏡群（0.15 ± 0.44），外科群（0.69 ± 1.03）と有意に前者で少なかった（$p = 0.007$）．内視鏡群では有意差はないものの，3 ヵ月時点での QOL が良く，総医療費も少なかった（75,830 ドル vs. 117,492 ドル）．

これらの結果から，内視鏡的アプローチは外科的アプローチと同等か，より良いと言えよう．

5. 感染性膵壊死に対する step up approach の長期予後

2010 年に発表された感染性膵壊死に対して，外科的な step-up approach と開腹ネクロセクトミーを比較した RCT（PANTER trial）でエントリーした患者を長期に観察した結果が報告された[20]．

エントリーされた 88 例のうち，全生存例 73 例を平均で 86 ヵ月（± 11 ヵ月）観察した．primary endpoint は PANTER trial と同じ死亡と重大な合併症で，step-up approach 群 44％，開腹群 73％に生じていた（$p = 0.005$）．step-up approach 群では，腹壁ヘルニア（23％ vs. 53％，$p = 0.004$），膵外分泌障害（29％ vs. 56％，$p = 0.03$），膵内分泌障害（40％ vs. 64％，$p = 0.05$）が有意に少なかった．追加のドレナージを必要とした患者の割合（11％ vs. 13％），膵臓手術（11％ vs. 5％，$p = 0.43$），急性膵炎の再発，慢性膵炎，痛みスコア，QOL，医療費では差がなかった．

長期的にみても step-up approach は開腹ネクロセクトミーよりも優れていることが明らかになった．

19) Bang JY, Arnoletti JP, Holt BA et al：An endoscopic transluminal approach, compared with minimally invasive surgery, reduces complications and costs for patients with necrotizing pancreatitis. Gastroenterology 156：1027-1040. e3, 2019

20) Hollemans RA, Bakker OJ, Boermeester MA et al：Superiority of step-up approach vs open necrosectomy in long-term follow-up of patients with necrotizing pancreatitis. Gastroenterology 156：1016-1026, 2019

I. 集中治療管理

8. 腎・電解質管理

土井研人
東京大学医学部附属病院 救急科

最近の動向とガイドライン

　急性腎障害（acute kidney injury：AKI）は，集中治療における頻度の高い臓器合併症であり，AKIの合併が重症患者の予後を有意に悪化させることは数多くの臨床疫学研究にて繰り返し報告されている．したがって，AKIを早期に診断し，適切な治療介入によって進展予防あるいは腎機能回復を得ることが，生命予後の改善につながると考えられている．2012年に国際的な診療ガイドラインが発表され（急性腎障害のためのKDIGO診療ガイドライン），2016年にはわが国からもAKI診療ガイドラインが発表されている〔AKI（急性腎障害）診療ガイドライン2016〕．これらのガイドラインにおいては，実際の診療におけるAKI診断と予防・治療について詳細な推奨が提示されているが，同時に未解決の問題も数多く浮き彫りにされている．残念ながら，以下に述べるような輸液や血液浄化療法といった，数十年前より臨床応用されていた治療の最適化がいまだ検討されている状況であり，破壊的なイノベーションこそがAKIあるいは集中治療における腎疾患の予後改善には強く求められている．

AKIと輸液療法

　重炭酸の投与は理論的には代謝性アシドーシスを改善しうるが，蘇生における重炭酸の投与はJRC蘇生ガイドライン2015においては，「院内および院外心停止患者の治療として炭酸水素ナトリウムをルーチンに投与することは支持されない」とされ，敗血症診療における国際的ガイドラインであるSurviving Sepsis Campaign Guideline（SSCG）2016では，「pH 7.15未満の低組織還流による乳酸アシドーシスの患者には，血行動態の改善あるいは血管作動薬を減量するための重炭酸ナトリウム療法を提案しない（弱い推奨，中等度のエビデンスレベル）」とされている．SSCG2016が発表された後にBICAR-ICU研究[1]がJAMA誌に発表された．pH ≦ 7.2，pCO₂ ≦ 45 mmHg，SOFAスコア ≧ 4あるいは乳酸 > 2 mmol/Lの代謝性アシドーシスを呈した成人ICU患者に対して，4.2%炭酸水素Na 125～250 mL投与による介入が行われた．成人重症症例389人がエントリーされ，primary outcomeである28日死亡と7日目の1臓器不全の複合アウトカムに有意差を認めなかったが，サブグループ解析では

1) Jaber S, Paugam C, Futier E et al : Sodium bicarbonate therapy for patients with severe metabolic acidaemia in the intensive care unit (BICAR-ICU) : a multicentre, open-label, randomised controlled, phase 3 trial. Lancet 392 : 31-40, 2018

重症 AKI（AKIN ステージ 2～3）群において，有意に 28 日後の生存率が改善し（$p = 0.0283$），腎機能代替療法（renal replacement therapy：RRT）使用も有意に低下させた〔RRT 使用 52 % vs. 35 %，number needed to treat（NNT）= 6〕．重炭酸投与は細胞内アシドーシスを逆説的に増悪させるなどのメカニズムが唱えられ，その使用において否定的な見方が優勢であったが，この RCT の結果を受けて，今後は重炭酸投与が，少なくとも AKI 症例に対しては比較的容認されるようになると思われる．

腎うっ血という概念が提示されて 10 年近くが経過し，過剰輸液による fluid overload は AKI の発症・重症化および死亡のリスク因子であることが繰り返し報告されるようになった．しかし，これらの報告のほとんどは，観察研究あるいは他の治療介入を評価した RCT におけるサブ解析の結果であり，交絡因子を完全に排除できたものではなかった．例えば，早期目標達成指向型管理法（early goal-directed therapy：EGDT）の有効性を検証した大規模多施設 RCT が複数行われたが，そのうちの一つである ProCESS 研究では，早期敗血症性ショックに対して，CVP と $ScvO_2$ および平均血圧に基づいた輸液蘇生を行う protocol-based EGDT 群，CVP と $ScvO_2$ 測定を必須としないが予め決められた輸液戦略のアルゴリズムに基づいて蘇生を行う protocol-based standard therapy 群，担当医の裁量にゆだねられた usual care 群の 3 群にランダム化されている．プライマリアウトカムである死亡率については有意差を認めなかったものの，最も多くの輸液を用いた protocol-based standard therapy 群で新規腎機能障害の発生頻度が高く，透析を要する割合も多かったことが報告された[2]．間接的ではあるが，wet な管理が腎保護的であるということを否定した結果を示していることになる．

ANZICS から発表された多施設 RCT（RELIEF 研究[3]）においては 3,000 人の腹部外科術後症例がエントリーされ，術後 24 時間の輸液における戦略として restrictive 群と liberal 群に分けられ，最長では 1 年後の予後などのアウトカムが評価された．restrictive 群と liberal 群での輸液量には臨床的にも有意な差があり〔3.7（IQR：2.9～4.9）L vs. 6.1（IQR：5.0～7.4）L〕，1 年後の disability-free 生存率には有意差が認められなかった（81.9% vs. 82.3%）．一方，AKI の発症率においては restrictive 群で有意に多く（8.6% vs. 5.0%，$p < 0.001$），RRT も多く施行されていた（0.9% vs. 0.3%，$p = 0.048$）．この結果は過剰輸液による腎うっ血が AKI のリスクであるという定説とは逆であり，興味深い．腹部コンパートメント症候群における AKI や動物モデルにおける虚血再灌流障害モデルでの腎腫大などは，腎うっ血，すなわち外部からの圧迫や腎間質浮腫におけるボウマン腔内圧上昇が糸球体濾過を減少させる，という現象を支持するが，実際の診療において腎うっ血を正確に評価する指標が必要であることを示唆している．

2) The ProCESS Investigators：A randomized trial of protocol-based care for early septic shock. N Engl J Med 370：1683-1693, 2014
3) Myles PS, Bellomo R, Corcoran T et al：Restrictive versus liberal fluid therapy for major abdominal surgery. N Engl J Med 378：2263-2274, 2018

有効循環血液量を保持するためには，細胞外液と呼ばれる輸液製剤が主に選択される．ただし，大量の0.9%生理食塩水投与は高クロール性代謝性アシドーシスを惹起すること，尿中クロールが糸球体緻密斑における尿細管糸球体フィードバック機構を介して腎血管収縮から糸球体ろ過を減少させることも指摘されており，より生理的なリンゲル液などの投与が望ましいと考えられてきた[4]．2012年JAMA誌にクロール制限輸液と腎障害の関連についての臨床研究が報告され[5]，AKIの発症頻度はcontrol群で有意に高く（$p < 0.001$），2次評価項目のうち，腎代替療法施行率は10% vs. 6.3%とcontrol群で有意に高かった（$p = 0.04$）．ただし，ICU滞在期間，入院期間，生存率に有意差は認めなかった．次いで，多施設二重盲検クロスオーバー研究であるSPLITがニュージーランドで行われた[6]．ICUにおいて細胞外液による輸液蘇生を受けた患者では，生理食塩水と比較してクロール濃度の低い輸液を用いてもAKI発症のリスクは軽減されず，腎代替療法導入率や院内死亡率においても有意な差は認められなかった．

さらに大規模な介入試験が，単一施設ではあるがVanderbilt大学で施行された．一つは非ICU入院ER患者（$n = 13,347$）を対象としたSALT-ED研究[7]である．Multiple-crossoverという形式で，生理食塩水群と乳酸リンゲルあるいはplasma-lyte A群に割り付けられ，ERにて投与された細胞外液量は中央値で1,079 mLであった．結果，入院に関するアウトカムに差はなかったものの，major adverse kidney event（MAKE）という複合エンドポイント（院内死亡，新規透析，血清クレアチニン2倍の持続）においては，生理食塩水群が有意に多い結果が示された（5.7% vs. 4.7%，$p = 0.01$）．もう一つはERあるいは手術後にICUに入室した患者（$n = 15,802$）を対象としたSMART研究[8]である．primary outcomeとして設定されたMAKEにおいては生理食塩水群で有意に多く（15.4% vs. 14.3%，$p = 0.04$），院内死亡率（11.1% vs. 10.3%，$p = 0.06$）および新規RRTの割合（2.9% vs. 2.5%，$p = 0.08$）も生理食塩水群で多い傾向にあった．敗血症に限定したサブ解析[9]（$n = 1,461$）では，MAKEのみならず30日死亡率においても生理食塩水群が有意に高かったことも報告されている（31.2% vs. 26.3%，$p = 0.01$）．

生理学的に考察するに，Cl濃度154 mEq/Lである生理食塩水は「非生理的」であることは明らかであり，生体に投与することの害は容易に想像できるが，臨床的に害であるかどうかを検出するために数万人単位のエントリーを必要としたという事実は，臨床研究における科学的アプローチとは何かを我々に突き付けているとも考えさせられる．

▶ AKIに対する腎代替療法

臨床的に重要な問題であるがいまだ解決されていないため，臨床研究が集中

4) Haines RW, Kirwan CJ, Prowle JR：Managing chloride and bicarbonate in the prevention and treatment of acute kidney injury. Semin Nephrol 39：473-483, 2019

5) Yunos NM, Bellomo R, Hegarty C et al：Association between a chloride-liberal vs chloride-restrictive intravenous fluid administration strategy and kidney injury in critically ill adults. JAMA 308：1566-1572, 2012

6) Young P, Bailey M, Beasley R et al：Effect of a Buffered Crystalloid Solution vs Saline on Acute Kidney Injury Among Patients in the Intensive Care Unit：The SPLIT Randomized Clinical Trial. JAMA 314：1701-1710, 2015

7) Self WH, Semler MW, Wanderer JP et al：Balanced crystalloids versus saline in noncritically ill adults. N Engl J Med 378：819-828, 2018

8) Semler MW, Self WH, Wanderer JP et al：Balanced crystalloids versus saline in critically ill adults. N Engl J Med 378：829-839, 2018

9) Brown RM, Wang L, Coston TD et al：Balanced crystalloids versus saline in sepsis：a secondary analysis of the SMART trial. Am J Respir Crit Care Med 2019 Aug 27 ［Epub ahead of print］

的に行われているのがRRTにおける開始タイミングについての検討である。いわゆる「絶対適応」を呈していない場合のAKIに対するRRT開始の適切なタイミングは，複数のRCTにより検討され，結論に至っていない。2016年のほぼ同時期に発表されたAKIKI研究[10]とELAIN研究[11]では，ELAIN研究のみが早期RRTによる死亡率低下を報告している。2018年に発表されたIDEAL-ICU研究[12]は，ショックを伴う敗血症性AKI症例を対象とした多施設RCTであり，2回目の中間解析で試験中止となるまでに488人がエントリーされている。primary endpointである90日死亡率において有意差がなく（早期RRT vs. 晩期RRT：58% vs. 54%，$p = 0.38$），晩期RRT群の38%は絶対適応に準じた基準に到達せずにRRT未施行のままであったが，17%は緊急RRTを必要とした。晩期RRT群におけるこのような結果は，エントリーされた敗血症性ショック患者のうち，重症AKIに進展しない症例と研究デザインよりも早期に絶対適応までAKIが重症化した症例が混在していることを示しており，患者の選別における課題があることを強く支持している。カナダを中心とした国際的な研究であるSTARRT-AKI study[13]が，2019年8月に予定された3,000症例のエントリーを完了している。さらに早期開始の是非が明らかとなると期待される一方で，個々の研究における早期RRTの定義が異なっていることが指摘されており，RCTを重ねても一定の結論に到達しえないのではないかという懸念もある。

　持続的腎代替療法（continuous renal replacement therapy：CRRT）を施行するにあたり，回路凝固は治療効率の低下のみならず業務負荷を有意に増加させるため無視できない合併症である。回路凝固をきたさないための治療設定として，抗凝固薬の選択・調整，フィルターの選択などが研究対象として取り上げられることが多いが，血液流量（QB）も規定因子として重要である。血流量を大きく設定することで，血液濾過（特に後希釈法）による血液濃縮が回避される。したがって，血液流量は最低でも濾過量（QF）の4～5倍必要であるとされており，欧米では回路内を減らすために200～250 mL/minに設定されることが多い一方，本邦では伝統的に80～120 mL/minに設定されることが多い。オーストラリアの単一施設において，QB 150 mL/minとQB 250 mL/minの2群にランダム化し，血液回路寿命を評価した研究が報告されている[14]。100症例462回路が対象となり，両群において回路寿命に有意差はなく〔150 mL/min：9.1 hr（5.5～26 hr）vs. 10 hr（4.2～17 hr），$p = 0.37$〕，バスキュラーアクセスのタイプやCRRTのモード，凝固検査値などの影響は検出されなかった。規模は小さいものの，実臨床で遭遇する疑問に回答する研究として評価できる。

10) Gaudry S, Hajage D, Schortgen F et al：Initiation strategies for renal replacement therapy in the intensive care unit. N Engl J Med 375：122-133, 2016

11) Zarbock A, Kellum JA, Schmidt C et al：Effect of early vs delayed initiation of renal replacement therapy on mortality in critically ill patients with acute kidney injury：The ELAIN randomized clinical trial. JAMA 315：2190-2199, 2016

12) Barbar SD Clere-Jehl R, Bourredjem A et al：Timing of renal-replacement therapy in patients with acute kidney injury and sepsis. N Engl J Med 379：1431-1442, 2018

13) Smith OM, Wald R, Adhikari NK et al：Standard versus accelerated initiation of renal replacement therapy in acute kidney injury（STARRT-AKI）：study protocol for a randomized controlled trial. Trials 14：320, 2013

14) Fealy N, Aitken L, du Toit E et al：Faster blood flow rate does not improve circuit life in continuous renal replacement therapy：a randomized controlled trial. Crit Care Med 45：e1018-e1025, 2017

AKI に対する新規薬物療法

AKI に対する新規薬剤開発が進められてきた中で，アルカリフォスファターゼによる敗血症性 AKI への治療介入が試みられた．2018 年 JAMA 誌に発表された STOP-AKI 研究[15] は，敗血症性 AKI に対して組み換えヒトアルカリフォスファターゼによる介入効果を検証したものである．53 施設における多施設前向き介入試験（phase 2a/2b）において，成人 ICU 患者 301 人がエントリーされた．Part 1 において，組み換えヒトアルカリフォスファターゼ 0.4 mg/kg 群（$n = 31$），0.8 mg/kg 群（$n = 32$），1.6 mg/kg 群（$n = 29$），プラセボ群（$n = 30$）に割り付けられた．治療介入は 3 日間の組み換えヒトアルカリフォスファターゼ投与であり，至適投与量を 1.6 mg/kg と定めたところで，Part 2 として 1.6 mg/kg 群（$n = 82$）とプラセボ群（$n = 86$）がさらにエントリーされている．primary endpoint はクレアチニンクリアランスを用いた腎機能低下であったが，アルカリフォスファターゼによる効果は認められなかった．しかし，死亡率においては有意な低下が観察された．7 日間の内因性クレアチニンクリアランスを平均した $AUC_{1\sim7}$ ECC を用いて腎機能低下を評価しているため，AKI に対する真の効果については注意を要するが，敗血症性多臓器不全に対するアルカリフォスファターゼの予後改善効果は注目に値する．

造影剤腎症

造影剤腎症（contrast induced nephropathy：CIN）とは，ヨードを含む造影剤によって惹起される腎障害を指し，造影剤投与後に急な腎機能低下が認められ，しかも造影剤以外の原因（コレステロール塞栓や心不全増悪など）が除外される場合に診断される．一般的に腎機能低下は可逆的であり，血清クレアチニン濃度は 3～5 日程度かけて上昇し，7～14 日後にはベースライン値に戻ることが多い．乏尿を呈することは少なく，血清クレアチニン濃度の上昇も検査値の異常にとどまり，臨床的に問題となることはあまり多くないが，特に慢性腎臓病（chronic kidney disease：CKD）を合併している症例においては，腎機能低下が進行して血液浄化療法を必要とすることもある．これを反映してわが国における「造影剤腎症に関するガイドライン」は存在せず，「腎機能低下患者に対する造影剤投与に関するガイドライン」が示されている[16]．

近年，集中治療室や救急外来における疫学研究では，造影剤投与が AKI 発症頻度や死亡率を有意に増加させなかったことが報告されている[17]．その理由として，造影剤投与の有無にかかわらず AKI 発症や死亡リスクが高いため，造影剤投与がさらなる頻度の上昇をさせなかったためと解釈されている．CIN 予防に対しては抗酸化薬である N- アセチルシステインと重炭酸投与が有効で

15) Pickkers P, Mehta RL, Murray PT et al：Effect of human recombinant alkaline phosphatase on 7-day creatinine clearance in patients with sepsis-associated acute kidney injury：a randomized clinical trial. JAMA 320：1998-2009, 2018

16) 日本腎臓学会・日本医学放射線学会・日本循環器学会：腎障害患者におけるヨード造影剤使用に関するガイドライン 2018．日腎会誌 61：933-1081, 2019

17) Miyamoto Y, Iwagami M, Aso S et al：Association between intravenous contrast media exposure and non-recovery from dialysis-requiring septic acute kidney injury：a nationwide observational study. Intensive Care Med 45：1570-1579, 2019

あるという報告が最初になされて以降，数多くの臨床研究で追試が行われ，予防効果については明確な結論が出ない状況であった．2017年，多施設RCTであるPRESERVE研究が発表された[18]．N-アセチルシステインと重炭酸の効果を検証すべく2×2分割による4群にランダム化され，血清クレアチニン上昇でのみ診断されるCINの真に臨床的な意義を検証するために，ハードエンドポイントである90日後の死亡あるいは透析依存，血清クレアチニンが1.5倍以上の上昇が持続している，といった複合アウトカムがプライマリーエンドポイントとして採用された．対象を冠動脈・非冠動脈造影予定症例のうちハイリスクとされる慢性腎臓病合併〔推定糸球体濾過量（eGFR）15～45 mL/min/1.73 m²，糖尿病では45～60 mL/min/1.73 m²〕に限定し，最終的には4,993例がエントリーされた．内訳は糖尿病80％，eGFR中央値50.2 mL/min/1.73 m²，冠動脈造影90％であったが，N-アセチルシステインと重炭酸の予防効果はともに観察されなかった．本研究は中間解析が行われた時点でデータ安全性モニタリング委員会による勧告を受け，中止となっている．

造影剤腎症はこれまで多くの検討がなされてきたが，近年の検討ではこのようにネガティブな結果が続いており，造影剤の質（浸透圧など）と投与量における改善がこのような結果をもたらしていることが推察される．

18) Weisbord SD, Gallagher M, Jneid H et al：Outcomes after angiography with sodium bicarbonate and acetylcysteine. N Engl J Med 378：603-614, 2018

I. 集中治療管理

9. 内分泌・代謝管理

江木盛時
神戸大学大学院医学研究科 外科系講座 麻酔科学分野

最近の動向とガイドライン

　成人集中治療患者の目標血糖値に関する議論は収束し，140～180 mg/dL が推奨されている．現在は，糖尿病患者における目標血糖値の模索が続いている．

　急性腎不全発症後の慢性腎障害，ARDS（acute respiratory distress syndrome）後の呼吸機能低下など，急性期の臓器障害が慢性化することが知られているが，急性期の耐糖能異常が糖尿病に移行する可能性が報告されている．

　重症患者において，副腎機能不全が生じることが報告されている．重症患者の副腎不全の診断方法に関しては，ACTH（副腎皮質刺激ホルモン）負荷試験後のコルチゾール濃度増加＜9 μg/dL あるいは総コルチゾール濃度＜10 μg/dL が使用できる可能性が示されているものの，エキスパートたちのコンセンサスはいまだ得られていない．副腎機能不全が生じやすい患者群として，敗血症性ショック患者および肝硬変患者が知られており，さまざまな重症患者における副腎機能不全に関する観察研究が報告されている．

　近年の報告では，重症患者におけるコルチゾール活性の増加は，コルチゾール結合蛋白質濃度の減少，蛋白質の結合親和性の低下，およびコルチゾール分解の抑制によって生じ，ネガティブフィードバックにより副腎皮質刺激ホルモンレベル低下に関与する．この持続する低 ACTH レベルが，副腎皮質機能に悪影響を与える可能性がある．また，重症患者の治療に現在推奨されているヒドロコルチゾンの用量は，コルチゾールの半減期の大幅な増加を考慮していないため，過量投与となる可能性が高く，ネガティブフィードバックを介して中枢性副腎皮質抑制をさらに憎悪させる可能性も指摘されている．

糖尿病患者における血糖管理と予後との関連

　重症患者の目標血糖値は 140～180 mg/dL とすることはほぼ常識化しつつある[1,2]．近年の血糖管理における臨床研究は，糖尿病合併重症患者を対象としたものが中心となっている[3]．

　Krinsley らは，集中治療患者の血糖コントロールおよび ICU 入室前の糖尿病の有無と死亡率との関係を検討した多施設後ろ向き研究を報告している[4]．ICU において 5 回以上血糖測定をされた 6,387 名の患者を対象として解析を

1) Yatabe T, Inoue S, Sakaguchi M et al：The optimal target for acute glycemic control in critically ill patients：a network meta-analysis. Intensive Care Med 43：16-28, 2017
2) Egi M, Finfer S, Bellomo R：Glycemic control in the ICU. Chest 140：212-220, 2011
3) Marik PE, Egi M：Treatment thresholds for hyperglycemia in critically ill patients with and without diabetes. Intensive Care Med 40：1049-1051, 2014

行った．糖尿病を合併していない集中治療患者においては，平均血糖値，最低血糖値，血糖変動は，死亡率と有意な関連を示したが，糖尿病合併患者ではこれらの関係は観察されなかった．急性期患者における血糖管理の目標値は140～180 mg/dL が推奨されているが，**糖尿病合併患者における急性期血糖管理の目標値はいまだ研究対象といえる．**

集中治療生存者における重症化後糖尿病とその発生メカニズム

ストレス性高血糖症は，集中治療患者に頻繁に発生し，**集中治療生存者における回復後の糖尿病発生の危険因子になる可能性**が報告されている[5]．

Kar らが報告した前向き観察研究では，ICU 入院時にヘモグロビン A1c を測定したうえで，集中治療生存者における 3ヵ月後および 12ヵ月後のヘモグロビン A1c および経口耐糖能テストを施行した[6]．平均年齢58歳の40人の患者の ICU 入室時のヘモグロビン A1c は平均4.9％であった．3ヵ月後の検査には35名の患者が参加し，13人（37％）が糖尿病，15人（43％）が前糖尿病であった．12ヵ月後の検査では26名の患者が参加し，7人（27％）の参加者が糖尿病を患い，11人（42％）が前糖尿病を患っていた．平均ヘモグロビン A1c は，観察期間中に有意に増加した．本研究では，集中治療生存者における重症化後糖尿病の発生メカニズムには，β細胞のインスリン分泌能力低下とインスリン抵抗性増加の両者が関与することが示唆された．

急性腎不全発症後の慢性腎障害[7]，**ARDS 後の呼吸機能低下**[8]など，急性期の臓器障害が慢性化することが知られているが，急性期の耐糖能異常が糖尿病に移行する可能性が，より明らかにされたと言える．

手術部位感染予防のためのガイドライン 2017

手術部位感染予防のためのガイドライン 2017 において，術後重症患者も含む周術期血糖コントロールに関する推奨が提示されており[9]，周術期血糖管理においては，糖尿病の有無にかかわらず，**血糖値 200 mg/dL 未満を目標血糖値とする（カテゴリーIA－強い推奨）**ことが推奨されている．

手術部位感染の発生率に関し，目標血糖値＜ 200 mg/dL と，より低めの血糖帯，あるいは，より狭い範囲の血糖帯とを比較した無作為化比較試験は検索されず，血糖管理の最適なタイミング，期間およびその方法に関しても明確なエビデンスが存在しないことも報告されている．また，手術部位感染予防のための最適な目標ヘモグロビン A1c に関しても，糖尿病の有無にかかわらず明確なエビデンスが存在しないことも報告されていた．

4) Krinsley JS, Maurer P, Holewinski S et al：Glucose control, diabetes status, and mortality in critically ill patients：the continuum from Intensive Care Unit admission to hospital discharge. Mayo Clin Proc 92：1019-1029, 2017.

5) Plummer MP, Finnis ME, Phillips LK et al：Stress induced hyperglycemia and the subsequent risk of type 2 diabetes in survivors of critical illness. PLoS One 11：e0165923, 2016

6) Kar P, Plummer MP, Ali Abdelhamid Y et al：Incident diabetes in survivors of critical illness and mechanisms underlying persistent glucose intolerance：a prospective cohort study. Crit Care Med 47：e103-e111, 2019

7) Chawla LS, Bellomo R, Bihorac A et al：Acute kidney disease and renal recovery：consensus report of the Acute Disease Quality Initiative（ADQI）16 Workgroup. Nat Rev Nephrol 13：241-257, 2017

8) Schelling G, Stoll C, Vogelmeier C et al：Pulmonary function and health-related quality of life in a sample of long-term survivors of the acute respiratory distress syndrome. Intensive Care Med 26：1304-1311, 2000

9) Berríos-Torres SI, Umscheid CA, Bratzler DW et al：Centers for disease control and prevention guideline for the prevention of surgical site infection, 2017. JAMA Surg 152：784-791, 2017

重症患者における副腎機能および副腎機能不全に関する検討

重症患者において，副腎機能不全が生じることが報告されている[10]．重症患者の副腎不全の診断方法に関しては，**ACTH 負荷試験後のコルチゾール濃度増加 < 9 μg/dL あるいは総コルチゾール濃度 < 10 μg/dL が使用できる可能性が示されているものの，エキスパートたちのコンセンサスはいまだ得られていない**．副腎機能不全が生じやすい患者群として，敗血症性ショック患者および肝硬変患者が知られている．

重症敗血症または敗血症性ショックにおける研究

De Castro らは，重症敗血症または敗血症性ショックと診断された 139 人の患者を対象とし，コルチゾール，デヒドロエピアンドロステロン（DHEA）およびデヒドロエピアンドロステロン - 硫酸（DHEA-S）を測定し，それらの比率（コルチゾール /DHEA およびコルチゾール /DHEA-S）と予後との関連を検討することを目的に前向きコホート研究を行った[11]．コルチゾール，DHEA および DHEA-S は，敗血症発症後 24 時間以内に測定された．治療中の死亡との関係は，コルチゾール濃度で最も強い関連性を示し，SOFA および APACHE II スコアなどの重症度スコアや乳酸，CRP などの他のバイオマーカーのとの関連よりも強かった．高いコルチゾールレベル（> 17.5 μg/dL）と死亡率との関連は，院内および 28 日間の死亡率で強く，統計的に有意であった．副腎アンドロゲンに関しては，統計学的に有意な関連は存在しなかった．

肝硬変患者における研究

コルチゾール産生能の低下した肝硬変患者では，相対的副腎不全が頻繁に観察されることが知られている[12]．

Nandish らは，感染の存在が否定された非代償性肝硬変患者における相対的副腎機能不全の疫学を観察する前向き観察研究を報告している[13]．対象患者 75 名に対して ACTH 負荷試験を行い，コルチゾール濃度差 ≦ 9 μg/dL を相対的副腎機能不全と定義している．本研究における平均年齢は 54 歳であり，上部消化管出血と肝性脳症はそれぞれ 56.6％と 41.5％でみられた．75 人の患者のうち，55 人（73％）が Child 分類のクラス C であり，MELD スコアの平均は 21 であった．相対的副腎不全は 45 人の患者（60％）で認められ，相対的副腎機能不全の患者では，血清アルブミンが低く，MELD スコアが高かった．相対的副腎機能不全の患者の 3 ヵ月後死亡率は 44％であり，相対的副腎機能不全がない患者の 28％と比較して高値であったが，有意差は存在しなかった（*p*

10) Annane D, Pastores SM, Rochwerg B et al：Guidelines for the diagnosis and management of critical illness-related corticosteroid insufficiency（CIRCI）in critically ill patients（Part I）：Society of Critical Care Medicine（SCCM）and European Society of Intensive Care Medicine（ESICM）2017. Intensive Care Med 43：1751-1763, 2017

11) De Castro R, Ruiz D, Lavín BA et al：Cortisol and adrenal androgens as independent predictors of mortality in septic patients. PLoS One 14：e0214312, 2019

12) Kim G, Huh JH, Lee KJ et al：Relative adrenal insufficiency in patients with cirrhosis：a systematic review and meta-analysis. Dig Dis Sci 62：1067-1079, 2017

13) Nandish HK, Arun CS, Nair HR et al：Adrenal insufficiency in decompensated cirrhotic patients without infection：prevalence, predictors and impact on mortality. J R Coll Physicians Edinb 49：277-281, 2019

60 Ⅰ．集中治療管理

= 0.11）．

　Piano らは，肝硬変の急性代償不全のために入院した 160 人の患者を対象とした前向き研究を報告している[14]．コルチゾールの血清および唾液中濃度を ACTH 負荷試験の前後に測定し，相対的副腎不全の定義は，コルチゾールのベースライン血清レベル＜ 35 μg/dL あるいは，ACTH 負荷試験後の血清コルチゾール増加量が＜ 9 μg/dL 未満とした．78 患者（49％）で相対的副腎不全が認められ，年齢，白血球数，および高密度リポ蛋白質コレステロール濃度が独立して有意な相対的副腎不全のリスク因子であった．相対的副腎不全を呈した患者では，細菌感染発症リスク，敗血症発症リスク，敗血症性ショック発症リスク，新しい臓器不全発症リスクのリスクが有意に高かった．相対的副腎不全は，診断後 90 日以内の死亡と独立して関連していた．

　これら両研究は，肝不全が相対的副腎不全の発生に関与することを示した研究であり，**肝機能障害を合併した集中治療患者では，相対的副腎機能不全の発生率が高い可能性が示唆されている．また，相対的副腎機能不全は予後憎悪因子であることが示されている．**

▶ 心原性ショック患者における研究

　心原性ショックは，いくつかの病態生理学的特徴を敗血症性ショックと共有するといわれている[15]．Bagate らは，心原性ショック患者における相対的副腎不全の発生率および予後との関係を検討した前向き観察研究を報告している[16]．総コルチゾール濃度は，ACTH 負荷試験の直前および 30 および 60 分後に測定され，試験後の最大値と直前値の差である血清コルチゾール増加量を評価した．対象患者 92 人における全死亡率は 53％であった．ACTH 負荷試験の結果に基づいて，3 つのグループに患者分けされた．①グループ 1（直前値≦ 293 μg/dL および増加度＞ 17.1 μg/dL），②グループ 2（直前値＞ 293 μg/dL および増加度＞ 17.1 μg/dL，または直前値≦ 293 μg/dL および増加度≦ 17.1 μg/dL），③グループ 3（直前値＞ 293 μg/dL および増加度≦ 17.1 μg/dL）．各群の全死亡率はそれぞれ 76％，43％，および 15％であり，各群に有意差が存在した．多変量解析では，副腎非応答群（グループ 3）は，左室駆出率，APACHE Ⅱスコア，および心停止の既往とともに，死亡率増加と独立して関連した（p = 0.04）．

▶ 重症患者における相対的副腎不全の定義に関する懸念

　前項のごとく，**重症病態における相対的副腎不全の発生頻度は高く，予後との関連が報告されている．**しかし，より詳細な研究を行うことにより，重症患者における現在の副腎機能の評価に関し懸念を呈する研究が報告されている．

　Gibbison らは，心臓手術後の重症患者の視床下部 – 下垂体 – 副腎系の分泌

14）Piano S, Favaretto E, Tonon M et al：Including relative adrenal insufficiency in definition and classification of acute-on-chronic liver failure. Clin Gastroenterol Hepatol, 2019 Oct 4 ［Online ahead of print］

15）Hochman JS：Cardiogenic shock complicating acute myocardial infarction：expanding the paradigm. Circulation 107：2998-3002, 2003

16）Bagate F, Lellouche N, Lim P et al：Prognostic value of relative adrenal insufficiency during cardiogenic shock：a prospective cohort study with long-term follow-up. Shock 47：86-92, 2017

動態を観察した前向き観察研究を報告した[17]．対象は，心臓手術後少なくとも48時間以上集中治療室での治療を要した20患者と，19人の健康男性ボランティアである．ホルモン分泌動態として，24時間の間，ACTH濃度を1時間ごとに測定し，総コルチゾール濃度を10分ごとに測定した．いずれの重症患者にも，ACTHおよびコルチゾールの変動を認め，重症患者の平均ACTH濃度は，健康なボランティアと有意な差は存在しなかった．しかし，重症患者では，コルチゾール濃度は増加していた．このコルチゾール濃度の増加は，拍動型コルチゾール分泌[18]ではなく，非拍動型コルチゾールによるものであった．重症患者20人中7人における最低コルチゾール濃度は，重症患者における副腎不全に関する国際ガイドラインに提示された閾値を下回っていたが，コルチコステロイド分泌能低下は認められなかった．本研究の結果は，現行の副腎機能検査では，重症患者の副腎機能不全の診断に適していない可能性を示唆しており，今後の研究の必要性を示している．

副腎機能不全の正確な診断には，過剰診断と過少診断に関連するリスクがあり，特に肝硬変，重症患者，あるいは経口エストロゲンを使用している患者で生じるコルチゾール結合グロブリンレベル[19]の異常値状態においては，液体クロマトグラフィータンデム質量分析による遊離コルチゾール[20]が必要となる．

Dichtelらは，コルチゾール結合グロブリンおよびアルブミンとの関係，ならびに正常および異常なコルチゾール結合グロブリン状態での総コルチゾールと遊離コルチゾールとの関係を検討するために前向き観察研究を行った[21]．本研究は，健康ボランティア（243名），肝硬変患者（38名），集中治療患者（26名），および経口避妊薬使用者（31名）において施行された．

集中治療患者においては，コルチゾール結合グロブリンレベルとアルブミン濃度に有意な相関は存在しなかった．総コルチゾール濃度は，集中治療患者において，遊離コルチゾール濃度と有意に関連した．液体クロマトグラフィータンデム質量分析による遊離コルチゾール＞0.9 μg/dLは，＜18 μg/dLの標準総コルチゾールカットオフによる副腎機能不全の診断を，最大の感度と特異性で予測可能であることが示された．従って，遊離コルチゾール＞0.9 μg/dLは，コルチゾール結合グロブリン濃度が変化した状態における副腎機能不全の診断に有効であるかもしれない．しかし，**コルチゾール結合グロブリン，アルブミン濃度，およびコルチゾールとの結合動態との関係が複雑な集中治療患者では，さらなる研究が必要である**とも述べられている．

▶ 重症化に伴う副腎機能不全に関する提言

アメリカ集中治療学会と欧州集中治療学会から，重症化に伴う副腎機能不全（critical illness-related corticosteroid insufficiency：CIRCI）に関する総説が

17) Gibbison B, Keenan DM, Roelfsema F et al：Dynamic pituitary-adrenal interactions in the critically ill after cardiac surgery. J Clin Endocrinol Metab, 2019 Nov 18 ［Online ahead of print］.

18) Faghih RT, Dahleh MA, Brown EN：An optimization formulation for characterization of pulsatile cortisol secretion. Front Neurosci 9：228, 2015

19) Verbeeten KC, Ahmet AH：The role of corticosteroid-binding globulin in the evaluation of adrenal insufficiency. J Pediatr Endocrinol Metab 31：107-115, 2018

20) Theocharidou E, Giouleme O, Anastasiadis S et al：Free cortisol is a more accurate marker for adrenal function and does not correlate with renal function in cirrhosis. Dig Dis Sci 641：686-1694, 2019

21) Dichtel LE, Schorr M, Loures de Assis C et al：Plasma Free Cortisol in States of Normal and Altered Binding Globulins：Implications for Adrenal Insufficiency Diagnosis. J Clin Endocrinol Metab 104：4827-4836, 2019

報告された[22]．CIRCI の原因となる 3 つの主要な病態生理学的状況として，視床下部 – 下垂体 – 副腎系の調節不全，コルチゾール代謝の変化，およびコルチコステロイドに対する組織抵抗性が提示されている[23]．

患者の重症度が高い場合，コルチゾール産生の調節は非常に複雑になり，CRH（corticotropin releasing hormone）/ACTH 経路，自律神経系，血管収縮作用系，および免疫系における多方面の関連が生じる．最近の研究では，**重症患者においては，肝臓および腎臓の主要なコルチゾール代謝酵素の発現と活性の抑制が生じ，コルチゾールの血漿クリアランスが著しく減少する**ことが示されている[24]．さらに，重症患者のコルチゾール産生能は，健康人の 2 倍未満程度増加していることが報告されている[25]．

重症患者では，これらのメカニズムで**副腎機能亢進症が生じ，フィードバック機能を介して，ACTH 分泌が抑制され，低 ACTH 濃度が生じている**ことを示唆している[26]．また，重症患者では，十分なコルチゾール濃度にもかかわらず，コルチゾール受容体 –α を介した抗炎症活性が不十分であることにより細胞内糖質コルチコイド耐性が生じ，コルチゾール受容体 –α との不均衡をもたらすコルチゾール受容体 –β の発現増加が生じていることが報告されている．これらの結果を考慮すると，CIRCI のリスクのある患者を特定するためには，現在の診断ツールには限界があることが示されている．

Teblick らは，集中治療患者における副腎機能不全に関する提言を報告している[27]．集中治療患者では，ストレス応答の重要な役割を持つ血清コルチゾール活性が増加する．CIRCI は，全身で利用可能なコルチゾールが重症病態においては不十分であると考えられる状態であり，最も一般的には敗血症性ショックなどの急性期に起こると考えられている．相対的副腎不全に関する研究では，ベースラインの血漿コルチゾールには関係なく，ACTH 負荷試験におけるコルチゾール増加量を測定することで，CIRCI を診断できることを示唆した．しかし，この方法による CIRCI の定義では，敗血症性ショック患者に対するステロイド使用の是非を決定する際に，無作為化比較試験において矛盾する結果となり，現在は，敗血症ショック患者におけるステロイド使用の判断に使用することは推奨されていない[28]．

近年報告された急性期患者における視床下部 – 下垂体 – 副腎系に関する観察研究は，現在の CIRCI の定義，および診断と治療に関する現在の診療ガイドラインに問題提起をする状況になっている．本提言における key point を以下に列挙する．

1）重症患者で**分泌されるコルチゾール量は，正常状態における分泌量と比較してそれほど多くない**．

2）重症患者における**コルチゾール活性の増加は，コルチゾール結合蛋白質濃度の減少，蛋白質の結合親和性の低下，およびコルチゾール分解の抑制に**

22）Annane D, Pastores SM, Arlt W et al：Critical illness-related corticosteroid insufficiency（CIRCI）：a narrative review from a multispecialty task force of the Society of Critical Care Medicine（SCCM）and the European Society of Intensive Care Medicine（ESICM）. Intensive Care Med 43：1781-1792, 2017

23）Meduri GU, Muthiah MP, Carratu P et al：Nuclear factor-kappaB- and glucocorticoid receptor alpha- mediated mechanisms in the regulation of systemic and pulmonary inflammation during sepsis and acute respiratory distress syndrome. Evidence for inflammation-induced target tissue resistance to glucocorticoids. Neuroimmunomodulation 12：321-338, 2005

24）Boonen E, Vervenne H, Meersseman P et al：Reduced cortisol metabolism during critical illness. N Engl J Med 368：1477-1488, 2013

25）Boonen E, Meersseman P, Vervenne H et al：Reduced nocturnal ACTH-driven cortisol secretion during critical illness. Am J Physiol Endocrinol Metab 306：E883-E892, 2014

26）Boonen E, Langouche L, Janssens T et al：Impact of duration of critical illness on the adrenal glands of human intensive care patients. J Clin Endocrinol Metab 99：4214-4222, 2014

27）Téblick A, Peeters B, Langouche L et al：Adrenal function and dysfunction in critically ill patients. Nat Rev Endocrinol 15：417-427, 2019

28）Rhodes A, Evans LE, Alhazzani W et al：Surviving sepsis campaign：international guidelines for management of sepsis and septic shock：2016. Intensive Care Med 43：304-377, 2017

よって大きく左右される.

3) 2) のメカニズムにより生じる**遊離コルチゾール活性の増加に伴うネガティブフィードバックは,重症患者に生じる副腎皮質刺激ホルモン（ACTH）レベルの低下の発生機序の一つになりうる**.

4) **長期間持続する低 ACTH レベルが,副腎皮質機能に悪影響を与える可能性がある**.

5) **ACTH 負荷試験の結果はコルチゾール分布量の増加と混同されるため,重病患者の副腎皮質機能の評価には無効である**.

6) **重症患者の治療に現在推奨されているヒドロコルチゾンの用量は,コルチゾールの半減期の大幅な増加を考慮していないため,過量投与となる可能性が高く,ネガティブフィードバックを介して中枢性副腎皮質抑制をさらに憎悪させる可能性がある**.

7) 今後の研究では,長期にわたって重篤な患者,中枢性副腎機能低下症のリスクがある患者,およびこの合併症を予防および治療するための新規戦略に焦点を当てる必要がある.

Ⅰ. 集中治療管理

10. 血液凝固線溶系管理

和田剛志
北海道大学大学院医学研究院 救急医学教室

最近の動向とガイドライン

　世界が注目したSCARLET試験の結果は、「遺伝子組換えトロンボモジュリンは凝固異常を伴う重症敗血症患者の生命予後を改善させない」というものであったが、この結果だけで薬剤の効果がないと結論付けることはできない。「敗血症かつ播種性血管内凝固症候群（disseminated intravascular coagulation：DIC）かつ重症（臓器不全合併）」が、抗凝固療法の恩恵を受ける患者群であることが明らかにされてきており、SCARLETはこの患者群から外れた軽症症例を試験に組み込んでいた可能性がある。新たな患者選択基準で行われる質の高い臨床研究の結果が待たれる。感染症に血小板減少を合併する症例では、DIC以外にも血栓性微小血管症を鑑別する必要がある。特に補体／凝固制御因子異常で発症する非典型溶血性尿毒症症候群は特異的治療薬エクリズマブが有効であるため、早期診断・治療開始が重要である。トラネキサム酸の頭部外傷に対する効果を検証したCRASH-3試験の結果が公表された。受傷後早期のトラネキサム酸投与は、有害事象を増やすことなく安全に頭部外傷患者の死亡率減少に寄与することが示された。外傷による大量出血を想定したCRASH-2試験とともに、外傷に対するトラネキサム酸の有用性を証明した貴重な研究結果である。

敗血症と凝固線溶異常

1. 敗血症ガイドラインにおける凝固線溶異常

　国際敗血症ガイドラインであるSurviving Sepsis Campaign：International Guidelines for Management of Sepsis and Septic Shock：2016（SSCG2016）[1]および日本集中治療医学会より日本版敗血症診療ガイドライン2016（The Japanese Clinical Practice Guidelines for Management of Sepsis and Septic Shock 2016：J-SSCG2016）[2]が公表された。

　J-SSCG2016では、敗血症におけるDIC診断と治療について旧版よりもさらに詳細な記載がなされており、敗血症診療における「DIC大国ニッポン」の独自性を象徴する記述がみられる。SSCG2016においては、"ANTICOAGULANTS"（抗凝固療法）の項で、敗血症におけるアンチトロンビン（antithrombin：AT）活性の低下がDIC発症および予後不良に関連していること、DICを合併する重

1) Rhodes A, Evans LE, Alhazzani W et al：Surviving sepsis campaign：international guidelines for management of sepsis and septic shock：2016. Intensive Care Med 43：304-377, 2017
2) Nishida O, Ogura H, Egi M et al：The Japanese clinical practice guidelines for management of sepsis and septic shock 2016（J-SSCG 2016）. J Intensive Care 6：7, 2018

症敗血症患者に AT が有効であったことの 2 点が，前回の SSCG2012 から追加記載されている．これは SSCG2004 の発表以降，今回で 3 回目の改訂で初めての「DIC」への言及であり，敗血症病態への凝固線溶異常の深い関与が世界的に認知されてきたと評価できる．

2. 予後不良因子である DIC は治療対象とすべきか？

Sepsis-1，sepsis-2 で重症敗血症と診断された患者を対象とした日本救急医学会（Japanese Association for Acute Medicine：JAAM）の前方視的コホート研究である The JAAM Focused Outcomes Research in Emergency Care in Acute Respiratory Distress Syndrome, Sepsis, and Trauma（FORECAST）において，日本救急医学会急性期 DIC 診断基準（以下，JAAM 基準）で DIC と診断された重症敗血症患者は，DIC を発症しなかった症例に比べ，多臓器不全発症率および 28 日死亡率も有意に高いことが確認された[3]．しかしながら，DIC を治療対象とすることで敗血症患者の予後が改善するかどうかは明らかになっていない．

本邦 42 の集中治療室で登録された敗血症 2,663 症例を対象にした後方視的コホートデータベース〔the Japan Septic Disseminated Intravascular Coagulation（J-SEPTIC DIC）registry〕を用いた検討において，国際血栓止血学会（International Society on Thrombosis Haemostasis, ISTH）DIC 診断基準（以下，ISTH 基準）で DIC を診断できる凝固系検査がなされているか否かで群分けを行い比較検討したところ，第 1 病日に ISTH 基準で DIC スクリーニングが可能であった患者群は，スクリーニングができなかった患者群に比べ有意に生存率が高く〔ハザード比（HR）：0.836，95% 信頼区間（CI）：0.711〜0.984，$p = 0.031$〕，同様に第 1 病日に JAAM 基準で DIC スクリーニングが可能であった患者群は，統計学的に有意差はないものの死亡率が低い傾向にあった（HR：0.862，95% CI：0.701〜1.06，$p = 0.147$）．また第 1，第 3 病日の両日に ISTH 基準，JAAM 基準でスクリーニングが可能であった患者群は，スクリーニングできなかった患者群に比べ有意に高い生存率が示された（ISTH 基準：HR：0.733，95% CI：0.611〜0.878，$p = 0.001$，JAAM 基準：HR：0.727，95% CI：0.597〜0.884，$p = 0.001$）[4]．**敗血症診療において凝固系検査を行い，繰り返し DIC を診断すること，すなわち DIC を治療対象とすることが患者予後改善につながる可能性があることを示唆する結果であると考えられる．**

3. DIC 治療の恩恵を受ける患者群

これまで敗血症に対するさまざまな抗凝固薬の効果を検証する大規模ランダム化比較試験（randomized controlled trial：RCT）が行われてきたが，どれもことごとく失敗に終わった．しかし対象患者を DIC に絞ると，抗凝固薬は敗血症の予後を改善させることを示すサブグループ解析結果が複数公表されて

3) Gando S, Shiraishi A, Yamakawa K et al：Role of disseminated intravascular coagulation in severe sepsis. Thromb Res 178：182-188, 2019

4) Umemura Y, Yamakawa K, Hayakawa M et al：Screening itself for disseminated intravascular coagulation may reduce mortality in sepsis：a nationwide multicenter registry in Japan. Thromb Res 161：60-66, 2018

いることなどを背景に，抗凝固薬が有効である患者群を見出す研究が盛んに行われている．Yamakawa らは，FORECAST データベースを用いて，抗凝固薬の効果を検証するため多変量 Cox 比例ハザード回帰分析を行い，抗凝固療法は DIC 症例であっても Acute Physiology and Chronic Health Evaluation Ⅱ（APACHE Ⅱ）で評価される疾患重症度が低ければ無効であり，ISTH 基準スコア，APACHE Ⅱスコアが高いほど抗凝固薬の恩恵を受けることを非線形回帰分析で示している[5]．本研究結果と，これまで得られているわが国発の知見から，「敗血症かつ DIC かつ重症」が抗凝固療法を受けるべき患者群であると総括してよいだろう[6]．

4. DIC をいつ開始するか

Yamakawa らは J-SEPTIC DIC registry データベースを用いて，生存患者数を仮想推定したシミュレーションモデルを用いた解析により，JAAM 基準および ISTH 基準のスコアが 3 点以上での抗凝固薬投与は出血性合併症を増やすことなく死亡率を低下させることを示しており，DIC 発症早期での抗凝固療法開始の有用性を示唆している[7]．

5. 遺伝子組換えトロンボモジュリン

本邦で開発された世界初の遺伝子組換えトロンボモジュリン製剤（recombinant human soluble thrombomodulin：rhTM）の「凝固異常を伴う重症敗血症」を対象とした海外第 3 相臨床試験である SCARLET（Sepsis Coagulopathy Asahi Recombinant LE Thrombomodulin）試験の結果が公表された[8]．SSCG2016，J-SSCG2016 ともに SCARLET 試験の結果を待つ形で rhTM の推奨が保留されており，その結果発表に大きな注目が集まった．主要評価項目である 28 日死亡率は，rhTM 群 106/395（26.8%）vs. プラセボ群 119/405（29.4%）で絶対リスクの差は 2.55%（95% CI：−3.68%〜8.77%）であった．しかしこの結果のみで「rhTM は効かない」と結論付けてはいけない．SCARLET 試験の事後解析で，薬剤投与開始直前まで凝固異常が持続していた患者集団（$n = 634$）では，rhTM 群 82/307（26.7%）vs. プラセボ群 105/327（32.1%）で絶対リスクの差は 5.40%（95% CI：−1.68%〜12.48%）であった．これは「Prothrombin Time-International Normalized Ratio（PT-INR）> 1.4 かつ 30,000/mm^3 <血小板< 150,000/mm^3」で定義される「凝固障害」が原疾患の治療のみで改善するような軽症例であり，前述の「DIC 治療の恩恵を受ける患者群」から外れた患者を多く組み込んでいた可能性が示唆される．また，プロトコル修正により，凝固検査が行われてから最初の薬剤が投与されるまでの期間が 15 時間から 40 時間に延長となったことも，rhTM の効果検出力を低下させた原因の一端であることが指摘されている[9]．SCARLET 試験の結果（事後解析）を含む最新のメタ解析では，rhTM の有意な予後改善効果が示されている〔リスク比（RR）：0.82，95% CI：0.69〜0.98〕[9]．

5) Yamakawa K, Gando S, Ogura H et al：Identifying sepsis populations benefitting from anticoagulant therapy：a prospective cohort study incorporating a restricted cubic spline regression model. Thromb Haemost 119：1740-1751, 2019

6) Umemura Y, Yamakawa K：Optimal patient selection for anticoagulant therapy in sepsis：an evidence-based proposal from Japan. J Thromb Haemost 16：462-464, 2018

7) Yamakawa K, Umemura Y, Murao S et al：Optimal timing and early intervention with anticoagulant therapy for sepsis-induced disseminated intravascular coagulation. Clin Appl Thromb Hemost 25：1076029619835055, 2019

8) Vincent JL, Francois B, Zabolotskikh I et al：Effect of a recombinant human soluble thrombomodulin on mortality in patients with sepsis-associated coagulopathy：the SCARLET randomized clinical trial. JAMA 321：1993-2002, 2019

9) Yamakawa K, Levy JH, Iba T：Recombinant human soluble thrombomodulin in patients with sepsis-associated coagulopathy (SCARLET)：an updated meta-analysis. Crit Care 23：302, 2019

SCARLET 試験の公表直後に発表された editorial では，rhTM の効果を検証する今後の臨床研究における患者選択基準修正の必要性に言及されており[10]，SCARLET 試験と同じ試験デザインですでに進行していた 2 本目の海外第 3 相臨床試験（SCARLET-2）は，中断し試験デザインを見直すことがプレスリリースで発表された．呼吸不全を合併する敗血症性 DIC 患者に対する rhTM の効果が報告されており[11, 12]，rhTM の効果を検証する将来の臨床試験の患者選択基準策定のヒントになるかもしれない．

6. AT

SSCG2016 では，2001 年に発表された重症敗血症を対象に AT の効果を検証した KyberSept 試験の結論を根拠に，「AT を使用しないことを推奨する（強い推奨，中等度のエビデンスの質）」としているのに対し，J-SSCG2016 では KyberSept 試験のサブグループ解析で DIC を合併する重症敗血症患者に AT が有効であったことを根拠に「推奨：AT 活性値が 70％以下に低下した敗血症性 DIC 患者に対して AT 補充療法を行うことを弱く推奨する（2B）」としており，欧米と本邦の DIC 治療に関する考え方の相違を象徴するものとなっている．

近年，リコンビナント AT 製剤（recombinant AT：rAT）に関するエビデンスが集積されつつある．AT はトロンビンや活性化第 X 因子を阻害する抗凝固作用を発揮するばかりでなく，抗炎症作用や血管内皮保護作用を有することが知られているが，rAT は血漿由来 AT（plasma-derived AT：pAT）と同等の血管内皮細胞保護作用を有していることがラットの大動脈内皮細胞を用いた基礎実験から明らかになっている[13]．本邦の第 3 相試験で，rAT 36 単位／体重と pAT 30 単位／体重の 5 日間投与の両群間で，DIC 改善率，死亡率ともに差はなく，出血合併症リスクも同等であったことが示されている[14]．Koami らは敗血症性 DIC における rAT と pAT の効果を検証する単施設後向き観察研究で，rAT 群が予測死亡率が高かったにもかかわらず，28 日死亡率は pAT 群と同等であったことを報告した[15]．rAT は体重換算での投与のため結果的に AT の投与量が多かったこと，rAT のほうが半減期が長いことをその機序の一端として考察しているが，rAT と pAT のどちらが優れているかについては，現在得られているエビデンスからは明確な結論を出すことはできないであろう．

7. rhTM と AT の併用

J-SEPTIC DIC registry データを用いた解析で，敗血症性 DIC に対して，抗凝固療法なし，AT 単剤，rhTM 単剤，AT と rhTM 併用の 4 群を比較検討した．抗凝固療法なし群と比較して，他 3 群は有意な生存率改善を示したが，2 剤併用による上乗せ効果は認められなかった[16]．一方で，AT が 40％以下の重症症例，および 70％以下の症例においても，AT と rhTM 併用による生存

10) van der Poll T：Recombinant human soluble thrombomodulin in patients with sepsis-associated coagulopathy：another negative sepsis trial？ JAMA 321：1978-1980, 2019

11) Yoshihiro S, Sakuraya M, Hayakawa M et al：Recombinant human-soluble thrombomodulin contributes to reduced mortality in sepsis patients with severe respiratory failure：a retrospective observational study using a multicenter dataset. Shock 51：174-179, 2019

12) Kato T, Matsuura K：Recombinant human soluble thrombomodulin improves mortality in patients with sepsis especially for severe coagulopathy：a retrospective study. Thromb J 16：19, 2018

13) Iba T, Hirota T, Sato K et al：Protective effect of a newly developed fucose-deficient recombinant antithrombin against histone-induced endothelial damage. Int J Hematol 107：528-534, 2018

14) Endo S, Shimazaki R：An open-label, randomized, phase 3 study of the efficacy and safety of antithrombin gamma in patients with sepsis-induced disseminated intravascular coagulation syndrome. J Intensive Care 6：75, 2018

15) Koami H, Sakamoto Y, Sakurai R et al：The efficacy and associated bleeding complications of recombinant antithrombin supplementation among intensive care unit patients. Thromb Res 157：84-89, 2017

16) Umemura Y, Yamakawa K, Hayakawa M et al：Concomitant versus individual administration of antithrombin and thrombomodulin for sepsis-induced disseminated intravascular coagulation：a nationwide japanese registry study. Clin Appl Thromb Hemost 24：734-740, 2018

率改善効果が示されており[17, 18]，propensity score matching を用いた解析でも AT と rhTM 併用の有用性が報告されている[19]．

rTM と AT の併用を推奨する明確なエビデンスはないが，2剤併用は出血性合併症を増加させないことも過去に報告されており，特に重症症例では併用を考慮してもよいのかもしれない．

8. DIC 診断基準

ISTH 基準は国際標準の診断基準であるが，感度が低く，診断されたときには病期が進行しており，治療開始基準としての問題が指摘されていた．その弱点を補う形で策定された JAAM 基準は，感度が高く治療開始基準として有用であり，特に敗血症で有用であることが複数の研究で確認されている．近年，新たな診断基準として，PT-INR と血小板数，および臓器障害の指標である sequential organ failure assessment（SOFA）スコアを項目に含む sepsis-induced coagulopathy（SIC）が提唱された[20]．SIC は，SIC 同様に PT-INR と血小板数で診断される sepsis-associated coagulopathy（SAC）[21] とともにその妥当性が証明されており[22]，ISTH の DIC 学術標準化委員会より SIC と ISTH 基準での2段階での敗血症性 DIC 診断が提案されている[23]．

2016 年に公表された新たな敗血症診断基準 "sepsis-3" は，敗血症を感染による宿主の異常な反応により臓器不全をきたした状態と定義したため，SIC は時宜を得た診断基準であるといえる．一方で，SOFA スコアは 1996 年に公表されたものであり，現在の敗血症診療に適していない（循環作動薬の使用法，鎮静患者の意識状態評価など）という批判もなされている．ゴールドスタンダードがなく，既存の診断基準，そして新たに提唱された診断基準が複数存在する現在，「治療を要する患者を拾い上げる」という診断基準の基本的役割を念頭に置き DIC 診断基準を議論することが重要であると考える．

9. DIC の病態

Toh らは DIC の病態研究の最新の知見をまとめた総説を公表した[24]．**DIC は，Dysregulated Inflammation & Coagulofirinolytic responses（病的自然免疫凝固炎症反応）である**と捉えられており，その病態の中心を担うのは，損傷細胞からのヒストン，そして活性化好中球からの neutrophil extracellular traps（NETs）の放出である．ヒストンと NETs は相乗的に作用し，凝固亢進，血小板の活性化，抗凝固機構障害，線溶抑制，炎症反応惹起，補体活性化など，DIC 病態を構成するすべての要素を誘導することが証明されている．NETs 形成に必須なヒストンのシトルリン化に関与する peptidylarginine deiminase 4 は膠原病の領域で研究が進んでおり，DIC の新たな治療標的として注目されている．

17) Iba T, Saitoh D, Wada H et al：Efficacy and bleeding risk of antithrombin supplementation in septic disseminated intravascular coagulation：a secondary survey. Crit Care 18：497, 2014

18) Iba T, Gando S, Saitoh D et al：Efficacy and bleeding risk of antithrombin supplementation in patients with septic disseminated intravascular coagulation：a third survey. Clin Appl Thromb Hemost 23：422-428. 2017

19) Iba T, Hagiwara A, Saitoh D et al：Effects of combination therapy using antithrombin and thrombomodulin for sepsis-associated disseminated intravascular coagulation. Ann Intensive Care 7：110, 2017

20) Iba T, Nisio MD, Levy JH et al：New criteria for sepsis-induced coagulopathy (SIC) following the revised sepsis definition：a retrospective analysis of a nationwide survey. BMJ open 7：e017046, 2017

21) Lyons PG, Micek ST, Hampton N et al：Sepsis-associated coagulopathy severity predicts hospital mortality. Crit Care Med 46：736-742, 2018

22) Yamakawa K, Yoshimura J, Ito T et al：External validation of the two newly proposed criteria for assessing coagulopathy in sepsis. Thromb Haemost 119：203-212, 2019

23) Iba T, Levy JH, Yamakawa K et al：Proposal of a two-step process for the diagnosis of sepsis-induced disseminated intravascular coagulation. J Thromb Haemost 17：1265-1268, 2019

24) Alhamdi Y, Toh CH：Recent advances in pathophysiology of disseminated intravascular coagulation：the role of circulating histones and neutrophil extracellular traps. F1000Res 6：2143, 2017

敗血症性 DIC の鑑別疾患，特に血栓性微小血管症

敗血症性 DIC の鑑別疾患の重要性が認識されるようになってきており，J-SSCG の DIC ワーキンググループおよび ISTH の DIC 部会からそれに関わる総説が公表されている[25, 26]．その中で特に詳細に解説されている血栓性微小血管症（thrombotic microangiopathy：TMA）は，血管内皮細胞障害という DIC と共通の病態を有する一方，DIC で生じる凝固異常は伴わず，血小板凝集に伴う微小血管閉塞病変が病態の中心であると理解されている[27]．TMA は，von Willebrand 因子の特異的切断酵素（ADAMTS13）の活性低下による血栓性血小板減少性紫斑病（thrombotic thrombocytopenic purpura：TTP）と溶血性尿毒症症候群（hemolytic uremic syndrome：HUS）に大別されていたが，近年は HUS は志賀毒素産生大腸菌（Shiga-toxin producing *Escherichea coli*：STEC）感染による STEC-HUS，補体 / 凝固制御遺伝子の異常により発症する atypical HUS（aHUS），それ以外の自己免疫性疾患などに伴う二次性 TMA とに分類することが提唱されている[26]．補体 C5 に対するモノクローナル抗体エクリズマブが aHUS に有効であるなど特異的な治療法が存在する病態もあるため，迅速な診断が必須である．**感染症に血小板減少をきたしている症例では，PT や D-dimer などの凝固線溶マーカー検査とともに，破砕赤血球の有無，クームス試験，ハプトグロビン，LDH 値などを評価し，溶血性貧血の徴候を認める際には，ADAMTS13 や補体 / 凝固関連遺伝子異常を検査しつつ血漿交換，あるいはエクリズマブ投与に踏み切る必要がある**[28]．Abe らは，敗血症性 DIC に続発した aHUS を適切に診断しエクリズマブ投与で救命しえた一例を報告した[29]．これは DIC の鑑別疾患の重要性を集中治療医に啓蒙した，価値ある症例報告と評価できる．

外傷と凝固線溶異常

2012 年に CRASH-2 試験により，抗プラスミン作用を持つトラネキサム酸（tranexamic acid：TXA）が大量出血あるいはそのリスクを有する外傷患者の死亡率を有意に低下させることが証明された．しかし，CRASH-2 の一連の研究において，頭部外傷症例に対する TXA の有用性は見いだされなかった．これは CRASH-2 が大量出血を念頭にした患者選択基準を用いていることに起因している可能性があり，単独頭部外傷への TXA の効果を十分に評価しているとは言い難いことなどが指摘されていた．

頭部外傷患者に対する TXA の効果を検証する CRASH-3 試験は，29ヵ国，175 病院が参加した国際多施設共同 RCT であり，Glasgow Coma Scale（GCS）12 以下あるいは CT 検査で頭蓋内出血が確認された患者を対象とし，受傷から 3 時間以内に TXA 1 g 10 分間での投与に続き，TXA 1 g が 8 時間

25）Iba T, Watanabe E, Umemura Y et al：Sepsis-associated disseminated intravascular coagulation and its differential diagnoses. J Intensive Care 7：32, 2019

26）Iba T, Levy JH, Wada H et al：Differential diagnoses for sepsis-induced disseminated intravascular coagulation：communication from the SSC of the ISTH. J Thromb Haemost 17：415-419, 2019

27）Wada H, Matsumoto T, Suzuki K et al：Differences and similarities between disseminated intravascular coagulation and thrombotic microangiopathy. Thromb J 16：14, 2018

28）Vincent JL, Castro P, Hunt BJ et al：Thrombocytopenia in the ICU：disseminated intravascular coagulation and thrombotic microangiopathies-what intensivists need to know. Crit Care 22：158, 2018

29）Abe T, Sasaki A, Ueda T et al：Complement-mediated thrombotic microangiopathy secondary to sepsis-induced disseminated intravascular coagulation successfully treated with eculizumab：a case report. Medicine 96：e6056, 2017

で投与された．主要評価項目の 28 日死亡は，患者全体では TXA 群 855/4,613（18.5％）vs. プラセボ群 892/4,514（19.8％）でリスク比 0.94（95％ CI：0.86〜1.02）であった．GCS 3 および両側対光反射なしの症例を除くと，TXA 群 485/3,880（12.5％）vs. プラセボ群 525/3,757（14.0％）でリスク比 0.89（95％ CI：0.80〜1.00），また GCS9〜15 の軽症および中等症では，TXA 群 166/2,846（5.8％）vs. プラセボ群 207/2,769（7.5％）でリスク比 0.78（95％ CI：0.64〜0.95）であった．血管閉塞および痙攣イベント発症は，それぞれリスク比 0.98（95％ CI：0.74〜1.28），1.09（95％ CI：0.90〜1.33）であった．さらに受傷から TXA 投与の時間が早いほど TXA の死亡率減少の効果が顕著であることが示されている[30]．これらの結果から，**TXA は有害事象を増やすことなく安全に頭部外傷患者の死亡率減少に寄与すること，そして TXA はできるだけ受傷後早期に投与するべきであることが理解できる**．

30) CRASH-3 trial collaborators：Effects of tranexamic acid on death, disability, vascular occlusive events and other morbidities in patients with acute traumatic brain injury（CRASH-3）：a randomised, placebo-controlled trial. Lancet 394：1713-1723, 2019

I. 集中治療管理

11. 輸血・血漿分画製剤

畠山 登
愛知医科大学医学部 麻酔科学講座

最近の動向とガイドライン

赤血球輸血に関して成人ではコンセンサスが形成されているが，小児についてはこれまで赤血球輸血についてのエビデンスを伴ったガイドラインはなかったと思われる．今回，pediatric critical care transfusion and anemia expertise initiative（TAXI）を中心としたグループから，小児赤血球輸血に関してのガイドラインが示された．エビデンスとしては不足している点も多いが，これからの検討材料となるであろう．また，赤血球輸血を回避する目的で，鉄剤やエリスロポエチン製剤を使用する研究が行われているが，効果発現までの時間が長いため単剤では効果が不十分である．これらを併用した研究も見受けられ，集中治療領域における可能性が示唆された．敗血症性DIC（dissemirated intravascular coagulation）についてはアンチトロンビンの効果についてさまざまな見解があったが，最近の検討においてはDICが診断されている場合のアンチトロンビンの有効性が示唆されている．また本邦において遺伝子組換えヒトアンチトロンビン製剤が使用できるようになったが，投与量の違いを除けば効果，安全性に差はないものと思われた．

小児における赤血球輸血ガイドライン

小児に対する赤血球輸血に関しての推奨は，これまで小規模な研究などでは示されてきた．今回，小児におけるさまざまな病態下での赤血球輸血について，推奨が示された．

集中治療を受ける重篤な小児について，ヘモグロビン値や他の検査値を踏まえた推奨[1]では，以下の6つのクリニカルクエスチョンに対する推奨が示されている．①ヘモグロビン濃度5 g/dL未満で赤血球輸血を考慮する（1C）．②指標やバイオマーカーによる赤血球輸血の判断は推奨できない．③ヘモグロビン値が7 g/dL以上で血行動態が安定している場合には，赤血球輸血を行わないことを推奨する（1B）．④心臓手術を除く手術後の非出血性貧血に対してもヘモグロビン値が7 g/dL以上の場合，赤血球輸血を行わないことを推奨する（2C）．⑤ヘモグロビン値が5～7 g/dLの間においては，輸血についての十分なエビデンスがなく，臨床的に判断することが妥当である．⑥目標ヘモグロ

1) Doctor A, Cholette JM, Remy KE et al: Recommendations on red blood cell transfusion in general critically ill children based on hemoglobin and/or physiologic thresholds from the pediatric critical care transfusion and anemia expertise initiative. Pediatr Crit Care Med 19: S98-S113, 2018

ビン濃度については，正常なヘモグロビン濃度を目指す必要はなく，7〜9.5 g/dL を目指す（2C）．

急性呼吸不全を有する小児に対して[2]もほぼ同様の推奨が当てはまる．①ヘモグロビン濃度5 g/dL 未満で赤血球輸血を考慮する（1C）．②重篤な急性低酸素血症，慢性チアノーゼ，溶血性貧血がない場合には，ヘモグロビン濃度7 g/dL 以上の場合，赤血球輸血をしないことを推奨する（1B）．③重篤な低酸素血症を合併する呼吸不全を有する場合においては，最適な輸血療法についての推奨はできない．④ヘモグロビン濃度5〜7 g/dL の間では，呼吸不全を有する小児における赤血球輸血の推奨をするためのエビデンスは不足しており，臨床的な判断が妥当である．⑤指標やバイオマーカーによる赤血球輸血の判断は推奨できない．

非出血性ショックを有する小児についての推奨[3]は以下の通りである．①赤血球輸血だけを考えるのではなく，酸素供給を増大させ，酸素需要を少なくするための取り得る手段を考慮する．②指標やバイオマーカーによる赤血球輸血の判断は推奨できない．③不安定な非出血性ショックを有する小児に対する輸血閾値の推奨はできない．

生命を脅かさない程度の出血や出血性ショックを有する小児に対しての推奨[4]は以下の通りとなっている．①ヘモグロビン濃度5 g/dL 未満で赤血球輸血実施するべきである（2C）．②ヘモグロビン濃度5〜7 g/dL では，赤血球輸血を考慮するべきである．③赤血球，血漿，血小板の投与割合は経験的に2：1：1から1：1：1の間で，出血による生命の危険がなくなるまで行うことを提案する．

急性脳障害を有する小児に対しての推奨は以下のようになっている[5]．①急性脳障害（重篤な脳外傷，脳血管障害）を有する小児においては，ヘモグロビン濃度が7〜10 g/dL に低下した時点で赤血球輸血を考慮する．②赤血球輸血実施の判断に脳酸素分圧モニタリング値を用いることは推奨できない．

後天性，先天性心疾患を有する幼児，小児に対する推奨[6]は以下の通りである．①心筋障害：（後天性，先天性の）右・左心室心筋障害を有する小児においては，ヘモグロビン濃度の目標数値を示す十分なエビデンスはない．さらに，ヘモグロビン濃度10 g/dL を目標とすることがよいとするエビデンスもない．②肺高血圧症：特発性あるいは続発性肺高血圧症を有する小児においては，ヘモグロビン濃度の目標数値を示す十分なエビデンスはない．さらに，ヘモグロビン濃度10 g/dL を目標とすることがよいとするエビデンスもない．③修復されていない先天性心疾患の術前：血行動態が安定している場合には，心肺機能予備力に応じて少なくともヘモグロビン濃度を7.0〜9.0 g/dL に維持するように赤血球輸血を行うことを推奨する（2C）．④先天性心疾患の術中管理：人工心肺，術後管理を含めて，赤血球輸血や他の血液製剤の使用を最小限

2) Demaret P, Emeriaud G, Hassan NE et al：Recommendations on red blood cell transfusions in critically ill children with acute respiratory failure from the pediatric critical care transfusion and anemia expertise initiative. Pediatr Crit Care Med 19：S114-S120, 2018

3) Muszynski JA, Guzzetta NA, Hall MW et al：Recommendations on red blood cell transfusions for critically ill children with non-hemorrhagic shock from the pediatric critical care transfusion and anemia expertise initiative. Pediatr Crit Care Med 19：S121-S126, 2018

4) Karam O, Russell RT, Stricker P et al：Recommendations on red blood cell transfusion in critically ill children with non-life threatening bleeding or hemorrhagic shock from the pediatric critical care transfusion and anemia expertise initiative. Pediatr Crit Care Med 19：S127-S132, 2018

5) Tasker RC, Turgeon AF, Spinella PC et al：Recommendations for red blood cell transfusion in critically ill children with acute brain injury from the pediatric critical care transfusion and anemia expertise initiative. Pediatr Crit Care Med 19：S133-S136, 2018

6) Steiner ME, Zantek ND, Stanworth SJ et al：Recommendations on red blood cell transfusion support in children with hematologic and oncologic diagnoses from the pediatric critical care transfusion and anemia expertise initiative. Pediatr Crit Care Med 19：S149-S156, 2018

にとどめるような方策をとることを推奨する（1C）．⑤先天性心疾患の術後管理・一期手術：血行動態が安定し，心臓領域の良好な酸素化が得られ，臓器機能が維持されている場合には，ヘモグロビン濃度＞9.0 g/dL であればヘモグロビン濃度のみを指標とした赤血球輸血は避けることを推奨する（2C）．⑥二期・三期手術の術後管理：ヘモグロビン濃度＞9.0 g/dL で酸素供給が適切に行われていれば，赤血球輸血を行わないことを推奨する（2C）．⑦両心室修復術後の管理：血行動態が安定しており，適切な酸素化と臓器機能が維持されていれば，ヘモグロビン濃度≧7.0 g/dL での赤血球輸血は推奨しない（1B）．⑧新鮮な赤血球製剤を用いることに対する十分なデータは得られていない（2C）．

　血液疾患，腫瘍を有する小児についての推奨[6]について，鎌状赤血球症は赤血球の変形により酸素運搬能が障害される疾患であるが，人種により発症頻度が異なるため，本邦において問題となることは少ない．鎌状赤血球症に対しての推奨は以下の通りである．①全身麻酔下で手術を行う場合，ヘモグロビンS が 30％未満であることよりも，目標ヘモグロビン濃度を 10 g/dL として赤血球輸血を行うことを推奨する（1B）．②小手術に関しては術前ヘモグロビン濃度，ヘモグロビンS の割合の目標値についての十分なエビデンスはない．③鎌状赤血球症の重篤な合併症である急性胸部症候群を発症している重篤な小児においては，単純な赤血球輸血より，交換輸血が推奨される（1C）．④肺高血圧症を合併している場合，ヘモグロビン濃度，ヘモグロビンS の割合の目標値について，また輸血方法についての十分なエビデンスはない．⑤脳卒中を合併した場合も，ヘモグロビン濃度，ヘモグロビンS の割合の目標値についての目標値，輸血開始の閾値を示す十分なエビデンスはない．一方で，早期に赤血球輸血を開始する場合には交換輸血が好ましいとされる．⑥血液腫瘍：血行動態が安定していれば，赤血球輸血の開始閾値としてヘモグロビン濃度7〜8 g/dL を推奨する（2C）．⑦造血幹細胞移植：血行動態が安定していれば，赤血球輸血の開始閾値としてヘモグロビン濃度7〜8 g/dL を推奨する（2C）．

　体外式膜型人工肺（ECMO），補助心臓（VAD），血液浄化療法（RRT）を受ける小児についての推奨[7]は以下の通りである．①ECMO：ヘモグロビン濃度に加えて生理的な指標，酸素供給に対するバイオマーカーを参考にして赤血球輸血を行うことを推奨し，さらに不十分な心肺補助，全身・組織への酸素供給の減少も考慮すべきである（2C）．②ECMO：現時点で赤血球輸血を推奨する生理的指標やバイオマーカー値についてのエビデンスは不足している．③VAD：ヘモグロビン濃度に加えて生理的な指標，酸素供給に対するバイオマーカーを参考にして赤血球輸血を行うことを推奨し，さらに不十分な心肺補助，全身・組織への酸素供給の減少も考慮すべきである．④RRT：適正な血液浄化が行える最小の回路を用いて，血液浄化に伴う赤血球輸血の必要性を最

7) Bembea MM, Cheifetz IM, Fortenberry J et al : Recommendations on the indications for red blood cell transfusion for the critically ill child receiving support from extracorporeal membrane oxygenation, ventricular assist, and renal replacement therapy devices from the pediatric critical care transfusion and anemia expertise initiative. Pediatr Crit Care Med 19 : S157-S162, 2018

小限にとどめることを推奨する.

また，小児においても，成人の場合と同様に輸血に関連する**移植片対宿主病 (TA-GVHD) が発生する可能性があるため照射赤血球を用いること，供血者が近親者であっても照射後に使用することを強く推奨している (1C)**[8]. さらに，血液製剤に対してアレルギー反応を起こした既往がある場合には，洗浄赤血球を赤血球輸血に用いることやアレルギーの状態を輸血に先立って検査すること，またIgA欠損やIgA抗体を有することがわかっている，あるいは疑わしい場合にはIgA欠損の供血者からの赤血球輸血を推奨している[8].

これらのガイドラインによる推奨の他に，小児における赤血球輸血により発症するせん妄についての調査が報告されている[9]. 単一施設PICUにおける1,547例の調査で，その中で赤血球輸血を受けた166例（10.7%）と赤血球輸血を受けなかった群との比較で**せん妄の発生が2倍以上多かった**〔調整オッズ比（aOR）：2.16, 95%信頼区間（CI）：1.38〜3.37, $p = 0.001$〕としている一方で，貧血そのものはせん妄の発症とは関係がなかったと報告している.

▶ 貧血に対する鉄剤とエリスロポエチン製剤について

貧血において，赤血球輸血を回避する手段として，鉄欠乏が疑われる場合には鉄剤の投与，また血液浄化療法を受けている慢性腎不全患者などではエリスロポエチン製剤が投与されることがしばしばある．血清鉄は血漿トランスフェリンと結合し，フェリチンとしてヘモグロビン生成に利用される一方，エリスロポエチンは骨髄において赤芽球系前駆細胞を赤血球へ分化させる作用を有する．慢性の鉄欠乏性貧血に対する鉄剤の効果はこれまでに多くの研究が報告され，エビデンスとして確立していると思われるが，集中治療および周術期のいわゆる急性期における効果は不明である．鉄剤は内服薬としてクエン酸第一鉄，静注薬として含糖酸化鉄，カルボキシマルトース第二鉄（本邦においても発売予定）が存在している．集中治療患者に対する鉄剤の効果についてメタ解析が報告[10]されている．この中では6つのRCTより805名の患者を対象として解析をしたところ，投与方法にかかわらず赤血球輸血の必要性は減少させなかった〔risk ratio（RR）：0.91, 95% CI：0.80 to 1.04, $p = 0.15$〕し，赤血球輸血量も減少させなかった〔mean difference（MD）：-0.30, 95% CI：-0.68 to 0.07, $p = 0.15$〕．一方で，10日目以降のヘモグロビン濃度は有意に増加させた（MD：0.31 g/dL, 95% CI：0.04 to 0.59, $p = 0.03$）とのことで，鉄剤の効果発現までにはある程度の時間は必要であることを示唆している．また，70歳以上の大腿骨頸部骨折患者80人を対象としたランダム化による検討[11]においては，200 mgのスクロース鉄を3回にわたり30分以上かけて静脈内投与した場合の効果について観察しており，鉄剤投与群においてはランダム化後7日目の網状赤血球数は有意差を持って多かった〔89.4（78.9〜101.3）

8) Zantek ND, Parker RI, van de Watering LM et al：Recommendations on selection and processing of red blood cell components for pediatric patients from the pediatric critical care transfusion and anemia expertise initiative. Pediatr Crit Care Med 19：S163-S169, 2018

9) Nellis ME, Goel R, Feinstein S et al：Association between transfusion of red blood cells and subsequent development of delirium in critically ill children. Pediatr Crit Care Med 19：925-929, 2018

10) Shah A, Fisher SA, Wong H et al：Safety and efficacy of iron therapy on reducing red blood cell transfusion requirements and treating anaemia in critically ill adults：a systematic review with meta-analysis and trial sequential analysis. J Crit Care 49：162-171, 2019

11) Moppett IK, Rowlands M, Mannings AM et al：The effect of intravenous iron on erythropoiesis in older people with hip fracture. Age and Ageing 48：751-755, 2019

× 109 cells／l（$n = 39$）vs. the control［72.2（63.9～86.4）］× 109 cells／l（$n = 41$）, $p = 0.019$, mean（95% CI）of log-transformed data］が，ヘモグロビン濃度には差を認めなかったことから，この検討においても鉄剤の効果発現には時間が必要であることが示唆される．カルボキシマルトース第二鉄注射製剤と経口剤の比較については，供血者を対象としたランダム化研究[12] において，供血後の一時的な貧血状態に対して，カルボキシマルトース第二鉄注射製剤 1,000 mg を 1 回投与した群と，鉄剤 100 mg を 8～10 週の間，毎週投与した群との比較で，静注群の方がトランスフェリンの飽和度とフェリチン濃度が高かったということで注射製剤の有用性を報告している．静注用鉄剤の副作用としてはアナフィラキシー，低血圧，ショックがあげられており[13]，周術期の鉄欠乏性貧血には有効であるが，投与に際しては注意が必要であるとしている．

エリスロポエチン（EPO）製剤については本邦において，透析時の腎性貧血と未熟児貧血に適応がある．集中治療において，同種異系の赤血球輸血は死亡率の増加，感染，呼吸器系合併症，多臓器不全の発症などと関連するとされ，可能であれば避けるとする考え方が一般的となっている．そこで，エリスロポエチン製剤の貧血への使用が検討されたが，有用な結果は得られなかったと報告されている[14]．しかし，一方では EPO は単に赤血球産生を刺激するだけではなく，炎症反応における細胞のアポトーシスを制御していることが明らかとなり[14]，集中治療における今後の応用が期待されている．また EPO 製剤単体ではなく，鉄剤との併用により周術期の赤血球輸血リスクを減少させるとしたメタ解析が報告され[15]，大変興味深いところである．

■ 敗血症性 DIC とアンチトロンビン

敗血症性 DIC の治療としてアンチトロンビン（AT）の投与が行われている．しかしこれまでの研究では，その有効性について一定の見解は得られていなかった．そこで過去に報告された 4 つの研究を基に AT の敗血症性 DIC に対する有効性について解析した報告[16] では，AT の有効性を示せなかった 2 つの研究ではあらゆる敗血症患者や重篤な患者を含めて解析対象としていることがわかり，本邦の全国的なデータベースを使用した敗血症性 DIC 患者のみを対象とした研究では 28 日死亡率に改善がみられるとしている．これは敗血症性 DIC を確実に診断して AT を使用することの重要性を示していると思われる．しかし，AT 投与と AT 活性値との関係において，AT 投与開始時のAT 活性値が 43% 以下の場合のみ，AT 投与（1,500 U を 3 日間）により生命予後が改善したとの報告[17] もされており，敗血症性 DIC が臓器障害を引き起こす機序の一つとして，血管内皮障害があげられる．血管内皮細胞の内腔側にはグリコカリックスと呼ばれるゲル状の層があり，通常は白血球と血管内皮細

12) Drexler C, Macher S, Lindenau I et al：High-dose intravenous versus oral iron in blood donors with iron deficiency：The IronWoMan randomized, controlled clinical trial. Clin Nutr, 2019 Mar 26［Online ahead of print］

13) Gómez-Ramírez S, Shander A, Spahn DR et al：Prevention and management of acute reactions to intravenous iron in surgical patients. Blood Transfus 17：137-145, 2019

14) French C：Erythropoietin in critical illness and trauma. Crit Care Clin 35：277-287, 2019

15) Kei T, Mistry N, Curley G et al：Efficacy and safety of erythropoietin and iron therapy to reduce red blood cell transfusion in surgical patients：a systematic review and meta-analysis. Can J Anesth 66：716-731, 2019

16) Tagami T：Antithrombin concentrate use in sepsis-associated disseminated intravascular coagulation：re-evaluation of a 'pendulum effect' drug using a nationwide database. J Thromb Haemost 16：458-461, 2018

17) Hayakawa M, Yamakawa K, Kudo D et al：Optimal antithrombin activity threshold for initiating antithrombin supplementation in patients with sepsis-induced disseminated intravascular coagulation：a multicenter retrospective observational study. Clin Appl Thromb/Hemos 24：874-883, 2018

胞の相互作用や血栓形成の抑制など血管内皮保護に役割を果たしているが、このグリコカリックスが、敗血症性 DIC のごく初期から障害を受けることが明らかとなった[18]。このグリコカリックスに対する障害について、エンドトキシンによる敗血症モデルラットを用いた研究報告[19]では、グリコカリックスが破壊されて遊離する血液中の syndecan-1 と hyaluronan が AT 投与群において低レベルであったこと、さらに血中乳酸レベルの上昇とアルブミン低下が少なかったことから、**AT は敗血症においてグリコカリックスを保護することで、血管内皮障害、臓器障害を抑制する**と結論している。このことから、敗血症性 DIC においても早期から AT による治療が望ましいことが示唆される。しかし、一方ではトロンビンによる凝固活性化が敗血症原因菌の抑制に必要とする報告[20]もされている。*Klebsiella pneumoniae* を感染させたマウスモデルで、ダビガトランでトロンビン活性を抑制すると生存率が悪化しており、**トロンビンがフィブリンや好中球による neutrophil extracellular traps（NETs）による細菌の捕捉、血小板と好中球の相互作用などに影響を及ぼしている**と考えられ、これからの検討が必要な課題の一つであると思われる。

　本邦において、遺伝子組換えヒトアンチトロンビン製剤（アンチトロンビンガンマ、rAT）が使用できるようになった[21]。この製剤は先天性 AT 欠乏症と DIC に保険適用を有するが、門脈血栓症に対しては保険適用ではない。rAT は従来の血漿分画製剤である AT と比較して、rAT 36 IU/kg/day と AT 30 IU/kg/day が同等の効果と安全性を有すると報告[22]されている。血漿分画製剤から遺伝子組み換え製剤へ移行することにより、感染面において安全性が高まることが期待される。さらに、AT と rAT の血管内皮保護効果について、培養血管内皮細胞と Histone H4 を用いて比較検討した報告[23]においても **AT、rAT ともに同様の効果を有した**としており、臨床使用においては投与量に注意が必要であるが、rAT は安全かつ効果的に使用できるものと思われる。

18) Iba T, Levy JH：Derangement of the endothelial glycocalyx in sepsis. J Thromb Haemost 17：283-294, 2019

19) Iba T, Levy JH, Hirota T et al：Protection of the endothelial glycocalyx by antithrombin in an endotoxin-induced rat model of sepsis. Thromb Res 171：1-6, 2018

20) Claushuis TAM, de Stoppelaar SF, Stroo I et al：Thrombin contributes to protective immunity in pneumonia-derived sepsis via fibrin polymerization and platelet–neutrophil interactions. J Thromb Haemost 15：744-757, 2017

21) 和田英夫：遺伝子組換えヒトアンチトロンビン製剤「アコアラン」．循環制御 39：132-135, 2018

22) Endo S, Shimazaki R, Antithrombin Gamma Study Group：An open-label, randomized, phase 3 study of the efficacy and safety of antithrombin gamma in patients with sepsis-induced disseminated intravascular coagulation syndrome. J Intensive Care 6：75, 2018

23) Iba T, Hirota T, Sato K et al：Protective effect of a newly developed fucose-deficient recombinant antithrombin against histone-induced endothelial damage. Int J Hematol 107：528-534, 2018

I. 集中治療管理

12. 感染管理（予防と治療）

森兼啓太
山形大学医学部附属病院 検査部／感染制御部

最近の動向とガイドライン

予防に関しては，クロルヘキシジングルコン酸塩の効果を活用したさまざまな介入が更に進歩を遂げている．また，耐性菌等の感染対策として古典的かつ常識ともいえる接触予防策の効果に疑問を投げかけ，他の方法で耐性菌等を制御する新たな流れができつつある．治療に関しては，抗菌薬の適正使用と関連して，細菌性感染症や敗血症のより正確な診断および治癒判定を目指して，古典的な白血球やCRPといった指標以外の，新たな指標に関する研究が進んでいる．

MRSAや他の薬剤耐性菌に対するガウンと手袋による接触予防策の中止

感染対策の基本である標準予防策と経路別予防策は，1990年代に確立した考え方である．薬剤耐性菌や*Clostridioides difficile*（*C. difficile*，旧名称：*Clostridium difficile*）を保菌またはそれに感染している患者に対しては，標準予防策に加えて接触予防策を講じることが常識になっている．

しかし，これらの病原体の伝播経路は，医療従事者の手指や汚染された衣服を介したものだけでなく，器具や環境などさまざまである．接触予防策は，患者の個室への収容，入室の度にガウンと手袋の着脱，聴診器や血圧計も含めた医療器具の個別化などさまざまな要素から構成される．そのうち，ガウンと手袋の着脱は，医療従事者の手指により媒介する経路を遮断する対策に過ぎない．その経路は，接触予防策を講じなくても，手指衛生の遵守率を100％近くに向上させることによって遮断できる．また，患者に近寄るたびにガウンと手袋の着脱を行うのは非常に手間がかかり，医療者が患者のもとに行く回数が減り，必要な観察が減って有害事象の増加につながることも指摘されている．

そこで，2010年代に入り，これらの病原体に対する接触予防策を中止する研究が盛んになってきた．近年行われたICUにおける代表的な研究として紹介するのが，フランスにある急性期病院の16床のICU（すべて個室）在室患者を対象とした研究である[1]．メチシリン耐性黄色ブドウ球菌（MRSA）と基

1) Renaudin L, Llorens M, Goetz C et al：Impact of discontinuing contact precautions for MRSA and ESBLE in an intensive care unit：a prospective noninferiority before and after study. Infect Control Hosp Epidemiol 38：1342-1350, 2017

質拡張型ベータラクタマーゼ（ESBL）産生菌の保菌または感染症の患者に対する接触予防策を中止したが，ICU で獲得された MRSA の頻度は 1,000 患者日あたり 0.82 から 0.79 へと推移し，変化がなかった．ESBL 産生菌の伝播は，むしろ減る傾向にあった．もちろん，研究期間中の手指衛生遵守率は約 80％と非常に高い．著者らは，手指衛生を厳密に遵守し，医療器具を個室に配置するなどの方策を講じれば，これらの病原体に対してガウンと手袋による接触予防策は必要でないとしている．

　アメリカでも，合計 146 床の ICU 在室患者に対して，MRSA あるいはバンコマイシン耐性腸球菌（VRE）の保菌または感染症の患者に対するガウンと手袋による接触予防策を中止する研究が行われた[2]．10,000 患者日あたりの MRSA・VRE 院内感染症は，2013 年に接触予防策を中止した後の 4 年間，およそ 10 件／月で一定していた．この施設では，耐性菌等が分離された患者の退室後に紫外線照射装置（詳細は後述）を用いている．

　有害事象を検討した論文としては，アメリカの 154 床の ICU を含む 540 床のすべてが個室の急性期病院において，2014 年に MRSA と VRE に対する接触予防策を中止し，感染性有害事象と非感染性有害事象の発生頻度の変化を検証したものがある[3]．感染性有害事象は変化せず，非感染性有害事象は 72％低減した．なおこの施設では，ほぼすべての患者にクロルヘキシジングルコン酸（chlorhexidine gluconate：CHG）による清拭（詳細は後述）を実施している．

　2018 年には 11 件の論文のメタ解析も発表されている[4]．MRSA や VRE が分離されている患者に対する接触予防策を中止し，その代わりに手指衛生などさまざまな感染対策を強化することによって，すべての論文において MRSA や VRE の院内伝播が増えていない．従って，患者安全および費用対効果の面から有用である可能性があるとしている．

　以上から，**手指衛生を確実に行い**，環境強化清掃や患者に対する CHG 清拭など他の対策を実施すれば，MRSA や VRE の院内伝播防止のための接触予防策はもはや不要ではないか，という流れが大きくなりつつある．

▶ 環境制御

　MRSA や VRE などの薬剤耐性菌や *C. difficile* といった，接触予防策による伝播防止が主に行われてきた病原体に対して，既に述べたように，他の方法で制御する方向に徐々に変わりつつある．その一つの要素である環境の制御に関しては，従来，高頻度接触面に対する清拭清掃が中心であった．しかし，それは人が行う作業であり，不確実性の高い方法であった．

　2010 年代に入り，非接触型環境消毒として紫外線照射装置や蒸気化過酸化水素の使用が注目されはじめた．このうち蒸気化過酸化水素は，部屋を密閉して運転しなければならず，また処理時間も 3～6 時間と長い．一方，紫外線照

2) Bearman G, Abbas S, Masroor N et al：Impact of discontinuing contact precautions for methicillin-resistant Staphylococcus aureus and vancomycin-resistant enterococcus：an interrupted time series analysis. Infect Control Hosp Epidemiol 39：676-682, 2018

3) Martin EM, Bryant B, Grogan TR et al：Noninfectious hospital adverse events decline after elimination of contact precautions for MRSA and VRE. Infect Control Hosp Epidemiol 39：788-796, 2018

4) Marra AR, Edmond MB, Schweizer ML et al：Discontinuing contact precautions for multidrug-resistant organisms：a systematic literature review and meta-analysis. Am J Infect Control 46：333-340, 2018

射装置は光さえ遮蔽することができればオープンスペースタイプの病室でも使用でき，また病室単位の運転時間は 10〜20 分と短い．その結果，**紫外線照射装置を使用した環境制御の論文が多数発行されている**．

代表的な論文は，アメリカの 9 施設の共同研究の結果であり，病院ごとに通常清掃および強化清掃を割り付けて，MRSA や VRE，*C. difficile* の院内伝播抑制効果を検討した[5]．その結果，四級アンモニウム塩を使用した清拭主体の清掃に比べて，それに紫外線照射装置を上乗せした場合に病原体の院内伝播を防止する効果が得られた．

2018 年には，紫外線照射装置を使用した研究 13 件，蒸気化過酸化水素を用いた研究 7 件のメタ解析が発表されている[6]．紫外線照射装置の研究はすべてアメリカで行われていた．紫外線照射装置の使用は *C. difficile* 感染症と VRE を有意に減少させたが，MRSA やグラム陰性薬剤耐性菌を有意には減少させなかった．蒸気化過酸化水素の使用は，いずれの感染症も減少させたが，その減少は有意ではなかった．紫外線照射装置に一定の感染制御効果があることが示された．

アメリカでは，感染対策関係の学会で展示会場が青白く見えるほど，紫外線照射装置（のデモ機）が多く展示されている．多くの医療機関で既に活用され，効果をあげつつある．日本でも，筆者の所属する施設をはじめ，数ヵ所で紫外線照射装置が使われている．筆者の施設では，ICU 患者の退室ごとに清拭清掃に加えて紫外線照射装置を運転している．今後，日本での感染防止効果が検証されていくことであろう．

▶ カテーテル関連血流感染防止：コネクターの消毒

中心ラインなどの血管内留置カテーテルは，さまざまな輸液製剤を投与するために使用される．水分および栄養の補給だけでなく，抗菌薬や心血管作動薬などさまざまな薬剤を投与するために有用な手段である．その一方，接続部であるコネクターが病原体の侵入門戸となり，カテーテル関連血流感染（CABSI）が発生する原因にもなる．

コネクターにはかつて開放式三方活栓が使用されたが，液溜まりが生じ病原体が増殖する原因になることから，近年は中心ラインを中心に，あまり使われなくなってきている．代わりに使われているのが，ニードルレスコネクターという製品であり，バルブや隔壁が病原体の侵入を防ぎ，かつ内部に死腔をほとんど持たない構造から，CABSI 防止に大きく寄与していると考えられる．

しかし，どんなに構造が良くても，接続部の消毒を確実に行わなければ意味がない．アメリカ疾病対策センターは，血管内留置カテーテル関連感染防止ガイドラインにおいて，コネクターの消毒を「ゴシゴシこする（scrub）」よう推奨している．しかしそのこする時間として 15 秒以上という長い時間を推奨

5) Anderson DJ, Chen LF, Weber DJ et al. Enhanced terminal room disinfection and acquisition and infection caused by multi-drug-resistant organisms and Clostridium difficile（the Benefits of Enhanced Terminal Room Disinfection study）: a cluster-randomised, multicentre, crossover study. Lancet 389 : 805-814, 2017

6) Marra AR, Schweizer ML, Edmond MB : No-touch disinfection methods to decrease multidrug-resistant organism infections : a systematic review and meta-analysis. Infect Control Hosp Epidemiol 39 : 20-31, 2018

80   Ⅰ．集中治療管理

していることから，非現実的との意見もある．

　最近，この問題を解決すべく，**コネクター接続部に消毒薬含有キャップを使用**する施設が増えてきている．こする以前にコネクターを汚染させないことにより，CABSI を防ぐ発想である．

　2019 年には，scrub に使用されるワイプとキャップの感染防止効果を比較するメタ解析が発表されている[7]．70％アルコールワイプ，CHG 含有アルコールワイプ，アルコール含浸キャップの 3 種類を比較した．3 件の研究が 70％アルコールワイプと 70％アルコール含浸キャップを比較しており，ICU や血液内科や腫瘍内科など易感染性患者集団を対象に行われていた．また，2 件の研究（$n = 1,216$）で CHG 含有アルコールワイプを試験していた．

　アルコール含浸キャップはアルコールワイプに比べて CABSI の発生が有意に少なく〔リスク比（RR）：0.43，95％信頼区間（CI）：0.28～0.65〕，CHG 含有アルコールワイプは非含有アルコールワイプと比べて CABSI の発生が有意に少なかった（RR：0.28，95％ CI：0.20～0.39）．従って，ワイプよりもキャップを使用すること，ワイプを使用するなら CHG を含有する製品を選択することが，CABSI 防止に有効である可能性が示唆された．

　ただし，このメタ解析で取り上げられた多くは観察研究であり，無作為化対照試験での検証が必要である．

▶クロルヘキシジングルコン酸塩による清拭の，各種院内感染症に対する防止効果

　CHG は，医療現場において主に皮膚消毒に広く用いられている．CHG は大部分の細菌に対して有効であり，優れた残留活性をも有している．**CHG を用いて全身の皮膚清拭を行い**，これらの細菌を一過性に抑制することで，重症集中治療期間中の院内感染リスクを低減させる対策が考案され，既に臨床現場で実施されている．

　前回のレビューでは，この効果を検証する研究の多くが有効性を示したのに対し，2015 年に JAMA に掲載された，10,000 人を超える ICU 入室患者に対する crossover design を用いた研究[8]が有効性を示さなかったことを紹介した．

　さまざまな院内感染症のうち，皮膚の常在細菌叢が大きく関与していると考えられるのは中心ライン関連血流感染（CLABSI）である．そこで，その後の研究の多くが CLABSI を主なアウトカムとして行われ，今年，そのメタ解析の結果が発表された[9]．このメタ解析は 26 件の研究を対象とし，うち 18 件の研究で 2％ CHG ワイプが使われ，5 件で 4％ CHG 溶液塗布後に水洗浄が行われていた．CHG 清拭群は対照群に比べ，およそ 40％の BSI 低減効果を得ていた．低減効果は，ICU の患者（42％）と非 ICU 患者（44％）で同等であった．

7) Flynn JM, Larsen EN, Keogh S et al：Methods for microbial needleless connector decontamination：a systematic review and meta-analysis. Am J Infect Control 47：956-962, 2019

8) Noto MJ, Domenico HJ, Byrne DW et al：Chlorhexidine bathing and health care-associated infections：a randomized clinical trial. JAMA 313：369-378, 2015

9) Musuuza JS, Guru Pk, O'Horo JC et al：The impact of chlorhexidine bathing on hospital-acquired bloodstream infections：a systematic review and meta-analysis. BMC Infect Dis 19：416, 2019

集中治療医学レビュー　2020[-21]

ワイプ（37％）と液体＋洗浄（59％）の比較でも同等であり，他の対策とバンドル化した研究（34％）とそうでない研究（49％）の比較でも同等であった．結論として，どのような方法，どのような背景の患者であっても，CHG 清拭は CLABSI 防止に有効であるとしている．

一方，CHG 清拭の方法を比較し，CHG 残留活性効果を検証した研究もある[10]．2％ CHG 含浸ポリエステルワイプによる清拭（その後拭き取り無し）は，4％ CHG 溶液塗布後に水洗浄よりも，有意に高い CHG の残留活性と有意に少ない皮膚上の常在細菌叢のコロニー数を得た．現場の実務的にも，ワイプによる清拭の方が溶液塗布後水洗浄よりも容易である．

なお，日本では CHG 清拭に利用できる消毒布として 1％ CHG 含浸ワイプである「ヘキザック®水溶液 1％消毒布 20 × 30」が 2019 年 7 月に発売された．

▶ プロカルシトニンガイド

プロカルシトニン（PCT）は，重症の細菌感染症の際に全身で産生され血中に出現し，半減期も短い．その性質を利用して**細菌感染症の早期判断指標およびその治癒の指標**とする，いわゆる PCT ガイドの考え方が浸透してきていることを前回の本レビューで紹介した．

2017 年には 15 件の研究，5,486 人の ICU 在室患者に対するデータのメタ解析が実施された[11]．その結果，PCT ガイドを行った群では対照群に比べて死亡率に有意差はなかった一方，初回感染症に対する抗菌薬の使用を 1.8 日短縮し，それも含めた全抗菌薬投与期間を 2.7 日短縮した．しかも入院期間を 1.6 日短縮したという結果となった．

また，同時期には急性呼吸器感染症に対する PCT ガイドの有用性を，Cochrane のグループが検討した[12]．26 件，6,700 人あまりの患者データから，2.4 日間の抗菌薬投与短縮，抗菌薬関連有害事象の有意な低減を得たとしている．

一方，人工呼吸器関連肺炎に対して PCT ガイドを使用して抗菌薬投与を終了したところ，51 例中 20 例で肺炎の再発をみたという研究結果もある[13]．この研究で使用された PCT のカットオフ値は，一般に使用されている 0.5 μg/L であるが，それ以外の指標として体温 38.5℃ 未満，血液中白血球数 15,000/mL 未満を用いている．これらの指標は一般に感染症の改善判定としてはやや甘いと考えられるため，PCT 以外の指標も加味したうえで総合的に判断しなければ，患者予後悪化につながる可能性が示唆される．

これらの結果から，PCT は，細菌感染症の鑑別と早期診断，治療効果の判定，予後予測，そして抗菌薬適正使用に寄与する指標であるといえるが，**単独で使用する際には注意が必要**であり，その他の臨床指標と総合的に判断し活用するのが望ましいと言える．実際，Society of Critical Care Medicine が 2017

10) Rhee Y, Palmer LJ, Okamoto K et al： Differential effects of chlorhexidine skin cleansing methods on residual chlorhexidine skin concentrations and bacterial recovery. Infect Control Hosp Epidemiol 39：405-411, 2018

11) Zhang T, Wang Y, Yang Q et al：Procalcitonin-guided antibiotic therapy in critically ill adults：a meta-analysis. BMC Infect Dis 17：514, 2017

12) Schuetz P, Wirz Y, Sager R et al：Procalcitonin to initiate or discontinue antibiotics in acute respiratory tract infections. Cochrane Database Syst Rev 10：CD007498, 2017

13) Wang Q, Hou D, Wang J et al：Procalcitonin-guided antibiotic discontinuation in ventilator-associated pneumonia：a prospective observational study. Infect Drug Resist 12：815-824, 2019

82 I．集中治療管理

年に発行した Surviving Sepsis Campaign Guidelines[14] でも，PCT は早期抗菌薬終了の一つの目安として活用すべきとしている．

▶ NICU での緑膿菌アウトブレイク：水廻りが感染リスク

昔から，緑膿菌は易感染性患者におけるアウトブレイクの原因として恐れられ，特に多剤耐性緑膿菌のアウトブレイクが 2000 年代前半に日本でも大規模医療施設を中心に散発的にみられた．その後，医療環境において湿潤な箇所，いわゆる水廻りや汚物処理室などの管理を徹底した結果，緑膿菌のアウトブレイクはほとんどみられなくなった．

一方，新生児集中治療室（NICU）においては，いまだに緑膿菌によるアウトブレイクがみられている．中でも特筆すべき事例は，アメリカ・カリフォルニア州の病院の新築の NICU で発生したアウトブレイクである[15]．17 人の新生児が緑膿菌感染症を発症した．環境調査により，水道水からアウトブレイクの原因となった病原体が同定された．水道管を洗浄し，蛇口のフィルタを使うとアウトブレイクが一旦終息したが，その使用をやめると再び患者が発生した．考察として，新築された建物は，病室としての運用の数ヵ月前に通水試験を行ってから，一度も水を出していなかった．その間に水道管の中に貯留していた水中にバイオフィルムが形成されたと考えられた．**新築の病院**で発生したこのアウトブレイクは，非常に示唆に富むものと考える．

14) Rhodes A, Evans LE, Alhazzani W et al : Surviving Sepsis Campaign Guidelines. Crit Care Med 45 : 486-552, 2017

15) Kinsey CB, Koirala S, Solomon B et al : *Pseudomonas aeruginosa* outbreak in a neonatal intensive care unit attributed to hospital tap water. Infect Control Hosp Epidemiol 38 : 801-808, 2017

I. 集中治療管理

13. Critical Care Nutrition：テーラーメード栄養の時代？

東別府直紀
神戸市立医療センター中央市民病院 麻酔科/NST

最近の動向とガイドライン

近年で発表されたガイドラインでは，ESPENのIntensive Care Medicine[1]があげられ，これまでにあったAPMEC（Asia-Pacific and Middle East regions consensus statement）[2]，日本集中治療医学会による日本版重症患者の栄養療法ガイドライン[3]，ASPENのガイドライン[4]と比して大きく変わったところは，エネルギー投与量の決定法によって増加の時期を変更することであろう．

消費エネルギーを間接熱量計で測定したのであれば，ICU3日目以降（急性相を過ぎたあと）は測定値の100％まで増加させることができるとした一方，間接熱量計を使わずに計算式を用いて消費エネルギーを推定した場合は，ICU入室後1週間は推定必要エネルギーの70％以下までの投与とするべきと，消費エネルギーを測定したか，推定したかでエネルギー投与戦略を変えるよう推奨した．

また，過剰エネルギー投与を避けるため，重症患者に対して安静時エネルギー消費量の70％を超えるENおよびPNは早期には行わないこととするが，3～7日以内に処方するものとする，とエネルギー投与増量の具体的な日数を推奨した．

それ以外は大きく変わったことはあまりなく，ICU入室後48時間以内に早期経腸栄養を開始することなど，概ね他のガイドラインと同様であるといえる．

時代は個別化？

重症患者ではない，4日以上入院する内科系入院症例で，Nutrition Risk Screening 3以上であった（すなわち栄養リスクがある）症例を対象に，通常の病院食群（1,038例）と個別の栄養療法を行う群（1,050例）に分け，予後を比較した研究[5]である．患者の群分けは，センターで栄養障害の重症度別に層別化された．介入群では入院後48時間以内の栄養開始，栄養士による栄養指導が行われた．コントロール群では栄養相談はなかった．介入群は目標エネルギー投与量達成率が79％，タンパク76％であった．有害事象発症率〔23％ vs. 7％，調整オッズ比（aOR）：0.79，95％信頼区間（CI）：0.64～0.97〕ならびに30日後死亡率（7％ vs. 10％，aOR：0.65，95％CI：0.47～0.91）が介入群で改善した．

1) Singer P, Blaser AR, Berger MM et al：ESPEN guideline on clinical nutrition in the intensive care unit. Clin Nutr 38：48-79, 2019
2) Sioson MS, Martindale R, Abayadeera A et al：Nutrition therapy for critically ill patients across the Asia-Pacific and Middle East regions：a consensus statement. Clin Nutr ESPEN 24：156-164, 2018
3) 小谷穣治，江木盛時，海塚安郎 他：日本版重症患者の栄養療法ガイドライン．日集中医誌 23：185-281, 2016.

84　I. 集中治療管理

個別化した栄養療法により予後が改善することが示された. 重症患者と症例群が違うとはいえ, テーラーメイドされた栄養療法で患者の予後を改善できるという指摘と考えられた.

▶ 栄養療法の効果が症例群によって違うのか？

・サルコペニア

観察研究が2つある. Koga らは, ICU 入室後 48 時間以内に開始した**早期経腸栄養（enteral nutrition：EN）の生命予後に及ぼす影響がサルコペニアの有無によって違うこと**を発表した[6]. 敗血症症例 191 例の解析である. サルコペニア群で院内死亡が 9% vs. 34%, $p < 0.01$ と早期 EN 群で低かったが, 非サルコペニア群では差がなかった. 本研究では投与エネルギー, 蛋白が早期 EN 群で多くなっていたが, それらの要因を多変量解析で調整しても早期 EN は有意に予後良好に関連しており, サルコペニア群での早期 EN の有効性を示唆している.

LooijJaard らは, 739 例の後方視観察研究から, 骨格筋量が少ない群では早期（ICU 第 2〜4 日）の高蛋白（1.2〜1.5g/kg/day）達成が低い死亡率と関連することを示した[7]. 蛋白投与の目標量は 1.2〜1.5g/kg/day, エネルギー投与の目標量はハリスベネディクト式に 30% の侵襲係数をかけたものとなっている. 結果として, 骨格筋が少ない群では 0.1 g/kg/day 上昇ごとの 60 日後死亡率の調整後 hazard ratio（HR）：0.82, 95% CI：0.73〜0.94 であった. 骨格筋量が正常であれば, 高蛋白の有無は予後に影響しなかった. また早期の高エネルギー達成は, 骨格筋低下群で 60 日および 6ヵ月死亡率上昇に関連した. なお, 本研究では, 筋肉量が多い症例よりも筋肉量が少ない症例群は予後が悪いことが示されたが, 筋肉量が少なくかつ筋肉の密度が低い群, すなわち myosteatosis（筋肉内に脂肪の沈着がある状態）が強く認められる症例では, 筋肉量のみ低い群よりもさらに生命予後が悪く, 高蛋白の効果が高い可能性が示唆された. 筋肉量のみ少ない症例群での高蛋白達成の 60 日死亡率ハザード比は 0.53, 95% CI：0.29〜0.98, 筋肉量かつ筋肉の質が低い群での高蛋白達成の 60 日死亡率ハザード比は 0.16, 95% CI：0.05〜0.55 であり, 高蛋白を達成した症例では 6ヵ月後死亡率も有意に低下した.

これらの 2 つの研究から, **サルコペニア群では特に早期 EN, 早期の高蛋白達成が重要である**ことが示唆されている.

▶ エネルギー, 蛋白投与量は ICU を出たあとの筋肉量や ADL に影響するのか？

栄養投与量は近年, 予後には影響しないというデータが多いが, 機能予後, 筋力に関しては, 投与量が多いことは機能や筋力を保持するというデータが散

4) McClave SA, Taylor BE, Martindale RG et al：Guidelines for the provision and assessment of nutrition support therapy in the adult critically ill patient：society of critical care medicine（SCCM）and american society for parenteral and enteral nutrition（A.S.P.E.N.）. JPEN J Parenter Enteral Nutr 40：159-211, 2016

5) Schuetz P, Fehr R, Baechli V et al：Individualised nutritional support in medical inpatients at nutritional risk：a randomised clinical trial. Lancet 393：2312-2321, 2019

6) Koga Y, Fujita M, Yagi T et al：Early enteral nutrition is associated with reduced in-hospital mortality from sepsis in patients with sarcopenia. J Crit Care 47：153-115. 2018

7) Looijaard WGPM, Dekker IM, Beishuizen A et al：Early high protein intake and mortality in critically ill ICU patients with low skeletal muscle area and -density. Clin Nutr, 2019 Sep 23［Epub ahead of print］

見される．volume based protocol に加えて蛋白負荷を行った群は，速度規定型プロトコル群に比して筋肉量減少を抑制したという，単施設，合計 60 例の RCT が報告された[8]※．介入群（1.5 g/kg/day の蛋白が目標，volume based protocol 使用）はコントロール群（1.0 g/kg/day の蛋白が目標，速度規定型のプロトコルで EN 投与）よりも 0.45 g/kg/day の蛋白，2.8 kcal/kg/day のエネルギーがより多く投与され，大腿四頭筋の減少が 0.22 cm（95％ CI：0.06 ～0.38）減少したと報告された．なお，この研究では ICU 初日から介入群で 1.2 g/kg/day 程度の蛋白は投与されている．

　また，47 例の観察研究であるが，ICU 第 12 日目までの合計エネルギー負債が 1,000 kcal ごとに ICU-AW 発症のオッズ比が 2.1（95％ CI：1.4～3.3），栄養障害発症が OR：1.9，95％ CI：1.1～3.2，除脂肪体重が 1.3 kg 減少（95％ CI：－2.4 to －0.2），physical function scores が 0.6 points 減少（95％ CI：－0.9 to －0.3）し，ICU に入って 12 日間のエネルギーが足りないことが機能予後，栄養状態を悪化させることを示唆した[9]．

　無論影響しなかった研究もあり，ICU に入って 48～72 時間以内の症例を対象に，EN のみ vs. EN ＋ SPN（補助的静脈栄養，supplemental parenteral nutrition）で比較した 99 例対象の RCT[10] では，EN ＋ SPN 群でエネルギー投与は増えたものの，臨床的な予後，退院時，90 日後，180 日後の EQ-5D-3L（QOL の指標），退院時の握力，上腕周囲長，ICU mobility scale には差がなかった．本研究はオーバーフィーディングを避けるように設計されており，静脈栄養（parenteral nutrition：PN）の投与量は個別に調整された．

　これに対し，TOP-UP trial[11] では，EN ＋ PN 群でエネルギー，蛋白とも多いことは同じであるが，EN ＋ PN 群で QOL および退院時の身体機能が高い傾向がみられた．Ridely らとの違いは ICU 初日からの介入であり，EN ＋ SPN 群では ICU 初日から SPN が始まっていたことである．Ridely らの研究は，ICU に入ってから平均 2.5 日後のランダム化であり，介入が遅いことも相違点である．また，TOP-UP trial は，対象群の BMI が＜25，＞35 と栄養リスクが高い症例群に絞っていた．Ridely らの研究は対象群の BMI が 29 であり，栄養リスクが低いことがあげられる．

▶ ハードアウトカムへの影響

　しかしながら，ハードアウトカムに関してはエネルギー投与量は影響しないと昨今考えられていることにはやはり変わりはなく，高濃度製剤（1.5kcal/mL）でも，通常の製剤（1.0 kcal/mL）投与による比較を行ってもハードアウトカムに差がみられなかった，合計約 4,000 例の大規模研究の報告があった[12]．高濃度群 1,863 ± 478 kcal/day vs. 1.0 kcal 群 1,262 ± 313 kcal/day であり，平均差 601 kcal/day であった．体重あたり 23 vs. 15.6 kcal/kg/day，蛋

8）Fetterplace K, Deane AM, Tierney A et al：Targeted full energy and protein delivery in critically ill patients：a pilot randomized controlled trial（FEED Trial）. JPEN J Parenter Enteral Nutr 42：1252-1262, 2018

※　速度規定型プロトコルの場合，80 mL/hr 等と決めておき，CT や抜管などで投与が中止された時間分は補充されず，そのまま栄養投与量が足りないままになる．それに対して，不足分を補うのが volume based protocol（VBP）である．VBP では一日投与量（25 kcal/kg/day など）を規定しておき，CT 等で 3 時間程度経腸栄養が止まった場合に，16 時ぐらいに残りの 8 時間で不足分を投与できる栄養投与速度を計算して不足分を補う．本研究では 150 mL/hr までに投与速度の上限を設定していた．

9）Fetterplace K, Beach LJ, MacIsaac C et al：Associations between nutritional energy delivery, bioimpedance spectroscopy and functional outcomes in survivors of critical illness. J Hum Nutr Diet 32：702-712, 2019

10）Ridley EJ, Davies AR, Parke R et al：Supplemental parenteral nutrition versus usual care in critically ill adults：a pilot randomized controlled study Crit Care 22：12, 2018

11）Wischmeyer PE, Hasselmann M, Kummerlen C et al：A randomized trial of supplemental parenteral nutrition in underweight and overweight critically ill patients：the TOP-UP pilot trial. Crit Care 21：142, 2017

12）Chapman M, Peake SL, Bellomo R et al：Energy-dense versus routine enteral nutrition in the critically ill. N Engl J Med 379：1823-1834, 2018

白質は理想体重あたり 1.09 vs. 1.08 g/kg/day. BMI 別や高齢者, 敗血症など 7 サブグループ解析も行われたが, いずれも死亡率に差を認めなかった. また, 逆流, 嘔吐, 消化管蠕動薬の使用などは高濃度製剤で有意に多かった.

しかし, 観察研究では予定心臓手術でもエネルギー投与量と生命予後の関連が指摘されている[13]. 年齢や BMI で選択したコントロール群と, 積極的な栄養介入をした群の比較である. 栄養介入は 2 日に 1 回モニタリングと評価, 栄養プランニング変更を繰り返して個別化した栄養介入であった. この栄養介入は, 以前にプロトコルのみではエネルギー投与量などはさほど改善せず, 管理栄養士とプロトコル双方での介入でエネルギー投与量が改善することを示した研究[14]で使用されたものと同じである. すなわち, これらも個別化した栄養療法が効果を示した可能性がある. ただ, 明確ではないが術前栄養に有意な違いがあった可能性があり (文献 14 Supplements image5, Preoperative nutrition score 参照), それによる予後の違いの可能性もある.

蛋白質について

蛋白投与量, 質の検討はいくつかなされているが, いまだ理想的な投与量などは不明である.

Koekkoek らの後方視的観察研究[15]では, ICUday7 までは< 0.8 g/kg/day を続けた群は一番死亡率が高く, 次に≧ 0.8 を続けた群が死亡率が高く, 最も死亡率が低いのは ICUday3 までは< 0.8, それ以降は≧ 0.8 g/kg/day の蛋白投与量群であったことが報告されている. ただ, 本研究は, 多変量解析はもちろん行っているが観察研究であり, バイアスの可能性は否定できない.

また, Perm T trial の post hoc 解析では, 蛋白投与量の差は生命予後には関係しないことが指摘された[16]. 3 日以上 Perm T trial に入った症例を, 投与蛋白量の中央値である 0.8 を超えるか, それ以下かの 2 群に分けて比較した. Propencity scoring を用いて背景因子を調整した. 実際は平均 0.8 g/kg/day と 0.6 g/kg/day の比較となった. 90 日後死亡率に差はなかった. 高い蛋白投与量は, より高容量の尿からの窒素喪失と関連した. 窒素バランス, プレアルブミン, トランスフェリンの変化にも影響しなかった.

しかし, 窒素バランスをエンドポイントとして行われた, 窒素バランスをみながら蛋白投与量を規定した群とそうでない群を比較した RCT[17]では, 介入群で窒素バランスは改善したため, 症例ごとの調整で窒素バランスは改善するようではある. 高蛋白群と標準群の比較で, 高蛋白群ではより蛋白含有量の多い経腸栄養剤を使用した. ICU 第 3 日目にはほぼ最終蛋白投与量となっており, 投与量に関して明確な記載はないがグラフから読み取ると, ICU 退室時では中央値 120 vs. 70 g/day 程度の比較になったようである. 窒素バランスは高蛋白群で改善しており, ICU で生じた皮膚障害の確率も ICU 退室時では高

13) De Waele E, Nguyen D, De Bondt K et al：The CoCoS trial：Caloric Control in Cardiac Surgery patients promotes survival, an interventional trial with retrospective control. Clin Nutr 37：864-869, 2018

14) Soguel L, Revelly JP, Schaller MD et al：Energy deficit and length of hospital stay can be reduced by a two-step quality improvement of nutrition therapy：the intensive care unit dietitian can make the difference. Crit Care Med 40：412-419, 2012

15) Koekkoek WACK, van Setten CHC, Olthof LE et al：Timing of PROTein INtake and clinical outcomes of adult critically ill patients on prolonged mechanical VENTilation：The PROTINVENT retrospective study, Clin Nutr 38：883-890, 2019

16) Arabi YM, Al-Dorzi HM, Mehta S et al：Association of protein intake with the outcomes of critically ill patients：a post hoc analysis of the PermiT trial. Am J Clin Nutr 108：988-996, 2018

17) Danielis M, Lorenzoni G, Azzolina D et al：Effect of protein-fortified diet on nitrogen balance in critically ill patients：results from the OPINiB trial. Nutrients 11, 2019 Apr 28

蛋白群で低かった．合計40例のパイロット研究であるが，かなりの高蛋白投与で窒素バランスは改善し，皮膚障害は抑制できることを示唆した．

また，以前に高蛋白投与量は1.5 g/kg/dayを超えても蛋白合成に結びつかないという報告[18]があったが，1.11 g/kg/dayの蛋白を投与していた症例群に静脈から蛋白を付加し，結果として2.07 g/kg/day程度の投与を行うと，蛋白バランスは改善し，アミノ酸の酸化やBUNなどは増えなかったことが報告[19]されている．わずか8例の観察研究であるが，より多くの蛋白質投与の有効性を示唆している．

蛋白の質は機能を改善するか？

また，中村らは電気刺激による早期リハビリをICU第2日目から行った重症患者に対し，HMB（beta-hydroxy-beta-methylbutyrate，ロイシンの分解産物であり，筋肉の合成を促進する）投与群と非投与群で筋肉量の低下に差が出るか，合計50例のRCTで検討した[20]．第7日目の投与エネルギー・蛋白は両群20kcal/kg/day，1.0g/kg/day程度であった．生命予後など臨床的な予後には差がなかった．ICU初日と第10日目の大腿筋肉量はHMB群11% vs. 非投与群14%の減少であったが，有意な差はなかった．ただ，SOFAscoreで10未満の群では，HMB投与で筋肉量の減少を有意に抑制できた（14 vs. 8.7%，$p = 0.04$）．

腎障害での蛋白投与

窒素を最終的に体外に排出するのは腎臓であるため，腎障害時での高蛋白投与の是非には以前より議論があった．特にAKIでの高蛋白投与はエビデンスがないままに推奨が作成されてきた．

これに対し，2つ参考になるデータがあるが，どちらもRCTのサブ解析である．合計474例を対象に，通常の栄養群と静脈からアミノ酸を負荷して2.0 g/kg/dayの蛋白を投与した群で比較したRCTのpost hoc解析では，腎機能正常群ではアミノ酸投与量が増えると，死亡率が下がり推定糸球体濾過量（eGFR）は上昇した．しかし腎機能悪化群では影響しなかった[21]．腎機能が蛋白投与研究のアウトカムに影響している可能性が示唆された．これはREDOX trialのサブ解析でも同様の結果であり，AKIでの腎機能が悪い症例へのアミノ酸大量投与の是非を再考させる結果である．

ショック症例へのENは？

さて，これまで血管収縮薬投与中の症例では経腸栄養投与で利益がある可能性が指摘されてきたが，その開始は難しく，特にショック時には腸管虚血の恐れもあり，開始しにくい．2つRCTが出ている．

18）Shaw JH, Wildbore M, Wolfe RR：Whole body protein kinetics in severely septic patients. The response to glucose infusion and total parenteral nutrition. Ann Surg 205：288-294, 1987

19）Sundström Rehal M, Liebau F, Tjäder I et al：A supplemental intravenous amino acid infusion sustains a positive protein balance for 24 hours in critically ill patients Crit Care 21：298, 2017

20）Nakamura K, Kihata A, Naraba H et al：Beta-Hydroxy-beta-methylbutyrate, arginine, and glutamine complex on muscle volume loss in critically ill patients：a randomized control trial. JPEN J Parenter Enteral Nutr, 2019 May 27［Epub ahead of print］

21）Zhu R, Allingstrup MJ, Perner A et al：The effect of IV amino acid supplementation on mortality in ICU patients may be dependent on kidney function：post hoc subgroup analyses of a multicenter randomized trial. Crit Care Med 46：1293-1301, 2018

1. EN vs. PN（両群 full dose）

　ショック症例で早期の栄養投与経路による差を比較した研究では予後に差はなく，消化管系合併症は EN 群で多いことが示された[22]．合計約 2,400 例の大規模 RCT である．人工呼吸に加えてカテコラミンを投与されている症例に対し，気管挿管後 24 時間以内に EN もしくは PN を開始した．ノルアドレナリンの投与量の中央値は約 0.5 ug/kg/min とかなりの高容量である．予後は，28 日死亡率（EN 群 37% vs. PN 群 35%），感染症発症率（14% vs. 16%）とも差はなかった．腸管虚血，下痢，嘔吐などの消化管系の合併症は EN 群で多かった．ただ，本研究のように，ショック症例で 20kcal/kg/day などの最終目標投与量を投与することは本邦ではほぼみられず，本研究は本邦での栄養のプラクティスとはかなり乖離がある．

2. trophic feeding vs. 絶食

　虚血性腸炎の恐れを考慮すると，ショック患者で EN 開始時には，少量の経腸栄養（trophic feeding）を投与することが比較的安全と考えられるが，trophic feeding の効果を示した研究はこれまでなかった．Patel ら[23]は 600kcal/day 未満の低容量持続経腸栄養群では，カテコラミンが入っている間 EN なし群に比して，ICU free days（中央値 25 vs. 12 日）および ventilator free days（27 vs. 12 日）を増やしたと報告した．合計 31 例のパイロット研究であるため，評価はまだこれからであろうが，少なくともショック症例での trophic feeding はやはり予後に良い影響を与える可能性が示唆されている．また，本研究では虚血性腸炎，非閉塞性腸管虚血などの発症はみられなかった．

　今後は，同様の症例群で，trophic feeding と TPN で差が出るか，trophic feeding と full EN ではどうかも含め，大規模研究が待たれる．

◤ 経腸栄養施行時に制酸剤は必要か？

　以前より，EN を受けている症例では proton pump inhibitor（PPI）等の制酸剤による利益は少ないのではないかと言われてきた．PPI や H2 blocker 自体が下痢の原因になりうること，また *clostridium difficile* 感染のリスクなどが高まるためである．それに対し RCT がいくつかある．2018 年に El-Kersh らの出した合計 102 例の RCT[24]では，人工呼吸患者に対して，静脈から pantoprazole（PPI）を投与されている群と，EN のみの群で比較した．気管挿管後 24 時間以内に EN は開始され，挿管後投与エネルギーは 25～30kcal/kg/day を目標とし，実際 22kcal/kg/day 程度は投与されている．目標エネルギーの 25% 未満しか EN で投与できなかった症例は，EN による胃粘膜保護がないとみなされ，pantoprazole を投与された．結果として，消化管出血は両群 1 例ずつのみであり，また CD の感染は PPI 群 1 例，栄養のみ群 3 例であ

22) Reignier J, Boisramé-Helms J, Brisard L et al : Enteral versus parenteral early nutrition in ventilated adults with shock : a randomised, controlled, multicentre, open-label, parallel-group study（NUTRI-REA-2）. Lancet 391 : 133-143, 2018

23) Patel JJ, Kozeniecki M, Peppard WJ et al : Phase 3 pilot randomized controlled trial comparing early trophic enteral nutrition with "no enteral nutrition" in mechanically ventilated patients with septic shock. JPEN J Parenter Enteral Nutr, 2019 Sep 19〔Epub ahead of print〕

24) El-Kersh K, Jalil B, McClave SA et al : Enteral nutrition as stress ulcer prophylaxis in critically ill patients : a randomized controlled exploratory study. J Crit Care 43 : 108-113, 2018

り，有意差はなかった．差があるのは血小板数が EN のみ群で高い程度であった．本研究のみではサンプルサイズの問題があるが，この研究も含めたメタ解析[25]の結果では，消化管出血のリスク比（RR）：0.80，95％ CI：0.49〜1.31 と制酸剤の投与による利益は明確ではなく，院内での肺炎発症は増える（RR：1.53，95％ CI：1.04〜2.27）という結果になった．ただ，PPI 群のみでメタ解析した結果では PPI 投与群の消化管出血のリスク比：0.49，95％ CI：0.21〜1.10，$p = 0.08$ であり，消化管出血ハイリスク症例（人工呼吸，凝固障害など）に EN を十分量投与している症例において，果たして PPI の投与をやめるべきかは議論があるところと考えられる．

▶ ビタミン C について

　敗血症患者ではビタミン C やビタミン B1 の血中濃度が低下していることが知られている．ビタミン C は結合組織，血管内皮の維持に重要な役割があり，カテコラミンやコルチゾールの合成にも影響するため，補充することで予後が改善する事が期待された．ビタミン C，チアミンに加えてハイドロコルチゾンを投与する triple therapy の有効性を示唆した研究[26]が 2017 年に発表された．敗血症，敗血症性ショックの患者を対象としたヒストリカルコントロール研究であり，propensity scoring を用いて解析した．院内死亡率，昇圧薬使用期間，SOFA の推移に有意な改善が triple therapy 群に認められた．ビタミン C 投与群での調整死亡オッズ比は 0.13 であった．

　しかしながら，後向き観察研究で triple therapy の効果を否定する研究[27]なども出ており，議論がある．

　最新のメタ解析[28]では，ビタミン C 単独でも，他の要素との併用でも有意な生命予後の改善は認めなかった．高容量のビタミン C 単独投与では生命予後改善傾向を認めたが，合計 54 例と症例数が少ない．

　その後に発表された，Fowler らの RCT[29]では，ARDS 症例および敗血症症例 103 例が対象となった．単独のビタミン C 50mg/kg を 6 時間ごと，96 時間続けるという高容量の静脈投与とプラセボの比較であったが，第一アウトカムの modified SOFA の 96 時間での変化や，164 時間後の CRP およびトロンボモジュリンの数値に差を認めなかった．しかし，28 日死亡率は単変量解析にてビタミン C 群で 29.8％，プラセボ群で 46.3％と 16.58％低下（95％ CI：2% to 31.1%）していた．ICU free days（10.7 vs. 7.7 日）および hospital free days（22.6 vs. 15.5 日）はビタミン群で有意に長かった．第一アウトカムに差はなかったが，生命予後はビタミン群で改善した．ビタミン C の評価に関しては，より大規模な研究，ならびに triple threrapy の効果をみた RCT の結果が待たれる．

25) Huang HB, Jiang W, Wang CY et al : Stress ulcer prophylaxis in intensive care unit patients receiving enteral nutrition : a systematic review and meta-analysis. Crit Care 22 : 20, 2018

26) Marik PE, Khangoora V, Rivera R et al : Hydrocortisone, vitamin C, and thiamine for the treatment of severe sepsis and septic shock : a retrospective before-after study. Chest 151 : 1229-1238, 2017

27) Litwak JJ, Cho N, Nguyen HB et al : Vitamin C, hydrocortisone, and thiamine for the treatment of severe sepsis and septic shock : a retrospective analysis of real-world application. J Clin Med 8 : 478, 2019

28) Langlois PL, Manzanares W, Adhikari NKJ et al : Vitamin C administration to the critically ill : a systematic review and meta-analysis. JPEN J Parenter Enteral Nutr 43 : 335-346, 2019

29) Fowler AA 3rd, Truwit JD, Hite RD et al : Effect of vitamin C infusion on organ failure and biomarkers of inflammation and vascular injury in patients with sepsis and severe acute respiratory failure : the CITRIS-ALI randomized clinical trial. JAMA 322 : 1261-1270, 2019

ビタミン D について

　ビタミン D はカルシウム，リン代謝の調節に重要であり，免疫細胞の活性化，心筋収縮力の増大，細胞の増殖や分化やアポトーシスに影響すること，ビタミン D が欠乏すると敗血症発症率や死亡率が高いことが知られている．また心臓術後患者[30]でもビタミン D が高いと臓器障害の発症，ICU 在室日数や在院日数が少ないことが知られている．

　これらからビタミン D の補充による研究が行われてきた．2018 年に発表されたメタ解析[31]では 6 つの RCT が含まれたが，生命予後，ICU 在室日数や在院日数に有意な差は認めなかった．サブ解析も行ったが高容量（30 万単位を超える）でも有意な差はなかった．

　その後，ICU に入室したビタミン D 欠乏症症例を対象とした 53 万単位静脈からの単回投与とプラセボを比較した RCT[32]が発表された．合計 1,078 例．90 日死亡率はビタミン D 群で 23.5%，プラセボ 20.6% と差はなかった．（差の 95% CI は −2.1 から 7.9）．他の臨床的な予後にも差はなかった．また食道手術前に経口 30 万単位のビタミン D 投与とプラセボ群を比較した RCT[33]では，肺の滲出性亢進はプラセボ群 0.4（四分位範囲，0〜0.7）vs 介入群 0.1（−0.15 to −0.35，$p = 0.027$）と，ビタミン D 群で低下し，ビタミン D 血中濃度も上昇したが両群で手術後に低下した．臨床的予後には差はなかった．

　以上より現状ではビタミン C，D はそれなりの効果を示す可能性はあるものの，より一層の研究が必要であると考えられる．

　以上，エネルギー，蛋白投与，機能予後への影響，ショック時での EN の意義，EN 中の制酸剤，ビタミンについてまとめた．エネルギー，蛋白については，今後はやはりテーラーメードで症例ごとに調節した栄養療法が必要になるのではないかと思われた．

30) Ney J, Heyland DK, Amrein K et al：The relevance of 25-hydroxyvitamin D and 1, 25-dihydroxyvitamin D concentration for postoperative infections and postoperative organ dysfunctions in cardiac surgery patients：the eVIDenCe study. Clin Nutr 38：2756-2762, 2019

31) Langlois PL, Szwec C, D'Aragon F et al：Vitamin D supplementation in the critically ill：a systematic review and meta-analysis. Clin Nutr 37：1238-1246, 2018

32) The National Heart, Lung, and Blood Institute PETAL Clinical Trials Network：Early high-dose vitamin D3 for critically ill, vitamin D-deficient patients. N Engl J Med, 2019 Dec 11［Online ahead of print］

33) Parekh D, Dancer RCA, Scott A et al：Vitamin D to prevent lung injury following esophagectomy-a randomized, placebo-controlled trial. Crit Care Med 46：e1128-e1135, 2018

I. 集中治療管理

14. 小児集中治療

新津健裕, 植田育也
埼玉県立小児医療センター 集中治療科

最近の動向とガイドライン

小児集中治療領域においても細分化が進み, 心臓集中治療や神経集中治療などの専門領域の研究を始め, さまざまな分野での研究が発表されている. その対象は, 呼吸管理などの治療方法から PICU 退室後の発達発育などの長期予後まで多岐に渡っている. 一方で, 小児領域の臨床研究の問題としては, 個々の疾患群の症例数や死亡などの重要な転帰そのものの数が少ないことや症例の多様性などがあげられるが, これらを克服するために, 多施設が参加する研究グループやコンソーシアムが構築され, 質の高い臨床研究のデータベースを用いた二次解析が行われるようになっている.

Cardiac ICU

近年, 小児集中治療領域も細分化が進み, 特に Cardiac ICU については先天性心疾患の周術期管理を中心にさまざまな視点での臨床研究が行われている.

Mokhateb-Rafii ら[1] は, 国際的多施設レジストリーである NEAR4KIDS のデータベースを用いて, チアノーゼ性心疾患と非チアノーゼ性心疾患における血行動態に関する気管挿管関連有害事象 (tracheal intubation associated events: TIAE) に関して, 後方視的に検討した. 2012 年 7 月から 2016 年 12 月までの期間に全米 38 施設の PICU へ入室した 1,910 例 (チアノーゼ性: 999 例, 非チアノーゼ性: 911 例) が対象となった. 挿管となったチアノーゼ性心疾患のほうが, 非チアノーゼ性心疾患に比べ, 年齢が若く, PIM2 スコアが高値であり, 外科的介入を要した症例が多く, 挿管理由が循環障害や神経学的異常である割合が有意に少なかった. チアノーゼ性心疾患の方が, SpO_2 低下の頻度が高かったが, TIAE (心停止や介入を要した低血圧, 徐脈を含めた不整脈) の頻度に差は認めなかった (7.5% vs. 6.9%). また, いずれの群においても, 30% 以上の SpO_2 低下は, TIAE の頻度に関連していた.

Romans ら[2] は, 北米の非営利団体である Pediatric Cardiac Critical Care Consortium (PC4) のレジストリーデータを用いて, 小児 cardiac ICU におけ

---

1) Mokhateb-Rafii T, Bakar A, Gangadharan S et al : Hemodynamic impact of oxygen desaturation during tracheal intubation among critically ill children with cyanotic and noncyanotic heart disease. Pediatr Crit Care Med 20 : 19-26, 2019

2) Romans RA, Schwartz SM, Costello JM et al : Epidemiology of noninvasive ventilation in pediatric cardiac ICUs. Pediatr Crit Care Med 18 : 949-957, 2017

る非侵襲的呼吸管理（non-invasive ventilation：NIV）の現状について，後方視的に検討した．2013年10月から2015年12月の期間に同コンソーシアムに所属する15施設のCardiac ICUに入室した8,940例が対象となり，高流量酸素療法（High Flow Nasal Cannula：HFNC）やCPAP（continuous positive airway pressure）を含めたNIVを施行した症例は3,950例（44％）であった．手術を行った新生児/乳児症例においては，55％の症例で術後にNIV管理となった．施設間での検討では，NIV施行率は32％から65％と施設間で異なり，NIV施行期間も1日間から4日間とばらつきが認められた．今後はより詳細な検討を行うことで，呼吸管理日数やICU滞在日数の減少などの質の改善に繋がることが期待される．

▶ 敗血症性ショック

2017年にはSurviving Sepsis Campaignによる新しいガイドラインが発表され[3]，罹患率や治療，予後などの小児重症敗血症の臨床的特徴を解明することを目的に行われた国際的疫学調査であるSPROUT studyの結果が報告された[4]．Lindellらは，このSPROUT studyの二次解析として，重症敗血症のハイリスク群である小児造血幹細胞移植症例を対象として，その臨床的特徴について検討を行った[5]．その結果，重症敗血症に罹患した567例のうち37例（6.5％）に造血幹細胞移植の既往があった．造血幹細胞移植症例は，非移植症例に比べ，死亡率が高かった（68％ vs. 23％，$p < 0.001$）．また，造血幹細胞移植症例は院内発症例がより多く，腎機能・肝機能障害をより多く合併していた．多変量解析の結果，造血幹細胞移植の既往は，院内死亡の独立した危険因子として関係していた〔オッズ比（OR）：4.0，95％信頼区間（CI）：1.78〜8.98〕．これらの結果から，造血幹細胞移植症例では，敗血症に対する早期認識と介入の重要性が改めて認識された．

▶ 呼　吸

2012年にARDSの新しい定義であるBerlin定義が公表され[6]，2015年にはPediatric Acute Lung Injury Consensus Conference（PALICC）により，小児症例においてもその疫学や予後の成人との違いを考慮して，Pediatric ARDS（PARDS）という定義が提案された[7]．近年，この新しい定義であるPARDSに関する研究も報告されるようになってきた．

北米の臨床研究グループであるthe Pediatric Acute Injury and Sepsis Investigators（PALISI）networkにより，前述のPALICC定義によるPARDSの疫学研究として，国際的前方視的横断観察研究が報告された[8]．本研究は，PARDSの発生頻度や予後などの臨床的特徴を解明することを目的に，27ヵ国145施設が参加し，2016年5月から2017年6月までの期間に連続

3) Rhodes A, Evans LE, Alhazzani W et al：Surviving sepsis campaign：international guidelines for management of sepsis and septic shock：2016. Crit Care Med 45：486-552, 2017

4) Weiss SL, Fitzgerald JC, Pappachan J et al：Global epidemiology of pediatric severe sepsis：the sepsis prevalence, outcomes, and therapies study. Am J Respir Crit Care Med 191：1147-1157, 2015

5) Lindell RB, Gertz SJ, Rowan CM et al：High levels of morbidity and mortality among pediatric hematopoietic cell transplant recipients with severe sepsis：insights from the sepsis prevalence, outcome, and therapies international point prevalence study. Pediatr Crit Care Med 18：1114-1125, 2017

6) Ranieri VM, Rubenfeld GD, Thompson BT et al：Acute respiratory distress syndrome：the berlin definition. JAMA 307：2526-2533, 2012

7) Khemani RG, Smith LS, Zimmerman JJ et al：Pediatric acute respiratory distress syndrome：definition, incidence, and epidemiology：proceedings from the pediatric acute lung injury consensus conference. Pediatr Crit Care Med 16：S23-S40, 2015

8) Khemani RG, Smith L, Lopez-Fernandez YM et al：Paediatric Acute Respiratory distress Syndrome Incidence and Epidemiology（PARDIE）：and international, observational study. Lancet Respir Med 7：115-128, 2019

した5日間のデータ収集が計10週間にわたって行われた．その結果，同期間にPICU入室となった23,280例のうち，744例（3.2％）がPARDSと診断された．このうち完全なデータ収集が行われた708例（95％）の死亡率は17％であったが，この中で32％の症例しかBerlin定義を満たしておらず，その死亡率は27％であった．酸素化の重症度を基に検討すると，非侵襲的呼吸管理症例と軽症もしくは中等症PARDSの死亡率は同等（10～15％）であったが，重症PARDSでは33％と高値であった．また，非侵襲的呼吸管理症例の50％が結果的に挿管管理となり，その25％が死亡した．PALICC定義による診断後6時間での重症度が，診断時の重症度や診断後6時間でのBerlin定義による重症度に比べ，死亡率に関連していた．これらの結果は，今後のPARDSに関する研究を行う際の死亡リスクの層別化などを考慮する際に有用であり，今後の研究が期待される．

　Khemaniらは，PEEP設定値の違いによるPARDSの死亡率との関連性について多施設において後方視的に検討した[9]．ARDSネットワークから提唱されているPEEP/F_IO_2プロトコルで推奨されたPEEPと実際のPEEPとの差を基に，死亡率を比較した．その結果，26.6％の症例が同プロトコルで推奨されたPEEPより低いPEEPで管理されており，推奨されたPEEPと同等，もしくはそれ以上で管理された症例に比べ，有意に死亡率が高かった（$p < 0.001$）．また，低酸素血症や昇圧剤，重症度などの交絡変数で調整後も，プロトコルより低いPEEPは，死亡率上昇に独立した関連した（OR：2.05，95％CI：1.32～3.17）．これらの結果から，今後PARDSに対する適切なPEEPの検討の必要性が示唆された．

▶ 呼吸管理

　HFNCは，呼吸管理としての有用性に加え，その利便性・簡便性から近年小児領域でも広く普及するようになった呼吸管理法である．しかし，その適応や中止判断を誤ると，かえって予後を悪くする危険性を孕んでおり，その適応や有効性について検討されている．

　中等度から重症の急性細気管支炎の乳児を対象とした前方視的多施設ランダム化比較試験（TRAMONTANE study）では，HFNC群（2 L/kg/min）の方が，nCPAP群（7 cmH$_2$O）に比べ，治療失敗率が有意に高かったことが示された[10]．

　その後，同じグループからTRAMONTANE 2 studyとして，HFNC管理の流量による違いが検討された[11]．本研究は，前回同様に中等度から重症の急性細気管支炎に罹患した生後6ヵ月以内の乳児を対象に，2 L/kg/min（2 L群）と3 L/kg/min（3 L群）の異なる流量によるHFNC管理についてRCTにて検討された．2 L群には142例，3 L群には144例が割り付けられたが，

9) Khemani RG, Parvathaneni K, Yehya N et al : Positive end-expiratory pressure lower than the ARDS network protocol is associated with higher pediatric acute respiratory distress syndrome mortality. Am J Respir Crit Care Med 198：77-89, 2018

10) Milési C, Essouri S, Pouyau R et al : High Flow Nasal Cannula (HFNC) versus nasal Continuous Positive Airway Pressure (nCPAP) for the initial respiratory management of acute viral Bronchiolitis in young infants : a multicenter randomized controlled trial (TRAMONTANE study). Intensive Care Med 43：209-216, 2017

11) Milési C, Pierre AF, Deho A et al : A multicenter randomized controlled trial of a 3-L/kg/min versus 2-L/kg/min high-flow nasal cannula flow rate in young infants with severe viral bronchiolitis (TRAMONTANE 2). Intensive Care Med 44：1870-1878, 2018

94 Ⅰ．集中治療管理

治療失敗率に両群間に差は認めなかった（38.7％ vs. 38.9％）．治療失敗の原因は両群共に呼吸状態の悪化であったが，3 L 群では不快を示した症例が有意に多く（43％ vs. 16％，p = 0.002），PICU 滞在日数が有意に長かった（6.4 日 vs. 5.3 日，p = 0.048）．また，挿管率や侵襲的呼吸管理日数や非侵襲的呼吸管理日数に差は認めなかった．これらの結果から，HFNC 管理として，流量を 3 L/kg/min に増しても効果に差は認めないことが示された．

また，HFNC はその簡便さから ICU 以外の環境下でも行われるようになり，Franklin らは，豪州と NZ の 17 施設の ER や小児科一般病棟での急性細気管支炎に対する HFNC 管理の効果を検討するため，HFNC 管理（high-flow 群）と通常の酸素療法（standard-therapy 群）とを比較した RCT を行った[12]．急性細気管支炎に罹患した生後 12 ヵ月以内の乳児 1,472 例が対象となった．治療失敗率は，standard-therapy 群（23％，733 例中 167 例）に比し，high-flow 群（12％，739 例中 87 例）で有意に低かった〔リスク差（RD）：−11％，95％ CI：−15 to −7，p < 0.001〕．入院期間や酸素投与期間は，両群間に差は認めなかった．治療に失敗した standard-therapy 群の 167 例のうち，102 例（61％）が HFNC 管理に反応した．

以上の通り，急性細気管支炎に対する HFNC 管理の有効性が示されているが，治療失敗例への対応を考慮すると，使用環境についてはまだ慎重な対応が望まれる．

▶ 中枢神経

2019 年に小児重症頭部外傷に関するガイドラインの「Guidelines for the Management of Pediatric Severe Traumatic BrainInjury」が 7 年ぶりに改訂され，第 3 版として公表された[13, 14]．

このガイドラインでは，小児重症頭部外傷の管理アルゴリズムが提案され，来院時 Glasgow Coma Scale（GCS）8 点以下の意識障害を認めた場合を「重症」と治療対象として定義し，頭部 CT 検査と ICP センサー留置を前提とした管理が述べられている．また，呼吸循環管理，体温管理，神経学的モニタリングなどの全身管理を中心とした Baseline Care が明記され，脳ヘルニアによる急変時の対応として Herniation Pathway も示されている．また，First-tier therapy として，各種モニタリングを基にした脳圧亢進に対応した ICP pathway，脳循環維持に対応した CPP pathway，脳組織酸素分圧の適正化に対応した $PbtO_2$ pathway が明記されている．そして，First-tier therapy が無効な場合の対応として，開頭減圧術等の外科的介入やバルビツレート療法，低体温療法などの Second-tier therapy が明記されている．またガイドラインとしての推奨として，大きく 3 つの項目（モニタリング，閾値，治療）について計 22 のエビデンスに基づく推奨が示された．

12) Franklin D, Babl FE, Schlapbach LJ et al：A randomized trial of high-flow oxygen therapy in infants with bronchiolitis. N Engl J Med 378：1121-1131, 2018

13) Kochanek PM, Tasker RC, Bell MJ et al：Management of pediatric severe traumatic brain injury：2019 consensus and guidelines-based algorithm for first and second tier therapies. Pediatr Crit Care Med 20：269-279, 2019

14) Kochanek PM, Tasker RC, Carney N et al：Guidelines for the management of pediatric severe traumatic brain injury, third edition：update of the brain trauma foundation guidelines, executive summary. Pediatr Crit Care Med 20：280-289, 2019

成人や新生児領域では心停止蘇生後に対する低体温療法の有効性が示されているが，小児領域ではまだ一定の見解が得られていないのが現状である．そうした背景を受け，国際蘇生連絡委員会小児部門（ILCOR Pediatric Life Support Task Force）を代表して Buick らは，小児心停止蘇生後に対する体温管理療法（targeted temperature management：TTM）についてシステマティックレビューとメタアナリシスを報告した[15]．2つの RCT と 8件の観察研究を含む 12 の研究が対象となった．その結果，小児の非外傷性心停止のうち ROSC（return of spontaneous circulation）が得られた症例に対して，目標体温を 32～34℃で施行する TTM は，36～37.5℃で施行する TTM と比べ，長期の神経学的転帰や長期生存，短期生存のいずれも改善することがなかった．また，低体温による感染症リスクや心停止の再発，重篤な出血や不整脈などの有害事象の発生頻度にも差は認めなかった．そのため，これらの結果からは，小児心停止蘇生後の意識障害に対する目標体温 32～34℃で行う TTM は推奨も否定もしないと結論づけられた．また，今後効果が期待されうる管理方法として，院外心停止や呼吸原性心停止に対しては 32～34℃での TTM，院内心停止に対しては 36～37.5℃で施行する TTM があげられた．

▶ 医療的ケア児

近年の小児医療や集中治療の進歩により，わが国においてもさまざまな慢性疾患に罹患した児や呼吸管理や栄養管理などの在宅ケアを必要とする医療的ケア児の割合が増加してきているが，感染罹患時などの急性増悪時に PICU 管理となる機会も少なくない．

O'Brien らは，英国 PICU において，慢性疾患罹患児の PICU 入室に関する臨床的特徴を解明するために，2009年3月から2013年2月までの期間に PICU 入室となった 0～18 歳の児を対象として，単施設後方視的観察研究を行った[16]．その結果，同期間に PICU 入室となった 1,197 例のうち，554 例（46.3%）が少なくとも 1 つの慢性健康障害に罹患していた．慢性健康障害罹患児は，非罹患児に比し，PICU 滞在日数が長く（4日 vs. 3日），障害の数に比例して，有意に長期化した（$p < 0.001$）．慢性健康障害罹患児は，非罹患児に比して，死亡率が高かった（8.8% vs. 5.4%，$p = 0.024$）．また，慢性健康障害を少なくとも 2 つ罹患もしくは 3 つ罹患した児では，非罹患児に比し，死亡率が有意に高かった（OR：2.3，95% CI：1.2～4.55，OR：2.95，95% CI：1.28～6.8）．

Heneghan らは，呼吸管理や栄養管理のデバイスに依存した児の PICU 入室に関する臨床的背景や予後を解明するために，PICU 入室の予後予測因子を検討した the Trichotomous Outcome Prediction in Critical Care（TOPICC）study の二次解析として検討を行った[17]．PICU 入室となった 10,078 例のう

15) Buick JE, Wallner C, Aickin R et al：Paediatric targeted temperature management post cardiac arrest：a systematic review and meta-analysis. Resuscitation 139：65-75, 2019

16) O'Brien S, Nadel S, Almossawi O et al：The impact of chronic health conditions on length of stay and mortality in a general PICU. Pediatr Crit Care Med 18：1-7, 2017

17) Heneghan JA, Reeder RW, Dean JM et al：Characteristics and outcomes of critical illness in children with feeding and respiratory technology dependence. Pediatr Crit Care Med 20：417-425, 2019

ち，1,989 例（19.7%）が医療デバイスに依存した児であり，非依存児に比し，若く，より多くの集中治療を受け，PICU 再入室の頻度が高かった．医療デバイス依存児の死亡率は 3.7% であり，新たな疾病の罹患率も 4.5% であったが，3.0% の症例では，機能異常の改善が認められた．

PICU 退室後の長期予後

近年の集中治療の進歩により，PICU における生存率は改善したが，その一方で後遺症が残り，医療デバイスに依存した状態での退室を余儀なくされる症例も増加傾向にある．こうした背景を受け，近年，PICU 退室後の機能的予後や神経学的予後に関する研究が報告されるようになってきている．

Slomine らは，以前行われた心停止蘇生後の低体温療法を検討した 2 つの RCT〔Therapeutic Hypothermia After Pediatric Cardiac Arrest In-Hospital（THAPCA-IH）trial[18] と Therapeutic Hypothermia After Pediatric Cardiac Arrest Out-of-Hospital（THAPCA-OH）trial[19]〕の二次解析として，発症 1 年後の神経心理学的予後について検討を行った[20]．その結果，対象となった 160 例のうち 114 例（71.2%）が，養育者の申告により判定される標準的な神経行動学的評価である VABS-II において良好と判断された．しかし，VABS-II にて良好と判断された 111 例のうち，25.2% の症例で全般的な認知障害を認め，特に 6 歳以上の年長児では，85.7% の症例で何らかの神経心理学的異常を認めた．

Kakat らは，呼吸 ECMO 症例の 1 年後フォローアップ外来の 10 年間の経験について報告している[21]．2003〜2013 年の 10 年間に呼吸 ECMO が 290 例に施行され，194 例（67%）が生存した．生存者すべてにフォローアップが提案されたが，クリニックを訪問したのは 98 例（51%）であった．そのうち，30 例（30%）に神経発達障害が認められた．また，特異的な所見として，神経学的異常（痙攣，運動もしくは視力異常）が 8 例，聴覚異常が 8 例，行動異常が 6 例に認められ，複数の異常を認めたのが 8 例（27%）に及んだ．ECMO 管理中の神経学的事象は唯一の神経発達異常のリスク因子であったが（OR：5.4，95% CI：1.63〜17.92），ECMO 管理中に心停止や神経学的事象がない症例でも 24.3%（74 例中 18 例）には 1 年後のフォローアップで神経発達異常を認めた．

脳　死

2010 年に改正臓器移植法が施行され，わが国でも 15 歳未満の小児において脳死下臓器提供が可能となったが，小児例の臓器提供はまだ実施が少ないのが現状であり，脳死や臓器提供に関する問題点が議論されるようになっている．

米国においても，2011 年に関連学会により小児脳死に関するガイドライン

18) Moler FW, Silverstein FS, Holubkov R et al：Therapeutic hypothermia after in-hospital cardiac arrest in children. N Engl J Med 376：318-329, 2017

19) Moler FW, Silverstein FS, Holubkov R et al：Therapeutic hypothermia after out-of-hospital cardiac arrest in children. N Engl J Med 372：1898-1908, 2015

20) Slomine BS, Sliverstein FS, Christensen JR et al：Neuropsychological outcomes of children 1 year after pediatric cardiac arrest secondary analysis of 2 randomized clinical trials. JAMA Neurol 75：1502-1510, 2018

21) Kakat S, O'Callaghan M, Smith L et al：The 1-year follow-up clinic for neonates and children after respiratory extracorporeal membrane osygenation support：a 10-year single institute experience. Pediatr Crit Care Med 18：1047-1054, 2017

が改訂されたが，脳死の概念や脳死宣告に関わる議論が継続的に行われている．

Kirschen らは，米国における小児脳死症例の疫学について調査し，報告している[22]．本研究は，VPS national multicenter database を用いて，2012 年 1 月から 2017 年 6 月までの期間に PICU で死亡した 15,344 例を対象とした．このうち，3,170 例（20.7％）が脳死と診断され，死因で最も多かったのが心停止後の低酸素性虚血性脳症（52.7％）であった．また，脳死宣告例のほとんどが既往としての神経学的異常を認めなかった（84.4％）．年間の脳死患者数（中央値）は，小規模 PICU（年間退室症例数 500 例未満）では 1 例であったのに対して，大規模 PICU（年間退室症例数 2,000〜4,000 例）では 10 例であり，PICU の規模と脳死宣告症例数との間に相関が認められた．また，臓器提供は 1,568 例（49.9％）に行われた．本研究により，大規模 PICU においても脳死宣告は比較的頻度の低いものであることから，脳死診断の正確性と一貫性を確保するために，医療スタッフに対する継続的な教育と，標準化されたプロトコル作成の重要性が示唆されている．

22) Kirschen MP, Francoeur C, Murphy M et al：Epidemiology of brain death in pediatric intensive care units in the United States. JAMA Pediatr 173：469-476, 2019

Ⅱ章 集中治療における検査・技術

1 集中治療のモニタリング 100

2 カテーテル・ドレーン 107

3 集中治療における非侵襲的人工呼吸（NIV）と
経鼻高流量療法（NHFT）.. 114

4 エコー診断 122

5 補助循環（ECMO，IABP，Impella®）.. 128

6 急性血液浄化法 134

7 血液検査・バイオマーカー 141

8 低体温療法・体温管理療法，中枢神経保護・
再生療法 148

9 気道確保・気道確保困難症 155

II. 集中治療における検査・技術

1. 集中治療のモニタリング

数馬 聡[1], 山蔭道明[2]
[1] 札幌医科大学医学部 集中治療医学
[2] 札幌医科大学医学部 麻酔科学講座

最近の動向とガイドライン

近年のモニターは簡便かつ低侵襲，そして正確性が向上している．中枢神経系では，視神経鞘エコーの有用性が示された．てんかんガイドラインが2018年に改訂され，けいれんの診断や脳波モニタリングもより質が向上している．呼吸器系ではエコーの普及により，横隔膜機能不全の評価がなされ，同様に心原性肺水腫の診断向上に寄与している．食道内圧測定によるPEEPの最適化に関しては，まだ議論の余地があり，今後の検討が待たれる．循環器系では，心肺蘇生時の経食道エコーの有用性がアメリカ救急医学会の蘇生ガイドラインで示された．また，stroke volume variation（SVV）や pulse pressure variation（PPV），EtCO$_2$などのパラメータを駆使した循環動態の把握も進歩している．下肢挙上試験（PLR）の有用性が確認され，毛細血管再充満時間（CRT）の評価も見直されている．遠隔集中治療や人工知能（AI）の評価など，新しい集中治療も幕を開けてきた．

中枢神経系

脳波モニタリングは，予後評価，鎮静の評価，くも膜下出血後の脳虚血の評価，非痙攣性てんかん重積（non-convulsive status epileptics：NCSE）を主な目的とする．脳波計はデジタル化し，脳波の判読自体も統一化されつつある．amplitude-integrated EEG（aEEG）は，脳波の振幅の変化を圧縮加工して視覚的に把握しやすくしたトレンドグラフであり，通常脳波と比較して電極数が少なく判読が比較的容易であることから，新生児低酸素性虚血性脳症の予後予測に広く用いられてきている．Hellström-Westasら[1]はaEEGに関して，トレンドグラフには個々の発作の検出に関して制限があるものの，対応する通常のEEGを同時に評価する機器も登場しており，aEEGとEEGを併用することで有用な評価となることを示している．

aEEGは，成人の心停止後症候群（post-cardiac arrest syndrome：PCAS）やNCSEの診断にも用いられるようになってきている．Sugiyama[2]らは，院外PCASで脳低体温療法を受けた患者61人を対象に，aEEGを用いて心拍再開（ROSC）後の正常電位の維持期間や，burst supressionの出現の有無に

1) Hellström-Westas L：Amplitude-integrated electroencephalography for seizure detection in newborn infants. Semin Fetal Neonatal Med 23：175-182, 2018

2) Sugiyama K, Miyazaki K, Ishida T et al：Categorization of post-cardiac arrest patients according to the pattern of amplitude-integrated electroencephalography after return of spontaneous circulation. Crit Care 22：226, 2018

よって患者を4群に分類し，神経学的予後を評価した．その結果，ROSC後12時間以内に持続正常電位に復した群は良好な神経学的転帰をたどったが（20人中19人，95％），ROSC後12〜36時間で持続正常電位に復した群は，転帰良好例が57％にまで低下する結果となった．

これらの分野では新たな機種も登場しており，脳波計は検査室での「検査装置」というより，「脳機能モニタリング装置」へ移行しつつあるといってよいだろう．2018年には日本神経学会から**てんかん**診療ガイドライン**2018**が発表され，約8年ぶりに改訂された．けいれん発作が5分以上継続するものは，てんかん重積状態として治療を開始すべきとし，診断基準がより明確化されている．

頭蓋内圧（intracranial pressure：ICP）測定の有用性はいまだ議論が分かれるところではある．Robbaら[3]は，視神経鞘エコー（optic nerve sheath diameter：ONSD）による成人患者の頭蓋内圧亢進の診断に関して，システマティックレビューとメタ解析を行っている．7つの前向き研究（$n = 320$人）が選ばれた結果，ONSDの診断精度は階層的ROC曲線において area under the curve（AUC）$= 0.93$ と非常に高いものとなっていた．一方で，診断オッズ比が68.1〔95％信頼区間（CI）：26.8〜144〕と95％CIが広く，研究ごとに視神経鞘測定のカットオフ値にややばらつきがあることに注意が必要であろう．Fernandoら[4]は，従来のICP測定に対して，瞳孔などの身体所見，CTによる画像診断，ONSD，および経頭蓋ドップラー拍動指数（TCD-PI）の精度を比較し，システマティックレビューとメタ分析を行った．40件の研究（$n = 5,123$）が選ばれた結果，瞳孔散大や除脳／除皮質硬直などの身体所見は感度もしくは特異度が低い結果となり，頭蓋内圧亢進を診断するには，他の臨床検査との複合的な診断が必要とされることが考えられた．ONSDはAUCが0.94と高く，前述の報告と同様，有用である可能性が示されている．TCD-PIはAUCが0.55〜0.72と頭蓋内圧亢進の検出力は低下する結果となったが，この結果はプールから抽出した患者（794人）から得られたデータであり，解釈に注意が必要である．

▶ 呼吸器系

呼吸器系エコーでは，横隔膜機能不全に関して報告が増えている．横隔膜機能不全は人工呼吸管理自体が引き起こすことでも知られ，呼吸器管理期間の延長など予後因子の一つとされる．Goligherら[5]は，カナダの2施設の観察研究で急性呼吸不全患者191名を対象に，エコーで連日Tdi（呼気終末の横隔膜の厚さ）およびTFdi（吸気，呼気の変化／最大吸気努力時の径）を評価した．その結果，呼吸管理4日目までに78人の患者（41％）でTdiが10％以上低下しており，10％減少するごとに呼吸器からの離脱率がより低下することを

3) Robba C, Santori G, Czosnyka M et al：Optic nerve sheath diameter measured sonographically as non-invasive estimator of intracranial pressure：a systematic review and meta-analysis. Intensive Care Med 44：1284-1294, 2018

4) Fernando SM, Tran A, Cheng W et al：Diagnosis of elevated intracranial pressure in critically ill adults：systematic review and meta-analysis. BMJ 366：l4225, 2019

5) Goligher EC, Dres M, Fan E et al：Mechanical ventilation-induced diaphragm atrophy strongly impacts clinical outcomes. Am J Respir Crit Care Med 197：204-213, 2018

示した〔hazard ratio（HR）＝ 0.69〕．さらに，TFdi が高くても低くても人工呼吸期間は延長し，TFdi 20〜25％が最も呼吸器期間が短い可能性を指摘している．TFdi をモニタリングしながら呼吸器補助を行うことで，横隔膜萎縮を予防できる可能性がある．

肺エコー（LUS） も全盛といっても過言ではなくなってきた．レントゲンやCT と違い，エコーであればその場で迅速に病態の評価，診断が可能となり，医療コストも抑えることができる．気胸や肺炎などに限らず，急性非代償性心不全による肺水腫の診断に関しても，胸部 X 線撮影よりも有用かもしれない．Maw ら[6]はシステマティックレビューとメタ解析により，呼吸困難を有する成人患者での心原性肺水腫の診断における，LUS と胸部レントゲンの診断精度を比較した．6 件の研究が基準を満たし（$n = 1,827$），LUS の感度は 0.88，特異度は 0.90 であった（胸部レントゲンの感度 0.73，特異度 0.90）．先に行われた初の RCT[7]でも LUS に軍配を上げており，急性呼吸困難患者での重要な診断ツールとみなされるべきである．

呼吸管理では，最適な PEEP の設定の議論が継続している．急性呼吸窮迫症候群（ARDS）患者における最適 PEEP の設定に経肺圧の概念を用いることは，ここ約 10 年で多くの臨床研究が行われてきた．Beitler[8]らは，食道内圧測定による PEEP 決定法に関して，北米 14 施設における中等度ないし重度のARDS 患者 200 例を対象とし，以前の研究に比較して大規模 RCT をデザインし（EPVent 2 study），従来群（経験的高 PEEP- 吸入気酸素濃度法）と比較した．その結果，主要複合評価項目（28 日死亡率または人工呼吸器非装着日数）に有意な群間差はなかった．差がみられなかった要因として，従来群の経肺圧の値が食道内圧群とで差がなかったことが考えられる．この結果は，一概に食道内圧測定による PEEP 設定を否定するものではない．経肺圧を測定することで，臨床現場で実際に肺にかかる圧を考えることができることに意義があると思われ，高度肥満などで胸腔内圧が高いと考えられる症例や，吸気努力が極めて強い重症 ARDS 症例など，個々の患者で経肺圧を考慮すべきと考える．

一般的に非侵襲的換気モニターではカプノグラフィーが用いられるが，近年アコースティック呼吸モニタリングが登場している．頸部に装着したマイクロフォンおよびパルスオキシセンサによる脈波の変動から呼吸数（RRa）を測定するものであり，マイクロフォンでは気管呼吸音を測定，患者の発声や周囲の雑音に対して脈波で補正する．本法による呼吸数測定早期に呼吸異常を検出するとされる．Ouchi ら[9]は非挿管での静脈麻酔下で行なわれた歯科治療患者を対象に，RRa 測定とカプノグラフィーを使用して 30 秒ごとに呼吸数を記録した．測定された呼吸数データポイントは 1,953 であり，RRa 測定法による検出ポイント数（1,884，96.5％）はカプノグラフィーによる検出ポイント数

6) Maw AM, Hassanin A, Ho PM et al：Diagnostic accuracy of point-of-care lung ultrasonography and chest radiography in adults with symptoms suggestive of acute decompensated heart failure：a systematic review and meta-analysis. JAMA Netw Open 2：e190703, 2019

7) Pivetta E, Goffi A, Nazerian P et al：Lung ultrasound integrated with clinical assessment for the diagnosis of acute decompensated heart failure in the emergency department：a randomized controlled trial. Eur J Heart Fail 21：754-766, 2019

8) Beitler JR, Sarge T, Banner-Goodspeed VM et al：Effect of titrating positive end-expiratory pressure (PEEP) with an esophageal pressure-guided strategy vs an empirical high PEEP-Fio2 strategy on death and days free from mechanical ventilation among patients with acute respiratory distress syndrome：a randomized clinical trial. JAMA 321：846-857, 2019

9) Ouchi K, Fujiwara S, Sugiyama K：Acoustic method respiratory rate monitoring is useful in patients under intravenous anesthesia. J Clin Monit Comput 31：59-65, 2017

（1,682, 86.1％）よりも有意に多かった。治療中は歯科エアタービンの使用で測定に支障を受ける可能性はあるが，自発呼吸で静脈麻酔を受ける患者のモニタリングに有用であると考えられる。

▶ 循　環

日本蘇生協議会（JRC）ガイドライン 2015 でも示されているように，呼気終末二酸化炭素（$EtCO_2$）モニターは心肺蘇生中の胸骨圧迫の有効性や ROSC の指標となる。また，$EtCO_2$ の減少は心源性ショックや hypovolemia，肺塞栓などの参考指標となる。換気条件を変えなければ $EtCO_2$ の上昇は心拍出量に比例する。Lakhal ら[10]は人工呼吸管理されているショック患者 86 人に対して，$EtCO_2$，心拍数，収縮期血圧，平均血圧，大腿動脈のドップラー血流，PPV の増減値を測定し，経胸壁心エコーによる心拍出量の増減値と比較検討した。その結果，ROC 曲線における $EtCO_2$ の AUC が 0.82 と最も高かった。この研究では対象患者の 94％が Ramsay sedation scale 4 以上となっており，より軽い鎮静下でも適応できるのかは不明であるが，$EtCO_2$ が輸液反応性の一つの指標として考慮できる可能性がある。循環パラメータの中でも，PPV/SVV で表される dynamic arterial elastance（eadyn）ratio は動脈弾性の指標となり，ノルアドレナリン投与中の漸減可能の指標となるという。臨床ではバイタルサインを指標としながら，医師の裁量で "try and error" の前提でノルアドレナリンを漸減していくことはよくあることであるが，その代替指標として有用かもしれない。Bar ら[11]はショック患者 35 人を対象とし，ノルアドレナリンの漸減前後で 10％以上の平均血圧の低下の有無で responder と non-responder を区別し，VolumeView® と FloTrac® で測定した Eadyn の指標を用いて responder を予測可能であるか検討している。その結果，含まれた 35 人の患者のうち 11 人が responder であり，Eadyn は AUC 0.84（95％ CI：0.70〜0.97）で動脈圧の減少を予測することができた。

Beurton ら[12]も述べているように，経肺熱希釈（transpulmonary thermodilution：TPTD）デバイスは，心機能全般のモニタリングが可能であり，肺動脈カテーテルと比較しても，TPTD による循環モニタリングは優勢となってきている。また，TPTD は，ADRS や急性心不全などの判断に肺血管外水分量と肺血管透過性を測定できる。一方で，TPTD はそれのみの情報で判断されるものではなく，**心エコーによって情報が補完されるべき**である。TPTD と比較して，肺動脈カテーテルがより侵襲的な手技なのかは判然としないが，肺動脈カテーテルも重症患者の血行動態の把握と循環管理に重要な役割を果たすと考えられる。TPTD と心エコー検査の進歩で肺動脈カテーテルの使用は減少したが，特に肺高血圧症または左心機能不全に関連する場合は，依然として適応となる[13]。肺動脈カテーテルを有効に使用するには，測定値

10) Lakhal K, Nay MA, Kamel T et al：Change in end-tidal carbon dioxide outperforms other surrogates for change in cardiac output during fluid challenge. Br J Anaesth 118：355-362, 2017

11) Bar S, Leviel F, Abou Arab O et al：Dynamic arterial elastance measured by uncalibrated pulse contour analysis predicts arterial-pressure response to a decrease in norepinephrine. Br J Anaesth 121：534-540, 2018

12) Beurton A, Teboul JL, Monnet X：Transpulmonary thermodilution techniques in the haemodynamically unstable patient. Curr Opin Crit Care 25：273-279, 2019

13) De Backer D, Vincent JL：The pulmonary artery catheter：is it still alive? Curr Opin Crit Care 24：204-208, 2018

の解釈などに習熟が必要であり，使用頻度が減少すると，若手医師や看護師に
とってさらに肺動脈カテーテルが遠い存在になってしまうだろう．

中心静脈圧（CVP）は過去の遺物となるのであろうか？ CVP は循環動態
の静的パラメータの一つであり，絶対的指標にはならないものの，動的パラメ
ータを含め，循環動態の把握における複合的な判断材料の一つとなりうると考
えられる．De Backer ら[14]は，CVP が低値のショック患者に輸液負荷をする
ことで CO は増加するが，CVP が上昇しない場合は輸液反応性があり，一方
で CO が増加せず，CVP が上昇する場合は反応がないことを説明しており，
興味深い．

循環器エコーの分野では，心肺蘇生中の経食道エコー（transesophageal
echocardiography：TEE）の使用に関してアメリカ救急医学会（ACEP）が指
針[15]を出しており，使用を推奨している．Fair ら[16]の報告では，心停止患者
（$n = 25$）で行われた 139 回の脈拍確認を分析し，TEE，経胸壁心エコー
（transthoracic echocardiography：TTE），触診ごとの胸骨圧迫中断時間を比
較した．脈拍確認に要した時間は TEE の 9 秒が最短であり，心肺停止時のパ
ルスチェックの有用性を示している．

Lau ら[17]は ICU 患者 56 例を対象に，ICU 専門医による TEE の心肺不全診
断精度を，循環器科医による TEE または TTE 結果を至適基準とする，後ろ
向き比較で検討した．結果，ICU 医の TEE と循環器科医の TEE を比較した
5 例，ICU 医 TEE と循環器科医 TTE を比較した 51 例を特定した．循環器
科医 TEE との比較では，ICU 医 TEE の感度，特異度，陽性的中率，陰性的中
率，一次診断の診断精度はいずれも 100％だった．対象症例が少なく，診断精
度が 100％というのは疑問が残るが，ICU 医が状況に応じて，TEE を病態の
判断材料に使用することは励行すべきと考えられる．

▶ 組織酸素代謝

最近は**下肢挙上試験（PLR test）**による輸液管理や，毛細血管充満時間
（CRT）など，古典的な身体診察所見が見直されてきている印象がある．筆者
も重症患者の診察では，四肢末梢の温かさは必ず確認することとしており，輸
液負荷の指標として重要であると考えている．Hernández ら[18]は，早期敗血
症性ショック患者 424 例を対象に，CRT（末梢循環群）と乳酸値を指標とし
た蘇生戦略（乳酸濃度群）の効果を多施設 RCT で比較している．主要評価項
目である 28 日死亡率は低下しなかった（34.9％ vs. 43.4％，HR：0.75，95％
CI：0.55〜1.02，$p = 0.06$）が，CRT 群で介入期間中の輸液量が少なく，72 時
間後の SOFA スコアが低いという結果であった．一方で地域が南米に限定さ
れ，サンプルが比較的若年者であり，SVV，PLR といった輸液反応性の指標
が 8 割以上の患者で判定を完遂できているなど，外的妥当性に問題があるとも

14) De Backer D, Vincent JL：Should we measure the central venous pressure to guide fluid management? Ten answers to 10 questions. Crit Care 22：43, 2018

15) Fair J, Mallin M, Mallemat H et al：Transesophageal echocardiography：guidelines for point-of-care applications in cardiac arrest resuscitation. Ann Emerg Med 71：201-207, 2018

16) Fair J 3rd, Mallin MP, Adler A et al：Transesophageal Echocardiography During Cardiopulmonary Resuscitation Is Associated With Shorter Compression Pauses Compared With Transthoracic Echocardiography. Ann Emerg Med 73：610-616, 2019

17) Lau V, Priestap F, Landry Y et al：Diagnostic accuracy of critical care transesophageal echocardiography vs cardiology-led echocardiography in ICU patients. Chest 155：491-501, 2019

18) Hernández G, Ospina-Tascón GA, Damiani LP et al：Effect of a resuscitation strategy targeting peripheral perfusion status vs serum lactate levels on 28-day mortality among patients with septic shock：the ANDROMEDA-SHOCK randomized clinical trial. JAMA 321：654-664, 2019

考えられる．しかし，CRT という簡便で直接的に末梢循環を評価する指標を用いることで，輸液量の減少や臓器障害を改善する可能性を示唆した意義は大きく，今後の研究につながる重要な知見であると考えられる．

重症敗血症患者を対象にアルブミンの効果を評価した ALBIOS 試験では，その有用性は証明できなかったが，Protti ら[19] は ALBIOS 試験の研究デザインの後ろ向き解析を実施し，試験登録時の中心静脈血酸素飽和度（$ScvO_2$）70％未満の 514 例と 70％以上の 961 例で，$ScvO_2$ 70％未満の持続と死亡率の関連を評価した．その結果，前者では 6 時間後の $ScvO_2$ 70％未満が 90 日死亡率の上昇と独立した関連がみられた〔odds ratio（OR）：1.84〕が，後者では関連を認めなかった（OR：1.25）．登録時および 6 時間後の $ScvO_2$ が 70％未満だと心機能不全の既往歴およびその徴候との間に関連がみられる結果となり，最近は $ScvO_2$ の否定的な報告が多い中で，興味深い結果となっている．

▶ その他

遠隔集中治療は，遠隔から 24 時間体制で心電図やレントゲン，血液検査などの生体情報を監視し，早期に的確な治療方針を提案することができるシステムである．生体測定データの値が予め設定された数値に達した時に，自動的に支援側施設にアラートを発する．Fortis ら[20] は，米国退役軍人病院の ICU での治療例 55 万 3,523 例（遠隔医療群 9 万 7,256 例，非遠隔医療群 45 万 6,267 例）を対象に，ICU での遠隔医療実施と ICU 患者の病院間転送数の関連を検討した．全 ICU 306 室のうち 52 室で遠隔治療を実施していた．病院間転送率の変化を解析した結果，遠隔医療群では実施前後で 3.46％から 1.99％に低下，非遠隔医療群では 2.03％から 1.68％に低下した（$p < 0.001$）．人口統計学的データ，疾患重症度，入室時診断および施設で調整した ICU 遠隔医療の相対リスクは 0.79 であり，転送減少との関連を認めた 30 日死亡率増加との関連はなかった．

遠隔医療は医療者間の教育にも利用されるかもしれない．Kovacevic ら[21] は，集中治療の質が経済面から限られているボスニア・ヘルツェゴビナに設立された医療集中治療室で，毎週 45 分の急性疾患の早期認識と標準化治療のためのチェックリストを用いた遠隔教育ラウンドを実施した．現地の言語に精通した 2 人の集中治療員がテレビ通信で指導者を務めた．結果，2 年間の介入により，ICU 死亡率の低下（43％ vs. 27％）および病院死亡率の低下（51％ vs. 44％），滞在期間の短縮（8.3 日 vs. 3.6 日），コスト削減（2 年間で 400,000 ドル）と，介入の効果がみられた．

近年，ICU でも多くの情報を取り入れた deep learning による重症患者への早期介入が活発になってきている．Nemati ら[22] は，人工知能（AI）による敗血症アルゴリズムを開発し，観察コホート研究を行っている．ICU への

19) Protti A, Masson S, Latini R et al：Persistence of central venous oxygen desaturation during early sepsis is associated with higher mortality：a retrospective analysis of the ALBIOS trial. Chest 154：1291-1300, 2018

20) Fortis S, Sarrazin MV, Beck BF et al：ICU telemedicine reduces interhospital ICU transfers in the veterans health administration. Chest 154：69-76, 2018

21) Kovacevic P, Dragic S, Kovacevic T et al：Impact of weekly case-based tele-education on quality of care in a limited resource medical intensive care unit. Crit Care 23：220, 2019

22) Nemati S, Holder A, Razmi F et al：An interpretable machine learning model for accurate prediction of sepsis in the ICU. Crit Care Med 46：547-553, 2018

31,000人以上の入院（開発コホート），および公的に利用可能な医療情報マート集中治療室Ⅲ ICUデータベース（検証コホート）からの52,000人以上のICU患者を対象とした．バイタルサインの時系列と電子医療記録から65個の徴候のセットが1時間ごとに計算され，人工知能アルゴリズムで解析された．その結果，敗血症を臨床認識の4〜12時間前に人工知能アルゴリズムでAUC 0.83〜0.85の範囲で予測できた．今後は前向き研究が必要となるが，AIを駆使したMET（Medical Emergency Team）の起動が普及してくると考えられる．

II. 集中治療における検査・技術

2. カテーテル・ドレーン

安田英人
医療法人鉄蕉会亀田総合病院 集中治療科

最近の動向とガイドライン

2011年にアメリカ疾病予防センター（Centers for Disease Control and Prevention：CDC）の血管内留置カテーテル関連血流感染症（catheter-related blood stream infection：CRBSI）予防ガイドライン[1]が改訂されてからもうじき10年が経過しようとしている．CRBSIは重症患者管理における重大な医療デバイス関連感染症の一つであり，これまでは中心静脈カテーテル（central venous catheter：CVC）を対象とした研究報告が主流であったが，近年では特に，末梢挿入型中心静脈カテーテル（peripherally inserted central catheter：PICC），そして末梢静脈カテーテル（peripheral venous catheter：PVC）の報告が増加している．これは前回のレビューでも取り上げた内容だが，近年になりその傾向に拍車がかかっている印象がある．さらに先ほど紹介したCDCガイドラインもrecommendation updateが発表され[2]，クロルヘキシジン含有ドレッシングの推奨が変更になった．手指消毒やマキシマルバリアプレコーションを行うなどは今や常識であり，合併症予防のために超音波を用いた挿入手技の工夫を取り入れたり，ドレッシングなどの周辺を取り巻くデバイスや手技に注目が移っており，多数の報告もされている．また何と言っても印象深かったのが，近年impact factorがうなぎ上りの"Intensive Care Medicine"にカテーテル管理のレビュー[3,4]が多く報告されるなど，集中治療領域にもしっかりとしたカテーテル管理が望まれている風潮と捉えてもいいのだろう．

集中治療領域における血管内留置カテーテル管理の位置付け

血管内留置カテーテルは，患者管理において必要不可欠な医療デバイスである．集中治療室で管理する患者には，ほぼ100％挿入されている医療デバイスといってもいいだろう．集中治療室における患者管理で注目されるスター的存在は呼吸循環管理であることは疑いようがなく，呼吸循環に関する数多くの研究が"New England Journal Medicine"などのmajor雑誌に発表され，我々の医療のプラクティクスに影響を与えているであろう．

では今回取り上げる血管内留置カテーテルに関してはどうであろうか．どちらかというとminorな領域であり，"たかがカテーテル"と揶揄されることも

1) O'Grady NP, Alexander M, Burns LA et al：Guidelines for the prevention of intravascular catheter-related infections. Clin Infect Dis 52：e162-e193, 2011
2) Centers for Disease Control and Prevention：Guidelines for the Prevention of Intravascular Catheter-Related Infection. Updates.
https://www.cdc.gov/infectioncontrol/guidelines/bsi/updates.html#anchor_1554127589

多く，あまり関心がない医療従事者が多いことも事実である．ところが，近年はこの領域も追い風傾向であり，今や impact factor が 15 を超える major 雑誌となった "Intensive Care Medicine" に，カテーテル管理に関する文献が報告される機会が多くなってきた[3~7]．今回の対象となった文献検索期間でも複数本の研究結果が報告されていた．やはり患者中心のアウトカムの重要性を考えると，このカテーテル管理という領域も，集中治療領域における重要性が増してきた証なのであろう．そこで，この項では "Intensive Care Medicine" に報告された文献を一部紹介することにより，カテーテル管理に関する最近の注目点を整理していきたい．

一つめに紹介する文献は，ICU における CRBSI 発生率減少を目的とした教育プログラムに関する研究報告である（PROHIBIT study）[6]．バンドルによる CRBSI 予防プログラムの研究は今に始まったことではない．2006 年に Pronovost が "New England Journal Medicine" に報告した結果[8]が有名であるが，この研究は介入の前後比較試験であった．今回報告された研究は cluster randomized trial であり，エビデンスレベルが高い研究デザインである．ヨーロッパの 11 ヵ国 14 の ICU で実施され，16 歳以上の ICU 入室患者に挿入される中心静脈カテーテルが対象となった．研究デザインは施設ごとに無作為化される cluster randomized trial であり，ベースラインの情報収集を 6 ヵ月実施したのちに，中心静脈カテーテル管理バンドル（挿入，輸液ライン管理，ドレッシング管理，抜去）単独実施群，手指消毒改善プログラム実施群，そしてそれら両者を実施する群の 3 群に分けて，CRBSI 発生率を主要評価項目として比較した．結果は，中心静脈カテーテル管理バンドルではベースラインと比較してハザード比が減少しなかったが〔ハザード比（HR）：1.16，95％信頼区間（CI）：0.63～2.16〕，手指衛生改善プログラム群（HR：0.37，95％ CI：0.16～0.87）と併用群（HR：0.47，95％ CI：0.27～0.83）でハザード比を減少させることができた．Pronovost らの報告の効果もあり，バンドル遵守の重要性が浸透していることもあるのか，バンドルを遵守するだけでは不十分であり，今の時代であっても手指衛生をしっかりと行うことの重要性を示唆してくれた文献であった．

もう一つ注目すべき研究が報告されていたので紹介する．スイスの単施設 ICU で実施されたケースコントロール研究で，ICU において橈骨動脈から挿入された動脈カテーテルの失敗率を検討した研究である[5]．動脈カテーテルの失敗を動脈圧波形の不明瞭，逆血不能，フラッシュ不能と定義し，その発生率とそのリスク因子を検討している．失敗の発生頻度は 200 患者において 25.5％であり，1,000 カテーテル挿入日当たり 87 件であり，カテーテル生存期間は 13.1 日であった．この研究では全例で挿入部位の血管内を超音波でモニタリングしており，また抜去したカテーテルの閉塞具合も病理学的に検討している．

3) Timsit JF, Rupp M, Bouza E et al：A state of the art review on optimal practices to prevent, recognize, and manage complications associated with intravascular devices in the critically ill. Intensive Care Med 44：742-759, 2018

4) Schmidt GA, Blaivas M, Conrad SA et al：Ultrasound-guided vascular access in critical illness. Intensive Care Med 45：434-446, 2019

5) Fleury Y, Arroyo D, Couchepin C et al：Impact of intravascular thrombosis on failure of radial arterial catheters in critically ill patients：a nested case-control study. Intensive Care Med 44：553-563, 2018

6) van der Kooi T, Sax H, Pittet D et al：Prevention of hospital infections by intervention and training （PROHIBIT）：results of a pan-European cluster-randomized multicentre study to reduce central venous catheter-related bloodstream infections. Intensive Care Med 44：48-60, 2018

7) Yamaguchi RS, Noritomi DT, Degaspare NV et al：Peripherally inserted central catheters are associated with lower risk of bloodstream infection compared with central venous catheters in paediatric intensive care patients：a propensity-adjusted analysis. Intensive Care Med 43：1097-1104, 2017

8) Pronovost P, Needham D, Berenholtz S et al：An intervention to decrease catheter-related bloodstream infections in the ICU. N Engl J Med 355：2725-2732, 2006

動脈内に血栓を認めた割合は失敗群で 84％，コントロール群で 17.3％であった．また失敗率に影響を与えるリスク因子と考えられたものは，動脈内血栓〔オッズ比（OR）：36.5，95％ CI：12.9〜103.7〕，頻回な血液サンプリング（OR：1.2，95％ CI：1.04〜1.38）が代表的なものであった．血栓を形成する割合は意外と多く，不必要な血液サンプリングによるカテーテル生存期間の短縮なども認められ，集中治療に携わる医療従事者にとっては知っておかなければならない疫学情報である．

　その他にも，レビュー論文にはなるが，集中治療患者における血管内留置カテーテルの合併症に関する疫学とそのメカニズムおよび診断方法に関する文献レビューが報告されている[3]．詳細は割愛するが，"Intensive Care Medicine"という権威ある雑誌にこのようなレビューが掲載されること自体，我々集中治療に携わる者が血管内留置カテーテルの合併症を十分に理解しておく必要性があるということだろう．ちなみに，このレビューには末梢静脈留置カテーテルに関する疫学がレビューされておらず，この領域の疫学がほぼ皆無であることを物語っている．今後は重症患者における末梢静脈カテーテル合併症の疫学情報の収集が待たれるところであろう．なお，筆者の研究グループでは 2018 年 1 月から 3 月にかけて，本邦 23 の ICU において約 3,000 人の患者，約 7,000 本の末梢静脈カテーテルを対象に，静脈炎をはじめとする合併症の発生頻度とそのリスク因子の検討を行った[9]．2019 年度中の報告を目指しているが，集中治療領域における末梢静脈カテーテル管理に一石を投じることになると信じている．

9) UMIN-CTR：重症患者における末梢静脈カテーテルによる静脈炎の発生頻度とそのリスク因子の検討
https://upload.umin.ac.jp/cgi-bin/ctr/ctr_view_reg.cgi?recptno=R000032063

▶ 血管内留置カテーテル予防における適切な挿入時皮膚消毒薬は？

　この話題は前回のレビューでも取り上げたテーマであるが，新たに報告された研究があり，かつ現在進行中の無作為化試験（randomized critical trial：RCT）もあるために再度取り上げた．

　前回同様の解説となるが，CRBSI の発生機序は，①輸液バッグ由来の感染，②ハブ由来の感染，③カテーテル刺入部由来の感染，④血流感染由来の感染であるが，カテーテル留置期間や留置目的にも大きく左右される．重症患者に挿入されるカテーテルのように挿入期間が短期間の場合の CRBSI は，③カテーテル刺入部由来の感染により引き起こされることが最も多く，かつ，近年は血管内留置カテーテルを可能な限り短期間で抜去することが推奨されていることから，必然的に CRBSI 予防の要となるのが "カテーテル刺入部由来の感染を予防すること" になる．

　カテーテル刺入部由来の感染を予防するためには，適切なカテーテル挿入時の皮膚消毒が必要と考えられている．カテーテル感染予防に使用される主な皮

膚消毒薬はクロルヘキシジンとポビドンヨードがあり，さらにアルコール含有の有無も大きな要素である．これまでにそれぞれの薬剤でさまざまな濃度の消毒薬が比較されてきた[10~13]．2002年にメタアナリシス[14]が初めて報告されてから，2016年にはコクランから詳細なメタアナリシスが発表された[15]．こちらのメタアナリシスは前回のレビューでも取り上げたので詳細は割愛するが，ポビドンヨードよりもクロルヘキシジン含有消毒薬のほうがカテーテル感染予防に効果があるという結果であった．しかし，それぞれの消毒薬の濃度を考慮していないことなどの問題点が含まれていた．実はこれまで報告されているクロルヘキシジンアルコールの濃度別効果はまだまだ混沌としており，最適な濃度は不明であった．特に本邦で使用可能な最大濃度である1.0%クロルヘキシジンアルコールに関する臨床研究のデータは，ほぼ皆無に近く，そのような状況下で1.0%クロルヘキシジンアルコールを使用しなければならない本邦の状況はなんとも信じがたい様相であった．

　そのような状況を打破すべく，本邦で使用可能な皮膚消毒薬である0.5%クロルヘキシジンアルコール，1.0%クロルヘキシジンアルコール，そして10%ポビドンヨード水溶液の3つの薬剤のカテーテル感染予防に対する効果を検討するRCTを，筆者が主任研究者となり実施した[16]．ICUに入室した18歳以上の患者を対象に，ICUで新規に挿入する中心静脈カテーテルおよび動脈カテーテルのカテーテル挿入前皮膚消毒薬として先ほど示した3つの薬剤をランダムに割付け，主要アウトカムとしてカテーテルコロニゼーションをcox proportional hazardで検討した．本研究では合計16の施設から合計998カテーテルが対象となり，0.5%クロルヘキシジンアルコールおよび1.0%クロルヘキシジンアルコールのほうが10%ポビドン水溶液よりも有意にカテーテルコロニゼーション発生を減少させた（0.5%クロルヘキシジンアルコール：3.7 vs. 10.5 /1,000カテーテル挿入日，HR：0.33，95%CI：0.12~0.95，$p=0.04$，1.0%クロルヘキシジンアルコール：3.9 vs. 10.5 / 1,000カテーテル挿入日，HR：0.35，95%CI：0.13~0.93，$p=0.04$）．0.5%クロルヘキシジンアルコールと1.0%クロルヘキシジンアルコールの比較では，サンプルサイズ不足のためか，有意差は認めなかった．これらの結果から，1.0%クロルヘキシジンアルコールにも十分な消毒効果が認められ，かつ，0.5%クロルヘキシジンアルコールでも十分である可能性が示唆される結果となった．なお，本研究では脱落率が高かったこともあり，多重補完法を用いてITT解析を実施している点に注意が必要である．

　結局のところ，先ほど紹介した本邦発の研究においてもクロルヘキシジンアルコールの濃度間の優劣の判断はつかなかった．そこで，サンプルサイズ不足を補うべく，ネットワークメタアナリシスの手法を用いてクロルヘキシジンアルコール間の比較を同研究グループで実施し，2019年の米国集中治療医学会

10) Maki DG, Ringer M, Alvarado CJ：Prospective randomised trial of povidone-iodine, alcohol, and chlorhexidine for prevention of infection associated with central venous and arterial catheters. Lancet 338：339-343, 1991

11) Humar A, Ostromecki A, Direnfeld J et al：Prospective randomized trial of 10% povidone-iodine versus 0.5% tincture of chlorhexidine as cutaneous antisepsis for prevention of central venous catheter infection. Clin Infect Dis 31：1001-1007, 2000

12) Vallés J, Fernández I, Alcaraz D et al：Prospective randomized trial of 3 antiseptic solutions for prevention of catheter colonization in an intensive care unit for adult patients. Infect Control Hosp Epidemiol 29：847-853, 2008

13) Yamamoto N, Kimura H, Misao H et al：Efficacy of 1.0% chlorhexidine-gluconate ethanol compared with 10% povidone-iodine for long-term central venous catheter care in hematology departments：a prospective study. Am J Infect Control 42：574-576, 2014

14) Chaiyakunapruk N, Veenstra DL, Lipsky BA et al：Chlorhexidine compared with povidone-iodine solution for vascular catheter-site care：a meta-analysis. Ann Intern Med 136：792-801, 2002

15) Lai NM, Lai NA, O'Riordan E et al：Skin antisepsis for reducing central venous catheter-related infections. Cochrane Database Syst Rev 7：CD010140, 2016

16) Yasuda H, Sanui M, Abe T et al：Comparison of the efficacy of three topical antiseptic solutions for the prevention of catheter colonization：a multicenter randomized controlled study. Crit Care 21：320, 2017

（Society of Critical Care Medicine：SCCM）congress で報告した[17]．その結果によると，0.5％クロルヘキシジンアルコールよりも1.0％クロルヘキシジンアルコールの方がカテーテルコロニゼーション発生率とCRBSI発生率ともに減少させることができている（カテーテルコロニゼーション：OR：0.44，95％CI：0.28〜0.68，CRBSI発生率：OR：0.39，95％CI：0.14〜1.0）．上記2つの研究結果を考慮すると，0.5％クロルヘキシジンアルコールよりも1.0％クロルヘキシジンアルコールを用いるほうが無難なのかもしれないが，最終的な結論は，この両者をサンプルサイズが十分なRCTで比較しなければ結論が出ないであろう．

一方，中心静脈カテーテルではなく，末梢静脈カテーテルにおける皮膚消毒薬の有効性を検証した研究はそれほど多くはない．特にこの10年間は大きな動きを示していない．そのような中で，2015年に中心静脈カテーテルと動脈カテーテルにおける皮膚消毒薬に関する大規模なRCT（CLEAN study）[18]を実施したチームが，今度は末梢静脈カテーテルを対象としたRCTのプロトコルを報告した（CLEAN 3 study）[19]．18歳以上の一般病棟入院患者で48時間以上血管内留置が見込まれるカテーテルが対象となり，主には2％クロルヘキシジンアルコールと5％ポビドンヨードアルコールを比較し，カテーテル関連感染合併症の発生率を比較している．なお，この研究のデザインは静脈留置針の比較も含めた2×2のfactorial design studyでもある．本研究結果だけでは本邦のプラクティスを変えることはないが，このような研究が末梢静脈カテーテルを対象に行われているという事実自体がとても重要である．

なお，2015年に報告された大規模RCT（CLRAN study）や先ほど紹介した筆者が行ったRCTも含めたメタアナリシス[20]も報告されているが，数多くの不備があり，論文としての信用性が低い結果であった．具体的には，筆者が行ったRCTの対象薬剤がクロルヘキシジン"水溶液"として分類されメタアナリシスされていたり（本来はクロルヘキシジンアルコール），CRBSI発生率を報告している文献があるにもかかわらず，その文献からそのアウトカムを抽出していなかったりと，メタアナリシスされた過程にかなりの疑問が残る．メタアナリシスといえども，論文の質までしっかりと評価しなければならない良い手本となる．

▶ 集中治療領域における PICC は有用か？

このテーマに関しても前回のレビューで取り扱った内容である．前回のレビューは約2年前になるが，その当時は重症患者をターゲットとしたPICCの有用性を検討した文献は，本当に散見される程度であった．前回取り上げた内容は，2016年に"Journal of Critical Care"に報告された重症患者におけるCVCとPICCを後ろ向きに検討した研究で[21]，深部静脈血栓症とCRBSI発生

17) Masuyama T, Yasuda H, Sanui M et al：Chlorhexidine for the prevention of catheter-related infections：a network meta-analysis. Crit Care Med 47：10, 2019

18) Mimoz O, Lucet JC, Kerforne T et al：Skin antisepsis with chlorhexidine-alcohol versus povidone iodine-alcohol, with and without skin scrubbing, for prevention of intravascular-catheter-related infection （CLEAN）：an open-label, multicentre, randomised, controlled, two-by-two factorial trial. Lancet 386：2069-2077, 2015

19) Guenezan J, Drugeon B, O'Neill R et al：Skin antisepsis with chlorhexidine-alcohol versus povidone iodine-alcohol, combined or not with use of a bundle of new devices, for prevention of short-term peripheral venous catheter-related infectious complications and catheter failure：an open-label, single-centre, randomised, four-parallel group, two-by-two factorial trial：CLEAN 3 protocol study. BMJ Open 9：e028549, 2019

20) Shi Y, Yang N, Zhang L et al：Chlorhexidine disinfectant can reduce the risk of central venous catheter infection compared with povidone：a meta-analysis. Am J Infect Control 47：1255-1262, 2019

21) Nolan ME, Yadav H, Cawcutt KA et al：Complication rates among peripherally inserted central venous catheters and centrally inserted central catheters in the medical intensive care unit. J Crit Care 31：238-242, 2016

率を検討したものを取り上げたのみだった．その項の最後にも述べたのだが，"重症患者/ICU領域の患者におけるPICCの有用性/有害性に関してはまだまだ検証しきれていないのが現状であり，今後の報告が待たれるところである"とコメントした．そもそも一般病棟入院患者を含めてもCVCと比較したPICCに関する文献報告はそれほど多くはなく，2019年にアウトカムをCRBSI発生に絞った成人患者を対象としたシステマティックレビュー[22]の報告の中でも，観察研究を含めても40本の文献しか対象とならなかった．まだまだPICC自体のエビデンスが少ないのが現状なのである．

ところが，この2年間で状況に変化が認められ，重症患者におけるPICCの有用性を検討する文献が散見されるようになってきた．2019年には，重症患者におけるPICCの有用性や合併症とその予防に関する，システマティックレビューに近いレビューが報告されている[23]．詳細なレビューとなっており，重症患者を取り巻くPICCの現状がよくまとまっている．特に合併症に関するレビューは，重症患者に挿入されたPICCのCVCと比較した合併症の疫学に関してさまざまな視点から切り込んでおり，臨床医にとって重症患者に対してPICCを挿入・管理する際に参考になるであろう．しかし，集まっているデータはまだまだ不十分であり，重症患者におけるPICCにまつわるデータは乏しいことが浮き彫りとなっている．データが少ないとうことは，逆手をとれば重症患者におけるPICCにメリットがないということなのかもしれない．

重症患者においてPICCが必要とされる状況は，CVCが必要とされる場合とほぼ同じであろう．PICCをあえて選択する場面があるとすれば，①CVCよりもカテーテル感染合併症が低い，②血腫や気胸などの合併症が低い，③血栓症などの有害事象の発生が増えない，④挿入手技として煩雑ではない，といったことをクリアする必要があると思われる．これまでに上記の条件をクリアするだけの疫学が集まっていないのが現状であり，それが本邦で重症患者におけるPICCが一般的にはならない所以となるだろう．

そのような現状の中で，重症患者におけるPICCの可能性を示唆する文献報告もなされている．今回検索した範囲内では"Intensive Care Medicine"に2017年に報告されている文献[7]に注目する．この文献はブラジルの4つのPICUに入室した0歳から14歳の患者を対象とした後ろ向きコホート研究ではあるが，propensity scoreを用いた多変量解析によりCVCと比較したPICCにおけるCRBSI発生率を検討している．サンプル数は1,660本とこれまでの研究よりも規模が大きい．全カテーテルを対象としたCRBSI発生率は1,000カテーテル挿入日当たり2.28件であり，PICCと比較してCVCではハザード比が有意に上昇しており，CRBSI予防に対するPICCの有用性が示唆される結果となっている（HR：2.20，95% CI：1.05〜4.61）．感度分析も同様の結果を示しており，小児対象とした研究ではあるが，成人への適用も含めて参

22) Velissaris D, Karamouzos V, Lagadinou M et al：Peripheral inserted central catheter use and related infections in clinical practice：a literature update. J Clin Med Res 11：237-246, 2019

23) Duwadi S, Zhao Q, Budal BS：Peripherally inserted central catheters in critically ill patients - complications and its prevention：A review. Int J Nurs Sci 6：99-105, 2019

考になる文献の一つである.

CRBSI 以外のアウトカムに対する文献報告はなかったが，重症患者に対してPICC を挿入する際の選択位置確認に関する懸念事項の解消を目指した研究報告がいくつかされていた．詳細の解説は割愛するが，心電図モニター下で確認する方法[24] や超音波や生理食塩水を活用した確認方法[25~27]，そしてportable X ray[28] を活用した確認方法などの報告が散見された．まだまだエビデンスレベルとして高くはないが，今後 ICU ベッドサイドでも，安全にリアルタイムで先端位置を確認しながら PICC を挿入できるようになるのかもしれない．

いずれにしろ，これまでの研究報告や今回の検索結果を踏まえると，重症患者/ICU 領域の患者における PICC の有用性/有害性に関してはまだまだ検証しきれていないのが現状であり，今後の報告が待たれるところである．

▶ 超音波ガイド下でのカテーテル留置

今の時代，CVC 挿入時に超音波ガイド下で挿入することは医療安全の観点からもほぼ必須となっており，多くの医療従事者が超音波ガイド下カテーテル挿入術のトレーニングを受けている．そのような中で，2019 年に著名な医学雑誌である "Chest" により，良い超音波ガイド下での CVC 留置術を目指したレビューが掲載された[29]．こちらは論文のタイトルに表れているように，"better" な方法を紹介している．また，同時期に "Intensive Care Medicine" に同様に超音波ガイド下での血管内カテーテル留置に関するレビューが掲載されている[4]．こちらの文献は超音波使用による合併症低下に関するエビデンスのレビューも行っていることと，CVC だけでなく末梢静脈カテーテル留置や動脈カテーテル留置における超音波ガイド下挿入方法とエビデンスが紹介されている．上記 2 つの文献は，近年診療の場において多用されることになった超音波に関して，血管内カテーテル挿入における手技や合併症に関する情報を整理するのに有効かと思われるので，是非とも参照いただきたい．

24) Gao Y, Liu Y, Zhang H et al：The safety and accuracy of ECG-guided PICC tip position verification applied in patients with atrial fibrillation. Ther Clin Risk Manag 14：1075-1081, 2018

25) Esmailian M, Azizkhani R, Najafi N：Saline flush versus chest x ray in confirmation of central venous catheter placement；a diagnostic accuracy study. Emerg（Tehran）5：e75, 2017

26) Krishnan AK, Menon P, Gireesh Kumar KP et al：Electrocardiogram-guided technique；an alternative method for confirming central venous catheter tip placement. J Emerg Trauma Shock 11：276-281, 2018

27) Kim YO, Chung CR, Gil E et al：Safety and feasibility of ultrasound-guided placement of peripherally inserted central catheter performed by neurointensivist in neurosurgery intensive care unit. PLoS One 14：e0217641, 2019

28) Cho SB, Baek HJ, Park SE et al：Clinical feasibility and effectiveness of bedside peripherally inserted central catheter using portable digital radiography for patients in an intensive care unit：a single-center experience. Medicine（Baltimore）98：e16197, 2019

29) Millington SJ, Lalu MM, Boivin M et al：Better with ultrasound：subclavian central venous catheter insertion. Chest 155：1041-1048, 2019

II. 集中治療における検査・技術

3. 集中治療における非侵襲的人工呼吸（NIV）と経鼻高流量療法（NHFT）

中根正樹[1]，小野寺悠[2]
[1] 山形大学医学部附属病院　救急部・高度集中治療センター
[2] 山形大学医学部附属病院　麻酔科

最近の動向とガイドライン

　前刊である集中治療医学レビュー2018-'19では，日本呼吸器学会で作成されたNPPVガイドライン改訂第2版[1]ならびにその英語版[2]の内容と対比させながら，検索対象期間における最新主要文献を紹介した．そして今回，続く2年間の論文検索を施行したが，NPPVを含む非侵襲的人工呼吸（non-invasive ventilation：NIV）と経鼻高流量療法（nasal high flow therapy：NHFT）に関する国内での新たなガイドラインは見つけられなかった．それ以外で特に目立っていたのは，NHFTに関する研究結果の発表が急に増えてきているという点である．そこで本稿では，NHFTに関して詳細に分析すると同時に，引き続き国内のガイドライン[1,2]を引用しながら，疾患や病態別に呼吸管理のエビデンスを示しつつ，海外のガイドライン Official ERS/ATS clinical practice guidelines：noninvasive ventilation for acute respiratory failure（2017）[3]ほか，最新主要文献から新しい知見を盛り込んで解説を加える形とした．

　読者の混乱や誤解を避けるため，本稿では，非侵襲的人工呼吸（NIV）は非侵襲的陽圧換気（NPPV）と持続気道内陽圧（continuous positive airway pressure：CPAP）の両方を包含する呼吸管理法の総称とし，CPAPに吸気補助である圧支持換気（pressure support ventilation：PSV）を加えBi-level（IPAP & EPAP）となっているものをNPPVと定義する．そして，高流量鼻カニューラ（high flow nasal cannula：HFNC）または高流量鼻カニューラ酸素療法（high flow nasal cannula oxygen therapy：HFNCOT）などは，経鼻高流量療法（NHFT）の名称で統一した．本稿では，引用文献中で使用されている名称はすべて，これらの定義に基づいて統一した表現に置き換えていることをお断りしておく．

COPD増悪に対するエビデンス

　言わずもがなNPPVの効果が最大限に発揮できる病態であるため，NPPVは，積極的に活用すべき，そしてCOPDの管理に携わるすべての医療従事者が熟知しておくべき呼吸管理法（レベルI，推奨度A）である[1]．呼吸性アシドーシスの改善，頻呼吸の改善，呼吸仕事量や呼吸促迫の軽減など有益な効果をもたらし，気管挿管を回避することで人工呼吸器関連肺炎を減らして，入院期間の短縮にもつながる．

　急性呼吸不全の中でも高CO_2血症を合併するタイプは，急性高二酸化炭素性呼吸不全（acute hypercapnic respiratory failure：AHRF）と呼ばれ，自身の換気能力が生体におけるCO_2産生量を賄いきれなくなったため，$PaCO_2$が

---

1) 日本呼吸器学会NPPVガイドライン作成委員会 編：NPPV（非侵襲的陽圧換気療法）ガイドライン 改訂第2版，南江堂，p170，2015
2) Akashiba T, Ishikawa Y, Ishihara H et al：The Japanese Respiratory Society noninvasive positive pressure ventilation（NPPV）guidelines（second revised edition）. Respir Investig 55：83-92, 2017
3) Rochwerg B, Brochard L, Elliott MW et al：Official ERS/ATS clinical practice guidelines：noninvasive ventilation for acute respiratory failure. Eur Respir J 50：1602426, 2017

上昇し呼吸性アシドーシスによってアシデミアをきたす．その多くはCOPD増悪によるものであるが，AHRF は心原性肺水腫，肥満ならびに肥満低換気症候群，侵襲的人工呼吸離脱後，胸壁疾患や神経筋疾患などが原因となり発症し，NPPV の治療ターゲットとなりうる[4]．最近発表された ATS/ERS ガイドライン[3] では，**pH ≦ 7.35 かつ $PaCO_2$ > 45 を呈する AHRF 患者群において，NPPV は高いエビデンスレベルで強く推奨される**と記されている．pH 7.25〜7.35 の軽度のアシデミアを示す患者が最も治療成績が良いが，pH < 7.25 でも NPPV を試す価値はあり，慎重なモニタリングと緊急時の気管挿管が可能である ICU においては有効な戦略となりうる．一方，**COPD 急性増悪かつ高 CO_2 血症であってもアシドーシスを呈していない場合には NPPV は推奨されない**[3]．むしろ，高濃度ないし高流量酸素投与が原因のことがあるため，SaO_2 を 88〜92％に慎重にタイトレーションすることが重要とされている．

AHRF に対する NHFT の効果についてはいまだ議論の余地があるが，Lee ら[5] は COPD 増悪による AHRF（P/F < 200，pH ≦ 7.35 かつ $PaCO_2$ > 45）の患者に対し，ランダムに NHFT（44 例）vs. NPPV（44 例）に割り付けた前向き観察研究の結果を発表している．それによると，各群の挿管率は 25.0％ vs. 27.3％（p = 0.857），30 日死亡率は 15.9％ vs. 18.2％（p = 0.845）であり，pH，PaO_2，$PaCO_2$ は 6 時間後も 24 時間後も両群で有意差はなかった[5]．インターフェイスを含む快適性に関しては調査されておらず，各群の症例数も少ないが，治療としては互角であると評価できる．

▶ 喘息発作に対するエビデンス

NPPV は，**喘息発作に対して慣れた施設においては試みてよい呼吸管理法〔レベルⅡ，推奨度 C1（慣れない施設では C2）〕**とされる[1] が，エビデンスレベルは低く，ICU に準じた環境において気管挿管を含めた緊急対応ができるかどうかが重要である[1]．ATS/ERS ガイドラインには，2012 年の Cochrane Database of Systematic Reviews のメタ解析と最近のいくつかの後方視的コホート研究の結果から，喘息発作による急性呼吸不全に対して NPPV の推奨を打ち出すほどの確実なエビデンスはないと記載されている[4]．一方，単施設で 16 年間に経験した 265 例の喘息患者の治療経過を後方視的に検討し，NPPV を施行した 186 例において，安全かつ効果的に施行でき，気管挿管への移行は 8 例と少数であったとする報告もある[6]．

喘息患者に対する NHFT に関しては，気管支拡張薬のドラッグデリバリーシステムとしての検討や，小児において NPPV と比較した小規模な後方視的観察研究がみられるが，本稿で紹介するレベルには至っていない．

4) Osadnik CR, Tee VS, Carson-Chahhoud KV et al：Non-invasive ventilation for the management of acute hypercapnic respiratory failure due to exacerbation of chronic obstructive pulmonary disease. Cochrane Database Syst Rev 7：CD004104, 2017

5) Lee MK, Choi J, Park B et al：High flow nasal cannulae oxygen therapy in acute-moderate hypercapnic respiratory failure. Clin Respir J 12：2046-2056, 2018

6) Bond KR, Horsley CA, Williams AB：Non-invasive ventilation use in status asthmaticus：16 years of experience in a tertiary intensive care. Emerg Med Australas 30：187-192, 2018

心原性肺水腫に対するエビデンス

NPPV は，ショック状態ではない心原性肺水腫の患者に対し，頻呼吸や頻脈の改善，P/F 比の上昇，血行動態の改善，気管挿管回避，そして死亡率低下につながる有効な呼吸管理法である（レベル I，推奨度 A）と示されている[1]．2019 年に発表された Cochrane Database of Systematic Reviews のメタ解析では，NIV は通常の酸素療法に比べて院内死亡率を低下させるかもしれない〔リスク比（RR）：0.65，95％信頼区間（CI）：0.51 to 0.82，$n = 2,484$，21 RCT，$I^2 = 6\%$，low quality of evidence〕，その効果は NPPV（RR：0.72，95％ CI：0.53 to 0.98，$n = 1,030$，18 RCT，$I^2 = 0\%$）でも，CPAP（RR：0.65，95％ CI：0.48 to 0.88，$n = 1,454$，16 RCT，$I^2 = 9\%$）でも変わりはない（$p = 0.64$）とされる[7]．また，NIV は通常の酸素療法に比べておそらく気管挿管を減らし（RR：0.49，95％ CI：0.38 to 0.62，$n = 2,449$，20 RCT，$I^2 = 0\%$，moderate quality of evidence），その効果は NPPV（RR：0.50，95％ CI：0.31 to 0.81，$n = 1,036$，11 RCT，$I^2 = 23\%$）でも，CPAP（RR：0.46，95％ CI：0.34 to 0.62，$n = 1,413$，15 RCT，$I^2 = 0\%$）でも変わりはない（$p = 0.75$）とされる[7]．以前は懸念されていた急性心筋梗塞の発症に関しては，NIV でも通常の酸素療法でも差はなく（RR：1.03，95％ CI：0.91 to 1.16，$n = 1,313$，5 RCT，$I^2 = 0\%$，moderate quality of evidence），NPPV（RR：1.09，95％ CI：0.92 to 1.29，$n = 744$，5 RCT，$I^2 = 0\%$）でも，CPAP（RR：0.96，95％ CI：0.80 to 1.14，$n = 569$，3 RCT，$I^2 = 0\%$）でも変わりはない（$p = 0.30$）とされ，否定されている[7]．一方，入院日数や ICU 入室日数が短縮されるかに関しては，NIV でも通常の酸素療法でも差は認めず，NIV の効果は定かではないと報告されている[7]．

心原性肺水腫による急性呼吸不全に対して，NHFT と通常の酸素療法とを比較した RCT が 2017 年に発表されているが，NHFT によって開始 60 分後の呼吸数が減少する結果が得られたものの，呼吸困難には差はなく，ER 後の経過にも差はない[8]．心原性肺水腫に対する NHFT の有用性を検討するには，エビデンスレベルが高く，強い推奨がなされている NIV との比較が必要であり，この RCT から臨床につながる何らかの結論を出すことは難しい．

人工呼吸器からの離脱促進に対するエビデンス

COPD 増悪の患者を対象とした人工呼吸離脱促進の研究では，NPPV の有用性（レベル II，推奨度 B）が示されているものの，非 COPD 患者に対する有用性に関しては明確にされていない[1]．人工呼吸離脱促進のための NIV は，2018 年に報告されたメタ解析の結果から，院内死亡を減らす〔オッズ比（OR）：0.58，95％ HDI：0.29 to 0.89，$n = 1,156$，16 RCT〕とされる．対象を

---

7) Berbenetz N, Wang Y, Brown J et al：Non-invasive positive pressure ventilation（CPAP or bilevel NPPV）for cardiogenic pulmonary oedema. Cochrane Database Syst Rev 4：CD005351, 2019

8) Makdee O, Monsomboon A, Surabenjawong U et al：High-flow nasal cannula versus conventional oxygen therapy in emergency department patients with cardiogenic pulmonary edema：a randomized controlled trial. Ann emerg med 70：465-472, e2, 2017

COPD だけに限ると似たような結果〔OR：0.43，95% highest density interval（HDI）：0.13 to 0.81，n = 566，10 RCT〕となるが，これらを除いた6つの RCT で検討するとほとんど差がない（OR：0.88，95% HDI：0.25 to 1.48，n = 590，6 RCT）ことも示されている[9]．NIV によって気管挿管人工呼吸の日数が短縮し〔標準化平均値差（SMD）：−1.34，95% HDI：−1.92 to −0.77，n = 1,171，19 RCT〕，ICU 入室日数が短縮する（SMD：−0.70，95% HDI：−0.94 to −0.46，n = 1,094，17 RCT）ことが報告されているが，入院日数の短縮にはつながらない（SMD：−0.76，95% HDI：−1.60 to 0.03，n = 780，9 RCT）．また，人工呼吸器関連肺炎の発症は，COPD 患者（OR：0.20，95% HDI：0.11 to 0.32，n = 472，10 RCT）でも，非 COPD 患者（OR：0.28，95% HDI：0.08 to 0.52，n = 250，4 RCT）でも，有意に減少させることが示されている[9]．

　人工呼吸離脱および抜管後に関しては，抜管後呼吸不全の予防ないし再挿管回避のための NIV の効果も検討されているが，特にこれらのリスクがある患者群に対して予防的 NIV を行うことで，死亡率が低下（RR：0.41，95% CI：0.21 to 0.82，moderate certainty），再挿管の必要性が低下する方向性（RR：0.75，95% CI：0.49 to 1.15，low certainty）が示され，リスク因子としては 65 歳以上，心疾患の並存，呼吸器疾患の並存があげられている[3]．一方，抜管後に既に呼吸不全に陥ってしまった患者に行われる治療的 NIV は死亡率を上昇させる方向性（RR：1.33，95% CI：0.83 to 2.13，low certainty）が示されているため，エビデンスレベルは低いものの推奨はなされていない[3]．

　抜管後呼吸不全予防目的の NHFT に関しては，2016 年に Hernández らが，抜管後呼吸不全の高リスク患者に対して NPPV と比較した RCT と，低リスク患者に対して通常の酸素療法と比較した RCT と，2つの RCT を発表しており，抜管後呼吸不全予防に対する有用性が示唆されていた．その後，2018 年に発表されたメタ解析では，NHFT は通常の酸素療法と NPPV，いずれと比較しても死亡率の低下は示されなかったものの，通常の酸素療法と比較し再挿管率を低下（OR：0.47，95% CI：0.29 to 0.76，I^2 = 30%）させ，再挿管または NPPV への移行で定義された抜管失敗率を低下（OR：0.43，95% CI：0.25 to 0.73，I^2 = 66%）させる結果が示されている[10]．

　NHFT と NPPV とを比較した RCT では再挿管率に差がないといった結果が示されているが，2つの RCT しかなく，それぞれの患者背景が大きく異なり，エビデンスの質も低く，NPPV に対する優劣を示すに至っていない[10]．

　上記メタ解析に含まれていない最新の RCT としては，2019 年に Jing らが発表した，COPD 急性増悪における挿管人工呼吸症例で抜管時に高 CO_2 血症（$PaCO_2$ > 45 mmHg）を呈した患者に対する抜管後の NHFT または NPPV の使用に関する RCT がある．著者らは両群間で $PaCO_2$，呼吸数に差がなかっ

9）Yeung J, Couper K, Ryan EG et al：Non-invasive ventilation as a strategy for weaning from invasive mechanical ventilation：a systematic review and Bayesian meta-analysis. Intensive Care Med 44：2192-2204, 2018

10）Xu Z, Li Y, Zhou J et al：High-flow nasal cannula in adults with acute respiratory failure and after extubation：a systematic review and meta-analysis. Respir res 19：202, 2018

たことから，このような患者群に対する NHFT は NPPV 同様に抜管を促進する可能性があるとしている．しかし，本 RCT はプライマリアウトカムをPaCO$_2$ とした非劣勢試験であり，症例数も 42 例と少なく，臨床的意義のある結論を出すには至っていない[11]．

免疫不全状態に対するエビデンス

　免疫不全状態の患者が気管挿管人工呼吸となると，肺炎併発率が高くなり，しばしば致命的となる．**NPPV（レベルⅡ，推奨度 A）は肺炎の合併を最小限に抑えることで，免疫不全患者が気管挿管となるのを回避できるかもしれない**[1]．しかし，最近の研究結果からすると，免疫不全患者への NIV は気管挿管患者と同等の臨床経過であったとする意見もあり，真の有益性は不明である．

　NIV 同様に，免疫不全患者の急性呼吸不全に対する NHFT の有用性を評価した RCT が 2018 年に発表されている[12]．通常の酸素療法と比較し，主要転帰項目である 28 日死亡率に差はなく，挿管人工呼吸への移行，呼吸困難の程度にも差は認められず，免疫不全患者に対する NHFT の有用性は示されていない．ただし，当初の想定より P/F 比が低い重症な患者群となっているため結果の解釈には注意すべきであり，今後は NHFT に対する治療反応性を評価したうえで一定の患者群を対象に RCT を行うことで，真の適応，治療効果を探ることができると考えられる．

気管挿管前の酸素化に対するエビデンス

　気管挿管が必要な低酸素性呼吸不全の患者を対象にして，迅速挿管前に，バッグバルブマスクで酸素 15 L/分を投与し酸素投与する群と NIV を用いて吸入酸素濃度 100％，PEEP 5 cmH$_2$O，一回換気量 6〜8 mL/kg とする群とに振り分け，挿管後 7 日間における SOFA スコアを比較検討した研究がある．SOFA スコアには差は認めなかったが，酸素化から気管挿管までの間に何らかの有害事象がみられた患者や，気管挿管時に SpO$_2$ が 80％未満を示した患者は，NIV 群で有意に少なかった[13]．

　同様の患者群で，気管挿管に伴う低酸素血症を回避するために NHFT または NIV を比較した RCT（FLORALI2）が 2019 年に発表されている[14]．NHFT 群は設定流量 60 L/min，とし，NIV 群では一回換気量が 6〜8 mL/kg になるように補助換気を調整し，いずれも吸入酸素濃度は 100％で気管挿管前に 3〜5 分間の酸素化を行っている．気管挿管時に SpO$_2$ が 80％未満を示した頻度（27％ vs. 23％），人工呼吸器関連肺炎の発生頻度（20％ vs. 22％），28 日死亡率（34％ vs. 37％）に差はなかった．しかし P/F 200 以下の中等〜重症の呼吸不全患者を対象としたサブグループ解析では，気管挿管時の最低 SpO$_2$ が

11) Jing G, Li J, Hao D et al：Comparison of high flow nasal cannula with noninvasive ventilation in chronic obstructive pulmonary disease patients with hypercapnia in preventing postextubation respiratory failure：a pilot randomized controlled trial. Res Nurs Health 42：217-225, 2019

12) Azoulay E, Lemiale V, Mokart D et al：Effect of high-flow nasal oxygen vs standard oxygen on 28-day mortality in immunocompromised patients with acute respiratory failure：the HIGH randomized clinical trial. JAMA 320：2099-2107, 2018

13) Baillard C, Prat G, Jung B et al：Effect of preoxygenation using non-invasive ventilation before intubation on subsequent organ failures in hypoxaemic patients：a randomised clinical trial. Br J Anaesth 120：361-367, 2018

14) Frat JP, Ricard JD, Quenot JP et al：Noninvasive ventilation versus high-flow nasal cannula oxygen therapy with apnoeic oxygenation for preoxygenation before intubation of patients with acute hypoxaemic respiratory failure：a randomised, multicentre, open-label trial. Lancet Respir Med 7：303-312, 2019

NHFT 群で低い（81％ vs. 86％）結果が示されていて，酸素化の悪い患者の気管挿管前の酸素化に対しては NIV の方が良いかもしれないと述べられている[14].

▶ NHFT（nasal high-flow therapy）に関する最近の知見

NHFT は，その生理学的効果が解明されないまま臨床現場に広まってしまったため，医療従事者が手探りで使用していることは否めない．適応および設定に関しては，2019 年 10 月にようやく，European Society of Intensive Care Medicine を中心にサーベイランスが開始されたところである．**臨床研究の結果を解釈する上でも NHFT の呼吸生理学的効果に関する知識は重要**であり，合わせて，効果判定に関する文献を取り上げ，NHFT に関する明確なガイドラインがない中での臨床使用の一助となれば幸いである．

1. 呼吸生理学的効果

これまで NHFT に関するレビューがいくつか発表されており，本来の使用目的である加湿の他に，生理学的効果として高流量ガス供給によって発生する気道内陽圧，解剖学的死腔の洗い流し効果に関して取り上げられているが，具体的な流量設定に関しては明記されていない[15].NHFT の設定流量による呼吸生理学的効果の違いに関しては，Mauri らが 2017 年に急性呼吸不全患者を対象に詳細な検討を行っている[16].症例数が少なく，呼吸不全の原因も肺炎から外傷まで多岐にわたっているが，呼気終末肺容量や酸素化といった陽圧による効果は，NHFT の設定流量に比例して増強することが示されている．しかし，**吸気努力の低下や分時換気量の低下といった状況における換気サポートの効果に関しては，設定流量 30 L/min でピークに達しており，さらに設定流量を増やしても換気サポートは増強しないといった結果であった**[16].このように，設定流量によって呼吸生理学的効果が異なることから，呼吸不全の病態によって至適設定流量が異なる可能性が示唆されている．

2. 成功失敗を予測する指標

NHFT は，治療に失敗した際には死亡率を上昇させる可能性があり，適切な効果判定を行う必要がある．しかし，気道内圧と流量のモニタリングができないため，人工呼吸のように効果を把握したり，定量的に評価したりすることが難しい．Roca らは 2019 年に，肺炎に起因する呼吸不全に対する NHFT の成功と失敗（人工呼吸への移行）の予測に，SpO_2, F_IO_2, 呼吸数（RR）といった NHFT 下でも定量評価できるパラメータから計算される ROX index〔$(SpO_2/F_IO_2)/RR$〕を用いた研究を発表している[17].式に示される通り，呼吸状態が悪化し，F_IO_2 や RR が上昇もしくは SpO_2 が低下すると，ROX index が小さくなる．残念ながら，NHFT 使用前から使用開始 2 時間までは ROC 曲

15) Roca O, Hernández G, Díaz-Lobato S et al：Current evidence for the effectiveness of heated and humidified high flow nasal cannula supportive therapy in adult patients with respiratory failure. Crit care 20：109, 2016

16) Mauri T, Alban L, Turrini C et al：Optimum support by high-flow nasal cannula in acute hypoxemic respiratory failure：effects of increasing flow rates. Intensive care med 43：1453-1463, 2017

17) Roca O, Caralt B, Messika J et al：An index combining respiratory rate and oxygenation to predict outcome of nasal high-flow therapy. Am J respir crit care med 199：1368-1376, 2019

線の AUC（area under the curve）が 0.7 未満と，あまり良い判定はできないが，経時的に上昇し使用開始後 24 時間で AUC が 0.8 に達している．文献中で予測に用いられている ROX index の cut off 値には，この ROC 曲線からではなく，著者らの過去の研究から得られた 4.88 が用いられているが，NHFT 開始 18 時間以降において 80％以上の感度で NHFT の成功を予測できるとしている[17]．過去の研究から，NHFT の失敗は死亡率を上げる可能性が示唆されており，失敗するリスクが高い患者を早期に特定することには大きな意義があると考えられる．特異度に関しては，ROX index の cut off 値を，NHFT 使用開始 2 時間後で 2.85，6 時間後で 3.47，12 時間後で 3.85 とすると，特異度が90％以上となる．例えば，NHFT に失敗した群の SpO_2 が 96％で，F_1O_2 が 0.8 程度であったと想定すると，ROX index が 2.85 の時は RR 42 回/min，3.47 の時で 35 回/min，3.85 の時で 31 回/min となり，F_1O_2 と合わせて臨床的に耐えられないだろうと我々が判断する感覚とそれほど差はない[17]．臨床的有用性は今後のさらなる検討が必要であるが，**ROX index は，非常に簡単に特別な機器も必要なく定量的評価を行うことができるため，経時的変化の評価，NHFTに関する研究および呼吸管理に関する教育で活用してもよいものと思われる．**

3．急性呼吸不全に対する NHFT の有用性

急性呼吸不全に対する NHFT に関しては，2015 年の FLORALI study 以後NHFT の臨床使用に関する RCT が小規模ながらいくつか発表されてきた．この 2 年で新たに発表された RCT は，NIV の項目で取り上げた AHRF 患者を対象に NPPV と比較した RCT[5]，心原性肺水腫による呼吸不全を対象として通常の酸素療法と比較した RCT[8]，免疫不全患者の急性呼吸不全を対象に NPPV と比較した RCT[12] の 3 つに加えて，多岐にわたる急性呼吸不全を対象とし NPPV と比較した RCT[18] である．この文献 18 は救急受診患者を対象としており，介入開始 72 時間以内の挿管人工呼吸管理への移行を比較し，NPPV に対して NHFT の非劣勢を示しているが，COPD，心不全，喘息，腎不全と呼吸不全の原因が多岐にわたっており，病態別の検討は症例数が不足していたため行えていない．

ここ数年で RCT の結果が蓄積されたために，ここ 2 年でメタ解析も行われてきた[19~24]．急性呼吸不全に対する NHFT または通常の酸素療法/NPPV の使用に関しては，最新のメタ解析 2 編で，これまで発表された RCT がほぼ含まれている[10, 24]．これら 2 編のメタ解析で，NHFT 群は通常の酸素療法/NPPV 群と比較して死亡率に差はなかった．通常の酸素療法と比較すると，挿管人工呼吸管理への移行（RR：0.85，95％ CI：0.74～0.99，$I^2 = 0$％），挿管人工呼吸または NPPV への移行（RR：0.71，95％ CI：0.51～0.98，$I^2 = 52$％）を減らせる可能性が示唆されている[24]．NPPV との比較はわずか 2 文献（$n = 420$）の検討ではあるが，挿管人工呼吸管理への移行は NHFT 使用群のほうが

18) Doshi P, Whittle JS, Bublewicz M et al：High-velocity nasal insufflation in the treatment of respiratory failure：a randomized clinical trial. Ann Emerg Med 72：73-83, e5, 2018

19) Huang HW, Sun XM, Shi ZH et al：Effect of high-flow nasal cannula oxygen therapy versus conventional oxygen therapy and noninvasive ventilation on reintubation rate in adult patients after extubation：a systematic review and meta-analysis of randomized controlled trials. J Intensive care Med 33：609-623, 2018

20) Ni YN, Luo J, Yu H et al：The effect of high-flow nasal cannula in reducing the mortality and the rate of endotracheal intubation when used before mechanical ventilation compared with conventional oxygen therapy and noninvasive positive pressure ventilation. A systematic review and meta-analysis. Am J Emerg Med 36：226-233, 2018

21) Ni YN, Luo J, Yu H et al：Can high-flow nasal cannula reduce the rate of reintubation in adult patients after extubation? A meta-analysis. BMC Pulm Med 17：142, 2017

22) Beng Leong L, Wei Ming N, Wei Feng L：High flow nasal cannula oxygen versus noninvasive ventilation in adult acute respiratory failure：a systematic review of randomized-controlled trials. Euro J Emerg Med 26：9-18, 2019

23) Zhao H, Wang H, Sun F et al：High-flow nasal cannula oxygen therapy is superior to conventional oxygen therapy but not to noninvasive mechanical ventilation on intubation rate：a systematic review and meta-analysis. Crit care 21：184, 2017

24) Rochwerg B, Granton D, Wang DX et al：High flow nasal cannula compared with conventional oxygen therapy for acute hypoxemic respiratory failure：a systematic review and meta-analysis. Intensive Care Med 45：563-572, 2019

少ない（RR：0.57，95％ CI：0.36～0.92，$I^2 = 0$％）可能性が示唆された[10]．しかしいずれの検討も，明らかに病態が異なる呼吸不全をまとめて比較している．イベント数や症例数が十分でない中での検討であり，エビデンスの質としては低く，急性呼吸不全に対する NHFT の有用性に関する結論は出せない．

　集中治療医学レビュー2018-'19で解説した胸部外傷，周術期集中治療，ARDS，重症肺炎，小児に対するエビデンスに関しては，今回の検索では重要文献らしい文献が見当たらなかったため，割愛させていただいた．

II. 集中治療における検査・技術

4. エコー診断

塩村玲子, 山本 剛
日本医科大学付属病院 心臓血管集中治療科

最近の動向とガイドライン

　ベッドサイドで行うエコーは Point-of-care ultrasound（POCUS）と呼ばれ，集中治療領域において汎用されてきている．POCUS に関するガイドラインは，米国集中治療医学会が 2015 年に General Ultrasonography[1]，2016 年に Cardiac Ultrasonography[2] を発表して以降は出ていない．2017 年には国際救急医学連盟から低血圧および心停止における POCUS に関するコンセンサスステートメントが発表され，かかる病態での POCUS プロトコルが提言された．最近は POCUS を含めた心エコー[3]，肺エコー，頭部エコーに関する総説がトップジャーナルに掲載されている．本邦においても集中治療領域の POCUS の総説[4] が発表され，現状と POCUS の教育も含めた将来展望について記述されている．この中でも POCUS は ICU ベッドサイド診断，管理に非常に有効な手段であり，今後も発展していくと強調されている．

循環動態評価と輸液反応性

　経胸壁心エコーは，循環動態が不安定な患者における心機能や循環血液量の評価に有用である．日本版敗血症診療ガイドライン 2016 においても，敗血症治療の初期に心エコーを行うことを同意率 100％のエキスパートコンセンサスとして推奨している[5]．
　POCUS は広く ICU で重症患者に用いられてきたが，敗血症患者においてアウトカムを改善するか不明であった．Chen ら[6] は 2016 年 1 月から 2017 年 12 月まで ICU に入室した重症敗血症 129 例において，POCUS を毎朝ルーチンに行う担当医チームの患者群と，必要時のみ施行する担当医チームの患者群で臨床経過を前向きに比較した．結果，POCUS をルーチンに行った群が有意に人工呼吸期間（4.5 ± 1.2 vs. 5.7 ± 1.0 days, $p = 0.034$）が短く，多変量解析では，POCUS によるルーチン介入が 7 日を超える ICU 滞在の独立した危険因子であった〔オッズ比（OR）：0.39, 95％信頼区間（CI）：0.29〜0.88, $p = 0.029$〕．
　Sekiguchi ら[7] は重症敗血症あるいは敗血症性ショック 30 例の初期治療において，10 分間のフォーカス心エコーを行うことでショックの病型診断や治

1) Frankel HL, Kirkpatrick AW, Elbarbary M et al：Guidelines for the appropriate use of bedside general and cardiac ultrasonography in the evaluation of critically ill patients-part I：general ultrasonography. Crit Care Med 43：2479-2502, 2015
2) Levitov A, Frankel HL, Blaivas M et al：Guidelines for the appropriate use of bedside general and cardiac ultrasonography in the evaluation of critically ill patients-part II：cardiac ultrasonography. Crit Care Med 44：1206-1227, 2016
3) Viellard-Barron A, Millington SJ, Sanfilippo F et al：A decade of progress in critical care echocardiography：a narrative review. Intensive Care Med 45：770-788, 2019
4) 野村岳志, 清野雄介, 西周佑美 他：集中治療領域の POCUS：現状と将来展望. 超音波医 46：39-45, 2019

療方針が変わるかを前向きに検討した．フォーカス心エコーはエコー技師が実施，心機能，体液量を循環器医が評価した．治療医はエコー後27％の患者において輸液量や画像検索など治療方針を変更，37％の患者で治療方針の確信性が高まり，47％の患者でエコーが有用であったと答えた．**フォーカス心エコーは重症敗血症・敗血症性ショック例の初期蘇生において重要な役割を果たすと考えられる．**

敗血症や急性期のショック患者では速やかな循環不全の改善が必要であり，過剰輸液はアウトカムを悪化させるため，正確な循環血液量や輸液反応性の評価が重要となる．輸液反応性は，一般的に500〜1,000 mLの晶質液輸液により心拍出量が10〜15％以上増加すること，と定義される．下大静脈径の呼吸性変動を利用した輸液反応性評価は，人工呼吸による調節呼吸下に限られている．Corlら[8]は前向き観察研究にて，自発呼吸124例における下大静脈径の呼吸性変動を評価後，下肢挙上テスト前後にバイオリアクタンス法による非侵襲的心拍出量測定を行い，輸液反応に対する下大静脈径虚脱率のカットオフ値を求めた．結果，輸液反応性が49％に認められ，25％の呼吸性変動が，感度87％，特異度81％で最適なカットオフ値であると報告した．

Barjaktarevicら[9]は，ショック患者における輸液反応性の指標として総頸動脈ドップラー波形の収縮波血流時間を心拍数で補正した頸動脈補正血流時間を用い，その有用性を前向きに検討した．輸液抵抗性ショック77例において下肢挙上テスト前後のバイオリアクタンス法による非侵襲的心拍出量測定値から輸液反応性は70％に認められ，輸液反応性あり群は下肢挙上テスト前後の頸動脈補正血流時間差が14.1 ± 18.7 msであったのに対し，輸液反応性なし群は−4.0 ± 8 msであった（$p < 0.001$）．下肢挙上テスト後の頸動脈補正血流時間7 ms増加は，輸液反応性に関して97％の陽性適中率，82％の精度であった．これらは人工呼吸の有無，呼吸数やPEEP値に影響を受けないとされ，輸液反応性の非侵襲的で比較的簡易に測定可能なパラメータとして有用と報告された．

人工呼吸管理下の敗血症性ショックでは血行動態モニタリングが重要となるが，経肺熱希釈法あるいは心エコーによる血行動態評価が一致するかの検討は少ない．フランスのICU 5施設において137例の前向き研究が行われた[10]．急性肺性心がみられない患者群での方針決定の一致は66％，カッパ係数0.48で中等度の一致性であった．オンラインでのエキスパートによる評価を加えると，一致率は77.5％，カッパ係数も0.66に上昇した．乳酸クリアランスや有害事象の頻度には差がみられなかった．急性肺性心，高度の左心系弁膜症，左室流出路閉塞は心エコーでないと評価が困難であるが，両法による血行動態管理では概ね差はないようである．

エコーによる中心静脈圧の推定には下大静脈径と呼吸性変動パラメータを用

5) 日本集中治療医学会・日本救急医学会合同日本版敗血症診療ガイドライン2016作成特別委員会：日本版敗血症診療ガイドライン2016（J-SSCG2016）ダイジェスト版．真興交易医書出版部，pp68-69, 2017

6) Chen Z, Hong Y, Dai J et al：Incorporation of point-of-care ultrasound into morning round is associated with improvement in clinical outcomes in critically ill patients with sepsis. J Clin Anesth 48：62-66, 2018

7) **Sekiguchi H, Harada Y, Villarraga HR et al：Focused cardiac ultrasound in the early resuscitation of severe sepsis and septic shock：a prospective pilot study. J Anesth 31：487-493, 2017**

8) Corl KA, George NR, Romanoff J et al：Inferior vena cava collapsibility detects fluid responsiveness among spontaneously breathing critically-ill patients. J Clit Care 41：130-137, 2017

9) Barjaktarevic I, Toppen WE, Hu S et al：Ultrasound assessment of the change in carotid corrected flow time in fluid responsiveness in undifferentiated shock. Crit Care Med 46：e1040-e1046, 2018

10) Vignon P, Begot E, Mari A et al：Hemodynamic assessment of patients with septic shock using transpulmonary thermodilution and critical care ecjocardiography：a comparative study. Chest 153：55-64, 2018

いるが，多くの限界が知られている．Seo ら[11] 下大静脈の評価に，従来測定値に加え長軸像に直交する断面の長径と短径から求められる短径/長径比，断面積を用い，右心カテーテルによる中心静脈圧との関連を検討したところ，短径/直径比が中心静脈圧と最も強く関連した．短径/直径比 0.69 のカットオフ値による中心静脈圧 ≧ 10 mmHg の予測は，感度 0.94，特異度 0.95，精度 0.95 で，短径/直径比が従来測定値や他のパラメータよりも最も精確であった．

▶ 心肺蘇生中の POCUS

心肺蘇生中の POCUS は，心収縮の確認や治療可能な心停止の原因検索に使用される．最近，国際救急医学連盟から低血圧および心停止における POCUS のコンセンサスステートメント[12] が発表され，かかる病態では初期対応においてプロトコル化された POCUS を行うことが推奨されている．心窩部あるいは傍胸骨長軸アプローチにて，心嚢水，心腔の大きさ，右心負荷の有無（右室と左室サイズの比率），心収縮，弁の開放所見をコアビューとして，すべての心停止例で実施すべきとしている．POCUS は心リズムチェックの最中に行い，胸骨圧迫を中断させてはならない．また，チェックリストを用いること，さらに段階的に，補足ビューとして両側前胸部，側胸部での肺エコー，つまり気胸の除外，気管挿管後の両側換気，B ライン，胸水などの確認，さらには心窩部もしくは経肝アプローチでの下大静脈を評価する．特殊な症例への追加ビューとして，腹水や腹腔内出血の評価，腹部大動脈瘤，中枢部の下肢深部静脈血栓，気道エコーをチェックする．これらのプロトコル化された POCUS は，初期の診断，治療方針決定に大きな役割を担う．しかし，現時点では POCUS 導入により予後が改善するというエビデンスは示されていない．

Tsou ら[13] は 2016 年までに実施された，心停止をきたし蘇生中に POCUS を行った 15 研究，1,695 例のメタ解析を行った．自発的心拍動所見は，自己心拍再開の予測に関して感度 95％，特異度 80％，陽性尤度比 4.8，陰性尤度比 0.06，生存入院できる可能性に関して感度 90％，特異度 78％，陽性尤度比 4.1，陰性尤度比 0.13 であり，自発的心拍動がなければ蘇生成功の可能性は低く，蘇生中止の決定補助になりえると報告している．

一方，この自発的心拍動，つまり心静止か否かの見極めが難しい可能性も指摘されている．Hu ら[14] は救急医，救命医や循環器医，さらにファカルティ，フェローやレジデントなど専門性や臨床経験が異なる 127 人において，心停止例の心静止を含むエコー評価が一致するかを検討したところ，クリッペンドルフの α 係数が 0.47 と一致性は高くなかった．したがって，心静止あるいは心拍動所見の定義づけなどコンセンサスの策定が必要と考えられる．

前述したように，蘇生中の POCUS は心リズムチェック中に実施することが推奨されている．他に，胸郭変動は伴うが，バッグマスク換気中あるいは胸骨

11) Seo Y, Iida N, Yamamoto M et al：Estimation of Central Venous Pressure Using the Ratio of Short to Long Diameter from Cross-Sectional Images of the Inferior Vena Cava. J Am Soc Echocardiogr 30：461-467, 2017

12) Atkinson P, Bowra J, Milne J et al：International Federation for Emergency Medicine Consensus Statement：Sonography in hypotension and cardiac (SHoC)：An international consensus on the use of point of care ultrasound for undifferentiated hypotension and during cardiac arrest. CJEM 19：459-470, 2017

13) Tsou PY, Kurbedin J, Chen YS et al：Accuracy of point-of-care focused echocardiography in predicting outcome of resuscitation in cardiac arrest patients：a systematic review and meta-analysis. Resuscitation 114：92-99, 2017

14) Hu K, Gupta N, Teran F et al：Variability in interpretation of cardiac standstill among physician sonographers. Ann Emerg Med 71：193-198, 2018

圧迫中にも評価は可能であり，特に胸骨圧迫中は時間をかけて画像を描出，観察できる．Aagaard ら[15] はPOCUS が可能であった心停止 60 例を対象に，リズムチェック時，バッグマスク換気中および胸骨圧迫中に POCUS を試みた．コア所見はリズムチェック中だけでなくバッグマスク換気中も差がなく描出できた（リズムチェック vs. 胸骨圧迫：OR：2.2，バッグマスク換気 vs. 胸骨圧迫：OR：2.0，リズムチェック vs. バッグマスク換気：OR：1.1）．POCUS 実施のタイミングとしてバッグマスク換気中を逃している可能性を指摘した．

肺エコー

POCUS の中でも肺エコーは急速に普及してきた感がある．**ICU 領域における肺エコー全般については，有名な BLUE プロトコルの考案者である Lichtenstein らの総説が参考になる**[16]．

Bekgoz ら[17] は，急性の呼吸困難を主訴に救急外来を受診した連続 383 例に対して BLUE プロトコルに胸水，心囊水評価を加え，その診断能を検討した．肺水腫は感度 87.6％，特異度 96.2％，肺炎は感度 85.7％，特異度 99.0％，喘息・COPD は感度 98.2％，特異度 67.3％，肺塞栓は感度 46.2％，特異度 100％，気胸は感度 71.4％，特異度 100％であった．BLUE プロトコルにない胸水または心囊水貯留が，21.4％において認められた．救急外来を受診した急性呼吸困難例への BLUE プロトコルの適用は，喘息・COPD 以外は良好な診断能を有していた．

急性心不全における心原性肺水腫の診断は胸部 X 線所見を基に行われるが，感度が十分でなく治療の遅れにつながる可能性が指摘されていた．Maw ら[18] は胸部レントゲンと肺エコーによる心原性肺水腫の診断能をメタ解析にて比較した．対象は 6 研究 1,827 例で，胸部レントゲンは感度 73％，特異度 90％，陽性尤度比 7.36，陰性尤度比 0.30，肺エコーは感度 88％，特異度 90％，陽性尤度比 8.63，陰性尤度比 0.14 で，感度が肺エコーで高かった．著者らは，急性心不全が疑われる患者において肺エコーを追加画像検査として考慮すべきと結論付けている．

急性心不全への肺エコーの有用性に関して，2019 年 6 月には無作為化試験結果が報告された[19]．2 施設の救急外来を受診した急性心不全疑い 518 例が，肺エコー診断あるいは胸部レントゲンと NT-proBNP による診断の 2 群に割り付けられた．診断精度は，肺エコーが胸部レントゲン＋ NT-proBNP より有意に高かった〔area under the curve（AUC）0.95 vs. 0.87，$p < 0.01$〕．急性心不全の診断は，現行の胸部レントゲン＋ NT-proBNP より肺エコーの精度が高い．

横隔膜エコー

高齢患者の人工呼吸器離脱において，横隔膜エコーが離脱成功の予測に有用

15) Aagaard R, Løfgren B, Grøfte T et al : Timing of focused cardiac ultrasound during advanced life support- a prospective clinical study. Resuscitation 124 : 126-131, 2018

16) Mojoli F, Bouhemad B, Mongodi S et al : Lung ultrasound for critically ill patients. Am J Respir Crit Care Med 199 : 701-714, 2019

17) Bekgoz B, Kilicaslan I, Bildik F et al : BLUE protocol ultrasonography in emergency department patients presenting with acute dyspnea. Am J Emerg Med 37 : 2020-2027, 2019

18) Maw AM, Hassanin A, Ho PM et al : Diagnostic accuracy of point-of-care lung ultrasonography and chest radiography in adults with symptoms suggestive of acute decompensated heart failure : a systematic review and meta-analysis. JAMA Netw Open 2 : e190703, 2019

19) Pivetta E, Goffi A, Nazerian P et al : Lung ultrasound integrated with clinical assessment for the diagnosis of acute decompensated heart failure in the emergency department : a randomized controlled trial. Eur J Heart Fail 21 : 754-766, 2019

と報告された[20]. 48時間以上の人工呼吸器管理を要した80歳以上の内科系ICU患者40例において, 自発呼吸テスト開始30分の間に横隔膜エコーを施行, 横隔膜の移動距離<10 mmを横隔膜機能不全とした. 横隔膜機能不全群では機能非不全群と比較し呼吸器離脱失敗率が高かった（24/30 vs. 4/10, p = 0.017). ROC解析にて離脱成功のカットオフ値, 右横隔膜移動距離>10.7 mmで感度83.33％, 特異度75％, 陽性尤度比3.33, 陰性尤度比0.22, 横隔膜収縮速度>21.32 mm/sで感度66.67％, 特異度92.86％, 陽性尤度比9.33, 陰性尤度比0.36であった.

Treerawitら[21]は人工呼吸器離脱の新しい指標として, 吸気時横隔膜最大振幅までの時間（time to peak inspiratory amplitude of the diaphragm：TPIAdia）の有用性を報告した. 68例を対象に人工呼吸器離脱前に行う自発呼吸テストの最後に横隔膜エコーを実施, 呼吸器離脱の予見因子を前向きに検討した. 横隔膜エコーでは, TPIAdia, 横隔膜の移動距離, 吸気終末横隔膜厚, 横隔膜厚の変化差, 横隔膜厚分画を測定した. TPIAdiaは離脱成功群で失敗群より有意に高値であった（右1.27 ± 0.38秒, 左1.14 ± 0.37秒 vs. 右0.97 ± 0.43秒, 左0.85 ± 0.39秒). 一方で他のエコー指標には差がなかった. 離脱成功の指標としてTPIAdia > 0.8秒は, 感度92％, 特異度46％, 陽性適中率89％, 陰性適中率56％であった.

気道エコー

ICU領域では, 気管チューブの位置確認や, 経皮的気管切開時のエコーガイド下穿刺, 緊急時の気道確保の際の輪状甲状間膜の同定などで気道エコーが用いられる[22]. 気管チューブの位置確認に関して, 2015年の日本蘇生協議会のJRC蘇生ガイドラインでは, 呼気CO_2モニターが利用できない場合に気道エコーで代用することが推奨されている. 気道エコーを挿管中にリアルタイムに観察する動的確認法と, 挿管後に観察する静的確認法がある[23].

Gottliebら[24]は, 解剖用3死体を用いて動的および静的確認の有用性を検討した. 無作為に62回の気管挿管, 58回の食道挿管が行われ, 超音波技師が盲検下ビデオ画像で評価したところ, 静的確認法は感度93.6％, 特異度98.3％, 動的確認法は感度92.1％, 特異度91.2％であった. 確認までの時間は静的確認6.72秒, 動的確認7.16秒, 5段階評価による確信度は静的確認4.9/5.0, 動的確認4.86/5.0であり, 両パラメータとも差はなかった.

Aryaら[25]は, 2施設75例の緊急挿管時にリアルタイムによる気道エコーの有用性を検討した. 12例（16％）は食道挿管, 63例（84％）が気管挿管されたが, 気管挿管全例, 食道挿管例83％が同定可能で, 食道挿管の同定に関して, 陽性適中率100％, 陰性適中率97％と報告している.

20) Huang D, Ma H, Zhong W et al：Using M-mode ultrasonography to assess diaphragm dysfunction and predict the success of mechanical ventilation weaning in elderly patients. J Thoracic Dis 9：3177-3186, 2017

21) Treerawit P, Eksombatchai D, Sutherasan Y et al：Diaphragmatic parameters by ultrasonography for predicting weaning outcomes. BMC Pulm Med 18：175-185, 2018

22) You-Ten KE, Siddiqui N, Teoh WH et al：Point-of-care ultrasound（POCUS）of the upper airway. Can J Anaesth 65：473-484, 2018

23) Pourmand A, Lee D, Davis S et al：Point-of-care ultrasound utilizations in the emergency airway management：an evidence-based review. Am J Emerg Med 35：1202-1206, 2017

24) Gottlieb M, Nakitende D, Sundaram T et al：Comparison of static versus dynamic ultrasound for the detection of endotracheal intubation. West J Emerg Med 19：412-416, 2019

25) Arya R, Schrift D, Choe C et al：Real-time tracheal ultrasound for the confirmation of endotracheal intubations in the intensive care unit：an observational study. J Ultrasound Med 38：491-497, 2019

下肢深部静脈エコー

2018年にはSociety of Radiologists in Ultrasoundから深部静脈血栓症のエコー診断に関するコンセンサス[26]が報告されており，ICU領域においても参考になる．

Hyungら[27]は救急外来を受診したDVT疑い例において，2点法と3点法のエコー診断能を比較検討した．17研究のメタ解析において，総大腿静脈および膝窩静脈領域の2点スキャン法の感度は0.91，特異度0.98，一方，総大腿静脈，浅大腿静脈および膝窩静脈領域の3点スキャン法の感度は0.90，特異度0.95であった．2点法と3点法ともに診断能に差がないため，著者らは救急領域ではまず2点法で行うことを推奨している．

経頭蓋エコー，視神経鞘径エコー

最近，経頭蓋エコーに関する総説[28]がIntensive Care Med誌に掲載された．非侵襲的，低コスト，ベッドサイドで頭蓋内出血や頭蓋内圧上昇等の頭蓋内評価やミッドラインシフトなども検出することができ，救命救急・ICUの現場では非常に有用であると述べられている．

Robbaら[29]は，エコーによる視神経鞘径に基づく頭蓋内圧上昇の診断精度に関するメタ解析を行い，7つの前向き研究では頭蓋内圧上昇（>20 or >25 cmH_2O）の診断オッズ比は67.5，陽性尤度比5.35，陰性尤度比0.088であった．頭蓋内圧上昇を>20 cmH_2Oと定義した5つの研究に限れば，診断オッズ比は68.10，陽性尤度比5.18，陰性尤度比0.087であった．なお，診断のためのカットオフ値は4.8～6.3 mmとばらつきがある．著者らは，侵襲的頭蓋内圧測定の適応がないあるいは実施できない場合，視神経鞘径に基づく頭蓋内圧上昇の評価が有用である可能性を報告した．

26) Needleman L, Cronan JJ, Lilly MP et al：Ultrasound for lower extremity deep venous thrombosis：multidisciplinary recommendations from the society of radiologists in ultrasound consensus conference. Circulation 137：1505-1515, 2018

27) Lee JH, Lee SH, Yun SJ et al：Comparison of 2-point and 3-point point-of-care ultrasound techniques for deep vein thrombosis at the emergency department a meta-analysis. Medicine 98：e15791, 2019

28) Robba C, Goffi A, Geeraerts T et al：Brain ultrasonography：methodology, basic and advanced principles and clinical applications. A narrative review. Intensive Care Med 45：913-927, 2019

29) Robba C, Santori G, Czosnyka M et al：Optic nerve sheath diameter measured sonographically as non-invasive estimator of intracranial pressure：a systematic review and meta-analysis. Intensive Care Med 44：1284-1294, 2019

II. 集中治療における検査・技術

5. 補助循環（ECMO, IABP, Impella®）

市場 晋吾
日本医科大学付属病院 外科系集中治療科

最近の動向とガイドライン

　重症ARDSや心原性ショックによる死亡率は依然として高い．Veno-arterial extracorporeal membrane oxygenation（VA ECMO），intra-aortic baloon pumping（IABP），Impella®などのpercutaneous mechanical circulatory support（pMCS）の進歩により，より強力な呼吸循環サポートを迅速かつ容易に行うことが可能になった．そのため，ランダム化比較試験によるエビデンスにいまだ乏しく，血管系の合併症が高いにもかかわらず，このpMCS導入症例は増加しているのが現状である．通常の呼吸管理に反応しない重症ARDS（acute respiratory distress syndrome）に関しては，EOLIAスタディおよびveno-venous ECMO（VV ECMO）の経験の蓄積に基づいて，ガイドラインではP/F＜80の重症例では，VV ECMOの導入を考慮，とされている．心原性ショックに対するpMCSについては，これまでVA ECMOとIABPが主であったが，Impella®の登場により大きく変化してきた．同時に，VA ECMOにおける左心室拡張がクローズアップされ，左心室unloadingの重要性が強調されるようになった．また，移植あるいは移植を目的としたより長期型デバイスに移行するためのbridge to transplant，bridge to bridgeの使い方も一般的となってきた．

緒　言

　従来の薬物的治療が限界である急性呼吸・循環不全に対する次のステップとして，補助循環の重要性は高まり，特に経皮的アプローチ型の呼吸・循環補助装置の技術は，ここ数年の間に急速に進化してきた．本邦でもECMOおよびImpella®（Abiomed, Danvers, Massachusetts, USA）の技術が浸透し，IABPは機械的循環補助装置としての地位をImpella®に明け渡しつつあるものの，その簡便さと安価さから，本邦の臨床現場では多く使用されている．本稿では，本邦の集中治療における機械的呼吸・循環補助にフォーカスを置き，ECMO，IABP，Impella®に関連するレビューを行う．

心原性ショックの治療

　心原性ショックの治療の目標は，血液の十分な組織灌流を維持して酸素を行

き渡らせ，悪循環に陥った血行動態異常の負の連鎖を，多臓器不全に陥って手遅れになる前に断ち切ることであり，中田の最新レビューに概説されている[1]．血管内容量を保つための輸液や適切なカテコラミン投与により，**平均血圧 65 mmHg 以上を維持することを目標とする**．しかし，カテコラミンの催不整脈性，心筋酸素需要の増大，末梢循環障害などにより，心原性ショック患者にとっては逆効果になる可能性がある．もし，上記保存的治療で血行動態に改善がなければ，急性期機械的循環補助法の導入を検討する．現在本邦では 3 種類が使用されてきた．大動脈バルーンパンピング（intra-aortic balloon pumping：IABP），veno-arterial extracorporeal membrane oxygenation （VA-ECMO），Impella® である．第一選択である IABP は，"diastlic augmentation" および "systolic unloading" の 2 つの作用により心負荷軽減をもたらす．しかし，その補助循環流量としては全身有効血漿量の 15〜20％ （0.5 L/min）程度といわれており，不十分な場合には強心薬さらには VA-ECMO のサポートが必要になる．IABP-SHOCK II trial は，ドイツ国内 37 施設にて行われた非盲検無作為比較試験であり，心原性ショックを合併した急性心筋梗塞（acute myocardial infarction：AMI）患者 600 例に対して，早期血行再建術施行症例において，至適内科的治療への IABP 追加による死亡率抑制効果を検証したものである．治療効果の主要エンドポイントは 30 日全死亡率とし，加えて 6 ヵ月後，12 ヵ月後の予後および生存者の QOL について評価した．結果，30 日後の死亡は IABP 群 39.7％，対照群 41.3％で両群間に有意差は認められなかった〔相対リスク比：0.96，95％信頼区間（CI）：0.79〜1.17，p = 0.69〕．結論としては，**心原性ショックを合併した AMI に対する早期血行再建術施行症例において，至適内科的治療への IABP 追加により 30 日死亡率を減少させず，さらには 1 年後の予後改善をもたらさなかった**[2]．この結果を踏まえ，欧米ならびに本邦において，それまで class I （level of evidence C）であった IABP が，Class III （level of evidence A）へと格下げされ，その臨床への影響は大きい．

VA-ECMO は，遠心ポンプと膜型人工肺で構成された簡易型人工心肺装置による循環（＋呼吸）補助法であり，緊急時には大腿動静脈からのアプローチが最も多い．VA-ECMO の適応には，重度の難治性心原性ショック，難治性心室性不整脈，ROSC 困難な心停止に対する心肺蘇生法，急性または非代償性右心不全が含まれる．デバイス性能と管理技術の向上により安定した高流量補助を可能とし，適応も拡大した[3]．現在の一般的な適応としては，**bridge to recovery**（心機能の回復までのブリッジ），**bridge to bridge**（ventricular assist device）（長期型左心補助装置へのブリッジ），**bridge to decision**（治療方針を決定するまでのブリッジ），**bridge to transplant**（心移植へのブリッジ）である．ELSO（Extracorporeal Life Support Organization）によるガイドラ

1）中田 淳：IABP-SHOCK がもたらした衝撃，そして Impella はどう使われるべきか？ 循環器ジャーナル 67：116-124, 2019

2）Thiele H, Zeymer U, Neumann FJ et al：Intraaortic balloon support for myocardial infarction with cardiogenic shock. N Engl J Med 367：1287-1296, 2012

3）Keebler ME, Haddad EV, Choi CW et al：Venoarterial extracorporeal membrane oxygenation in cardiogenic shock. JACC Heart Fail 6：503-516, 2018

イン[4]に，一般的な適応・禁忌が記載されており，基本的には一時的な循環補助手段である．具体的には，①血管内容量が十分であるにもかかわらず，低血圧と低心拍出量を呈する不十分な組織灌流．②適切な輸液・心血管作動薬，IABP 導入にもかかわらず，ショックが持続する．③典型的な原因：急性心筋梗塞，心筋炎，周産期心筋症，非代償性慢性心不全，開心術後心拍出量低下によるショック．④一部のセンターで敗血症性ショックを適応としている．絶対的禁忌としては，回復不能な心機能であり移植や VAD の適応がない，高齢，慢性的臓器不全（肺気腫，肝硬変，腎不全），コンプライアンスの問題（財政的，認知機能，精神医学的，または社会的制限），十分な組織灌流がない長時間の CPR である．相対的禁忌としては，抗凝固薬に禁忌，高齢，肥満である．それぞれの病態や疾患でエビデンスが異なり，治療成績は施設により異なる．最新の ELSO registry report international summary[5] によると，成人 cardiac ECLS（extracorporeal life support system）の累積登録数は 22,193 症例であり，その**生存退院率は 43 %** であった．また，ECPR（extracorporeal cardiopulmonary resuscitation）の累積登録数は 6,994 症例であり，その生存退院率は 29% であった．

　末梢カニュレーションによる VA-ECMO の問題点の 1 つとして，**左室機能低下状態での後負荷増大による左心室の拡張（LV distension）**があり，左室拡張末期圧および左心房圧が増大して肺水腫となり，それに伴う低酸素血症（特に上半身が低酸素となる harlequin syndrome），また心筋酸素需要の増大および心筋の回復遅延，さらに大動脈弁の持続的な閉鎖に伴う心室内あるいは弁周囲血栓形成などの合併症を併発する可能性がある．したがって，適切な LV unloading が重要であり，近年，その方法および予防手段について活発に議論されている．最近のメタアナリシスでは，VA-ECMO を受けている患者の 16% がこの現象を緩和するために何らかの方法の unloading を必要としていたことが報告された[6, 7]．また，Russo らのメタアナリシス[8]によると，17 の臨床研究から抽出した 3,997 症例のうち 42% に LV unloading が必要であり，unloading したグループは死亡率 54% に対して，しなかったグループは 65% であった．Unloading の方法のうち，IABP 91.7%，補助循環用ポンプカテーテル（Impella®）5.5%，肺静脈あるいは経心房中隔カニュレーション 2.8% であった．IABP は直接左心室を unloading しないデバイスと考えられるが，簡易かつ低価格であることから多くの施設で VA-ECMO と併用されている．Cheng らの 1,517 例の検討では，IABP と VA-ECMO の併用は，生存率向上に貢献しなかったと報告した[9]．また，Bechot らによる VA ECMO の 259 症例の後方視的分析によると，**IABP の追加は肺水腫のリスクを低くする独立した関連因子であった**（$p = 0.01$）．しかしながら IABP の併用は生存率改善に有意な影響はなかった（$p = 0.06$）[10]．また，Lorusso らは，右心室不全を合併し

4) ELSO Adult Cardiac Failure Supplement to the ELSO General Guidelines Version 1.3. December 2013

5) ECLS Registry Report International Summary. July 2019

6) Meani P, Gelsomino S, Natour E et al：Modalities and effects of left ventricle unloading on extracorporeal life support：a review of the current literature. Eur J Heart Fail 19：84-91, 2017

7) Centofanti P, Attisani M, La Torre M et al：Left ventricular unloading during peripheral extracorporeal membrane oxygenator support：a bridge to life in profound cardiogenic shock. J Extra Corpor Technol 49：201-205, 2017

8) Russo JJ, Aleksova N, Pitcher I et al：Left ventricular unloading during extracorporeal membrane oxygenation in patients with cardiogenic shock. J Am Coll Cardiol 73：654-662, 2019

9) Cheng R, Hachamovitch R, Makkar R et al：Lack of survival benefit found with use of intraaortic balloon pump in extracorporeal membrane oxygenation：a pooled experience of 1517 patients. J Invasive Cardiol 27：453-458, 2015

10) Bréchot N, Demondion P, Santi F et al：Intra-aortic balloon pump protects against hydrostatic pulmonary oedema during peripheral venoarterial-extracorporial membrane oxygenation. Eur Heart J Acute Cardiovasc Care 7：62-69, 2018

た場合には，**経皮的肺動脈カニュレーションを加えて，右心系の unloading あるいは右心補助が可能である**ことを示した[11]．

Impella®は小型軸流ポンプがカテーテルに内包され，左心室の血液を大動脈へ送血して心室補助を行うデバイスである．本邦では，2016 年に Impella® 2.5（2.5L/min）および 5.0（5.0L/min），2019 年に Impella® CP（3.5 L/min）が薬事承認された．IABP と Impella®の比較に関するランダム化比較試験として IMPRESS in Severe Shock（2017）が行われた[12]．48 例の急性心筋梗塞に伴う重症心原性ショック症例に対し，Impella® CP 群 24 例と IABP 群 24 例にランダマイズし，30 日全死因死亡率を検討した．重症心原性ショックの定義は，収縮期血圧＜ 90mmHg，強心薬あるいは血管作動薬が投与され，機械的人工呼吸管理が必要な患者とされた．その結果，死亡率は Impella® CP 群 46％，IABP 群 50％で両群間に有意差は認められなかった（$p = 0.92$）．したがって，**極めて重症な心原性ショックに対して，IABP と比較して Impella®は血行動態改善はあるものの，死亡率改善に有意な効果を示せなかった**．しかし，Saku らは動物モデルを用いて，急性心筋梗塞の再灌流前に Impella®による左室 unloading を開始することにより梗塞巣を著明に減少させることを示し，Flaherty らは，メタアナリシスにより，**冠動脈再灌流前の Impella®導入が再灌流後の導入に比べ死亡率を 48％減らす**ことを示した．また，Pappalardo らは，欧州の心原性ショック患者に対し，VA-ECMO に Impella®（2.5，CS）を加えることにより，VA-ECMO 単独と比べて病院死亡率の低下（47％ vs. 80％，$p < 0.001$）と bridge to recovery あるいは bridge to next therapy へのより高い移行率（68％ vs. 28％，$p < 0.001$）をもたらすことを示した[13]．したがって，**急性心筋梗塞に伴う心原性ショックの治療において，左室単独不全の場合，再灌流前に Impella®導入による unloading を開始し，血行再建を行うことが推奨される**が，心肺停止を伴う症例，ショック状態が遷延している症例，呼吸不全を伴う低酸素血症例および右心不全を合併している症例では，**多臓器不全に陥る前に，時期を逃さずに VA-ECMO の導入を優先**し，酸素化と末梢循環を改善したうえで，必要であれば Impella®による左室 unloading を患者の状態に応じて検討するべきであろう．

▶ 重症呼吸不全に対する治療

重症 ARDS で，高い PEEP 圧設定や神経筋遮断薬の投与による治療の最適化や腹臥位にもかかわらず，**$PaO_2/F_IO_2 ＜ 80$ mmHg あるいは機械的人工呼吸器のプラトー圧の増加が限界に達した場合，veno-venous ECMO（VV-ECMO）を考慮する必要がある**．VV-ECMO に関しては，bridge to recovery および bridge to decision，そして bridge to lung transplant が適応となる．専門的な技術と経験を必要とするので，**VV-ECMO 導入の決定は，エキスパ

11) Lorusso R, Raffa GM, Heuts S et al：Pulmonary artery cannulation to enhance extracorporeal membrane oxygenation management in acute cardiac failure. Interact Cardiovasc and Thorac Surg 2019：1-8, 2019 Oct 26［Online ahead of print］

12) Ouweneel DM, Eriksen E, Sjauw K et al：Percutaneous mechanical circulatory support versus intra-aortic balloon pump in cardiogenic shock after acute myocardial infarction. J Am Coll Cardiol 69：278-287, 2017

13) Pappalardo F, Schulte C, Pieri M et al：Concomitant implantation of Impella® on top of veno-arterial extracorporeal membrane oxygenation may improve survival of patients with cardiogenic shock. Eur J Heart Fail 19：404-412, 2017

132　Ⅱ．集中治療における検査・技術

ートの施設との連絡により早期に評価する必要がある[14].

　新たにフランスを中心に行われた EOLIA トライアルは，重症 ARDS において，クロスオーバーを許容する標準治療戦略と比べて，早期 ECMO 戦略が 60 日死亡率を改善するかどうかを検証した多国籍ランダム化試験である．機械的人工呼吸が 7 日未満の重症 ARDS 患者 249 症例が登録された．コントロール群のクロスオーバー率が 28％と高かったことと，無益性により早期試験中止となり，**60 日死亡率は早期 ECMO 群で 11％低下した（35％対46％）も**のの，**統計学的有意差には達しなかった（$p = 0.09$）**．ただ，90 日目の治療失敗率（死亡あるいは ECMO 治療へのクロスオーバー）は，コントロール群で有意に高かった（EOLIA）．クロスオーバーの患者は極めて重篤であり，その死亡率は 57％と高く，6 例が心肺停止状態となり ECPR が導入されていた．別の視点から見ると，EOLIA は，症例の多い施設（high volume center）で ECMO が安全に行うことができることを示し，ECMO によって超保護的な機械的換気の設定が可能であり，すなわち人工呼吸誘発性肺障害（VILI）を防ぐであろうことも示した．さらに，**モバイル ECMO チームのシステムで，重篤な患者を 24 時間 365 日安全に搬送するための病院ネットワークの有効性も実証した**[15].

　その後のベイズ解析によると，事前分布についての情報が最小限の場合，早期 ECMO が有益な可能性（相対リスクが 1 未満である確率）は 96％であり，絶対リスク減少が 2％以上である確率は 92％であった．この解析によれば，早期 ECMO 戦略は，大きな効果であるかは不明だが，何らかの死亡率低下効果を持つと考えられると結論された[16]．すなわち，**人工呼吸器が限界と考えられる成人重症 ARDS に対して，ECMO は有効な呼吸補助手段であることがエ**ビデンスとして証明された．

　ARDS に対する extracorporeal CO_2 removal（$ECCO_2R$）に関して，"Strategy of ultra-protective lung ventilation with extracorporeal CO_2 removal for new-onset moderate severe ARDS"（SUPERNOVA study）が報告された．ARDS 患者では，低一回換気量による肺保護的換気が推奨されているが，さらに低い一回換気量は呼吸性アシドーシスのリスクがある．Combes らは，Moderate ARDS 患者での超肺保護的換気療法を容易にするために，$ECCO_2R$ が実現可能・安全かを検証する多施設第 2 相試験を実施した（$n = 95$）．デバイスは，Hemolung Respiratory Assist System®（ALung Technologies, Pittsburgh, USA），the iLA activve®（Novalung, Heilbronn, Germany），Cardiohelp® HLS 5.0（Getinge Cardiopulmonary Care, Rastatt, Germany）の 3 種類が使用された．患者の 78％が 8 時間以内に，82％が 24 時間以内に，$PaCO_2$ がベースラインから 20％以上増加しない範囲での超保護的換気（一回換気量 4 mL/kg，プラトー圧 ≦ 25 cmH2O）を達成した．重篤有害

14）Papazian L, Aubron C, Brochard L et al. Formal guidelines：management of acute respiratory distress syndrome. Ann Intensive Care 9：69, 2019

15）Combes A, Hajage D, Capellier G et al：Extracorporeal membrane oxygenation for severe acute respiratory distress syndrome. N Engl J Med 378：1965-1975, 2018

16）Goligher EC, Tomlinson G, Hajage D et al：Extracorporeal membrane oxygenation for severe acute respiratory distress syndrome and posterior probability of mortality benefit in a post hoc Bayesian analysis of a randomized clinical trial. JAMA 320：2251-2259, 2018

事象は6件，うち2件がECCO$_2$Rによるものであった．ECCO$_2$R関連有害事象は39％で報告された．28日生存率は73％であった．ECCO$_2$Rを用いることで，患者を呼吸性アシドーシスのリスクにさらすことなく超低一回換気量を実現可能なことを示したが，**安全性・臨床ベネフィットについてさらなる検証が必要である**と結論づけられた．低流量および小口径カニューレが使用できることが低侵襲のメリットと考えられていたが，逆の結果になってしまったことを続報している．未分画ヘパリンの必要のない高性能デバイスの開発等，さらに次世代のデバイス開発がECCO$_2$Rの普及にあたって必須であろう[17]．Computer Fluid Dynamicsによる3種類の遠心ポンプの流体力学的検討では，ECCO$_2$R中に使用される低血流速度での溶血等の悪影響に遠心ポンプが関与することが示されている．2 L/min未満の血流速度で操作する場合，著しい再灌流，せん断応力による**溶血が問題となる**．0.5～1.5 L/minの範囲の血流速度を想定した専用の血液ポンプを設計することが必要と結論づけられている[18]．

結 語

重症心原性ショックに対する一時的な循環サポート手段として，VA-ECMOの第一選択としての役割が益々大きくなってきた．それと同時に，後負荷に伴う左心室の拡張に対して左室unloadingの必要性がクローズアップされ，Impella®の有用性が提唱された．さらに急性心筋梗塞に対する再灌前のImpella®導入によるunloadingの有効性も証明された．今後，VA-ECMOとImpella®をうまく使うことが重症心原性ショックの治療成績を左右すると考えられる．また，重症呼吸不全に対するVV-ECMOの効果がEOLIA studyおよびそのベイズ解析により示され，ECMO適応患者に対して適切な施設で早期導入が推奨される．ECCO$_2$Rに関しては，肺保護換気を可能にするコンセプトに対して，デバイスに伴う合併症の問題が指摘され，普及を可能にするためには，より高性能なデバイスの開発が必要である．

17) Combes A, Fanelli V, Pham T et al：Feasibility and safety of extracorporeal CO$_2$ removal to enhance protective ventilation in acute respiratory distress syndrome. Intensive Care Med 45：592-600, 2019

18) Gross-Hardt S, Hesselmann F, Arens J et al：Low-flow assessment of current ECMO/ECCO$_2$R rotary blood pumps and the potential effect on hemocompatibility. Crit Care 23：348, 2019

II. 集中治療における検査・技術

6. 急性血液浄化法

森口武史, 針井則一, 後藤順子
山梨大学医学部 救急集中治療医学講座

最近の動向とガイドライン

　集中治療領域における急性血液浄化法に関する論点は，主に①AKI（acute kidney injury）に対する急性血液浄化法導入のタイミングに関する議論，②至適な血液浄化量の追求，③いわゆるnon-renal indicationの効果の検証などであると考えられる．集中治療領域における急性血液浄化法の施行についてのガイドラインは主にAKI（急性腎障害）診療ガイドラインと敗血症診療ガイドラインに集約され，いずれも2020年以降の改訂において本稿で触れる内容が反映されたものになると考えられる．本稿ではこれらに関する知見の大まかな流れを述べたうえで直近の研究を紹介し，その解釈と限界について概説した．日常診療に当たる際には，ガイドラインとしてまとまったものの結論だけを採用するのではなく，一つひとつの研究の成果を患者にどう適用してゆくのか，患者ごとに検討する必要があると考えられる．

AKIに対するRRTの開始タイミング

　RRT（renal replacement therapy）の開始時期について論ずる際にまず明確にすべきは，溢水，肺水腫などの体液過剰，高カリウム血症，高度の代謝性アシドーシスや重度の尿毒症に対するRRTは救命処置であるということである．利尿薬に直ちに反応がないなど上記の状態の短期的な改善が見込めない状態では，躊躇せずにRRTを施行すべきであることに留意すべきであると考えられる．そのような緊急導入の適応以外の場合に，AKIに対してRRTをいつ開始しいつ終了するのか，これはRRTをめぐる大きなトピックであり，現在までさまざまな検討がさまざまな患者群においてなされてきた．AKIの重症例でもRRTを施行せずとも良好な転帰をたどる症例群が観察されることもある一方で，RRTの開始が遅れると溢水，尿毒症，電解質異常から予後の悪化が懸念される．あまりに早期に開始しすぎると，RRTを必要としない患者も多くRRTを施行されることになり，抗凝固剤による出血性の合併症や予期せぬ血圧変動，カテーテル挿入に伴う合併症などの発症のリスクが増大すると考えられる．

　AKIを早期に発見するために，長年にわたりバイオマーカーの探索とその

検討が続けられており[1]，NGAL（neutrophil gelatinase-associated lipocalin）や cystatin C など，有力な候補が多く検討されている．2018 年に上梓された systematic revirew では[2]，各種バイオマーカーにおける AKI に対する RRT 導入を予測する能力を検討している．これによると NGAL が最も多く検討されているものの，TIMP-2（tissue inhibitor of metalloproteinase-2）と IGFBP-7（insulin-like growth factor binding protein-7）の組み合わせが RRT 導入の最も良いマーカーであるとされる．しかし TIMP-2 と IGFBP-7 の組み合わせは，サンプルサイズが小さいためにその有用性については検討の余地があり，どちらかといえばそのエビデンスの積み重ねから cystatin C の信頼性が高いとされる．しかし，検討された多数のバイオマーカーの中で有望だと思われるこれらのバイオマーカーに関しても検証が不十分であり，RRT 導入に関してルーチンに使用することを推奨することは困難である．

早期 RRT 導入に関わる検討としては，Gaudry らによるフランスにおける多施設 RCT（AKIKI 研究）[3] および Zarbock らによるドイツにおける RCT（ELAIN 研究）[4] が 2016 年のハイライトであった．これら研究は，一見して相反する結果が "The New England Journal of Medicine" と "The Journal of the American Medical Association" にほぼ時を同じくして掲載されたといったこともあり，結果 AKI に対する早期 RRT の施行に関してより注目が集まったと思われる．この相反する結果に対する結論を出すことが期待された大規模研究のひとつが，IDEAL-ICU study[5] である．

IDEAL-ICU study は，フランスの 22 の大学病院と 7 つの一般病院の ICU において多施設オープンラベル RCT として，RIFLE 分類で failure stage にある重症 AKI を併発した早期の敗血症性ショック患者を対象に開始され，RIFLE 基準で failure stage の診断から 12 時間以内に RRT を開始する早期 RRT 戦略群と，48 時間以上経過してから RRT を開始する待機 RRT 戦略群とに無作為割付して，主要評価項目として 90 日死亡率を検討したものである．この **90 日死亡率は早期 RRT 戦略群 58％・待機 RRT 戦略群 54％** であり，両群間で有意な差を認めないという結果に終わった．この研究は 488 例を割付け，実際に解析した 477 名を中間解析後に，試験は無益であるとして早期に中止されている．早期 RRT 戦略群 246 人のうち 239 人が，待機 RRT 戦略群 242 名のうち 149 人が RRT を施行されている．待機 RRT 戦略群で RRT を施行されなかった 93 人のうち，21 名は施行前に死亡し，70 名は腎機能が回復していた．待機 RRT 戦略群で RRT を施行した 149 人のうち 41 人は RRT の緊急導入基準を満たしたために実際には 48 時間を待たずに導入されていた．前述の 2 つの RCT は，AKIKI 研究が AKI 全体を対象とし ELAIN 研究が術後 AKI を対象としている中，IDEAL-ICU study は Sepsis-2 の criteria とはいえ敗血症性ショックを対象に限定している点で注目すべきであると考えられる．

1) Malhotra R, Siew ED：Biomarkers for the early detection and prognosis of acute kidney injury. Clin J Am Soc Nephrol 12：149-173, 2017
2) Klein SJ, Brandtner AK, Lehner GF et al：Biomarkers for prediction of renal replacement therapy in acute kidney injury：a systematic review and meta-analysis. Intensive Care Med 44：323-336, 2018
3) Gaudry S, Hajage D, Schortgen F et al：Initiation strategies for renal-replacement therapy in the Intensive Care Unit. N Eng J Med 375：122-133, 2016
4) Zarbock A, Kellum JA, Schmidt C et al：Effect of early vs delayed initiation of renal replacement therapy on mortality in critically ill patients with acute kidney injury：the ELAIN randomized clinical trial. JAMA 315：2190-2199, 2016
5) Barbar SD, Clere-Jehl R, Bourredjem A et al：Timing of renal-replacement therapy in patients with acute kidney injury and sepsis. N Eng J Med 379：1431-1442, 2018

136 Ⅱ. 集中治療における検査・技術

敗血症に合併したAKIは腎障害の病態生理が他のものとは異なるため，敗血症性のAKIに対象を限定した本検討は実臨床の現状により近い状態での検討であると評価される．この検討では両群間の90日生存率，副次評価項目である28日生存率などに差はなく，敗血症性のAKIであってもRRT早期導入のメリットは示されなかった．待機RRT戦略群であっても48時間後にはRRTを導入するプロトコルでありながら，待機RRT戦略群のうち一定層の患者がRRTを回避できていることを合わせて考えると，48時間後にRRTを施行しなくとも腎機能の自然回復を望める患者はまだ存在すると考えられる．また，新たに公開された前述のAKIKI研究の敗血症などに関するpost hoc解析の結果[6]もこのIDEAL-ICU studyと同様で，**RRTを施行せず待機すると腎機能が回復し，結果としてRRTを回避できる患者がおよそ半数いた**ことが示されている．RRTの緊急導入も一定数いることから厳重なモニタリングが必要であることは間違いないが，現在のところ敗血症性AKIに対してRRTを早期から導入する積極的な理由はないと解される．RRTを回避できる群とRRTを施行すべき群にどのような相違があり，事前に予期しうるものとなりうるのかどうか，興味深く今後の知見が待たれる．

重症AKIでのRRT導入のタイミングについては，STARRT-AKI（Standard versus accelerated initiation of renal replacement therapy in acute kidney injury）試験[7]が進行中である．IDEAL-ICU studyが多施設であるものの一国で行われたものであるのに対して，これはカナダ，フランス，オーストラリアなど15ヵ国にわたる168施設から3,000症例を集めており，今後はこの知見に注視すべきであると考えられる．

▶ AKIに対するRRTのmodality-CRRTとIRRTの優劣

CRRT（continuous renal replacement therapy）かIRRT（intermittent renal replacement therapy）か，これもRRTのmodalityをめぐって長く続いている議論である[8]．本邦のICUで主に用いられているものはCHDF（continuous hemodiafiltration）と，IHD（intermittent hemodialysis）およびSLED（sustained low efficiency dialysis）である．CRRTは長時間持続的にRRTを行うため，濾過量と透析液量の合計で示される血液浄化量あたりの溶質除去能力に優れている．このため単位時間当たりの血液浄化量を，単純に時間が長くなる影響を織り込んだ減少量よりもさらに減少させることが可能であり，循環動態に与える影響がIRRTに比して少ないという利点がある．これは重症患者にRRTを施行する際の利点であると考えられている．一方で，連続して施行することからIRRTに比して抗凝固剤の使用量が増大すること，患者を長時間拘束することになること，それと同時に医療スタッフへの負担も増す

6) Gaudry S, Hajage D, Schortgen F et al：Timing of renal support and outcome of septic shock and acute respiratory distress syndrome. A post hoc analysis of the AKIKI randomized clinical trial. Am J Respir Crit Care Med 198：58-66, 2018

7) Smith OM, Wald R, Adhikari NK et al：Standard versus accelerated initiation of renal replacement therapy in acute kidney injury（STARRT-AKI）：study protocol for a randomized controlled trial. Trials 14：320, 2013

8) de Pont AC, Volbeda M：Old wine in new bottles：continuous versus intermittent renal replacement therapy in the ICU. Crit Care Med 46：340-341, 2018

こと，致死的な高カリウム血症などの緊急を要する電解質異常を急速に補正しにくいことなどのデメリットもある．

2017年に上梓されたsystematic reviewでは[9]，CRRT，IHDおよびSLEDに関する21のRCTを検討している．これによると，生存率においてもRRT依存においても，いずれのmodalityにも優位性は見出せなかったとされている．

2018年にフランスの291ICUの退院患者のデータベースを用いた後向きコホート研究が公開された[10]．これはCRRTとIRRTそれぞれからpropensity scoreでマッチングさせた8,408人を抽出し，比較したものである．腎機能の回復と生存に関してはIRRT群のハザード比は0.958〔95％信頼区間（CI）：0.919〜0.997〕と**CRRT群の方が有利な結果**となった．しかし他の要因，例えば病院の規模による検討では，250床以下の病院では腎機能の回復が悪く，そのオッズ比は0.659（95％CI：0.530〜0.818）であったのに比して，差は非常にわずかであった．

AKIに対してCRRTがよいのかIRRTがよいのか，複数の研究にて繰り返し検討されてきたが，いずれか一方の決定的な優位性を示すには至っていない．これら研究の結果を踏まえ，我々臨床医がどのmodalityを選択すべきなのだろうか．この論争に関しては，それぞれのmodalityは競合する排他的なものではなく，患者の状態によりそれぞれ判断されるべきものであるとの興味深い指摘がすでになされている[11]．また例えばAKIを併発した外傷性頭蓋内出血のその後の透析依存に関し，CRRTの方がハザード比：0.368（95％CI：0.158〜0.858）と良好であるとする報告もある[12]．施設におけるCRRTかIRRTかの選択は，患者の血行動態の安定性，併発病態，それぞれのRRTのmodalityに関する施設個々の経験の深さやスタッフの能力やリソースを，上記の腎機能回復に関する報告と総合的に勘案して決定すべきである，と考えられている[8]．現在までのところ，AKIの患者にmodalityを選択する際にはその患者の病態をよく把握したうえで，それらmodalityの特徴を熟知した集中治療医，腎臓内科医が**個々の症例ごとに判断すべき**であると考えられる．

▶ AKIに対する至適な血液浄化量

AKIに対する至適な血液浄化量について最初に注目されるようになったのは，Roncoらの報告[13]である．この歴史的な検討では，血液浄化量を増やすと救命率が向上すると鮮やかに示されたが，以降実施された2つの大規模RCTでは血液浄化量の増加が予後改善につながらないことが示され，それら報告を踏まえ，AKIに対するKDIGOのガイドラインではCRRTの浄化量として20〜25 mL/kg/hrが推奨量とされた．その一方本邦での保険による制約では10〜15 mL/kg/hrとされているが，実際はKDIGOのガイドラインの推

9) Nash DM, Przech S, Wald R et al：Systematic review and meta-analysis of renal replacement therapy modalities for acute kidney injury in the intensive care unit. J Crit Care 41：138-144, 2017

10) Bonnassieux M, Duclos A, Schneider AG et al：Renal replacement therapy modality in the ICU and renal recovery at hospital discharge. Crit Care Med 46：e102-e110, 2018

11) Vanholder R, Van Biesen W, Hoste E et al：Pro/con debate：continuous versus intermittent dialysis for acute kidney injury：a never-ending story yet approaching the finish? Crit Care 15：204, 2011

12) Tseng MF, Chou CL, Chung CH et al：Continuous veno-venous hemofiltration yields better renal outcomes than intermittent hemodialysis among traumatic intracranial hemorrhage patients with acute kidney injury：a nationwide population-based retrospective study in Taiwan. PloS One 13：e0203088, 2018

13) Ronco C, Bellomo R, Homel P et al：Effects of different doses in continuous veno-venous haemofiltration on outcomes of acute renal failure：a prospective randomised trial. Lancet 356：26-30, 2000

奨下限をやや下回るレベル 18 mL/kg/hr 前後で施行されている.

2018 年に Bellomo を含む Wang らによる,8 つの RCT を含む systematic review[14] が上梓された.この review では血液浄化量 20～25 mL/kg/hr の標準強度群と血液浄化量 35～48 mL/kg/hr の強化群とを比較している.強化群の 28 日生存率は 1,884 人中 769 人 40.8％に対して,標準強度群では 1,795 人中 744 人 41.4％と,強化群のリスク比(RR):0.93(95％ CI:0.80～1.09)であり,両群間に有意な差は認められなかったとされる.この傾向は 60 日生存率や 90 日生存率および ICU 生存率でも変化はなく,一貫して両群間に有意な差は検出されなかった.また,CRRT と IRRT とでそれぞれに標準強度群と強化群との比較を行っているが,どちらの modality においても標準強度群と強化群の生存率の間に有意な差は認められていない.しかし 28 日時点の RRT 依存患者の割合は,強化群 983 人中 292 人 29.7％に対して標準強度群では 943 人中 235 人 24.9％と,強化群の RR:1.15(95％ CI:0.80～1.09,p-value=0.05)であり,強化群のほうが RRT 依存患者の割合がかえって高いという結果になった.現在の条件で濾過量と透析量の和で規定される血液浄化量を多くとった RRT の優位性は見出せていない.一方で血液浄化量をどれだけ下げるか,という下の方向での検討もなく,カリウム値の積極的な補正を短時間で行いたいといった特別の要請がない限り,いわゆる標準量で行うのが推奨される状態がしばらく続くと考えられる.

▶ 敗血症に対する血液浄化法

急性血液浄化法の適応は,AKI に対する RRT としてのものと,病因物質の除去を目的としたものに大きく二分される.前者は renal indication として,後者はいわゆる non-renal indication として長年議論の対象となってきた.特に本邦では,AKI を発症していない敗血症に対して non-renal indication としての急性血液浄化法が炎症性メディエータの除去・制御に有効であるとして積極的に施行する施設もあり,その modality と妥当性,有効性について議論が重ねられてきた.

この分野での近年のトピックは,特に本邦で開発された polymyxin B-immobilized direct hemoperfusion(PMX-DHP)に関する報告であろう.本邦で開発された PMX-DHP は,現在敗血症性ショックに対する支持療法として広く使用されている.大まかに現在までの経緯を振り返ると,まず 2009 年の EUPHAS study[15](多施設 RCT)にて有効性が示され,次に ABDO-MIX(多施設 RCT)で有効性が否定され[16] ている.それに加えて近年相次いで PMX-DHP に関する研究が発表された.2017 年には Japan Septic Disseminated Intravascular Coagulation(JSEPTIC DIC)study のデータベースを用いた敗血症性ショック患者における後方視的な多施設研究の結果[17]

14) Wang Y, Gallagher M, Li Q et al:Renal replacement therapy intensity for acute kidney injury and recovery to dialysis independence:a systematic review and individual patient data meta-analysis. Nephrol, Dial Transplant 33:1017-1024, 2018

15) Cruz DN, Antonelli M, Fumagalli R et al:Early use of polymyxin B hemoperfusion in abdominal septic shock:the EUPHAS randomized controlled trial. JAMA 301:2445-2452, 2009

16) Payen DM, Guilhot J, Launey Y et al:Early use of polymyxin B hemoperfusion in patients with septic shock due to peritonitis:a multicenter randomized control trial. Intensive Care Med 41:975-984, 2015

17) Nakamura Y, Kitamura T, Kiyomi F et al:Potential survival benefit of polymyxin B hemoperfusion in patients with septic shock:a propensity-matched cohort study. Crit Care 21:134, 2017

が，2018 年には多施設 RCT の EUPHRATES study の結果が post hoc 解析結果とともに公開された[18, 19]．前者では propensity score にて 1,723 症例から PMX-DHP 施行群および非施行群それぞれ 262 症例を matching して，院内総死亡率，ICU 死亡率，ICU days を比較している．ICU 死亡率は有意差が出なかったものの，院内総死亡率および ICU days は有意に減少し（院内総死亡 OR：0.681，95％ CI：0.470〜0.987），敗血症性ショック症例において PMX-DHP の有用性が強く示唆される結果となった．一方 EUPHRATES study[18] は，カラムを用いる治療の特性上盲検化が困難である本検討を，盲検化して実施している点も特筆すべきであり，PMX-DHP の効果について決定的なエビデンスとなると衆目を集めていた．しかし予測に反し 28 日死亡率に有意差は出ず，ABDO-MIX study の結果をなぞる結果に終わった．この結果は MODS（multiple organ dysfunction syndrome：多臓器障害）スコア≧9 の，より重症な患者についても同様であった．しかし EUPHRATES study で検討された患者群では Endotoxin Activity Assay（EAA™）が 0.9 以上と極めて高値である症例が予想以上に多かったことから有用性を示せなかった可能性を鑑み，MODS スコア≧9 かつ EAA が 0.6〜0.89 の患者に限定した post-hoc 解析を行った検討[19] では，治療群とプラセボ群の 28 日死亡率は 26.1％ vs. 36.8％ で 10.7％ の減少効果が確認されている．一方でこの検討は事前規定なしのサブグループ解析，多重検定の結果であり，有意水準が 0.047 であることを併せて考えると，現在追試が要求されていることは妥当であると考えられる．

他に敗血症に対する血液浄化法のトピックとして取り上げるものとしては，まず本邦で敗血症に対する血液浄化として保険適用となった AN69ST 膜を用いた hemofilter の効果である．これと同じく cytokine の吸着除去による効果を謳う PMMA（polymethyl methacrylate）膜 hemofilter と，後方視的に比較した検討[20] がなされている．これによると 28 日生存率は敗血症の有無にかかわらず AN69ST 群の 79.4％ に対して PMMA 群は 54.1％ であり，AN69ST 群で有意に良好であった．PMMA も吸着効果のある膜であるが，その cytokine 吸着スペクトルに AN69ST と違いがあるとされ，この結果は膜の吸着特性の違いが臨床効果の違いにつながるという知見と捉えると非常に興味深いものだと言える．いままでの検討は主に膜の有効径を大きくした high-cutoff 膜で cytokine を除去して効果の違いを見ようとしており[21]，あくまで濾過特性の違いからくる臨床効果を検討するものであった．今後は吸着特性の違いで比較検討する研究の結果が待たれるところである．

▶ おわりに

急性血液浄化法を施行する，あるいは施行しない判断をする際には，またどのように試行するのか決定する際には，上記の知識の蓄積を重視すべきである

18) Dellinger RP, Bagshaw SM, Antonelli M et al：Effect of targeted polymyxin B hemoperfusion on 28-day mortality in patients with septic shock and elevated endotoxin level：the EUPHRATES randomized clinical trial. JAMA 320：1455-1463, 2018

19) Klein DJ, Foster D, Walker PM et al：Polymyxin B hemoperfusion in endotoxemic septic shock patients without extreme endotoxemia：a post hoc analysis of the EUPHRATES trial. Intensive Care Med 44：2205-2212, 2018

20) Kobashi S, Maruhashi T, Nakamura T et al：The 28-day survival rates of two cytokine-adsorbing hemofilters for continuous renal replacement therapy：a single-center retrospective comparative study. Acute Med Surg 6：60-67, 2019

21) Atan R, Peck L, Prowle J et al：A double-blind randomized controlled trial of high cutoff versus standard hemofiltration in critically ill patients with acute kidney injury. Crit Care Med 46：e988-e994, 2018

ことは論を待たない．しかしこれら過去の研究を仔細に検討すると，AKIに対して**一律に適用すべき治療法は存在せず**，個々の症例や施設の実情に合わせて治療法を検討する必要があることが理解できるはずである．一連の研究が時に互いに相反する結果を提示しているのは，これら検討が実に多様な患者群を対象に，多様なmodalityの元で行われていることなどが一つの理由である．個々のエビデンスをいかに実際の患者の治療に落とし込んでゆくのか，臨床医がどのmodalityを選択すべきなのかについては過去の検討をよく吟味し，そのうえで患者の状態によりそれぞれ判断されるべきものであると考えられる．

II. 集中治療における検査・技術

7. 血液検査・バイオマーカー

梅村 穣, 伊藤 弘, 山川一馬
大阪急性期・総合医療センター 救急診療科

最近の動向とガイドライン

　バイオマーカーは、「生体反応や病態の変化、または治療効果判定の指標として測定・評価される客観的指標」と定義される[1]。広義には、血圧、心拍数などのバイタルサインからCT検査などの画像検査所見まで、さまざまな臨床的指標を指すが、本稿では血液、尿などの一般臨床検体を分析することで得られる情報に関する記述とする。臨床的にバイオマーカーを測定する目的は、①疾患の診断、②重症度判定、③予後予測、④治療効果判定、⑤治療効果予測などがあげられる。集中治療室においては重症患者の予後を適切に評価し、複数の侵襲病態がオーバーラップした患者の本態を見極め、原因の検索から最適な治療介入の選択肢とタイミングを見極めるために、多くの疾患でバイオマーカーの測定が重要視される。本稿では特に急性炎症病態が引き起こすさまざまな病態に焦点を当て、近年の動向を概説するとともに、基礎研究分野の知見から次世代のバイオマーカーの可能性を探る。

AKIのバイオマーカー

　急性腎機能障害（acute kidney injury：AKI）は、重症病態における頻度の高い合併症の一つである。またAKIの発症は死亡率の上昇に関係することが知られており、集中治療領域ではその早期診断と適切な治療介入が重要視されてきた。一般的に腎機能の評価には、血清クレアチニン値や尿量が用いられており、これらはRIFLE分類、AKIN分類、KDIGO分類などAKIの診断・重症度判定基準にも採用されている。これら既存のバイオマーカーに加えて、近年ではさまざまな新規バイオマーカーがAKIの予測・診断・重症度判定に有用であることが報告されている。

　例えばWangらは、敗血症患者におけるAKI発症の血清バイオマーカーとして、TREM-1, NGAL, TIMP-2/IGFBP-7, Kim-1, Netrin-1の5つの有用性を評価した。この中で腎機能障害のメカニズムが虚血によるものであればKim-1, NGAL、細胞周期停止によるものであればTIMP-2/IGFBP-7、近位尿細管障害であればKim-1, TIMP-2/IGFBP-7、遠位尿細管障害であればNGALのレベルが、それぞれ変動することが報告され、これらのマーカーを組み合わ

1) Biomarkers Definitions Working Group：Biomarkers and surrogate endpoints：preferred definitions and conceptual framework. Clin Pharmacol Ther 69：89-95, 2001

せることで，AKI の診断のみならず病型の分類に有用である可能性が示された[2]．

また Klein らは AKI 患者を対象として，腎代替療法の予測指標としていくつかのバイオマーカーの精度について報告した．腎代替療法の予測に関して，血清・尿中の NGAL は，それぞれ ROC 曲線の曲線下面積（AUROC）が 0.720・0.755，血清クレアチニン値は area under the curve（AUC）：0.764，TIMP-2 と IGFBP-7 の組み合わせは AUROC：0.857 と，いずれも高い精度であった[3]．この尿中 TIMP-2 と IGFBP-7 に関しては，重症患者における AKI のバイオマーカーとして多くの研究が行われてきたが，報告によってカットオフ値が異なるため，その予測精度に異質性があることが問題視されてきた．Zhang らは最適なカットオフを推定するために，これらの研究の結果を統合したメタアナリシスを行った．この中で尿中 TIMP-2 および IGFBP7 のカットオフを，それぞれ 2.0 ng/mL と 1,000 とした場合に，感度：0.45，特異度：0.93 で，AUC は 0.844 と最も高い精度であったことが報告された[4]．

また Lee らは腹部外科手術後の患者を対象として，血清 NGAL・血清 Calprorectin・sequential organ failure assessment（SOFA）スコアの組み合わせが AKI の発症を，また血清 NGAL・尿中 NGAL・SOFA スコアの組み合わせは院内死亡を，それぞれ非常に高精度（AUROC：1.000，AUROC：0.911）で予測できたことを報告した[5]．

このように種々の新規バイオマーカーに関する臨床研究が行われ，重症患者における AKI の診断・重症化予測に有用である可能性が示されているが，いずれの研究でも単一のマーカーのみでは診断や予後予測に限界があることが言及されている．現時点では，臨床所見や他の検査所見と組み合わせることで診断・病態予測精度を高める必要がある．

▶ ARDS のバイオマーカー

近年の医療水準に進歩にもかかわらず，急性呼吸窮迫症候群（acute respiratory distress syndrome：ARDS）の生命転帰は極めて悪く，本邦における死亡者数は年間 12,000 人といわれている．ARDS に対する最適な治療戦略の確立が難しい理由の一つに，その病態の多様性があげられるが，現行の診断基準は臨床症状と画像所見の組み合わせであり，ARDS の病態を反映する特異的なバイオマーカーの有用性は確立されていない．近年，ARDS の病態メカニズムの根底を理解し，治療成績を改善するためにさまざまなバイオマーカーの評価が行われており，本稿ではその一端を紹介する．

Isabel らは重症症例における ARDS 発症予測のバイオマーカーとして，血清・気管支肺胞洗浄液（BALF）・呼気中のバイオマーカーの評価を行った．この研究では，血清中の肺胞上皮細胞由来メディエーター（RAGE，SP-D），

2) Wang K, Xie S, Xiao K et al：Biomarkers of Sepsis-Induced Acute Kidney Injury. Biomed Res Int 6937947, 2018

3) Klein SJ, Brandtner AK, Lehner GF et al：Biomarkers for prediction of renal replacement therapy in acute kidney injury：a systematic review and meta-analysis. Intensive Care Med 44：323-333, 2018

4) Zhang D, Yuan Y, Guo L et al：Comparison of urinary TIMP-2 and IGFBP7 cutoffs to predict acute kidney injury in critically ill patients a PRISMA-compliant systematic review and meta-analysis. Medicine 98：e16232, 2019

5) Lee CW, Kou HW, Chou HS et al：A combination of SOFA score and biomarkers gives a better prediction of septic AKI and in-hospital mortality in critically ill surgical patients：a pilot study. World J Emerg Surg 13：41, 2018

血管内皮細胞障害のマーカー（Angiopoietin-2），炎症性サイトカイン（IL-8 など）に加えて，BALF 中の FAS ligand，PCP Ⅰ，PCP Ⅲ，呼気中に含まれる Octane，3metylheptane といった脂質過酸化反応によって生成された物質が ARDS 発症のバイオマーカーとして有用である可能性が報告された[6]．また，血中の RAGE に関しては ARDS の予後予測における有用性も評価されており，多くの研究結果が報告されている．Jabaudon らは，これらの結果をまとめたメタ解析を行い，血清中の RAGE が ARDS 患者に対して 90 日死亡率の独立した予後予測因子になる可能性を示した〔オッズ比（OR）：1.18，95％信頼区間（CI）：1.01～1.38，p = 0.04〕[7]．

また Zhao らは，二つの大規模臨床試験から合計 1,400 症例を超える検体データを用いてバイオマーカーの解析を行い，SP-D，IL-8，APACH Ⅲ スコアを組み合わせることで，ARDS 患者の院内死亡を高精度に予測できることを報告した[8]．

ここにあげた研究の他にも ARDS の診断・予後予測に関しては多くのバイオマーカーがその有用性を報告されており，今後もエビデンスを集積させることで臨床現場における有用性が確立されることが期待される．

▶ 敗血症診断のバイオマーカー

2016 年に発表された敗血症の新定義（Sepsis-3）において，感染症もしくは感染症の疑いがあり，SOFA スコアの合計点数が 2 点以上の急上昇を確認した場合に敗血症と診断することが提唱された．しかし集中治療室では，複数の侵襲病態が重複し複合的な重症病態をきたした患者も多く，しばしば感染症を的確に見極めることが困難となる．こうした背景から，敗血症診断のためのバイオマーカーは長く研究が行われてきた．古典的には感染症の指標として，白血球数や CRP が用いられてきたが，これらの指標は感染以外にも外傷，手術，薬剤，その他多くの生体侵襲の影響を受けるため，特異度の低さが問題視されてきた．近年ではより高精度に感染症を同定する指標として procalcitonin（PCT）や presepsin（P-SEP）が用いられ，多くの臨床研究結果が報告された．Kondo らはそれらの論文の中から，PCT と P-SEP の敗血症診断能を評価した論文を対象としたメタ解析を行い，いずれの指標も高い診断精度を有することを報告した[9]．

また PCT，P-SEP 以外にも，種々の血中の炎症誘発性メディエーターや白血球の表面抗原などが，敗血症診断のバイオマーカーとして評価されている．Kuroda らは，ICU 入院患者を対象とした単施設前向き観察研究を行い，血漿中の histidine-rich glycoprotein の臨床的有用性を評価した．この研究では histidine-rich glycoprotein の敗血症診断における AUROC は 0.97 と，PCT の 0.82，P-SEP の 0.77 と比較して有意に高かったことから，非感染性の全身性炎

6) García-Laorden MI, Lorente JA, Flores C et al：Biomarkers for the acute respiratory distress syndrome：how to make the diagnosis more precise. Ann Transl Med 5：283, 2017

7) Jabaudon M, Blondonnet R, Pereira B et al：Plasma sRAGE is independently associated with increased mortality in ARDS：a meta-analysis of individual patient data. Intensive Care Med 44：1388-1399, 2018

8) Zhao Z, Wickersham N, Kangelaris KN et al：External validation of a biomarker and clinical prediction model for hospital mortality in ARDS. Intensive Care Med 43：1123-1131, 2017

9) Kondo Y, Umemura Y, Hayashida K et al：Diagnostic value of procalcitonin and presepsin for sepsis in critically ill adult patients：a systematic review and meta-analysis. J Intensive Care 7：22, 2019

症反応（SIRS）症例から敗血症症例を見極めるための非常に優れた指標となりうると報告した[10]．また Peronnet は，ICU 患者を対象として入院1，3，6日目の全血中の CD74 と IL10 の mRNA を測定した結果，これらの発現レベルは ICU 発症の感染症（IAI）を発症した症例で有意に高く，予測指標として優れていると報告した[11]．さらに Mearelli らは救急外来の患者を対象とした多施設前向き研究を行い，PCT，P-SEP，IL-2 受容体など複数のバイオマーカーを組み合わせた診断アルゴリズムによって，非常に高精度に敗血症を診断することができると報告した[12]．

一方で Shankar-Hari らの研究では，白血球の表面抗原の中で，好中球の CD24 高値，CD279 高値，単球の HLA-DR 低値の組み合わせが敗血症症例で顕著ではあったが，臨床的に有用な水準ではなかったと報告された[13]．また Mearelli らは，279 の ICU が参加した多施設共同前向き研究の post hoc 解析を行い，29 種類の血漿中バイオマーカー，10 種類の全血中 RNA を解析した結果，いずれのバイオマーカーの診断精度も，またそれらの組み合わせも敗血症診断における診断精度は CRP 単独に及ばなかったと報告した[14]．

このように近年，敗血症診断を目的としてさまざまなバイオマーカーの評価が行われてきたが，その有用性に関してはいまだ評価が定まっていないものが多く，今後もエビデンスの集約を待つ必要があると考えられる．

▶ 敗血症重症度のバイオマーカー

敗血症に関しては，ここまでにあげた診断に関する研究に加えて，重症度判定，予後予測を目的としたバイオマーカーの有用性の評価も行われている．Delwarde らは敗血症性ショック患者 177 症例を対象として，末梢血中の IL7 受容体の mRNA を測定し，その発現レベルが①健常者と比べて大きく低下していたこと，②経時的な発現低下が死亡率と関連していたこと，③予後予測指標として高い予測精度（AUROC：0.86）を示したことを報告した[15]．また Røsjø らは，敗血症性ショック 540 症例，重症敗血症 418 症例を対象とした多施設共同前向き試験を行い，敗血症性の予測指標として secretoneurin の有用性を評価した．Secretoneurin は心筋細胞中のカルシウム調整に直接影響するメディエーターであり，その循環血中濃度は心筋障害がある患者の予後予測に有用であることが知られている．この研究では敗血症性ショック症例において，初日の secretoneurin の上昇は生命転帰に大きく関与していたことが示されたが，興味深いことにショックを伴わない重症敗血症の症例では，その傾向は認めなかったことが報告された[16]．Chung らは急性臓器障害を伴う敗血症を対象とした多施設共同前向き試験を行い，血漿中の acetylcarnitine の評価を行った．この研究では acetylcarnitine の上昇が，種々の血漿サイトカイン濃度の上昇，多臓器障害，血液培養検査陽性，28 日死亡率の上昇と関連が

10) Peronnet E, Venet F, Maucort-Boulch D et al：Association between mRNA expression of CD74 and IL10 and risk of ICU-acquired infections：a multicenter cohort study. Intensive Care Med 43：1013-1020, 2017

11) Kuroda K, Wake H, Mori S et al：Decrease in histidine-rich glycoprotein as a novel biomarker to predict sepsis among systemic inflammatory response syndrome. Crit Care Med 46：570-576, 2018

12) Mearelli F, Fiotti N, Giansante C et al：Derivation and validation of a biomarker-based clinical algorithm to rule out sepsis from noninfectious systemic inflammatory response syndrome at emergency department admission：a multicenter prospective study. Crit Care Med 46：1421-1429, 2018

13) Shankar-Hari M, Datta D, Wilson J et al：Early PREdiction of sepsis using leukocyte surface biomarkers：the ExPRES-sepsis cohort study. Intensive Care Med 44：1836-1848, 2018

14) Mearelli F, Fiotti N, Giansante C et al：Derivation and validation of a biomarker-based clinical algorithm to rule out sepsis from noninfectious systemic inflammatory response syndrome at emergency department admission：a multicenter prospective study. Crit Care Med 46：1421-1429, 2018

15) Delwarde B, Peronnet E, Venet F et al：Low interleukin-7 receptor messenger RNA expression is independently associated with day 28 mortality in septic shock patients. Crit Care Med 46：1739-1746, 2018

16) Røsjø H, Masson S, Caironi P et al：Prognostic value of secretoneurin in patients with severe sepsis and septic shock：data from the albumin italian outcome sepsis study. Crit Care Med 46：e404-e410, 2018

あったことが示された[17].

ここまで述べたように，集中治療領域における重大な臨床課題である AKI,
ARDS, 敗血症に関しては，病態評価・予後予測を目的として多くのバイオマーカーが研究されてきた．さらに近年，細胞解析や RNA 解析による次世代のバイオマーカーの有用性が検証されており，以下にその一端を紹介する．

▶ 救急集中治療領域におけるシングルセル解析の進歩

細胞解析における技術革新は凄まじい．かつて，細胞解析の標準的ツールとしてフローサイトメーターが使われてきた．フローサイトメーターは比較的簡便に安定した結果を出すことができる素晴らしい評価機器であるが，多数の細胞表面，細胞内の蛋白質を見るには限界があった．その理由は，蛋白質の標識に蛍光色素を用いるため，用いる色数が増えればコンペンセーションが困難になることであった．現状では技術的に 20 色を超えることは難しいとされている．近年，シングルセル解析が多くの領域で求められるようになり，この標識抗原数の制限の壁を突破する必要がでてきた．CyTOF（cytometry by time-of-flight）は，フローサイトメトリーで使用される蛍光標識抗体の代わりに，金属同位体標識抗体を用いて細胞内外の蛋白質を検出する，多次元サイトメトリー技術である．金属同位体標識抗体を用いるため色調のクロストークがなく，40 種を超える抗体を同一細胞で同時評価することが可能である（多次元シングルセル解析）．これにより，従来検出が困難であった希少細胞集団の同定や，細胞表面や細胞内蛋白質の網羅的な解析が可能となる．2019 年 11 月現在，CyTOF 関連の論文出版数はすべての領域においても 280 本程度にとどまる（PubMed 調べ）．救急集中治療領域において報告されている CyTOF 論文は，以下の 3 本である．

Gossez らは，敗血症性ショック患者 5 例の末梢血単核細胞（PBMC）を採取し，CyTOF を用いて 25 種の細胞表面抗体を解析した[18]．SPADE やviSNE といった多次元クラスタリングにより PBMC のフェノタイピングを行うことで，ヘルパーT 細胞上の PD-L1/PD-1 の発現亢進や B 細胞の変質など，敗血症発症後の免疫応答を明らかにした．

Seshadri らは，重症外傷患者 10 例の PBMC を時系列に沿って採取しCyTOF 解析を行った．38 種の抗体をシングルセルレベルで同時解析することで，PBMC に含まれる全細胞腫のフェノタイピングおよび機能解析を行った[19]．その結果，外傷患者に特異的に反応する TH17 ヘルパーT 細胞や NK細胞の存在が確認された．

Morrell らは，ARDS 患者 6 例の肺胞洗浄液を採取し，同液中のマクロファージについて 38 種の抗体を用いたシングルセル解析を行った．viSNE やX-Shift といった機械学習手法による解析を行った．本論文では教師なし学習

17) Chung KP, Chen GY, Chuang TY et al：Increased plasma acetylcarnitine in sepsis is associated with multiple organ dysfunction and mortality：a multicenter cohort study. Crit Care Med 47：210-218, 2019

18) Gossez M, Rimmelé T, Andrieu T et al：Proof of concept study of mass cytometry in septic shock patients reveals novel immune alterations. Sci Rep 8：17296, 2018

19) Seshadri A, Brat GA, Yorkgitis BK et al：Phenotyping the immune response to trauma：a multiparametric systems immunology approach. Crit Care Med 45：1523-1530, 2017

による細胞クラスタリングを行い，これまでに報告がない肺胞マクロファージの希少クラスタを明らかにした[20]．

ここまでの報告はいずれも臨床サンプルを用いた小規模な検討にとどまる．今後の CyTOF 研究の発展が待たれる．

集中治療領域における micro RNA 研究の現状

Micro RNA（miRNA）は低分子 non-coding RNA の一種で，相補的な配列を持つ mRNA に結合して翻訳を抑制することで，ヒト遺伝子の 1/3 以上の発現抑制を行っているとされる．近年，extracellular vesicles 内の miRNA を介した細胞間情報伝達が，基礎研究から臨床研究まで広い分野で注目を集めている．血清・血漿中の extracellular vesicles に内包される miRNA の発現パターンの変動を解析することで，疾病の発生メカニズムや進行する生物学的プロセスを解明する可能性が示された．敗血症や ARDS などの急性炎症性病態においても，特定の miRNA の発現パターンが病態の発症と進行のメカニズムに関与している可能性が示され，次世代の非侵襲的かつ高感度バイオマーカーとして注目されている．

例えば急性肺障害（ALI）では，いくつかの miRNA サブタイプが病状の制御に関与している可能性が示されている．Cao らは，LPS 投与によるマウス ALI モデルの肺組織とリンパ球において，miR-145 の発現が低下する一方，TGF-β受容体発現が上昇し強い炎症反応が惹起されることを報告した[21]．マウス ALI モデルの肺組織では miR-106a の発現が低下することも，Yang らの研究から報告された[22]．この研究では miR-106a が TLR4 に直接結合することで NFκB の活性を制御し，IL-1β，IL-6，TNF-α など多くの炎症性サイトカインの産生を抑えている可能性が示された．さらに，複数の miRNA サブタイプが相互ネットワークを形成して急性炎症を制御している可能性も報告されている．Mann らの報告では，miR-146 欠損マウスではマクロファージにおける miR-155 の発現レベルが亢進し，NFκB の活性増強から急性炎症反応が進行する一方，miR-155 欠損マウスでは炎症刺激に暴露された場合でも炎症反応が惹起されにくいことを報告した．この結果は，miR-155 と miR-146 は互いの遺伝子発現を制御し，NFκB 経路の制御に関与していることを示している[23]．また近年では，基礎医学的な見地に加えて臨床検体を用いた研究から，実際の集中治療領域における miRNA の有用性の評価が行われている．Zhu らは ICU における入院症例の血液検体を用いて RNA のプロファイル解析を行い，miR-181a，miR-92a，miR-424 などいくつかの miRNA サブタイプが ICU における ARDS の発症リスクに関与していること示した[24]．また ICU の敗血症患者を対象とした前向きランダム化試験では，miR-155 は敗血症性ショックの心筋障害にも関連している可能性が示された[25]．

20) Morrell ED, Wiedeman A, Long SA et al：Cytometry TOF identifies alveolar macrophage subtypes in acute respiratory distress syndrome. JCI Insight 3：e99281, 2018

21) Cao X, Zhang C, Zhang X et al：MiR-145 negatively regulates TGFBR2 signaling responsible for sepsis-induced acute lung injury. Biomed Pharmacother 111：852-858, 2019

22) Yang J, Chen Y, Jiang K et al：MicroRNA-106a provides negative feedback regulation in lipopolysaccharide-induced inflammation by targeting TLR4. Int J Biol Sci 15：2308-2319, 2019

23) Mann M, Mehta A, Zhao JL et al：An NF-κB-microRNA regulatory network tunes macrophage inflammatory responses. Nat Commun 8：851, 2017

24) Zhu Z, Liang L, Zhang R et al：Whole blood microRNA markers are associated with acute respiratory distress syndrome. Intensive Care Med Exp 5：38, 2017

25) Vasques-Nóvoa F, Laundos TL, Cerqueira RJ et al：MicroRNA-155 amplifies Nitric Oxide/cGMP signaling and impairs vascular angiotensin ii reactivity in septic shock. Crit Care Med 46：e945-e954, 2018

miRNA は現在も多くの基礎・臨床研究が進められており，これらは敗血症の病態進行メカニズムを根本的に解明するのみならず，次世代のバイオマーカーを確立する礎となる可能性がある．

まとめ

以上，集中治療領域のバイオマーカーの有用性について，現状と今後の方向性を概説した．技術の進歩に伴い，バイオマーカーの種類やその意義は多様化している．今後も優れたデザインの基礎・臨床研究を進めるとともに，国内外のエビデンスに注視し，これらのマーカーを用いた治療戦略を確立させる必要がある．

Ⅱ. 集中治療における検査・技術

8. 低体温療法・体温管理療法，中枢神経保護・再生療法

櫻井　淳，木下浩作
日本大学医学部 救急医学系救急集中治療医学分野

最近の動向とガイドライン

心停止蘇生後の体温管理療法（targeted temperature management：TTM）は，常温と低体温では転帰の差がないという2013年の報告から，小児ではどうか，蘇生時の条件で分けてみたらどうか，温度帯を変えてみたらどうかといった検討が行われてきている．non-shockable rhythm症例で低体温群の方が神経学的転帰良好であるというフランスからの報告は，心停止後脳障害のTTMの意義を考えるためには非常に重要である．心停止中の低体温導入療法の無作為多施設検討のPRINCESS trialでは転帰改善の有効性を示すことはできなかったが，shockable rhythm症例での脳機能カテゴリー（cerebral performance category：CPC）1の症例の増加はあったと報告された．頭部外傷で頭蓋内圧コントロールのための低体温療法の検討であるEurotherm3235では，低体温療法により転帰を悪化させ重大な合併症を増加させると報告された．頭部外傷に対する低体温療法を有効とするためには，ゆっくりとした復温が必要である可能性が報告された．デキスメデトミジンの術後での認知機能改善の報告がなされた．G-CSF投与により脊髄損傷慢性期の神経学的改善がみられたと報告された．Induced pluripotent stem cell（iPS細胞）のパーキンソン症候群に対する脳移植の治験が開始された．

心停止蘇生後に対するTTM

Nielsenらによる2013年に発表された，院外心停止蘇生後症例で昏睡が続く症例での体温管理療法で，33℃と36℃の体温管理で生命予後も神経学的な転帰にも差がなかったという論文は大きなインパクトを与えた[1]．この後，小児での院外心停止症例での検討が，MolerらによりTHAPCA（Therapeutic hypothermia after Pediatric Cardiac Arrest）trialとして2015年に行われ，33℃の低体温管理と正常体温管理（36.8℃）では神経学的な転帰に差異はなく[2]，2017年には院内心停止[3]でも同様な結果であったことが報告された．2018年には，これらの小児に対する院外，院内心停止の2つの検討を合わせて解析するpooled data analysisが報告された[4]．この解析方法は2つの論文を同時に解析することにより統計のパワーを上げることを目的とした二次解析であり，院外，院内心停止も全脳虚血としては大きく変わらないであろうとい

1) Nielsen N, Wetterslev J, Cronberg T et al：Targeted temperature management at 33℃ versus 36℃ after cardiac arrest. N Engl J Med 369：2197-2206, 2013
2) Moler FW, Silverstein FS, Holubkov R et al：Therapeutic hypothermia after out-of-hospital cardiac arrest in children. N Engl J Med 372：1898-1908, 2015
3) Moler FW, Silverstein FS, Holubkov R et al：Therapeutic hypothermia after in-hospital cardiac arrest in children. N Engl J Med 376：318-329, 2017
4) Scholefield BR, Silverstein FS, Telford R et al：Therapeutic hypothermia after paediatric cardiac arrest：pooled randomized controlled trials. Resuscitation 133：101-107, 2018

う前提のもとに行われている．2つの論文で，生後48時間～18歳までの症例で，心停止により2分以上胸骨圧迫と蘇生後に人工呼吸管理を行われた症例が対象とされた．低体温群（321例）は33℃で48時間維持され，16時間で復温を行い，その後36.8℃で維持され，すべての時間を合わせて120時間とし，正常体温群（303例）は36.8℃で120時間のTTMとした．結果では，神経学的転帰良好は低体温群28%，正常体温群26%，死亡例はそれぞれ56%，63%で，転帰に有意差を認めなかった．**統計学的にパワーを上げて解析しても，小児心停止蘇生後でTTMの目標温度として低体温としても，正常体温との有効性に差はないという報告であった．**

　日本救急医学会関東地方会が行っている，院外心停止症例に対するレジストリー研究としてSOS-KANTOがあり，SOS-KANTO 2012としてのデータベースからさまざまな検討が行われた．Yoshidaらは院外心停止症例で救急隊着時にnon-shockable rhythmであった症例を対象として，低体温療法の有効性を検討している[5]．SOS-KANTO 2012の16,452例より，18歳以上，救急隊着時に心停止，non-shockable rhythm，蘇生に体外循環を使用していないという条件の241例を検討している．49例が低体温療法を施行しており，施行群では1ヵ月後，3ヵ月後の生存率や3ヵ月後の神経学的転帰良好例が非施行群に比して有意に良く（それぞれ46%と19%，35%と12%，20%と7%），低体温施行が多重ロジスティック解析で独立して転帰良好と関連していた〔オッズ比（OR）：3.87，95%信頼区間（CI）：1.45～10.32，$p = 0.006$〕と報告している．今回，心停止のnon-shockable rhythm症例で低体温療法の有効性の多施設無作為検討が，フランスのLascarrouらにより報告された[6]．院外，院内問わずnon-shockable rhythmの心停止であり，18歳以上で集中治療室入室時昏睡であった症例を対象としていた．低体温群は33℃で24時間維持した後に0.25～0.5℃/hrで復温を行った．その後36.5℃～37.5℃で24時間維持した．正常体温群は36.5℃～37.5℃で48時間維持された．低体温群（284例）は正常体温群（297例）に比して有意に神経学的転帰が良好であったが（10.2%と5.7%），死亡率に有意差は認めなかった．**non-shockable rhythm症例でのTTMは低体温とした方が脳保護となるという結論である．**以前より，低体温療法が有効な神経学的重症度はどの程度かが話題となっていた．non-shockable rhythmはshockable rhythmに比して神経学的転帰は不良であり，心停止後脳障害が重度であると考えられてきた．non-shockable rhythm群で低体温療法が有効であるということは，**比較的重度の脳障害に対し，心停止蘇生後の低体温療法は脳保護作用を発揮している可能性を示唆している．**また，多くのレジストリー研究で有効であった治療法が多施設無作為検討で否定される場合が多いが，今回結果が一致したことは，レジストリー研究が盛んである本邦の研究者にとって感慨深いものがある．

5) Yoshida M, Yoshida T, Masui Y et al：Association between therapeutic hypothermia and outcomes in patients with non-shockable out-of-hospital cardiac arrest developed after emergency medical service arrival（SOS-KANTO 2012 Analysis Report）. Neurocrit Care 30：429-439, 2019

6) Lascarrou JB, Merdji H, Le Gouge A et al：Targeted temperature management for cardiac arrest with nonshockable rhythm. N Engl J Med, 2019 Oct 2［Online ahead of print］

150 Ⅱ．集中治療における検査・技術

Hsu らは，縊首による心停止に関し TTM が有効かを，多施設で後方視的に検討している[7]．175 例の縊首による心停止症例で，TTM 群（81 例）が非 TTM 群（94 例）に比して生存率（24.7％と 39.4％）や神経学的転帰良好の率（19.8％と 37.2％）が悪かったと報告されている．ただ，入院時の Glasgow Coma Scale で補正すると有意差は消えることより，より重症例に TTM が行われていたためとされている．**TTM 療法をレジストリーや後方視的研究を行う際には，交絡因子に関し注意深く検討する必要がある．**

日本救急医学会が主導した院外心停止レジストリーとして Japanese Association for Acute Medicine（JAAM）-Out-of-hospital cardiac arrest（OHCA）study があり，日本全国の救命センターにより入力されたデータにより多くの検討が行われている．Irisawa らは，院外心停止蘇生後の TTM での温度管理目標が 33℃ から 36℃ の各温度帯においての転帰に関し，検討を行っている[8]．13,491 例の院外心停止のデータより，成人で TTM が行われた 738 例の検討を行い，神経学的転帰良好例は 33℃（23 例），34℃（552 例），35℃（38 例），36℃（125 例）においてそれぞれ 30.4％，31.7％，28.9％，30.4％と有意差を認めず，多重ロジスティック解析でも 34℃ の温度帯に比して高い神経学的転帰良好との関連を示した群はないと報告している．現在，TTM の温度帯を変えた多施設無作為検討がいくつか行われている．Pilot 研究の報告としてスペインから，院外心停止で shockable rhythm の成人症例で 32℃，33℃，34℃ での 24 時間の TTM を行う FROST-I（Finding the Optimal Cooling Temperature after Out-of-Hospital Cardiac Arrest I）研究が報告され[9]，報告時点で 150 例のエントリーがあり，この時点では神経学的転帰に有意差はないが，今後の検討が待たれる．24 時間に比して 48 時間という，より長時間の TTM でも転帰に有意差は無いという報告もみられる[10]．

現在は，**心停止蘇生後症例には TTM は必須であることに異論はなく，TTM の適応症例，最適維持時間，症例に合わせた最適温度帯といった検討が今後進み，標準的な治療法として確立していく過程であると考えられる．2020 年には日本蘇生協会から心肺蘇生法のガイドラインが出される．TTM に関してどのような推奨がなされるか注目される．**

▶ 心停止蘇生後で TTM 中の転帰予測

心停止蘇生直後は一時的に脳機能が停止し，時間と共に回復する．脳障害が強い場合は元には戻らず，軽度の記憶障害から脳死までさまざまな後遺症を残す．ただ，蘇生直後に脳障害の強さを測定する手段がなかったため，蘇生の条件と蘇生直後の意識状態で脳障害の程度を判断していた．このため，脳機能による TTM の適応判断は開始時に意識がある（従命反応がある）といった，脳障害が少ないため TTM の必要がないと予測される除外基準のみであった．脳

7) Hsu CH, Haac BE, Drake M et al：EAST Multicenter Trial on targeted temperature management for hanging-induced cardiac arrest. J Trauma Acute Care Surg 85：37-47, 2018

8) Irisawa T, Matsuyama T, Iwami T et al：The effect of different target temperatures in targeted temperature management on neurologically favorable outcome after out-of-hospital cardiac arrest：a nationwide multicenter observational study in Japan（the JAAM-OHCA registry）. Resuscitation 133：82-87, 2018

9) Lopez-de-Sa E, Juarez M, Armada E et al：A multicentre randomized pilot trial on the effectiveness of different levels of cooling in comatose survivors of out-of-hospital cardiac arrest：the FROST-I trial. Intensive Care Med 44：1807-1815, 2018

10) Kirkegaard H, Søreide E, de Haas I et al：Targeted temperature management for 48 vs 24 hours and neurologic outcome after out-of-hospital cardiac arrest：a randomized clinical trial. JAMA 318：341-350, 2017

機能による TTM 適応の判断は，心停止蘇生後の早い段階から行われる必要がある．

　近年，瞳孔記録計で定量的に瞳孔径を検討して脳機能を評価する方法により，心停止蘇生後の TTM 導入といった蘇生後の早い時期での転帰予測の可能性が示唆されている．Tamura らは自動定量的瞳孔記録計を用いて，心停止蘇生後 0，6，12，24，48，72 時間で対光反射の反応を評価して，蘇生直後（0時間）で 90 日後の生存率や神経学的転帰良好を最もよく予測したと報告している[11]．Riker らは，TTM 施行症例で 6 時間以内に自動定量的瞳孔記録計で反応がみられなかった症例は全例死亡したと報告している[12]．**対光反射が脳幹機能を反映していると考えると，心停止蘇生後で早期から脳幹機能が消失する症例は転帰不良であると考えられる．また，脳機能により TTM の適応が決定できる可能性を示唆している．**

　集中治療室で持続的に脳波や局所脳酸素飽和度（regional oxygen saturation：rSO_2）を測定する神経モニタリングが施行されるようになってきている．Ihara らは，心停止蘇生後の TTM 中に Amplitude-integrated electroencephalography（aEEG）と rSO_2 を同時に測定した検討を報告している[13]．脳波異常の有無で rSO_2 の値に有意差はみられなかったが，異常脳波がある症例では正常脳波群に比して rSO_2 の値のばらつきが大きいこと，それは脳波異常が強い症例は脳障害が強く，血圧に対する脳血流の自動調節能が障害されているためではないかと考察している．**脳循環代謝に関わる神経モニタリングでは，脳障害の病態を理解した上で解釈する必要がある．**

心停止中の冷却療法

　心停止の脳障害は全脳虚血であり，グルタミン酸の過剰放出による脳障害が起こると考えられる．しかし，グルタミン酸の脳内放出は心停止中に起こり蘇生後は速やかに低下してしまうため，蘇生後の低体温ではこの脳障害を抑えることはできない[14]．よって，心停止中の低体温導入が心停止の脳障害の軽減には有効であることは確実であると考えられた．2010 年に Castren らにより，鼻腔を冷却する RhinoChill®という装置で心停止中に低体温を行う多施設無作為検討である PRINCE（Pre-ROSC Intra Nasal Cooling Effectiveness）trial が行われた[15]．結果は残念ながら無効であったが，サブグループ解析により，蘇生開始が心停止 10 分以内であれば転帰改善が望めるという報告であった．この検討の続きとして，PRINCESS trial が Nordberg らにより報告された[16]．671 例での検討で，34℃までの到達時間は処置群（337 例）が 105 分，コントロール群（334 例）が 182 分で有意に処置群が早かったが，3 ヵ月後の転帰良好例（CPC 1，2）は処置群 16.6％，コントロール群 13.5％であり有意差は認められなかった．サブグループ解析として shockable rhythm で CPC 1 の症例

11) Tamura T, Namiki J, Sugawara Y et al：Quantitative assessment of pupillary light reflex for early prediction of outcomes after out-of-hospital cardiac arrest：a multicentre prospective observational study. Resuscitation 131：108-113, 2018

12) Riker RR, Sawyer ME, Fischman VG et al：Neurological pupil index and pupillary light reflex by pupillometry predict outcome early after cardiac arrest. Neurocrit Care, 2019 May 8 [Online ahead of print]

13) Ihara S, Sakurai A, Kinoshita K et al：Amplitude-Integrated Electroencephalography and Brain Oxygenation for Postcardiac Arrest Patients with Target Temperature Management. Ther Hypothermia Temp Manag 9：209-215, 2019

14) Takata K, Takeda Y, Sato T et al：Effects of hypothermia for a short period on histologic outcome and extracellular glutamate concentration during and after cardiac arrest in rats. Crit Care Med 33：1340-1345, 2005

15) Castrén M, Nordberg P, Svensson L et al：Intra-arrest transnasal evaporative cooling：a randomized, prehospital, multicenter study（PRINCE：Pre-ROSC IntraNasal Cooling Effectiveness）. Circulation 122：729-736, 2010

16) Nordberg P, Taccone FS, Truhlar A et al：Effect of trans-nasal evaporative intra-arrest cooling on functional neurologic outcome in out-of-hospital cardiac arrest：the PRINCESS randomized clinical trial. JAMA 321：1677-1685, 2019

に限ってみると処置群が32.6％，非処置群が10.5％であった．**本検討の結果は効果なしであるが，心停止の脳障害でどの重症度にこの処置が有効かといった議論において，CPC 2の症例をCPC 1に変化させる効果がある可能性が示唆された．**

頭部外傷に対する低体温療法

　脳は硬い頭蓋に覆われているため，intra-cranial pressure（ICP）が上昇すると死に至るため，頭部疾患は，ICPが上昇した際にはコントロールする必要がある．頭部外傷では，その手段の一つとして低体温療法が有効ではないかと考えられてきた．その仮説を検証するための多施設無作為検討として，Eurotherm3235が報告された[17]．頭部外傷の成人でICP ＞ 20 mmHgとなった症例を対象に，35℃から開始しICP ＜ 20 mmHgとなるまで32℃で順次冷却し48時間維持した低体温群（195例）と，体温管理を行わず通常の管理をした標準管理群（192例）で検討を行った結果，死亡例も転帰不良例も低体温群のほうが多かったという結果であった（Glasgow Outcome Scale-ExtendedのOR：1.54，95％ CI：1.03 to 2.31）．また，重大な合併症も低体温群に多くみられた．**頭部外傷でICPが上昇した症例で低体温療法を導入すると，転帰が悪化し合併症も多いという報告である．**

　日本での頭部外傷に対する低体温療法の有効性の検討として The Brain Hypothermia（B-HYPO）があった[18]．結果として低体温療法の有効性は認められなかったが，この検討のデータを用いて，その後多くの解析が行われた．その中の一つとしてKanekoらが，重症頭部外傷症例で evacuated hematoma がある症例では，ゆっくりとした復温を行えば神経学的な転帰を改善することを報告している[19]．B-HYPOの症例中で evacuated hematoma がある42例で検討した結果は，48時間以上かけての復温での転帰良好例は65％であるが，48時間以下では22％であり有意に転帰良好例が多かった．**頭部外傷後の低体温療法の復温時に脳腫脹をきたす症例は多くみられるため，転帰改善の鍵が復温速度であることは納得できる結果である．**

　現時点での本邦のガイドラインでは，低体温療法は若年者の evacuated mass lesion に対しては考慮しても良いが，びまん性脳損傷に対しては行うことは推奨されないこと[20]，**頭蓋内圧が22 mmHg以上で推移している場合は頭部CTの再検を行い，必要があれば考慮しても良いとなっている**[21]．

デキスメデトミジンの脳保護作用

　近年，周術期合併症として術後認知機能障害（postoperative cognitive dysfunction：POCD）が注目を集めている．これは術後高次脳機能障害とも呼ばれ，記憶障害，失語，失行，失認などが，特に高齢者を中心に起こり問題

17）Andrews PJ, Sinclair HL, Rodríguez A et al：Therapeutic hypothermia to reduce intracranial pressure after traumatic brain injury：the Eurotherm3235 RCT. Health Technol Assess 22：1-134, 2018

18）Maekawa T, Yamashita S, Nagao S et al：Prolonged mild therapeutic hypothermia versus fever control with tight hemodynamic monitoring and slow rewarming in patients with severe traumatic brain injury：a randomized controlled trial. J Neurotrauma 32：422-429, 2015

19）Kaneko T, Fujita M, Yamashita S et al：Slow rewarming improved the neurological outcomes of prolonged mild therapeutic hypothermia in patients with severe traumatic brain injury and an evacuated hematoma. Sci Rep 8：11630, 2018

20）黒田泰弘，鈴木倫保：低体温療法（脳低温療法）．頭部外傷治療・管理のガイドライン作成委員会 編：頭部外傷治療・管理のガイドライン第4版．医学書院, pp84-88, 2019

21）大谷直樹，松前光紀：頭蓋内圧亢進の治療手順．頭部外傷治療・管理のガイドライン作成委員会 編：頭部外傷治療・管理のガイドライン第4版．医学書院, pp88-92, 2019

となっている．これは，近年話題となっている集中治療後症候群（post intensive care syndrome：PICS）における脳障害とも関連があると考えられる．**高齢者に対し侵襲後に脳機能不全が起こることは，これからの高齢化社会においては重大な問題であり，その解決法に関しての検討は重要な課題であると考えられた**．以前よりデキスメデトミジンがせん妄に有効ではないかといわれてきたが，術後認知機能障害に対する検討も行われている．Cheng らの消化管の開腹術での麻酔中にデキスメデトミジンの認知障害や脳障害に関する二重盲検多施設無作為検討の報告がある[22]．術中にデキスメデトミジンを投与した群（269 例）はプラセボ群（266 例）に比して，認知機能障害をきたした例が術後 3 日（14.9％と 24.4％），7 日（11.5％と 18.4％），1 ヵ月（16.8％と 24.6％）でそれぞれ有意に少なかったと報告した．現在，60 歳以上の冠血管バイパス手術後の症例でデキスメデトミジンによる睡眠導入が術後せん妄を抑えるかといった Minimizing ICU Neurological Dysfunction with Dexmedetomidine induced Sleep（MINDDS）の臨床試験が行われており，結果が待たれる[23]．

Granulocyte-colony stimulating factor (G-CSF)，臍帯血細胞等の移植での中枢神経保護・蘇生

Granulocyte-colony stimulating factor（G-CSF）の慢性期での脊髄損傷症例投与に対する，多施設二重盲検無作為での第Ⅲ相の検討がイランから報告された[24]．受傷より少なくとも 6 ヵ月後経過した時点で G-CSF 投与群（56 例）とプラセボ群で比較したところ，プラセボ群（58 例）では全く変化がみられなかったが，G-SCF 群では数例の臨床的改善がみられ，運動，感覚のスコアが有意に改善したとのことであった．脊髄損傷では，本邦で札幌医科大学の Honmou らにより骨髄間葉系幹細胞の治療が承認され行われており[25]，症例の蓄積による報告が待たれる．**脊髄損傷の神経学的予後の改善のための治療として従来はリハビリのみであったが，それを改善させる可能性のある治療法が出てきたことは注目に値する**．今後のさらなる検討が望まれる．

Induced pluripotent stem cell (iPS 細胞) と脳の治療

iPS 細胞は，体細胞へ数種類の遺伝子を導入することにより，数多くの細胞に分化できる分化万能性（pluripotency）と，分裂増殖を経てもそれを維持できる自己複製能を持たせた細胞のことであり，再生治療への応用に対し期待が持たれている．脳障害に対する iPS 細胞の再生治療としては，京都大学でパーキンソン病に対し iPS 細胞で作られたドパミン前駆細胞の脳内移植の検討が臨床的に開始された[26]．**脳での移植再生治療が iPS 細胞で開始されたことは感**

22) Cheng XQ, Mei B, Zuo YM et al：A multicentre randomised controlled trial of the effect of intra-operative dexmedetomidine on cognitive decline after surgery. Anaesthesia 74：741-750, 2019

23) Shelton KT, Qu J, Bilotta F et al：Minimizing ICU Neurological Dysfunction with Dexmedetomidine-induced Sleep（MINDDS）：protocol for a randomised, double-blind, parallel-arm, placebo-controlled trial. BMJ Open 8：e020316, 2018

24) Derakhshanrad N, Saberi H, Yekaninejad MS et al：Granulocyte-colony stimulating factor administration for neurological improvement in patients with postrehabilitation chronic incomplete traumatic spinal cord injuries：a double-blind randomized controlled clinical trial. J Neurosurg Spine 29：97-107, 2018

25) 脊髄損傷に対する再生医療等製品「ステミラック注」を用いた診療について．2019. https://web.sapmed.ac.jp/hospital/topics/news/stemirac.html

26) 'Reprogrammed' stem cells implanted into patient with Parkinson's disease 2018. https://www.nature.com/articles/d41586-018-07407-9

慨深く，この治療法が成功すればいずれ多くの脳再生治療に繋がっていくことが期待される．

　また，iPS細胞は再生医療のみならず，iPS細胞を特定の細胞へ分化誘導して病変組織細胞とし，それを用いてさまざまな検討を行うことが可能となってきた．iPS細胞を3Dバイオプリントし分化誘導することにより，神経組織を構築する報告がある[27]．iPS細胞により脳の病態を再構築し検討できる可能性を示唆している．

27) Gu Q, Tomaskovic-Crook E, Wallace GG et al：3D bioprinting human induced pluripotent stem cell constructs for in situ cell proliferation and successive multilineage differentiation. Adv Healthc Mater 6：1700175, 2017

Ⅱ. 集中治療における検査・技術

9. 気道確保・気道確保困難症

浅井 隆
獨協医科大学埼玉医療センター 麻酔科

最近の動向

- 集中治療室，救命センター，病棟における気道確保は，手術室内での気道確保に比べより困難で，低酸素血症などの重篤な合併症を伴う危険性が高い．
- 心肺蘇生時にどの気道確保法が最適かはいまだ不明で，予後への影響も不明である．
- ビデオ喉頭鏡は理論的に気管挿管に有用であるが，集中治療室および院外における有用性を支持するエビデンスはない．
- 高流量鼻カニューラ酸素療法は，成人における気管挿管時の低酸素血症の抑制に有用であるが，小児における有用性は不明である．

ガイドライン

集中治療室における気道確保に関するガイドラインが策定された[1]．このガイドラインは，全身麻酔を受ける患者での気管挿管に比べ，集中治療室の患者での気管挿管は合併症の発生頻度がより高いことを指摘し，そのため集中治療室における気管挿管をより注意深く行うことを推奨している．集中治療室の患者は呼吸不全になっている者が多く，循環状態も不安定となっていることが多いため，ガイドラインは，主に気管挿管後の低酸素血症と，迅速導入による循環不全を防ぐ方策を示している．また，酸素化に関しては，経鼻高流量酸素投与の使用などが推奨されている．

気道確保に関連する合併症

集中治療室において気管挿管が施行された症例で，気管チューブの抜去後の気道への損傷に関するシステマティックレビュー[2]によると，気道損傷が認められたのは83%と高頻度であった．主な気道損傷として，発声障害，咽頭痛，嗄声，嚥下障害があげられた．現在，集中治療室における気管挿管後の気道への損傷の評価法やその実態についてのガイドラインは存在しない．しかし，気管挿管後の気道への損傷の頻度は高いため，これらの対策法を策定する必要が

1) Myatra SN, Ahmed SM, Kundra P et al：All India Difficult Airway Association 2016 guidelines for tracheal intubation in the intensive care unit. Indian J Crit Care Med 21：146-153, 2017

2) Brodsky MB, Levy MJ, Jedlanek E et al：Laryngeal injury and upper airway symptoms after oral endotracheal intubation with mechanical ventilation during critical care：a systematic review. Crit Care Med 46：2010-2017, 2018

あろう.

　集中治療を要する患者における気管挿管時に, 低酸素血症になりやすい. 例えば, 急性呼吸障害を起こした小児において, 高度気道確保（気管挿管, 声門上器具の挿入, あるいは気管切開, 輪状甲状間膜穿刺・切開）が必要となった症例の研究[3]では, 気道確保が1回でできなかった症例では, 1回でできた症例に比べ, 心肺停止となった頻度は有意に高かった〔オッズ比（OR）:1.8〕.

　また, 集中治療室における小児での気管挿管時の低酸素血症の発生に関する後ろ向きコホート研究[4]によると, 気管挿管時に中等度の低酸素血症（動脈血中酸素飽和度＜80％）は19％で, 重度の低酸素血症（＜70％）は13％で発生した. 心臓血管系障害の発生頻度は, 低酸素血症を起こさなかった症例に比べ, 中等度の低酸素血症を起こした症例で有意に高く（OR:1.83）, また重度の低酸素血症を起こした症例で有意に高かった（OR:2.16）.

　危険因子として, 低酸素血症を伴う呼吸不全, 挿管時点の低酸素血症, 若年, 肥満, 白人, 挿管実施者の未熟な経験, などがあげられた[5].

　気管チューブのカフが円錐状のカフは, 従来のカフに比べ, 誤嚥の危険性を低下させられる, といわれている. それを確認するシステマティックレビュー[6]は, 集中治療室の患者あるいは術後の患者における誤嚥性肺炎の発生頻度は, 2種類のカフ間で有意な差がない〔オッズ比の95％信頼区間（CI）:0.73〜1.28〕と結論づけた.

　気管チューブの抜去後の嚥下障害の頻度と危険因子を調査した研究[7]によると, 抜管後24時間以内に嚥下障害を起こした症例は約18％であった. 嚥下障害があった症例はなかった症例に比べ, 経腸栄養チューブの挿入期間, 人工呼吸使用期間, 集中治療室収容期間, 死亡率が有意に高かった. 嚥下障害を認めた患者における90日以内の死亡率の危険度は, 嚥下障害を認めなかった患者に比べ3.7倍であった.

▶ 院外の気道確保法

　心肺停止症例において, 気管挿管と声門上器具との有用性を比較した観察研究[8]によると, 声門上器具を1回で挿入し得た頻度は, 気管挿管に比べて有意に高かった. また気管挿管の成功率は, 成人は小児に比べて有意に高かった（73％対59％, OR:1.80）が, 声門上器具の成功率は, 成人と小児間で有意な差はなかった（90％対85％, オッズ比の95％CI:0.70〜3.31）.

　心肺蘇生中の気管挿管と声門上器具の有用性を比較したクラスター・ランダム化研究[9]によると, 入院30日後の予後に有意差はなかった（6.8％対6.4％）. また, 同様のシステマティックレビュー[10]によると, 気管挿管は声門上器具に比べて, より高頻度に循環が回復し（OR:1.44）, 病院への搬送時に生存していた頻度が高かった（OR:1.4）が, 退院時の神経系の回復度には有

3) Stinson HR, Srinivasan V, Topjian AA et al：Failure of invasive airway placement on the first attempt is associated with progression to cardiac arrest in pediatric acute respiratory compromise. Pediatr Crit Care Med 19：9-16, 2018

4) Li S, Hsieh TC, Rehder KJ et al：Frequency of desaturation and association with hemodynamic adverse events during tracheal intubations in PICUs. Pediatr Crit Care Med 19：e41-e50, 2018

5) McKown AC, Casey JD, Russell DW et al：Risk factors for and prediction of hypoxemia during tracheal intubation of critically ill adults. Ann Am Thorac Soc 15：1320-1327, 2018

6) Maertens B, Blot K, Blot S：Prevention of ventilator-associated and early postoperative pneumonia through tapered endotracheal tube cuffs：a systematic review and meta-analysis of randomized controlled trials. Crit Care Med 46：316-323, 2018

7) Schefold JC, Berger D, Zürcher P et al：Dysphagia in mechanically ventilated ICU patients（DYnAMICS）：a prospective observational trial. Crit Care Med 45：2061-2069, 2017

8) Jarvis JL, Wampler D, Wang HE：Association of patient age with first pass success in out-of-hospital advanced airway management. Resuscitation 141：136-143, 2019

9) Benger JR, Kirby K, Black S et al：Effect of a strategy of a supraglottic airway device vs tracheal intubation during out-of-hospital cardiac arrest on functional outcome：the AIRWAYS-2 randomized clinical trial. JAMA 320：779-791, 2018

10) White L, Melhuish T, Holyoak R et al：Advanced airway management in out of hospital cardiac arrest：a systematic review and meta-analysis. Am J Emerg Med 36：2298-2306, 2018

意な差はなかった．一方，ラリンジアルチューブと気管挿管の有用性を比較したクラスター・ランダム化研究[11]は，前者は後者に比べ，72時間後の生存率が有意に高かった（18.3%対15.4%，差の95% CI：0.2%〜5.6%）と報告している．

気管挿管とバッグ・バルブ・マスクをランダム化比較した研究[12]では，28日後に良好な神経回復をした頻度は，両者で有意な差は認められなかった（4.3%対4.2%）．

院外の心停止症例における気道確保法の性能，予後を比較したシステマティックレビュー[13]によると，メタ分析を施行するには研究の量と質が不十分であり，どの器具（マスク，声門上器具，気管挿管）が適切であるかの結論は出せない，という結果であった．

▶ 出生時の蘇生

出生時の無呼吸症例に対する蘇生法に関するコクラン共同研究によるシステマティックレビュー[14]は，ラリンジアルマスクはバッグ・バルブ・マスクの使用に比べ，陽圧換気を要する時間，および蘇生に要する時間は有意に短く，気管挿管あるいは集中治療室への移動が必要となる頻度も有意に低いため，出生児の蘇生時の気道確保法として声門上器具が有用であると結論づけた．

▶ 適切な気道確保法

経口エアウェイの適切なサイズに関する後方視観察研究[15]によると，成人男性においては，サイズ7および8では常に気道閉塞が起きた．サイズ10および11ではエアウェイの先端が喉頭蓋を超えた頻度が高かった．成人女性においては，サイズ7では50%の症例において気道閉塞が起き，サイズ9以上ではエアウェイの先端がしばしば喉頭蓋に接触していた．これらのことから，成人男性ではサイズ9，成人女性ではサイズ8を推奨している．

集中治療室における気管挿管時の体位に関するランダム化研究[16]によると，上半身挙上状態により，喉頭展開および気管挿管は有意に困難で，1回で気管挿管できた頻度も有意に低くなった．一方，院外でのパラメディックスタッフによる気管挿管の成功率を調べた後ろ向き研究[17]は，斜位の方が仰臥位に比べ，気管挿管が1回で成功した頻度は有意に高かったと報告されている．

小児における全身麻酔の導入時以外の気管挿管時に，前頸部の圧迫により喉頭展開が容易となるか否かについてのランダム化比較研究結果と同等とされる傾向スコア分析[18]によると，前頸部圧迫ありは，圧迫なしに比べ，気管挿管が1回で成功した頻度が有意に低くなった．これらの結果から，手術室外においては，小児において気管挿管を試みる場合，前頸部への圧迫をルーチンではしないのがよいと考えるべきであろう．

11) Wang HE, Schmicker RH, Daya MR et al：Effect of a strategy of initial laryngeal tube insertion vs endotracheal intubation on 72-hour survival in adults with out-of-hospital cardiac arrest：a randomized clinical trial. JAMA 320：769-778, 2018

12) Jabre P, Penaloza A, Pinero D et al：Effect of bag-mask ventilation vs endotracheal intubation during cardiopulmonary resuscitation on neurological outcome after out-of-hospital cardiorespiratory arrest：a randomized clinical trial. JAMA 319：779-787, 2018

13) Granfeldt A, Avis SR, Nicholson TC et al：Advanced airway management during adult cardiac arrest：a systematic review. Resuscitation 139：133-143, 2019

14) Qureshi MJ, Kumar M：Laryngeal mask airway versus bag-mask ventilation or endotracheal intubation for neonatal resuscitation. Cochrane Database Syst Rev 3：CD003314, 2018

15) Kim HJ, Kim SH, Min JY et al：Determination of the appropriate oropharyngeal airway size in adults：assessment using ventilation and an endoscopic view. Am J Emerg Med 35：1430-1434, 2017

16) Semler MW, Janz DR, Russell DW et al：A multicenter, randomized trial of ramped position vs sniffing position during endotracheal intubation of critically ill adults. Chest 152：712-722, 2017

17) Murphy DL, Rea TD, McCoy AM et al：Inclined position is associated with improved first pass success and laryngoscopic view in prehospital endotracheal intubations. Am J Emerg Med 37：937-941, 2019

18) Kojima T, Laverriere EK, Owen EB et al：Clinical impact of external laryngeal manipulation during laryngoscopy on tracheal intubation success in critically ill children. Pediatr Crit Care Med 19：106-114, 2018

158   Ⅱ．集中治療における検査・技術

挿管困難を予測する検査法の有用性に関するシステマティックレビュー[19]によると，予測法で最も信頼性の高かったのは上唇咬合検査のグレード 3，短い舌骨オトガイ距離，下顎後退症，および予測法を組み合わせた Wilson スコアで，マランパチ評価の信頼性は低かった．これまで，気道確保困難の術前評価の信頼性は高くないことが指摘されていたが，今回のメタ分析においても確認された．

救急センターにおいてマッキントッシュ喉頭鏡を用いた気管挿管時にガム・エラスティック・ブジーとスタイレットの有用性を比較した研究[20]によると，気管挿管が 1 回で成功した頻度は，ブジーはスタイレットに比較して有意に高かった（98％対 87％）．本邦であまり使用されていないブジーの使用も検討すべきであろう．

▶ 輪状軟骨部圧迫

小児集中治療室における気管挿管時の，輪状軟骨部圧迫の効果について調査した後ろ向きコホート研究[21]によると，輪状軟骨部の圧迫の有無により，誤嚥発生頻度に有意な差は認められなかった．後ろ向きコホート研究であることと，誤嚥の発生数が少ないため，偽陰性の可能性も否定できない．

▶ ビデオ喉頭鏡

病院外における気管挿管に，マッキントッシュ喉頭鏡あるいはマックグラス Mac ビデオ喉頭鏡を用いたときの挿管成功率を比較したランダム化比較研究[22]によると，2 回の施行以内に気管挿管が可能であったのはマッキントッシュ喉頭鏡で 98.5％，ビデオ喉頭鏡で 98.1％と有意な差はなかった．

集中治療室における気管挿管時のビデオ喉頭鏡の有用性に関するシステマティックレビュー[23]によると，ビデオ喉頭鏡は，マッキントッシュ喉頭鏡に比べ，声門の見え方は有意に優れていたが，気管挿管が 1 回で成功した頻度，挿管に要した時間，挿管困難の頻度，そして死亡率に関しては有意な差は認められなかった．これらの結果から，集中治療において，ビデオ喉頭鏡がマッキントッシュ喉頭鏡に比べ優れている，というエビデンスは認められなかった，と結論している．

救命センターおよび集中治療室におけるビデオ喉頭鏡（エアウェイスコープ，マックグラス MAC，キングビジョン）とマッキントッシュ喉頭鏡の間に違いがあるか否かの後ろ向きコホート研究[24]により，気管挿管の経験の少ない担当者による使用では，エアウェイスコープおよびマックグラス MAC はキングビジョンあるいはマッキントッシュ喉頭鏡に比べ，挿管成功率は有意に高かった．一方，挿管経験の多い者が使用した場合，器具間での有意な差は認められなかった．気管挿管の経験の少ない者にとってはマッキントッシュ喉頭鏡

19) Detsky ME, Jivraj N, Adhikari NK et al：Will This patient be difficult to intubate? the rational clinical examination systematic review. JAMA 321：493-503, 2019

20) Driver BE, Prekker ME, Klein LR et al：Effect of use of a bougie vs endotracheal tube and stylet on first-attempt intubation success among patients with difficult airways undergoing emergency intubation：a randomized clinical trial. JAMA 319：2179-2189, 2018

21) Kojima T, Harwayne-Gidansky I, Shenoi AN et al：Cricoid pressure during induction for tracheal intubation in critically ill children：a report from national emergency airway registry for children. Pediatr Crit Care Med 19：528-537, 2018

22) Kreutziger J, Hornung S, Harrer C et al：Comparing the McGrath Mac video laryngoscope and direct laryngoscopy for prehospital emergency intubation in air rescue patients：a multicenter, randomized, controlled trial. Crit Care Med 47：1362-1370, 2019

23) Huang HB, Peng JM, Xu B et al：Video laryngoscopy for endotracheal intubation of critically ill adults：a systemic review and meta-analysis. Chest 152：510-517, 2017

24) Suzuki K, Kusunoki S, Tanigawa K et al：Comparison of three video laryngoscopes and direct laryngoscopy for emergency endotracheal intubation：a retrospective cohort study. BMJ Open 9：e024927, 2019

集中治療医学レビュー　2020‑21

に比べ，ビデオ喉頭鏡の使用がより有用である．しかし，ビデオ喉頭鏡の種類により有用性に違いがあった．

院外での気管挿管時のビデオ喉頭鏡の有用性についてのシステマティックレビュー[25]は，対象とした研究間の異質性が大きいため，これらの研究を統合して比較することは不可能であったが，気管挿管が1回で可能であった頻度は，医師が施行した場合，ビデオ喉頭鏡はマッキントッシュ喉頭鏡に比べ有意に低かった〔リスク比（RR）：0.32〕．一方，医師でない者による気管挿管は，ビデオ喉頭鏡がマッキントッシュ喉頭鏡に比べ有意に高かった（RR：1.83）．院外の気管挿管を医師以外の者が施行する場合には，ビデオ喉頭鏡はマッキントッシュ喉頭鏡に比べてより有用であった．

▶ 無呼吸下酸素投与

院外や集中治療室における成人での気管挿管時の低酸素血症を防ぐための無呼吸下酸素流入の有用性について解析した1つのシステマティックレビュー[26]は，低酸素血症の発生頻度を有意に低下させる（RR：0.76），という結論を出し，もう1つのシステマティックレビュー[27]も，低酸素血症の発生頻度を30％減少し，死亡頻度も有意に低下させうると結論づけている．一方，小児における迅速導入後気管挿管時の有用性に関する後ろ向き観察研究[28]によると，鼻カニューラからの無呼吸酸素流入は低酸素血症の発生頻度を低下させなかった．小児における有用性に関しては，ランダム化比較研究が必要であろう．

▶ 気管切開

長期の気管挿管がされている症例において，経皮気管切開中の気道管理法として，声門上器具と気管挿管のどちらが有用かに関するコクラン共同研究システマティックレビュー[29]によると，対象となった研究のすべては質が低かったが，経皮気管切開に要した時間は声門上器具の方が気管チューブに比べ少し短いという利点があるが，声門上器具の中止が必要であったのは，気管挿管使用の中止が必要であった頻度に比べて有意に高かった（RR：2.82）．これらの限られた研究から，経皮気管切開中の気道確保は声門上器具が気管チューブと比較してより有用である，とのエビデンスは認められなかった．

病棟における経皮的拡張式気管切開術施行の安全性についての後ろ向き研究[30]によると，256症例のうち48人（19％）で，60の合併症が発生した．死亡，心肺停止，気道閉塞，気胸などの重度の合併症が70％（42/60）で発生した．著者らはこれらの結果から，病棟での経皮的拡張式気管切開術は安全であるとの結論を出しているが，重度の合併症の発生率は決して低いとはいえず，また発生した場合の対処が病棟で迅速に施行できるかどうかなど，今後の検討が必要であろう．

25) Savino PB, Reichelderfer S, Mercer MP et al：Direct versus video laryngoscopy for prehospital intubation：a systematic review and meta-analysis. Acad Emerg Med 24：1018-1026, 2017

26) Binks MJ, Holyoak RS, Melhuish TM et al：Apneic oxygenation during intubation in the emergency department and during retrieval：a systematic review and meta-analysis. Am J Emerg Med 35：1542-1546, 2017

27) Pavlov I, Medrano S, Weingart S：Apneic oxygenation reduces the incidence of hypoxemia during emergency intubation：a systematic review and meta-analysis. Am J Emerg Med 35：1184-1189, 2017

28) Overmann KM, Boyd SD, Zhang Y et al：Apneic oxygenation to prevent oxyhemoglobin desaturation during rapid sequence intubation in a pediatric emergency department. Am J Emerg Med 37：1416-1421, 2019

29) Strametz R, Bergold MN, Weberschock T：Laryngeal mask airway versus endotracheal tube for percutaneous dilatational tracheostomy in critically ill adults. Cochrane Database Syst Rev 11：CD009901, 2018

30) Cohen O, Shnipper R, Yosef L et al：Bedside percutaneous dilatational tracheostomy in patients outside the ICU：a single-center experience. J Crit Care 47：127-123, 2018

Ⅲ章 ICU 特有の 病態・合併症

1 人工呼吸器関連肺炎 ……………………………………… 162

2 ARDS の病態と治療 ……………………………………… 167

3 成人における心肺蘇生と心停止後症候群
（Post-Cardiac Arrest Syndrome）の管理 …………… 173

4 心不全の診断と治療 ……………………………………… 183

5 急性冠症候群の診断と治療 ……………………………… 188

6 不整脈の診断と治療 ……………………………………… 199

7 敗血症の診断と治療 ……………………………………… 205

8 PICS の病態と治療（含む ICU-AW）………………… 212

Ⅲ. ICU特有の病態・合併症

 ## 1. 人工呼吸器関連肺炎

妙中浩紀, 田中愛子, 藤野裕士
大阪大学医学部附属病院 集中治療部

最近の動向とガイドライン

人工呼吸器関連肺炎（ventilator associated pneumonia：VAP）は，ICU患者において頻度の高い合併症である．近年の予防バンドル導入により予後が改善してきているが，依然として死亡率は高い．診断に関してはさまざまな取り組みがなされているものの，ゴールドスタンダードとなる診断基準は存在せず，分子生物学的手法を用いた早期診断マーカーの開発と普及が模索されている．抗生剤の適正使用に関するエビデンスが蓄積されてきているが，重症患者では抗生剤を適切に使用しても死亡率が高く，抗生剤過剰使用や耐性菌出現の問題もある．そのため，早期診断と予防が最も大切である．VAP予防バンドル導入の大規模研究ではVAPの発症率，予後の改善が報告されており，予防バンドルの遵守が重要であることが改めて示されている．

VAPの定義と疫学

人工呼吸器関連肺炎は，気管挿管後48時間以降に発生する肺炎と定義される．喀痰の性状が変化すること，原因菌の検出ができることを特徴とし，院内感染肺炎の約半分を占める．人工呼吸器を装着している患者の9～27％で発生すると推定されており，集中治療患者において主要な院内感染症である[1,2]．発生頻度は人工呼吸器1,000日あたり1.2～8.5例であり，VAPの定義により異なる．VAP発生のリスクは，人工呼吸器開始後5日間において3％と最も高く，挿管からVAPの発症までの平均期間は3.3日である．このリスクは，人工呼吸開始後5～10日間では1日あたり2％に低下し，その後は1日あたり1％に低下する[2]．VAPの発生は，ICUで人工呼吸管理されている患者の予後に重大な影響をもたらし，予後悪化と滞在日数および医療費増加につながることは広く知られている．これまでの予防戦略により，死亡率は年々減少傾向であり，近年では8～13％と推定されている[3,4]．

VAP発生の危険因子は，男性，外傷，および中程度重症の基礎疾患と報告されており，それぞれオッズ比（OR）は1.58，1.75および1.47～1.70である[5]．基礎疾患の重症度は，根本的な死因にも大きく影響する[2]．また，フラ

1) Gutiérrez JMM, Borromeo AR, Dueño AL et al：Clinical epidemiology and outcomes of ventilator-associated pneumonia in critically ill adult patients：protocol for a large-scale systematic review and planned meta-analysis. Syst Rev 8：180, 2019
2) Kalanuria AA, Ziai W, Mirski M：Ventilator-associated pneumonia in the ICU. Crit Care 18：208, 2014
3) Wolkewitz M, Rücker G, Schumacher M：Changes in rates of ventilator-associated pneumonia. Jama 317：1580-1581, 2017
4) Wałaszek M, Różańska A, Wałaszek MZ et al：Epidemiology of ventilator-associated pneumonia, microbiological diagnostics and the length of antimicrobial treatment in the polish intensive care units in the years 2013-2015. BMC Infect Dis 18：308, 2018
5) Dananché C, Vanhems P, Machut A et al：Trends of incidence and risk factors of ventilator-associated pneumonia in elderly patients admitted to french ICUs between 2007 and 2014. Crit Care Med 46：869-877, 2018

ンスで2007年から14年にかけて行われた調査では，65歳未満ではVAPの発生率が経時的に減少していたが，75歳以上の高齢患者では減少していなかった．今後超高齢社会を迎えるにあたり，高齢者に焦点を当てた対策が必要となってくると考えられる[5]．

▶ 診 断

2017年に日本呼吸器学会が発表した成人肺炎診療ガイドライン2017[6]では，臨床所見（全身性炎症反応，酸素化の低下，画像検査上異常陰影の出現と持続，膿性気道分泌物）により，臨床的VAPを認めた場合に微生物学的診断（下気道の直接吸引，気管支肺胞洗浄，血液培養および胸水培養と下気道検体との一致）を行い診断すると記載されている．しかしながら，現時点で推奨されている臨床的な診断方法は，いずれも感度，特異性はさほど高くなく[7]，**VAPのゴールドスタンダードとなる診断基準は存在しない**．

毎日の胸部X線撮影とベッドサイドにおける評価は，VAPの有無を示唆するだけであり，VAPを診断することはできない．臨床的指標だけを用いたVAPの診断方法では，ICUでのVAPの約3分の1を見逃し，患者の半数以上を誤って診断する可能性がある．これは臨床診断基準の違い，観察者間の不一致によるものと考えられる．剖検におけるVAPの診断と臨床診断を比較した研究では，臨床診断では69％の感度と75％の特異性が示されている[8]．

VAPの診断のために以前から用いられてきた臨床的肺感染スコア（Clinical Pulmonary Infection Score：CPIS）は，臨床的，生理学的，微生物学的，放射線学的所見を数値化してVAPの有無を予測できるようになっている．スコアの範囲は0〜12で，スコアが6以上の場合，VAPが存在している可能性が高いとされている．CPISは普及しているにもかかわらず，診断の有効性に関する議論が続いている．VAPの診断におけるCPISの精度を評価するメタ解析では，CPISの感度は65％と特異度は64％であると報告した[9]．CPIS算出の観察者間変動は大きく，日常的な使用は注意が必要である．

明確な診断基準が存在しないことは，臨床診断，研究，予防戦略の設計に影響を及ぼす重要な問題であり，近年ではventilator associated events（VAE）という考えが導入され三層構造の診断基準が提唱された．人工呼吸に関連した呼吸機能の悪化を，人工呼吸器関連症状（ventilation-associated condition：VAC）と定義し，VACに感染／炎症の徴候（異常な体温または白血球数と新しい抗生物質の4日間以上の投与）が加わることにより，患者は「感染関連の人工呼吸器関連合併症（infection-related ventilation-associated condition：IVAC）」と定義される．さらに化膿性分泌物の存在（定量的グラム染色基準による）および病原菌が培養されることにより，患者は「VAPの可能性あり（possible VAP：PVAP）」として定義される．VAEの考え方は，呼吸状態の

6) 日本呼吸器学会成人肺炎診療ガイドライン2017作成委員会 編：成人市中肺炎ガイドライン2017．一般社団法人日本呼吸器学会，2017

7) Gunasekera P, Gratrix A：Ventilator-associated pneumonia. BJA Education 16：198-202, 2016

8) Klompas M：Does this patient have ventilator-associated pneumonia? JAMA 297：1583-1593, 2007

9) Shan J, Chen HL, Zhu JH：Diagnostic accuracy of clinical pulmonary infection score for ventilator-associated pneumonia：A meta-analysis. Respir Care 56：1087-1094, 2011

悪化を VAP によるものとそれ以外の原因によるものとを客観的に分ける試みであり，当初は VAE の考え方で診断された PVAP とこれまでの臨床基準や検査結果から診断された VAP とがよく適合しているとされていたが[10]，Ramirez らによる EUVAE study では，VAE の概念で診断した IVAC のうち，VAP は 57% しか認めず，VAP 以外の酸素化悪化の原因は主に無気肺であった．また，VAE の定義では VAP のうち 4 分の 1 が見逃されていた[11]．つまり，VAE の診断基準を用いると過剰治療や治療の遅延を生じるリスクがあり，注意して用いるべきである．

2016 年の American Thoracic Society（ATS）および Infectious Diseases Society of America（IDSA）によるガイドラインでは，培養および微生物的診断のために下気道検体の採取を推奨している[12]．検体採取方法としては，①気管内吸引，②気管支肺胞洗浄，③盲目的気管支肺胞洗浄，④標本擦過ブラシがあげられるが，近年の研究では検体の採取方法によって予後が変わらないことが示唆されており，気管内吸引などの非侵襲的な方法が推奨されている[13]．得られた標本はグラム染色，培養，感受性検査が行われ，その結果を踏まえて VAP の診断がなされる．しかし実際の臨床においては，培養に時間を要することや，必ずしも細菌が同定できないことで VAP の診断が遅れる場合も多い．

より正確かつ早期に VAP を診断することができれば予後改善につながる可能性があり，VAP 発症に関連する初期マーカーの同定が近年行われている．Emonet らは気管分泌物の分子分析により，VAP 患者では対照患者と比べて細菌 DNA 量が多い事を報告し，早期 VAP 診断マーカーとなりうることを示した[14]．Walter らは VAP が疑われる患者において，肺胞内好中球の欠如が高い陰性的中率を有していると報告した[15]．さらに Conway らは 16s リボゾーム RNA の PCR を用いた細菌の検出が VAP の診断に有用であったと報告した[16]．また，気管支肺胞洗浄液を用いて半定量分析を行うことで VAP の原因菌を特定する[17]試みや，αアミラーゼ濃度を測定することで VAP の診断補助となったとの報告もある[18]．

▶ 治 療

VAP の治療は抗生剤投与が根幹となり，ICU における抗生剤投与の半数が肺炎を含む呼吸器感染症に対して行われている[19]．VAP の起炎菌としては緑膿菌が最も多く，黄色ブドウ球菌がそれに次ぐ[2]．また，患者背景や治療期間により，多剤耐性菌による感染のリスクが増加する．これまで，挿管後早期（4 日以内）に発生する VAP は，通常は抗生剤に感受性のある病原体に起因する可能性が高く，遅発性（挿管 4 日後以降）に発生する VAP は多剤耐性菌によって引き起こされる可能性が高いとの報告が多くされていた．しかしながら

10) Bouadma L, Sonneville R, Garrouste-Orgeas M et al：Ventilator-associated events：prevalence, outcome, and relationship with ventilator-associated pneumonia. Crit Care Med 43：1798-1806, 2015

11) Ramírez-Estrada S, Lagunes L, Peña-López Y et al：Assessing predictive accuracy for outcomes of ventilator-associated events in an international cohort：The EUVAE study. Intensive Care Med 44：1212-1220, 2018

12) Kalil AC, Metersky ML, Klompas M et al：Management of adults with hospital-acquired and ventilator-associated pneumonia：2016 clinical practice guidelines by the infectious diseases society of america and the american thoracic society. Clin Infect Dis 63：e61-e111, 2016

13) Group CCCT：A randomized trial of diagnostic techniques for ventilator-associated pneumonia. N Eng J Med 355：2619-2630, 2006

14) Emonet S, Lazarevic V, Leemann Refondini C et al：Identification of respiratory microbiota markers in ventilator-associated pneumonia. Intensive Care Med 45：1082-1092, 2019

15) Walter JM, Ren Z, Yacoub T et al：Multidimensional assessment of the host response in mechanically ventilated patients with suspected pneumonia. Am J Respir Crit Care Med 199：1225-1237, 2019

16) Conway Morris A, Gadsby N, McKenna JP et al：16s pan-bacterial PCR can accurately identify patients with ventilator-associated pneumonia. Thorax 72：1046-1048, 2017

17) Yugueros-Marcos J, Barraud O, Iannello A et al：New molecular semi-quantification tool provides reliable microbiological evidence for pulmonary infection. Intensive Care Med 44：2302-2304, 2018

18) Samanta S, Poddar B, Azim A et al：Significance of mini bronchoalveolar lavage fluid amylase level in ventilator-associated pneumonia：a prospective observational study. Crit Care Med 46：71-78, 2018

19) 志馬伸朗：人工呼吸器関連肺炎と抗菌薬. 人工呼吸 35：162-168, 2018

近年では，世界的な多剤耐性菌増加の影響もあり，発症までの人工呼吸管理期間よりも入院期間（5日以上）[12]，VAPの重症度，各ICUの生態学的現況[20]が多剤耐性菌によるVAP感染のリスク因子と位置づけられている．

初期の抗生剤選択は院内肺炎の治療に沿い，グラム陰性桿菌群カバーを前提とした経験的治療が中心となる．この経験的治療の段階で，後で判明する細菌に対し適切に治療できたかどうかが，死亡または退院に関連しているとされている．患者背景を踏まえたうえで広域抗生剤から開始して，起炎菌が判明し全身状態が改善した段階で狭域の抗生剤にすること（de-escalation）が基本である[12]．LoechesらによるVAP症例のコホート研究では，適切な初期抗生剤治療を行うことで予後が改善したが，心不全を合併した全身状態不良の患者では改善しないことを示した[21]．特に重篤な症例においては，適切なVAP治療を行うのに十分な生存期間がない可能性があり，抗生剤の妥当性を評価することは難しい．同様に，VAPの診断後少なくとも数日間患者が生存している場合にのみ，標準的治療への変更が可能である．また，近年の研究では，初期の不適切な抗生剤治療がVAP治療の失敗や死亡率に関連していない報告もある．Sommerらは緑膿菌によるVAPに対する適切な初期治療が，治療が不十分な場合や遅延した場合と比べて，人工呼吸器離脱や生存退室などの予後に影響を与えるかを調査したが，予後に影響を与えない結果となった[22]．つまり，初期の適切な治療だけでは予後を改善しない可能性が示唆されてきており，**予防戦略とVAPの早期診断が何より重要**と考えられる．

また，経験的治療として投与される広域抗生剤の長期使用が，多剤耐性菌発生のリスクになる[23]ことは広く知られている．実際に，米国におけるカルバペネム耐性菌によるVAPの疫学と予後の調査では，カルバペネム耐性菌はVAPの12％に発生していた．カルバペネム耐性菌によるVAPは，死亡率に差はなかったものの病院滞在期間の延長，医療費の増大を認めた[24]．これらの弊害を避けるため，原因菌の培養結果や抗生剤の感受性，治療効果を総合的に判断して，できる限り早期にde-escalationを行うことは妥当である．しかしながら現状では培養が陰性となることも多く，結果として抗MRSA薬を含めた広域抗生剤の投与が長期化している．de-escalationを支持するエビデンスは少なく，Cowleyらは培養陰性の院内肺炎で抗MRSA薬の早期de-escalationは予後に影響を与えないことを示した[25]．

抗生剤投与期間は，2003年の大規模RCTで8日間と15日間で予後に差がないことが示され，ガイドラインでは7日間投与が推奨されている[12]．状態が安定しているVAPであれば3日間の抗生剤投与で良いと報告もある[26]．必要に応じ末梢気道の検体採取による定量的な細菌培養を行い，不要な抗生剤投与を短くするのが現在の流れである[12, 20]．

20) Torres A, Niederman MS, Chastre J et al：International ERS/ESICM/ESCMID/ALAT guidelines for the management of hospital-acquired pneumonia and ventilator-associated pneumonia：guidelines for the management of hospital-acquired pneumonia（HAP）/ventilator-associated pneumonia（VAP）of the european respiratory society（ERS），european society of intensive care medicine（ESICM），european society of clinical microbiology and infectious diseases（ESCMID）and asociacion latinoamericana del torax（ALAT）. Eur Respir J 50, 2017

21) Martin-Loeches I, Torres A, Povoa P et al：The association of cardiovascular failure with treatment for ventilator-associated lower respiratory tract infection. Intensive Care Med 12：1753-1762, 2019

22) Sommer H, Timsit JF, von Cube M et al：The impact of early adequate treatment on extubation and discharge alive of patients with pseudomonas aeruginosa-related ventilator-associated pneumonia. Crit Care Med 46：1643-1648, 2018

23) Teshome BF, Vouri SM, Hampton N et al：Duration of exposure to antipseudomonal beta-lactam antibiotics in the critically ill and development of new resistance. Pharmacotherapy 39：261-270, 2019

24) Zilberberg MD, Nathanson BH, Sulham K et al：A novel algorithm to analyze epidemiology and outcomes of carbapenem resistance among patients with hospital-acquired and ventilator-associated pneumonia：a retrospective cohort study. Chest 155：1119-1130, 2019

25) Cowley MC, Ritchie DJ, Hampton N et al：Outcomes associated with de-escalating therapy for methicillin-resistant staphylococcus aureus in culture-negative nosocomial pneumonia. Chest 155：53-59, 2019

26) Klompas M, Li L, Menchaca JT et al：Ultra-short-course antibiotics for patients with suspected ventilator-associated pneumonia but minimal and stable ventilator settings. Clin Infect Dis 64：870-876, 2017

予 防

VAP は死亡率が高く，その予防が重要で，わが国でも 2010 年に人工呼吸関連肺炎予防バンドル[27] が提唱されて以来，広く用いられるようになった．2014 年に発表された IDSA によるガイドラインでは，①ヘッドアップを行う，②人工呼吸器離脱の可否を毎日評価する，③ストレス潰瘍の予防を行う，④深部静脈血栓予防を行うことが推奨されている[28]．成人肺炎診療ガイドライン 2017[6] でも同様のバンドルアプローチが推奨されている．バンドルの内容としては，①手指衛生，②仰臥位の回避，③人工呼吸器回路を頻回に交換しない，④過剰な鎮静を避ける，⑤人工呼吸器からの離脱を促進する，⑥声門下腔吸引孔付きチューブ，⑦口腔ケアがあげられている．バンドルの各要素の有効性を示すエビデンスは一定しておらず，Makris らはこれまでの研究を基に解析を行い，①胃残量測定，②経静脈栄養，③ストレス潰瘍予防，④抗生剤全身投与，⑤スタチン製剤の投与，⑥閉鎖式吸引の使用，⑦カフ形状の改良，⑧早期気管切開，⑨可動式ベッド導入，⑩腹臥位療法の施行は VAP 予防に無効であると述べている[29]．しかしながら，各要素を組み合わせた VAP 予防バンドルを導入することで，VAP の発生率が下がることが示されている．これまで蓄積された予防に関するエビデンスを基に，近年においても大規模な VAP 予防の取り組みがなされている．

2018 年に発表されたスペインにおける国家規模の VAP 予防の取り組みでは，予防バンドルとして 7 つの必須項目（①教育とトレーニング，②アルコールによる手指消毒の徹底，③カフ圧のコントロール，④クロルヘキシジンによる口腔内消毒，⑤セミリクルートメント体位，⑥人工呼吸離脱のためのプロトコル導入，⑦定期的な呼吸回路・加湿器・挿管チューブの交換を避ける）と 3 つの推奨項目（①選択的な咽頭除菌，②持続的カフ上吸引，③昏睡状態であれば挿管後に抗生剤を投与）を含め，バンドル導入前後において VAP の罹患率を比較した結果，VAP 罹患率が 55％減少した[30]．スイスの ICU における研究では，IDSA 推奨の予防処置に選択的な咽頭除菌を加えた VAP 予防バンドルを導入し，多剤耐性菌の出現なしに VAP 発生率が 85％低下し，人工呼吸期間の短縮と死亡率減少も認められた[31]．

日本環境感染学会によるサーベイランス[32] では，2018 年下半期の ICU における VAP の発生率は 2.2％（人工呼吸使用日数あたり）であった．それ以前の 10 年間（3.2％）と比較すると低下傾向ではあるが，改善の余地はある．Institute for Healthcare Improvement（米国医療改善研究所）は VAP バンドルの全体的な遵守率を 95％にまで上げる必要性を強調しており，予防バンドルのさらなる普及と遵守が必要である．さらに，データベースの入力やアドヒアランスの調査が遵守率担保につながる[30] ため，継続的なサーベイランスも重要である．

27) 日本集中治療医学会，ICU 機能評価委員会：日本人工呼吸関連肺炎予防バンドル 2010 改訂版．2010

28) Klompas M, Branson R, Eichenwald EC et al：Strategies to prevent ventilator-associated pneumonia in acute care hospitals：2014 update. Infect Control Hosp Epidemiol 35：915-936, 2014

29) Makris D, Luna C, Nseir S：Ten ineffective interventions to prevent ventilator-associated pneumonia. Intensive Care Med 44：83-86, 2018

30) Álvarez-Lerma F, Palomar-Martínez M, Sánchez-Garcia M et al：Prevention of ventilator-associated pneumonia：the multimodal approach of the spanish ICU "pneumonia zero" program. Crit Care Med 46：181-188, 2018

31) Landelle C, Nocquet Boyer V, Abbas M et al：Impact of a multifaceted prevention program on ventilator-associated pneumonia including selective oropharyngeal decontamination. Intensive Care Med 44：1777-1786, 2018

32) 日本環境感染学会：医療器具関連感染サーベイランス結果報告書．http://www.kankyokansen.org/modules/iinkai/index.php?content_id=6

III. ICU特有の病態・合併症

2. ARDSの病態と治療

中西信人[1]，西村匡司[2]
[1] 徳島大学病院 救急集中治療部，[2] 徳島県立中央病院

最近の動向とガイドライン

近年集中治療領域では「Less is more」といわれるように，従来から行われてきたさまざまなモニタリング・治療が見直されるようになった．急性呼吸窮迫症候群（acute respiratory distress syndrome：ARDS）に関しても例外ではなく，2016年の本邦でのARDS診療ガイドライン作成後に，重要な論文がいくつか報告された．リクルートメント手技，経肺圧を用いたPEEP設定，筋弛緩薬の使用，早期の静脈脱血―静脈送血による体外式膜型人工肺（veno-venous extracorporeal membrane oxygenation：VV ECMO）導入などに関して否定的な報告がなされている．高いPEEPによる循環動態の悪化，筋弛緩薬による筋力低下，ECMOによる出血性合併症などのリスクを理解して治療にあたる必要がある．肺保護換気の重要性は変わらないものの，従来の6〜8 mL/kg（予測体重）よりもさらに低一回換気3〜4 mL/kgの超肺保護換気が注目を集めている[1]．重症ARDSでの腹臥位換気の重要性は変わらないものの施設は限られ，腹臥位管理の普及が必要である．メタアナリシスでは，ECMOが重症ARDSの低酸素血症には欠かせない治療法であることには変わりはない．

疫学・長期予後

1. 疫学

ARDSの死亡率は，1996年から2013年まで35.4％から28.3％まで低下した[2]．この間に一回換気量減少とプラトー圧の低下，高いPEEP設定，ドライバランスでの輸液管理などの変化があり，死亡率低下に寄与したと考えられる．本邦における2014年のアンケート調査でも，肺保護換気が69％の施設で全ARDS患者に，20％の施設では一部のARDS患者に行われており，**標準的なARDS管理が普及してきている**[3]．

2. 長期予後

退院後も長期的な運動機能障害・認知機能障害・精神障害を認め，post intensive care syndrome（PICS）として関心を集めている．ICU入室中に筋力の低下，筋萎縮を経験し，ICU退室6ヵ月から12ヵ月後も体幹と下肢の筋萎縮は改善が乏しく，歩行機能低下の原因となっている[4]．精神障害はICU

1) Fan E, Brodie D, Slutsky AS：Acute respiratory distress syndrome：advances in diagnosis and treatment. JAMA 319：698-710, 2018
2) Zhang Z, Spieth PM, Chiumello D et al：Declining mortality in patients with acute respiratory distress syndrome：an analysis of the acute respiratory distress syndrome network trials. Crit Care Med 47：315-323, 2019
3) Tasaka S, Tatsumi K：Clinical practice of acute respiratory distress syndrome in Japan：a nationwide survey and scientific evidences. Respir Investig 55：257-263, 2017
4) Chan KS, Mourtzakis M, Aronson Friedman L et al：Evaluating muscle mass in survivors of acute respiratory distress syndrome：a 1-year multicenter longitudinal study. Crit Care Med 46：1238-1246, 2018

退室5年後でも不安，抑うつ症状，post-traumatic stress disorder（PTSD）をそれぞれ38％，32％，23％の患者に認め，長期的な精神的支援を要することがわかる[5]．社会復帰に関しては，退院1年後に44％の患者は仕事に復帰できず，71％の患者が経済的に困窮していた[6]．**退院5年後でも職場復帰率は69％にとどまり，合併症の多い患者や施設転院となった患者では30％程度しか職場復帰できていなかった**[7]．ARDS患者では身体的・精神的介入はもとより，社会復帰を目指した介入が必要である．

▶ 人工呼吸器設定

1．換気量

2000年の**ARMA trial**でARDSに対して一回換気量6 mL/kgの有効性が報告されて以来，肺保護換気がARDSのガイドラインでも強く推奨されている．**近年では，一回換気量3〜4 mL/kg程度で換気を行う超肺保護換気が注目を集めている**[1]．低一回換気量人工呼吸では，二酸化炭素が貯留し呼吸性アシドーシスが問題になることがある．Combesらは**SUPERNOVA trial**で，体外式二酸化炭素除去（extracorporeal CO_2 removal：$ECCO_2R$）を用いることで4 mL/kgの超肺保護換気が可能か検討した[8]．中等症のARDSが対象となり，患者の78％が8時間以内に，82％が24時間以内にpH ≤ 7.30になることなく超保護的換気（一回換気量4 mL/kg，プラトー圧 ≤ 25 cmH2O）を達成した．RozencwajgらはECMO管理中に超肺保護換気が肺障害を予防するか検討した[9]．一回換気量を1.5〜3.3 mL/kgとすることで，IL-6や肺胞上皮細胞の障害で生じるreceptor for advanced glycation end-products（RAGE）などのバイオマーカーが有意に減少し，超肺保護換気が肺障害を予防する可能性を示唆した．一般的に，二酸化炭素除去を行うためには体外循環が必要になる．Scmidtらは13 Frの透析用カテーテルに$ECCO_2R$を組み込み，軽症から中等症のARDSで4 mL/kgの超肺保護換気を実施できたと報告している[10]．細径のカテーテルでCO_2除去ができれば，超肺保護換気が普及する可能性がある．超肺保護換気の有効性については，$ECCO_2R$を用いて3 mL/kgの一回換気量で予後が改善するか検討したRCTが進行中である（**REST trial**：2016年3月〜2021年8月）．REST trialの結果次第で肺保護換気はパラダイムシフトを迎えるかもしれない．

2．Driving pressure

2015年にAmatoは，駆動圧（driving pressure：ΔP）が一回換気量やPEEPよりも強く予後と関係していることを報告した．近年のメタアナリシスでもΔPは死亡率増加と関係し〔オッズ比（OR）：1.44，95％信頼区間（CI）：1.11〜1.88〕，ΔP 13〜15 cmH2Oをカットオフ値とすると死亡予測のオッズ比は1.28（95％ CI：1.14〜1.43）であった[11]．KuljitらはΔPに呼吸回数・最大

5）Bienvenu OJ, Friedman LA, Colantuoni E et al：Psychiatric symptoms after acute respiratory distress syndrome：a 5-year longitudinal study. Intensive Care Med 44：38-47, 2018

6）Kamdar BB, Huang M, Dinglas VD et al：Joblessness and lost earnings after acute respiratory distress syndrome in a 1-Year national multicenter study. Am J Respir Crit Care Med 196：1012-1020, 2017

7）Kamdar BB, Sepulveda KA, Chong A et al：Return to work and lost earnings after acute respiratory distress syndrome：a 5-year prospective, longitudinal study of long-term survivors. Thorax 73：125-133, 2018

8）Combes A, Fanelli V, Pham T et al：Feasibility and safety of extracorporeal CO_2 removal to enhance protective ventilation in acute respiratory distress syndrome：the SUPERNOVA study. Intensive Care Med 45：592-600, 2019

9）Rozencwajg S, Guihot A, Franchineau G et al：Ultra-protective ventilation reduces biotrauma in patients on venovenous extracorporeal membrane oxygenation for severe acute respiratory distress syndrome. Crit Care Med 47：1505-1512, 2019

10）Schmidt M, Jaber S, Zogheib E et al：Feasibility and safety of low-flow extracorporeal CO_2 removal managed with a renal replacement platform to enhance lung-protective ventilation of patients with mild-to-moderate ARDS. Crit Care 22：122, 2018

11）Aoyama H, Pettenuzzo T, Aoyama K et al：Association of driving pressure with mortality among ventilated patients with acute respiratory distress syndrome：a systematic review and meta-analysis. Crit Care Med 46：300-306, 2018

気道内圧・一回換気量を加えてメカニカルパワーを計算し，ARDS患者7,944人の観察研究を行っている．メカニカルパワーが28日，3年後死亡率と有意に関係し，特にプラトー圧（＞30 cmH$_2$O），ΔP（＞15 cm H$_2$O）が予後の悪化と関係したと報告している[12]．**ARDSの呼吸管理におけるΔPの重要性を示している．**

3. PEEP

ARDSガイドラインでは，中等症以上のARDSには高めのPEEPを用いることが弱く推奨されている．動物実験ではPEEPによりフルデオキシグルコースの肺での取り込みが減少し，PEEPが肺の局所的な炎症を抑えるのに役立っていると報告している[13]．

高いPEEPを利用して虚脱した肺の含気を改善させるリクルートメント手技に関しては，否定的結果が報告されている．リクルートメントは虚脱した肺を広げて肺のコンプライアンスを改善することでΔPを低下させる．alveolar recruitment trialでは，中等症から重症のARDSを対象にRCTが行われた[14]．肺リクルートメント群ではPEEP 25 → 30 → 35 cmH$_2$Oを1分毎に使用し，その後最良のコンプライアンス＋2 cmH$_2$OをPEEP設定とした．主要評価項目の28日死亡率はリクルートメント群で高かった（55％ vs. 49％，p = 0.041）．副次評価項目に関しては，リクルートメント群では人工呼吸器離脱期間が短く，気胸・肺の圧損傷が多くなり，高いPEEPによる圧損傷や循環動態悪化への影響が目立つ結果となった．PHARLAP trialも，alveolar recruitment trialでリクルートメントの有害事象が報告されたため途中で中止となった[15]．PHARLAP trialの途中報告でも，リクルートメントは人工呼吸期間の短縮や死亡率の低下に繋がらなかった（人工呼吸期間：16日 vs. 14.5日，p = 0.95，死亡率：24.6％ vs. 26.8％，p = 0.79）．有害事象として新規の不整脈発症率が増加した（29％ vs. 13％，p = 0.03）．7つのRCT（ARDS患者2,480人）を検討したシステマティックレビューとメタアナリシスでは，リクルートメントは人工呼吸離脱期間の短縮や死亡率を改善させなかった〔relative risk（RR）：0.93，95％ CI：0.80〜1.08，p = 0.33〕[16]．**リクルートメントを積極的に推奨する根拠には乏しく，高圧による有害事象が懸念される．**

PEEPに関しては，経肺圧を用いた管理が注目を集めている．経肺圧は，気道内圧－胸腔内圧で計算され肺胞にかかる圧力である．胸腔内圧は食道内圧を測定することで計測される．理論的には，経肺圧が0以上であれば肺胞の虚脱を避けることができる．この経肺圧を測定してPEEPを設定したRCTがEPVent 2 trialである[17]．中等症から重症のARDS患者200人の経肺圧が0以上になるようにPEEPを設定する群と，PEEP・酸素濃度の対応表を用いてPEEPを設定する群で比較した．28日死亡率（32.4％ vs. 30.6％）と人工呼吸器非装着日数（22日 vs. 21日）に有意差はなかった．**経肺圧を用いた治療戦**

12) Parhar KKS, Zjadewicz K, Soo A et al：Epidemiology, mechanical power, and 3-year outcomes in ARDS patients using standardized screening：an observational cohort study. Ann Am Thorac Soc 16：1263-1272, 2019

13) Kiss T, Bluth T, Braune A et al：Effects of positive end-expiratory pressure and spontaneous breathing activity on regional lung inflammation in experimental acute respiratory distress syndrome. Crit Care Med 47：e358-e365, 2019

14) Cavalcanti AB, Suzumura EA, Laranjeira LN et al：Effect of lung recruitment and titrated positive end-expiratory pressure（PEEP）vs low PEEP on mortality in patients with acute respiratory distress syndrome：a randomized clinical trial. JAMA 318：1335-1345, 2017

15) Hodgson CL, Cooper DJ, Arabi Y et al：Maximal recruitment open lung ventilation in acute respiratory distress syndrome（PHARLAP）：a phase Ⅱ, multicenter, randomized, controlled trial. Am J Respir Crit Care Med, 2019 Jul 19〔Online ahead of print〕

16) Bhattacharjee S, Soni KD, Maitra S：Recruitment maneuver does not provide any mortality benefit over lung protective strategy ventilation in adult patients with acute respiratory distress syndrome：a meta-analysis and systematic review of the randomized controlled trials. J Intensive Care 6：35, 2018 Jun 26

17) Beitler JR, Sarge T, Banner-Goodspeed VM et al：Effect of titrating positive end-expiratory pressure（PEEP）with an esophageal pressure-guided strategy vs an empirical high PEEP-Fio$_2$ strategy on death and days free from mechanical ventilation among patients with acute respiratory distress syndrome：a randomized clinical trial. JAMA 321：846-857, 2019

略をルーチンに用いる必要はないが，吸気努力が強い一部の重症 ARDS 患者などでの重要性は否定しきれない.

4. 自発呼吸

自発呼吸下で低一回換気量にすることは容易ではなく，急性期は深鎮静や筋弛緩薬を用いて自発呼吸を抑制することが多い. しかし，ARDS 急性期の自発呼吸温存が人工呼吸期間を短縮させるという観察研究もある[18]. この研究では重症 ARDS の 46％に自発呼吸を認め，自発呼吸は人工呼吸器離脱期間の延長（13 日 vs. 8 日），ICU 滞在日数短縮（11 日 vs. 12 日）と有意に関係していた. Kallet らは，ARDS 患者で深鎮静ではなく，1 日 1 回の鎮静の中断と自発呼吸試験のプロトコルを使用するほうが人工呼吸期間（14 日 vs. 9 日），ICU 滞在日数（18 日 vs. 13 日）が有意に短かったと報告している[19]. しかし，自発呼吸温存の欠点もある. ARDS では自発呼吸と人工呼吸器との非同調を 34.4％に認め，10 mL/kg の一回換気量増加の原因になったとの報告もある[20]. 個々の患者で自発呼吸の功罪を判断していく必要がある.

5. 酸素化

多くの疾患で過剰な酸素投与の有害性が報告されており[21]，**ARDS でも過剰な酸素化は避ける必要がある**. ARDS 患者 2,994 人において，動脈血酸素分圧の目標値（55〜80 mmHg）を上回る酸素投与が死亡率の上昇（OR：1.20, 95％ CI：1.11〜1.31），さらには人工呼吸器離脱日数・病院非滞在日数の短縮と関連していた[22]. さらに酸素投与量と予後悪化の関係を ARDS の重症度に関わりなく認めた. ARDS においては PaO_2 55〜80 mmHg が酸素化の目安と考えられる.

非侵襲的陽圧人工呼吸

肺炎が原因による軽症 ARDS に対してフェイスマスクを用いた非侵襲的陽圧人工呼吸（noninvasive positive pressure ventilation：NPPV）とベンチュリーマスクによる酸素投与を RCT にて比較した[23]. **NPPV は酸素投与量を減少させたが，挿管の必要性を低下させなかった**（10.8％ vs. 9.2％, $p = 0.706$）. 特に 11 L/min 以上の分時換気量の患者群では，NPPV での呼吸管理が困難であった. フェイスマスクではなくヘルメット型を用いることで ARDS の予後が改善したと Kress らが報告しており，今後ヘルメット型 NPPV を用いた ARDS 管理に関する研究が待たれる.

筋弛緩薬

2010 年の **ACURASYS trial** で筋弛緩薬により重症 ARDS の生命予後が改善したものの，筋弛緩薬による ICU-acquired weakness（ICU-AW）など長期予後の悪化が懸念されてきた. ARDS ガイドラインでも，筋弛緩薬は限定的に

18) van Haren F, Pham T, Brochard L et al：Spontaneous breathing in early acute respiratory distress syndrome：insights from the large observational study to understand the global impact of severe acute respiratory failure study. Crit Care Med 47：229-238, 2019

19) Kallet RH, Zhuo H, Yip V et al：Spontaneous breathing trials and conservative sedation practices reduce mechanical ventilation duration in subjects with ARDS. Respir Care 63：1-10, 2018

20) Sottile PD, Albers D, Higgins C et al：The association between ventilator dyssynchrony, delivered tidal volume, and sedation using a novel automated ventilator dyssynchrony detection algorithm. Crit Care Med 46：e151-e157, 2018

21) Helmerhorst HJ, Arts DL, Schultz MJ et al：Metrics of arterial hyperoxia and associated outcomes in critical care. Crit Care Med 45：187-195, 2017

22) Aggarwal NR, Brower RG, Hager DN et al：Oxygen exposure resulting in arterial oxygen tensions above the protocol goal was associated with worse clinical outcomes in acute respiratory distress syndrome. Crit Care Med 46：517-524, 2018

23) He H, Sun B, Liang L et al：A multicenter RCT of noninvasive ventilation in pneumonia-induced early mild acute respiratory distress syndrome. Crit Care 23：300, 2019

使用を提案するという弱い推奨にとどまっている．**ROSE trial** では，ARDS に対する筋弛緩薬と浅鎮静による呼吸管理の RCT が行われた[24]．筋弛緩薬はシサトリクリウムを早期から 48 時間持続投与した．人工呼吸器設定が PEEP $\geqq 8\ cmH_2O$，$PaO_2/F_IO_2 < 150$ の ARDS 患者 1,006 人が対象となった．**90 日死亡率は両群で有意差がなかった（42.5% vs. 42.8%）．ICU-AW の発症率も両群に有意差はなかったものの，筋弛緩薬使用群の方が多かった（47.3% vs. 39.0%）．筋弛緩薬使用群では心血管疾患の発生率が有意に高かった（14 人 vs. 4 人，$p = 0.03$）．**これは筋弛緩薬使用により低血圧や徐脈などの合併症が発生したためと考察されている．ROSE trial では，ICU-AW との関連が指摘されているアミノステロイド系（ロクロニウム，ベクロニウムなど）ではなく，ベンジルイソキノリニウム系（シサトリクリウム）が使用されている．本邦ではアミノステロイド系が使用されることが多く，この研究結果をそのまま本邦での筋弛緩薬使用に当てはめることはできない．ARDS に対する筋弛緩薬の使用は慎重に判断する必要がある．

▶ 腹臥位

2013 年の **PROSEVA trial** 以来，ARDS ガイドラインでも中等症から重症のARDS に対して腹臥位が推奨されている．欧州で ARDS に対してどれほど腹臥位が施行されているか調査した **APRONET trial** では，**中等症 ARDS の10.3%，重症 ARDS の 32.9%にしか施行されていなかった**[25]．本邦で腹臥位を施行していた施設は 38%のみであった[3]．APRONET trial では腹臥位にすることで酸素化が改善し〔PaO_2/F_IO_2 101（76〜136）to 171（118〜220），$p = 0.0001$〕，ΔP が低下した〔14（11〜17）to 13（10〜16）cmH_2O，$p = 0.001$〕．この研究では腹臥位を施行した患者での合併症も検討されたが，合併症（褥瘡，低酸素血症，挿管チューブ関連，眼球圧迫，頭蓋内圧亢進）は 11.9%であった．システマティックレビュー・メタアナリシスでは ARDS 全体では腹臥位の効果が乏しいが（RR：0.84，95% CI：0.68〜1.04），中等症から重症ARDS では 12 時間以上の腹臥位療法により死亡率が有意に減少するとしている（RR：0.74，95% CI：0.56〜0.99）[26]．

▶ ECMO

呼吸不全の患者では静脈脱血・静脈送血の VV ECMO が用いられる．2009年の **CESAR trial** の報告後，世界的に ECMO が普及することとなった．2018年に ECMO に対して **EOLIA trial** という新たな RCT の結果が報告された[27]．この研究では，重症 ARDS を ECMO 早期導入群（124 人）と人工呼吸管理群（125 人）に無作為に振り分けた．**60 日死亡率は ECMO 早期導入群が 44 人（35%），対象群が 57 人（46%）であり，有意差がなかった**（$p = 0.09$）．合

24) Moss M, Huang DT, Brower RG et al：Early neuromuscular blockade in the acute respiratory distress syndrome. N Engl J Med 380：1997-2008, 2019

25) Guérin C, Beuret P, Constantin JM et al：A prospective international observational prevalence study on prone positioning of ARDS patients：the APRONET（ARDS Prone Position Network）study. Intensive Care Med 44：22-37, 2018

26) Munshi L, Del Sorbo L, Adhikari NKJ et al：Prone position for acute respiratory distress syndrome. A systematic review and meta-analysis. Ann Am Thorac Soc 14：s280-s288, 2017

27) Combes A, Hajage D, Capellier G et al：Extracorporeal membrane oxygenation for severe acute respiratory distress syndrome. N Engl J Med 378：1965-1975, 2018

28) Goligher EC, Tomlinson G, Hajage D et al：Extracorporeal membrane oxygenation for severe acute respiratory distress syndrome and posterior probability of mortality benefit in a post hoc Bayesian analysis of a randomized clinical trial. JAMA 320：2251-2259, 2018

併症はECMO早期導入群の方が輸血を要する出血（46% vs. 28%），重度の血小板減少（27% vs. 16%）が有意に多かった．この研究では，人工呼吸管理群も酸素化を保てなくなればECMO導入というプロトコルとなっており，結果の解釈には注意が必要である．実際に人工呼吸管理群の35人（28%）が低酸素血症のためにECMO導入している．この研究では早期のECMO導入に対して否定的な結果となったが，このEOLIA trialをベイズ解析すると，**ECMOが重症ARDSに対して有効であることを示唆した**[28]．さらにEOLIA trialとCESAR trialを含めたメタアナリシスでは，**ECMOにより60日死亡率の有意な低下を認めている**（34% vs. 47%，RR：0.73，95% CI：0.58〜0.92）[29]．**やはりECMOは重症ARDSの低酸素血症に関して重要な治療戦略である**．

ECMO管理となったARDS患者の1年後の予後を調べた研究では，ECMO管理群の方が，非ECMO管理群よりも健康関連のQOLが高く，PTSDの発生率が低かった[30]．ECMO管理では高額な医療費が懸念されるが，ARDSのECMO管理は従来の肺保護換気と比較して費用対効果が高いとの報告もある[31]．

29) Munshi L, Walkey A, Goligher E et al：Venovenous extracorporeal membrane oxygenation for acute respiratory distress syndrome：a systematic review and meta-analysis. Lancet Respir Med 7：163-172, 2019

30) Grasselli G, Scaravilli V, Tubiolo D et al：Quality of life and lung function in survivors of extracorporeal membrane oxygenation for acute respiratory distress syndrome. Anesthesiology 130：572-580, 2019

31) Barrett KA, Hawkins N, Fan E：Economic evaluation of venovenous extracorporeal membrane oxygenation for severe acute respiratory distress syndrome. Crit Care Med 47：186-193, 2019

Ⅲ. ICU 特有の病態・合併症

3. 成人における心肺蘇生と心停止後症候群（Post-Cardiac Arrest Syndrome）の管理

相引 眞幸 [1,2]
1) 石川記念会 HITO 病院 救急科，2) 愛媛大学

最近の動向とガイドライン

2019年時点の成人の心肺蘇生および心停止後の病態や管理について update した．
- 二次救命処置における高度な気道確保の方法が，新研究の結果により整理．
- extra-corporeal resuscitation（ECPR）が再検証されたが，その適応基準は 2015 年と同様．
- 2015 年ガイドラインで予後評価に否定された bispectral index（BIS）モニターが復権．
- 心肺蘇生術の普及では，統一かつ継続した教育が強調され，現場での効果測定の重要性が強調．
- 心停止後症候群では，凝固免疫系の臓器障害との関連が重要．
- 33℃ 24 時間と 48 時間の心停止後の target temperature management（TTM）研究では，神経予後に大差はなかったが，2013 年の TTM 研究に比し，神経学的転帰の率が高く，今後の展開が期待．

心肺蘇生術

　国際蘇生連絡協議会（The International Liaison Committee on Resuscitation：ILCOR）は，2005 年から心肺蘇生領域のエヴィデンス集の CoSTR（Consensus of Science for Treatment and Recommendation）を，5 年に 1 回の頻度で出版してきた．2015 年日本蘇生協議会（Japan Resuscitation Council：JRC）は，CoSTR を基に，蘇生ガイドラインを作成した．一方，ILCOR は 2020 年の CoSTR 作成は，重要な論文が出れば，その都度 systematic review し発信する方式に変えた（ILCOR homepage：http://ilcor.org/）．

　本特集は，最新の論文を紹介するという企画であり，2017 年 7 月から 2019 年 6 月までに発表された成人の心肺蘇生関連の論文を，PubMed 上で抽出し，そのうちの論文と，期間外でも重要と思われるものを選び概説した．その点，著者等の"選択バイアス"があることをご容赦頂きたい．

心肺蘇生時に関する項目

1. 心肺蘇生術時の気道確保に関するもの

　前版に記載した 2017 年の上半期の数編の報告では，病院前救護における，

院外心停止例（out-of hospital cardiac arrest：OHCA）に対する高度気道確保（advanced airway management：AAM）の生命予後への効果の点から，その実施の再考を促す結果であった．以上の結果の機序として，高度な気道確保時の失敗に関連する事項や，その際の胸骨圧迫の頻回の中断などが関与している可能性がある．一方，心肺蘇生術が15分以上かかり，その後自己心拍再開に至った症例では，声門上気道確保器具を用いることが，入院28日後の神経学的予後良好と有意に関連していたとの報告もあるため，解釈には注意が必要である（本書の2018-'19版における文献番号#1〜5）．

その後の無作為ランダム研究（RCT）やシステマティックレビュー（SR）では，以下の通り整理された見解として提出されている．

最新のILCORのSRの結果では[1]，

1）ラリンジアルチューブ挿入（LRI）vs. 気管挿管（ITI）

OHCA例で，挿管成功率低値の場合および高値の場合：

a. 神経学的転帰良好な生存退院に関して：1件のevidence levelの低いRCTがある[2]．2,999人の成人OHCAにおいて，ITIとLRIを比較した場合，LRIは，退院時の神経学的予後良好と関連していた〔risk ratio（RR）：1.42，95％ confidence interval（CI）：1.07〜1.89〕．

b. 生存退院に関して：1件のevidence levelの低いRCTがある[2]．2,999人の成人OHCAにおいて，ITIとLRIを比較した場合，LRIは，退院時の生命予後を改善した（RR：1.34，95％ CI：1.07〜1.68）．

2）バッグ・マスク換気（BMV）vs. 気管挿管（ITI）

OHCA例，挿管成功率低値の場合および高値の場合：

以下の1件のevidence levelの低いRCTがある[3]．

a. 28日後の神経学的予後良好に関して：2,040人のOHCAにおいて，BMVとITIでは有意差を検出できなかった（RR：1.03，95％ CI：0.68〜1.55）．

b. 28日後の生存退院に関して：2,040人のOHCAにおいて，BMVとITIでは差を認めなかった（RR：1.02，95％ CI：0.71〜1.47）．

上記および，他のRCT[4]の結果を受け**ILCORが公開した2019年3月の最新の治療推奨**としては[1]，成人の2次救命処置（advanced life support：ALS）において：

1）いかなる場合においても，まずBMVの使用を提案*する．（*：推奨より弱い意味で使用）

2）AAMを使用する場合で，気管挿管の成功率が低い場合は，声門上気道確保法（ラリンジアルチューブ挿入を含む）を提案する．

3）AAMを使用する場合で，挿管成功率が高い場合は，声門上器具挿入あるいは気管挿管を提案する．

1) Soar J, Nicholson TC, Parr MJ et al：Advanced Airway Management During Adult Cardiac Arrest Consensus on Science with Treatment Recommendations [Internet] Brussels, Belgium：International Liaison Committee on Resuscitation（ILCOR）Advanced Life Support Task Force, 2019 March 18 https://costr.ilcor.org/document/advanced-airway-management-during-adult-cardiac-arrest

2) Wang HE, Schmicker RH, Daya MR et al：Effect of a strategy of initial laryngeal tube insertion vs endotracheal intubation on 72-hour survival in adults with out-of-hospital cardiac arrest：a randomized clinical trial. JAMA 320：769-778, 2018

3) Jabre P, Penaloza A, Pinero D et al：Effect of bag-mask ventilation vs endotracheal intubation during cardiopulmonary resuscitation on neurological outcome after out-of-hospital cardiorespiratory arrest：a randomized clinical trial. JAMA 319：779-787, 2018

4) Benger JR, Kirby K, Black S et al：Effect of a strategy of a supraglottic airway device vs tracheal intubation during out-of-hospital cardiac arrest on functional outcome：the AIRWAYS-2 randomized clinical trial. JAMA 320：779-791, 2018

上記以外の本特集の対象期間内に発表された報告では，日本のグループが，大阪の病院前のデータを集積したコホート研究がある[5]．すなわち，27,471 人の成人院外心停止例において，CPR 開始から AAM を行われた時間と，1ヵ月後の機能的転帰が相反的に関連していた（adjusted OR：0.90/1 分毎，95 % CI：0.87〜0.94）．また，propensity-matching した17,022 人の患者においては，AAM の早期施行例（0〜4 分間）と後期施行例（5〜29 分間）を比較した場合，1ヵ月後の機能的転帰良好が，各々2.2%と1.4%であった（adjusted OR：1.58，95% CI：1.24〜2.02）であった．この研究によって，成人における OHCA 例で，高度気道確保の早期および後期施行に関する RCT を保証するものである．

一方，日本国内の 2014 年から 2 年間集積した，高度気道確保法に関する OHCA の 310,620 人のデータを解析した報告がある[6]．CPR 開始の時期で propensity matching し，さらに初期調律によって shockable rhythm〔ventricular fibrillation（VF），pulseless ventricular tachycardia（pVT）〕n = 16,114 人と non-shockable rhythm〔AS，pulseless electrical activity（PEA）〕n = 236,042 人に分け検討している．shockable rhythm の群では，AAM の施行の有無は生命予後には関連しなかった〔AAM あり1,546 人/8,057 人（19.2 %）vs. AAM なし 1,500 人/8,057 人（18.6 %），adjusted RR：1.00，95% CI：0.93〜1.07〕．一方，non-shockable rhythmの群では，AAM あり 2,696 人/118,021 人（2.3%）vs. AAM なし 2,127 人/118,021 人（1.8%），adjusted RR：1.27，95% CI：1.20〜1.35 と，AAM施行で生命予後が改善した．このことから，non-shockable rhythm の場合，AAM を試みる価値の可能性があるが，国内でもこの点に注目したRCT の施行が望まれる．

2. 心肺蘇生術時の ECPR に関するもの

本論文は前版でも紹介したが，重要であり，再掲する．心停止例に対するECPR は，神経学的転帰を改善すると報告されているが，同療法を考慮する例には，PEA 等の non-shockable rhythm は含まれていない．2018 年の報告で，米国のペンシルバニア州の心臓血管研究所のメンバーが，院内心停止 58 例を，AS，PEA，shockable rhythm の 3 群（AS 7 例，PEA 21 例，shockable rhythm 30 例）に分け，ECPR の効果を後方視的に検討した[7]．各群におけるCPR の平均所要時間は，それぞれ AS 37 分，PEA 41 分，shockable rhythm37 分であった．生存退院は，それぞれ 0.0 %，23.8%，40.0%と有意差はなかった（$p = 0.09$）が，そのすべてが神経学的転帰良好例であった．このことは，PEA についても，ECPR の適応を考慮してもよいのではないかと，著者らは述べている．

今回抽出した ECPR 関連の論文のうち，観察研究や登録研究[8〜13]，あるい

5) Izawa J, Iwami T, Gibo K et al：Timing of advanced airway management by emergency medical services personnel following out-of-hospital cardiac arrest：a population-based cohort study. Resuscitation 128：16-23, 2018

6) Izawa J, Komukai S, Gibo K et al：Pre-hospital advanced airway management for adults with out-of hospital cardiac arrest：nationwide cohort study. BMJ 364：l430, 2019

7) Pabst D, Brehm CE：Is pulseless electrical activity a reason to refuse cardiopulmonary resuscitation with ECMO support? Am J Emerg Med 36：637-640, 2018

8) Lamhaut L, Hutin A, Puymirat E et al：A Pre-Hospital Extracorporeal Cardio-Pulmonary Resuscitation（ECPR）strategy for treatment of refractory out hospital cardiac arrest：an observational study and propensity analysis. Resuscitation 117：109-117, 2017

9) Wengenmayer T, Rombach S, Ramshorn F et al：Influence of low-flow time on survival after extracorporeal cardiopulmonary resuscitation（eCPR）. Crit Care 21：157, 2017

10) Tanguay-Rioux X, Grunau B, Neumar R et al：Is initial rhythm in OHCA a predictor of preceding no flow time? Implications for bystander response and ECPR candidacy evaluation. Resuscitation 128：88-92, 2018

11) Gregers E, Kjærgaard J, Lippert F et al：Refractory out-of-hospital cardiac arrest with ongoing cardiopulmonary resuscitation at hospital arrival - survival and neurological outcome without extracorporeal cardiopulmonary resuscitation. Crit Care 22：242, 2018

12) Matsuoka Y, Ikenoue T, Hata N et al：Hospitals' extracorporeal cardiopulmonary resuscitation capabilities and outcomes in out-of-hospital cardiac arrest：a population-based study. Resuscitation 136：85-92, 2019

13) Nakashima T, Noguchi T, Tahara Y et al：Patients with refractory out-of-cardiac arrest and sustained ventricular fibrillation as candidates for extracorporeal cardiopulmonary resuscitation prospective multi-center observational study. Circ J 83：1011-1018, 2019

はメタアナリシスやシステマティックレビュー等[14,15]があった．そのうち，2019年の日本のSAVE-J研究で[13]，全国22箇所の救命救急センターから407人の不応性VT/pVTのOHCA例のデータを集積し検討した．その結果，ECPRを施行された患者のうち，神経学的転帰良好の率が，sustained VF/pVT群では，PEA/ASに移行した群に比し，有意に高値であった（sustained VF/pVT群：20％，25/126人 vs. PEA/AS移行群：3％，4/122人，$p < 0.001$）．また，多変量解析の結果では，6ヵ月後の神経学的転帰良好の率は，sustained VF/pVT群で（OR：7.35，95％CI：1.58〜34.09）であり，結論として，OHCA患者でsustained VF/pVTを示す群が，ECPRの適応となる可能性が高いとのことである．

ILCORの2018年11月の治療推奨は[16]，2019年12月の段階でもon-going中のRCTのみで，2015年からの変更はない．

ECPRは，実施可能な施設において，従来通りのCPRが奏功しない場合に，一つの救命治療として，一定の基準（例えば，目撃があり，かつ，初期調律がshockable rhythmであるなど）を満たした場合にのみ施行されることが提案された．

一方，今後重要になってくる，ECPRのcost-benefitを検討した報告がある[17]．著者らは，シドニーにある2箇所のECMOセンターの院外および院内心停止のECPRを受けた62人について，costやquality of lifeさらに生存転帰を調査した．方法はMarkov modelを用い，costに対するQALY（Quality Adjusted Life Years：質調整生存年）およびICER（incremental cost effectiveness ratios：増分費用効果比）※を検討した．患者の平均年齢は51.9 ± 13.6歳，院内心停止例が全体の61％で，そのうち40％がCPC 1〜2で退院した．ECPRの平均costは，円換算で5,647,898円であり，ECPRは10年以上に渡って平均3.0 QALYs/患者をもたらし，さらにその増分費用に対する効果比（ICER）は1,894,429円/QALYであった．ECPRは，15年想定では，QALYを4.0に増やし，1 QALYが1,414,811円となり，ICERを低下させる結果となった．また，平均のECPRのcostは，院外および院内心停止例で差はなかった．

以上の結果から，著者らは，治療不応性心停止例に対するECPRは，費用対効果として受け入れられる治療行為であると結論付けている．

1 QALYを得るための費用が，今回の検討では，他の治療法に比して，ECPRは決して高価ではないことが明らかにされ，本研究の意義がある．

3．心肺蘇生術中のモニターや予後に関するもの

以下の2編は，前版でも記載した論文であるが，重要であり再掲する．

・死戦期呼吸に関するもの

心肺蘇生術中の酸素化と循環を促進する生理的な反射ともいわれているが，

14) Beyea MM, Tillmann BW, Iansavichene AE et al：Neurologic outcomes after extracorporeal membrane oxygenation assisted CPR for resuscitation of out-of-hospital cardiac arrest patients：a systematic review. Resuscitation 130：146-158, 2018

15) Holmberg MJ, Geri G, Wiberg S et al：Extracorporeal cardiopulmonary resuscitation for cardiac arrest：a systematic review. Resuscitation 131：91-100, 2018

16) Donnino MW, Andersen LW, Deakin CD et al：Extracorporeal Cardiopulmonary Resuscitation（ECPR）for Cardiac Arrest - Adults Consensus on Science with Treatment Recommendations [Internet] Brussels, Belgium：International Liaison Committee on Resuscitation（ILCOR）Advanced Life Support Task Force, 2018 November 09.
https://costr.ilcor.org/document/extracorporeal-cardiopulmonary-resuscitation-ecpr-for-cardiac-arrest-adults

17) Dennis M, Zmudzki F, Burns B et al：Cost effectiveness and quality of life analysis of extracorporeal cardiopulmonary resuscitation（ECPR）for refractory cardiac arrest. Resuscitation 139：49-56, 2019

※補足：QARYとICERについて
Answers News Plus：費用対効果評価とは
https://answers.ten-navi.com/newsplus/15326/

その死戦期呼吸が，院外心停止例の１年後の神経学的転帰良好と関連していたとの報告がある[18]．2007年8月から2年間行われた米国国立衛生研究所が承認した多施設RCTの記録から，著者らが前向きに拾い上げたデータをもとに解析している．結果：心肺蘇生を受け，自己心拍が再開し，１年後のCPC2以下の神経学的転帰良好を示したのは全体の5.4％（98/1,827）で，死戦期呼吸があった傷病者は20％（36/177），agonal呼吸は3.7％（61 of 1,643）であった．１年後のCPC≦2の生存は，以下のものと関連していた．若年者（OR：0.57，95％CI：0.43〜0.76），CPR中の死戦期呼吸（OR：3.94，95％CI：2.09〜7.44），shockable rhythm（OR：16.50，95％CI：7.40〜36.81）などであった．死戦期呼吸とshockable rhythmの組み合わせでは，それがない群と比較するとORは57倍であった（95％CI：23.49 to 136.92）．著者らは，これらの結果より，CPR中に死戦期呼吸をしている傷病者は，初期調律にかかわらず，１年後の神経学的転帰良好と関連しており，死戦期呼吸のある場合，CPRを早期に中止しないことが重要であること，さらに，将来の心停止研究において，この呼吸様式を認識理解し，監視，記録する必要があると結論している．

・ECPRの心停止からECPR開始までの時間に関するもの

日本からの報告で，院外心停止例に対して施行したECPRの研究である．心停止からECPR開始までの時間と，神経学的転帰との関係を調査し，ECPR治療を開始するまでの理想的な所要時間を検討している[19]．調査期間中に，3,451人の院外心停止例を経験したが，そのうち18歳以上の救急外来でECPRが施行された79人が登録された．結果は，79人のうち，神経学的転帰良好が11人で，心停止からECPR開始までの平均時間は，その転帰良好群で有意に短かった．（33 min，IQR：27〜50 vs. 46 min，IQR：42〜56，$p = 0.03$）．また，神経学的転帰良好群のECPR開始までの時間は，不良群を１とした場合，0.92で有意に低値であった（95％CI：0.87〜0.98，$p = 0.007$）．さらに，ECPRまでの時間のarea under the curve（AUC）は0.71で，cut-off pointは40minであり，その時間を過ぎるとECPRの有益性が急激に減少する結果であった．著者らは，院外心停止例に対するECPRの適応基準はさまざまあるが，今回明らかにした心停止発生からECPR開始までの時間限界を認識し，同療法施行基準に入れる必要があるとしている．

4．呼気終末時二酸化炭素分圧（end-tidal carbon-dioxide：$ETCO_2$）に関するもの

心肺蘇生中における自己心拍再開予測などの可能性を指摘されている$ETCO_2$が，除細動率との関連を研究した後方視的報告である[20]．結果は，62人の心停止例で，計207回の電気ショックが行われ，3群（T1：$ETCO_2 \leq 20$ mmHg，T2：20 mmHg $< ETCO_2 \leq 31$ mmHg，T3：$METCO_2 > 31$ mmHg）での，電気ショックの成功率は，それぞれT1：50％，T2：63％，

18）Debaty G, Labarere J, Frascone RJ et. al：Long-Term Prognostic Value of Gasping During Out-of-Hospital Cardiac Arrest. J Am Coll Cardiol 70：1467-1476, 2017

19）Yukawa T, Kashiura M, Sugiyama K et al：Neurological outcomes and duration from cardiac arrest to the initiation of extracorporeal membrane oxygenation in patients with out-of-hospital cardiac arrest：a retrospective study. Scand J Trauma Resusc Emerg Med 25：95, 2017

20）Savastano S, Baldi E, Raimondi M et al：End-tidal carbon dioxide and defibrillation success in out-of-hospital cardiac arrest. Resuscitation 121：71-75, 2017

T3：78％で有意差を認めた（Chi square $p = 0.003$）．$ETCO_2$ が 7 mmHg 未満の例では電気ショックは有効ではなく，$ETCO_2$ が 45 mmHg 超の例では全例電気ショックが成功した．さらに，自己心拍再開例では，$METCO_2$ が，自己心拍が再開しなかった群に比し高値であった．結論として，今回初めて $ETCO_2$ と除細動の率が検討された．その結果，**質の良い CPR が，$ETCO_2$ の増加を介している可能性が示唆されるとともに，$ETCO_2$ のモニタリングが，除細動の一指標にもなる可能性がある**．

最新の 2019 年論文では，一歩踏み込んだ結果となっている[21]．$ETCO_2$ の値は，最初の電気ショックに限定され，その後のショックに際しては，その信頼性は有意ではないというものである（First Shock に関して，成功 $ETCO_2$ 31 mmHg/不成功 25 mmHg，$p < 0.05$）．その際の成功を予測する AUC は，First Shock では 0.66 であったのに対し，それ以後の Shock に関して 0.54 であり，First Shock についてのみ予測可能としている．

▶ 心肺蘇生自己心拍再開後に関するもの

1. 院外心停止自己心拍再開例の神経学的転帰予測に関するもの

院外心停止例の神経学的転帰を予測することは重要であるが，いまだ確実な予測法は存在しない．JRC 心肺蘇生ガイドライン 2015 には，神経学的所見をはじめ，バイオマーカー検査，脳波検査あるいは画像診断等を総合的に評価し，少なくとも入院 72 時間後に，判断することを推奨している．しかし，これらの検査は費用の問題や，不良結果などによる家族への心理的負担など課題が多い．一方，BIS モニタリングは，脳波を解析し，BIS 値や suppression ratio（SR）として絶対値がモニター上表示され，しかも家族が見ることのできるベッドサイドで持続的に使用できるため，家族の予後不良の受け入れを支援できる可能性がある．この総説では[22]，入院後 24 時間以内の BIS の低値および SR の高値が神経学的転帰不良と予測できるとの仮説を立て，BIS モニターによって自己心拍再開例における予後評価を，時間的に前倒しできないか検討した．方法：すべての言語の RCT と前向き観察研究が検索され，2 人の解析者によって GRADE を用いてメタ解析された．結果：この総説によって BIS モニタリングの自己心拍再開 24 時間以内の evidence を形成することができ，さらに，早期の予後判定に寄与できる可能性がある．

また，2019 年最新の報告でも[23]，**BIS の simplified EEG の連続モニターで，痙攣波と BIS 値低下が，心停止後症候群の患者において体温管理療法の終了時に認められた場合，神経学的転帰不良診断の一助になること，また広範性 alpha 波が，どの時点でも認められた場合は，神経学的転帰良好を示唆するの**であったとのことである．

21）Chicote B, Aramendi E, Irusta U et al：Value of capnography to predict defibrillation success in out-of-hospital cardiac arrest. Resuscitation 138：74-81, 2019

22）Eveson L, Vizcaychipi M, Patil S：Role of bispectral index monitoring and burst suppression in prognostication following out-of-hospital cardiac arrest：a systematic review protocol. Syst Rev 6：191, 2017

23）Eertmans W, Genbrugge C, Haesen J et al：The prognostic value of simplified EEG in out-of-hospital cardiac arrest patients. Neurocrit Care 30：139-148, 2019

2. 心停止後症候群（Post-cardiac arrest syndrome：PCAS）

心停止後症候群（PCAS）という用語は，2008 年に ILCOR が自己心拍再開後の病態を PCAS と定義し，それに関する声明文を発表したことに始まる．なお，著者は，2008 年の声明文の作成にアジア蘇生協議会の代表として参画した．

心停止後症候群の病態は，自己心拍が再開した後，脳を含む全身の虚血・再還流障害から生じる病態で，脳損傷，心筋障害，虚血再還流障害，残存する心停止原病等から成る．それらの病態に対する治療介入の中で，さまざまな病態に包括的に作用すると考えられる低体温療法と，心停止の原因となった特に心臓へのケアとしての早期冠血管形成術が重要である．以下に PCAS に関する最近の動向について概説する．

1）TTM に関するもの

以下の研究は，33℃で 24 時間の TTM 施行中の患者における血行動態の変化と神経学的転帰の関連について検討している[24]．95 人の患者の 54 人（57％）が生存退院し，そのうち 21 人（22％）が神経学的転帰良好であった．24 時間後，心拍数は 93/min 超，心係数（CI）は 2.5 L/min/m² 未満，平均血圧は，36 および 48 時間後と比しより低下しており，これらの因子は，院内死亡率に関する独立因子であった（$p < 0.05$：cox regression analysis）．一方，48 時間後の平均血圧が 84〜110 mm Hg，および心拍数が 24 時間値に比して低値の場合，神経学的転帰良好と関連していた（$p < 0.05$）．結論として，明らかとなった指標値が，PCAS 症例の集中治療に役立つ可能性があるとしている．今後の興味ある検討課題である．

2015 年の各国の心肺蘇生ガイドラインでは，体温管理療法を行った症例では，予後評価を自己心拍再開（ROSC）後，72 時間以前に行うべきでないとしているが，いまだ evidence は十分ではない．この研究は，低体温療法が施行された心停止後意識障害患者における，覚醒までの時間と予後評価に関するもので，同療法施行患者では，覚醒時間までの時間が，通常予測されるよりさらに遅れることを報告したものである[25]．その内容は，321 人の患者中，111 人（34.6％）が生存退院し，67 人（68.5％）が神経学的転帰良好（CPC1 および 2）であった．また，ROSC から 72 時間以上覚醒までにかかった症例は，生存退院した 31 人と稀でなく，そのうち 16 人（51.6％）が退院時神経学的予後良好であった．死亡退院した患者のうち，54 人（29.5％）で ROSC 後 72 時間以前に治療撤退されていた．このように，心停止後で低体温療法が施行された症例で，神経学的転帰良好例でも，覚醒が遅れることは珍しいことでなく，特に予後評価を行う際に注意を要する．これまでの報告を支持する報告であり，重要と思われる．

さらに，2013 年の TTM trial の subgroup analysis でも[26]，鎮静・鎮痛剤

---

24) Huang CH, Tsai MS, Ong HN et al：Association of hemodynamic variables with in-hospital mortality and favorable neurological outcomes in post-cardiac arrest care with targeted temperature management. Resuscitation 120：146-152, 2017

25) Zanyk-McLean K, Sawyer KN, Paternoster R et al：Time to awakening is often delayed in patients who receive targeted temperature management after cardiac arrest. Ther Hypothermia Temp Manag 7：95-100, 2017

26) Lybeck A, Cronberg T, Aneman A et al：Time to awakening after cardiac arrest and the association with target temperature management. Resuscitation 126：166-171, 2018

および筋弛緩剤の量には差がなかったものの，33℃のTTM群の方が36℃群より覚醒までの時間が長く，覚醒が遅延した例の約76%（142/188例）が神経学的転帰良好であったという．この研究では，life-sustaining therapyの早期の中止が問題になったことを考え合わせると興味深い点である．

　以下の研究は，院外心停止後患者に対する33℃台軽度低体温療法の，欧州で行われた最新の報告で，その持続時間で24時間と48時間を比較した多施設無作為比較試験である[27]．対象患者は355人で，軽度低体温療法（33 ± 1℃）を48時間施行群（$n = 176$）と24時間施行群（$n = 179$）に分け検討されている．なお，復温は0.5℃/hrの速度で37℃まで行っている．平均年齢60歳，295人（83%）が男性．全体のうち351人（99%）が試験完了している．48時間群では，69%（120/175）が6ヵ月後の神経学的転帰良好で，24時間群では64%で，両者に有意差を検出できなかった．しかし，この2017年の本研究で強調したい点は，2013年に発表されたTTM trailの6ヵ月後神経学的転帰良好例が，33℃および36℃群で共に47%であり，本研究における33℃台の軽度低体温療法では，転帰良好例が48時間施行群で69%，24時間施行群で64%と，単純比較すると明らかに向上している．**2013年発表のTTM trialの結果は，我々も誌上で指摘したように，方法論も含めて再検証されるべきRCTであったことを支持する研究である．**

2）心停止後の臓器障害に関するもの

　以下の動物実験は[28]，心停止における"No-Flow"（胸骨圧迫が行われず血流がない状態）の時間が，心臓および脳に及ぼす影響を検討している．22頭の豚において標準的な方法で心停止を作成し，3種類の"No-Flow"時間を設定〔short（8〜10 min），intermediate（12〜13 min），long（14〜15 min）〕検討している．左室駆出率（left ventricular ejection fraction：LVEF）を，心エコーで，熱希釈法で心拍出量（CO），さらに高感度心筋troponin T（hs-cTnT）で評価している．神経損傷程度はserum neuron specific enolase（NSE）と組織学的変化で評価している．結果は，"No-Flow"時間が13分以下で対象動物の約60%が生存し，神経学転帰良好が56%であったのに対し，14分以上では，その20%のみが生存したが神経学転帰良好の動物はいなかった（$p = 0.043$）．NSEは，有意に"No-Flow"時間と相関していた（$r = 0.892$）．さらに，"No-Flow"時間が延びることで，LVEFおよびCOは有意に悪化した（$p < 0.05$）．結論として，"No-Flow"時間が延びると自己心拍再開後の心筋および脳損傷の程度，さらに死亡率が増加することが明らかとなり，これまで不明であった"No-Flow"時間と転帰と臓器障害が定量的に明らかになった点で重要である．

27) Kirkegaard H, Søreide E, de Haas I et al：Targeted temperature management for 48 vs 24 hours and neurologic outcome after out-of-hospital cardiac arrest：a randomized clinical trial. JAMA 318：341-350, 2017

28) Babini G, Grassi L, Russo I et al：Duration of untreated cardiac arrest and clinical relevance of animal experiments：the relationship between the "no-flow" duration and the severity of post-cardiac arrest syndrome in a porcine model. Shock 49：205-212, 2018

3) PCAS における凝固線溶異常に関するもの

以前から，院外心停止の心停止後症候群症例において，初期の Disseminated Intravasculra Coagulation（DIC）合併が，全身性炎症性反応，臓器障害あるいは転帰に関与することが指摘されていた．さらに，2019 年の総説でも DIC の合併と PCAS の生命予後不良の関連が指摘され，血管内内皮細胞障害の重要な指標である glycocalyx の増加も指摘されている[29]．

4) PCAS における免疫および炎症反応に関するもの

以下の研究では，院外心停止例における，全身性炎症反応と血管内皮細胞障害との関連について検討されている[30]．昏睡院外心停止後患者 163 人を対象に，33℃あるいは 36℃ 24 時間継続で，TTM が行われた．IL-6 の血中濃度は，平均血圧と逆相関し（$r = -0.19$，$p = 0.03$），心拍数とは正相関を認めた（$r = 0.29$，$p = 0.0002$）．また，IL-6 レベルは，入院 24 時間後の昇圧剤の総和係数 CVI（cumulative vasopressor index）と相関が認められた（$r = 0.19$，$p = 0.02$）．また，Thrombomodulin（$r = 0.23$，$p = 0.004$）や syndecan-1（$r = 0.27$，$p = 0.001$）でも，48 時間後の CVI と相関が認められた．多変量解析にて，IL-6〔$\beta = 0.2$（95% CI：0.06〜0.3），$p = 0.004$〕と TTM-group（TTM 36℃：$\beta = -0.5$，95% CI：-0.9〜-0.1，$p = 0.01$）で，48 および 72 時間後の CVI との関連を認めた．以上の結果から，院外心停止後で意識障害を伴う症例では，全身炎症性反応および内皮細胞障害が合併し，昇圧剤使用との関連が明らかとなり，特に IL-6 や内皮細胞障害の役割の重要性が明らかとなった．

以下の研究では，自己心拍再開後の二次的脳損傷における虚血再灌流障害の役割を，high-mobility group box 1（HMGB1），NSE および interleukin-6（IL-6）の変化をもとに検討した[31]．128 人の患者で，初期の HMGB1 は，CPC（$\rho = 0.27$，$p = 0.036$）および SOFA score（$\rho = 0.33$，$p < 0.001$）と相関していた．また，24 時間以内の HMGB1，すべての時期の IL-6，および後期の NSE（24〜168 時間後）は，転帰不良と関連していた．今回の結果は，虚血再灌流障害時の HMGB1 の役割の重要性を示している．

5) 心停止後の長期予後に関連したもの

以下の研究は，米国の 5 病院で，2005 年から 2013 年に収容され，2015 年まで追跡された症例のデータを解析したものである[32]．結果は，891 人の心停止後の患者のうち，340 人が亡くなり，その生存期間は中央値で 6 年であった．調整死亡率 Hazard Ratio（HR）で評価すると，①患者の収入の因子によって，心臓カテーテル検査の効果が減弱した．②近隣病院までの到達時間が約 20 分以上という因子は，死亡率 HR を増加させた（HR：1.48，95% CI：1.35〜1.62）．③女性患者では，ICD 挿入の効果が，男性に比し少なかった（男性 HR：0.49，女性 HR：0.66）．以上のように，心停止後患者の長期転帰は，性別，収入あるいは地域性によって影響を受ける可能性があり，その死亡率低減

29) Gando S, Wada T：Disseminated intravascular coagulation in cardiac arrest and resuscitation. J Thromb Haemost 17：1205-1216, 2019

30) Bro-Jeppesen J, Johansson PI, Kjaergaard J et al：Level of systemic inflammation and endothelial injury is associated with cardiovascular dysfunction and vasopressor support in post cardiac arrest patients. Resuscitation. Resuscitation 121：179-186, 2017

31) Sugita A, Kinoshita K, Sakurai A et al：Systemic impact on secondary brain aggravation due to ischemia/reperfusion injury in post-cardiac arrest syndrome：a prospective observational study using high-mobility group box 1 protein. Crit Care 21：247, 2017

32) Coppler PJ, Elmer J, Rittenberger JC et al：Demographic, social, economic and geographic factors associated with long-term outcomes in a cohort of cardiac arrest survivors. Resuscitation 128：31-36, 2018

182　Ⅲ．ICU 特有の病態・合併症

の対策のための基礎的資料となる．

　以下の研究は，90 歳以上の心停止後で ICU に入室した患者の神経学的転帰が，想定されるより良好であることを報告している[33]．単施設後方視的研究で，2008 年と 2016 年のデータを収集し，転帰を 1 年間追跡し解析した．当該施設の ICU に入室した 90 歳以上の 657 人のうち，48 人を抽出した．27 人（56％）が女性，年齢は中央値 91.7 歳．41 人（85％）が，院内心停止例で，心原性と思われるものが約 40％であった．初期調律で shockable rhythm 例は25％，心停止から ROSC までの時間は，中央値で 4 分であった．19 人（46％）は救命され，そのうち 86％は ICU 退出時，神経学的転帰良好であった．さらに，1 年後の生存率は 23％（$n = 11$），そのうち 55％（$n = 6$）が神経学的転帰良好であった．結論として，90 歳以上の年齢の因子のみで，心肺蘇生術や心停止後のケアの施行適応を決定すべきないことを示している．

6）PCAS における新たな挑戦

　以下の研究は，110 人の院外心停止例で昏睡患者を対象に，33℃台 24 時間の低体温療法に，40％のゼノン吸入の併用で，心筋保護効果が出現するか否かを検証する研究である[34]．心筋保護効果の指標として Troponin-T の変化を用いており，年齢，性別，研究場所，PCI の有無等で調整したデータでは，72時間後ゼノン吸入群で 0.79 ± 1.54，対照群 1.56 ± 1.38 で有意差を認めた（adjusted mean difference：−0.66，95％ CI：−1.16 to −0.16，$p = 0.01$）．一方，PCI 有無や STEMI の心筋梗塞例では，ゼノン吸入の Troponin-T に対する効果は有意ではなかった．結論として，院外心停止例において，低体温療法単独に比して，40％ゼノン吸入を併用することで，心筋保護作用を増強する可能性がある．

　PCAS の動物モデルにおいて水素ガス吸入の脳血流と心機能の改善が知られている一方，人体ではこれまでに，そのような効果は検証されていなかった．以下の研究は日本から発信されたもので，2016 年に報告された人体における世界初の Phase Ⅰ Study である．107 人の院外心停止後自己心拍再開した症例の 21 人のうち，一定の条件による除外後 5 人に対して，水素ガス吸入とTTM を併用し，4 人に神経学的転帰良好を得たとしている．その後，水素ガス吸入と TTM を併用すると言うプロトコルの正当性を示す論文を発信しており[35]，今後の早期のデータ収集と解析を期待したい．

33) Roedl K, Jarczak D, Becker S et al：Long-term neurological outcomes in patients aged over 90 years who are admitted to the intensive care unit following cardiac arrest. Resuscitation 132：6-12, 2018

34) Arola O, Saraste A, Laitio R et al：Inhaled Xenon Attenuates Myocardial Damage in Comatose Survivors of Out-of-Hospital Cardiac Arrest：The Xe-Hypotheca Trial. J Am Coll Cardiol 70：2652-2660, 2017

35) Tamura T, Hayashida K, Sano M et al：Efficacy of inhaled HYdrogen on neurological outcome following BRain Ischemia During post-cardiac arrest care（HYBRID Ⅱ trial）：study protocol for a randomized controlled trial. Trials 18：488, 2017

III. ICU 特有の病態・合併症

4. 心不全の診断と治療

猪又 孝元
北里大学北里研究所病院 循環器内科

最近の動向とガイドライン

　診療ガイドラインは，疾患概念や治療体系，さらには疾患を取り巻く社会情勢をも映し出す鏡である．特に改訂版は，その時代で移ろいゆく力点がどこにあるかを端的に指し示す．今回，わが国の「急性・慢性心不全診療ガイドライン（2017年改訂版）」は，激変する心不全診療を背景に大幅な改訂が行われた．その主要点は3つに集約される．時間軸を意識した「線としての」心不全管理，原因疾患や修飾要因への介入を加えた「面としての」心不全管理，そして，「個のみ」から「集団」を意識した心不全診療，である．これまでの心不全管理では，「目に見えない治療」を優先してきた．一個人では実感し得ない予後という治療標的を，エビデンスに基づき展開する慢性期管理である．しかし，症状をすみやかに改善させる「目に見える治療」の多くも予後を改善しうる，とのデータが散見されるようになった．集中治療をはじめとする急性期管理が有する新たな視点である．すなわち，「目に見える治療」から「目に見えない治療」へ，点から線へ，ひとりの患者の中で時間軸を意識した治療体系を組み立てることを基本におく．加えて，「目に見える治療」と「目に見えない治療」は別々ではなく，重なり合う意義を認識する．このような概念の変革こそが，今回の改訂で急性期と慢性期の心不全ガイドラインが合体された背景にある．

HFpEF

　心室の拡張機能は，心室内圧測定と心エコー図により評価されることが多い．しかし，実臨床で，純粋な拡張機能の評価は困難である．拡張不全という概念に単一性が求められないことから，不正確性を避けるため現実的な語彙が導入された．これが，左室駆出率が低下していない心不全，heart failure with preserved ejection fraction（HFpEF）である．心不全診療はこの四半世紀に，エビデンスに基づく新たな治療体系が構築された．基盤を成す大規模臨床試験にて心不全の代表として土俵に上げられたのが，いわゆる収縮不全，heart failure with reduced ejection fraction（HFrEF）であった．しかしその後，心不全徴候をきたす症例のなかに，HFpEFが相当数存在することが報告された[1]．HFpEFの長期予後はHFrEFに比して大差がなく[2]，さらに重要なの

1) Steinberg BA, Zhao X, Heidenreich PA et al : Trends in patients hospitalized with heart failure and preserved left ventricular ejection fraction : prevalence, therapies, and outcomes. Circulation 126 : 65-75, 2012
2) Owan TE, Hodge DO, Herges RM et al : Trends in prevalence and outcome of heart failure with preserved ejection fraction. N Engl J Med 355 : 251-259, 2006

は，HFrEF で実証された予後改善薬が HFpEF の予後を一向に改善できない[3] 事実であった．大きな期待を持って行われた直近の試験[4] でも，打破することは叶わなかった．

HFpEF に限らず，心不全急性期の治療エビデンスは極めて乏しい．ただし，急性増悪イベント時には心筋障害が進行し，相加的な予後悪化へと繋がる．急性期に適切かつ速やかに治療介入することは，予後改善に結びつく．いかに「目に見えて」よくさせるか－水を引き，血管を開き，心拍数を適正化する－詰まるところ血行動態に基づく対処であり，HFrEF での対応と何ら変わらない．心不全診療ガイドラインにおいて，急性心不全の項に EF の言葉は登場してこない．EF のいかんで，急性期対処が大きく変わることはないからである．ただし，いくつかの留意点がある．ひとつは，腎機能障害であり，風穴を開けたのがトルバプタンである．トルバプタンは低ナトリウム血症をほぼ確実に是正し，血漿浸透圧を上昇させる．そして，血管外から血管内へと水分を引き込むことで，血管外のうっ血を処理しながら血管内のボリュームは保持させ，低心拍出への傾倒を防ぐ．特に，従来治療ではとても改善を導けなかった難治性心不全において，引き切れない血管外うっ血が軽減できるようになった．しかも，うっ血処理に伴う血行動態悪化は最小限であるとともに，腎機能への悪影響が少ないとの報告が相次いだ[5]．「急性心不全におけるトルバプタン早期導入」という治療シナリオである．なかでも HFpEF では，予後改善薬による心保護の好影響が，腎機能悪化の併発で相殺される傾向にある[6]．対象として HFpEF に焦点を当てた試験[7] は多くないが，HFpEF でのうっ血解除においてトルバプタンが改訂ガイドライン[8] でクラスⅡa と位置づけられた一因でもある．

▶ 心臓アミロイドーシス

心不全患者の増加が止まらない．心不全パンデミックとも表現される．心不全は心血管病の最終病型であり，患者数増加の根底は超高齢化社会にある．その主体は，HFpEF である．前述した通り，HFpEF ではいまだに予後を改善する治療が見出せず，治療の手詰まり感が蔓延している．その打開には，視点を変えねばならない．

ある病気や患者での病態を解釈する際，大きな２つのヤマを意識する．ひとつは，原因はともあれ結果としてこういう状態になっているというヤマである．もうひとつは，その状態をきたす原因のヤマである．心不全は状態名であり，一方で，必ず原因疾患が存在する．今回のガイドライン改訂では，心不全をきたす原因疾患や病態の修飾要因に関する記述が大幅に加えられた．これまで心不全は，状態のヤマばかりを治療標的として追い求めてきた．原因治療のツールが乏しかったためでもある．しかし，これを打破するさまざまな手法が

3) Grigorian Shamagian L, Gonzalez-Juanatey JR, Roman AV et al：The death rate among hospitalized heart failure patients with normal and depressed left ventricular ejection fraction in the year following discharge：evolution over a 10-year period. Eur Heart J 26：2251-2258, 2005

4) Solomon SD, McMurray JJV, Anand IS et al：Angiotensin-neprilysin inhibition in heart failure with preserved ejection fraction. N Engl J Med 381：1609-1620, 2019

5) Inomata T, Ikeda Y, Kida K et al：Effects of additive tolvaptan vs. increased furosemide on heart failure with diuretic resistance and renal impairment - results from the K-STAR study. Circ J 82：159-167, 2017

6) Damman K, Perez AC, Anand IS et al：Worsening renal function and outcome in heart failure patients with preserved ejection fraction and the impact of angiotensin receptor blocker treatment. J Am Coll Cardiol 64：1106-1113, 2014

7) Tamaki S, Sato Y, Yamada T et al：Tolvaptan reduces the risk of worsening renal function in patients with acute decompensated heart failure and preserved left ventricular ejection fraction - prospective randomized controlled study. Circ J 81：740-747, 2017

8) 日本循環器学会・日本心不全学会：急性・慢性心不全診療ガイドライン（2017 年改訂版）.
http://www.j-circ.or.jp/guideline/pdf/JCS2017_tsutsui_h.pdf

急速に一般化してきた．大動脈狭窄症への TAVI（trancecatheter aotic valve implantation），僧帽弁逆流への僧帽弁クリップなどは，これまでは容易に手出しができなかった治療標的への介入である．ここで再認識すべきは，HFpEF とは除外診断名である点である．文字通り EF が保持された心不全患者には，弁膜症や肺高血圧症，収縮性心膜炎など，特異的な治療介入が期待できる疾患が含まれる．しかしながら，EF が低下をみない心不全患者は除外診断が不十分なまま HFpEF と一括りにされ，半ば惰性的に対症療法を続ける場合が少なくない．そのような中で，80 歳以上の一般剖検患者の 25％に，心臓へのアミロイド沈着を認めたと報告された[9]．HFpEF とみなされた高齢患者のなかに，多数の心アミロイドーシスが眠っている可能性がある．

　心アミロイドーシスは，予後が極めて不良であった．原因療法への傾倒は時に寿命を縮めるとの経験則から，対症療法，さらには，終末期医療として対応することが多かった．しかし近年，原病をコントロールする有効な治療法が次々に登場した[10]．心臓病変を好発する AL もしくはトランスサイレチン由来の病型を含め，その対応が急速に変化している．原発性 AL アミロイドーシスに対してボルテゾミブの単独治療が導入され，さらに先ごろ，野生型を含むトランスサイレチン型心臓アミロイドーシスの高齢者心不全に対し，タファミジスが予後を改善することが報告された[11]．いずれにせよ，診断できても手が出せなかった過去から，診断することに意味を持たせる現在へと，アミロイドーシス診療は大きく変貌しつつある．

◤ 心不全と心房細動

　心不全の有無にかかわらず，心房細動患者にはリズムコントロールをすべきか，あるいはレートコントロールで十分かとの論争が繰り返されてきた．両者の介入法には遠隔期予後に有意差がないとの報告が多かった[12]が，実際にはリズムコントロール群といえども洞調律化が得られていない症例が少なからず存在していた．すなわち，薬物治療を中心に確実なリズムコントロール手段がなかった時代には，intention-to-treat 法による解釈には大きな限界が生ずる．しかし，その論争に終止符を打ちそうな時代が訪れた．それは，肺静脈隔離術というアブレーション手技がその治療成績を急速に向上させ，心房細動例での洞調律化を高率に達成できるようになったためである．そのようななか，アブレーションによる左室駆出率の改善効果がいくつか報告されてきた[13]．さらに，心不全予後をエンドポイントとした前向き比較試験 CASTLE-AF が行われ，薬物治療に比しアブレーション群が心房細動を合併する HFrEF 患者の予後を有意に改善させた[14]．中でも NYHA Ⅱ度以下，EF 25％以上で予後改善効果が大きかったことから，今後は β 遮断薬などでも検討を繰り返された responder の層別化が重要となってくるだろう．心不全管理の時間軸の中で

9) Cornwell GG 3rd, Murdoch WL, Kyle RA et al：Frequency and distribution of senile cardiovascular amyloid. A clinicopathologic correlation. Am J Med 75：618-623, 1983

10) Gertz MA, Dispenzieri A, Sher T：Pathophysiology and treatment of cardiac amyloidosis. Nat Rev Cardiol 12：91-102, 2015

11) Maurer MS, Schwartz JH, Gundapaneni B et al：tafamidis treatment for patients with transthyretin amyloid cardiomyopathy. N Engl J Med 379：1007-1016, 2018

12) Roy D, Talajic M, Nattel S et al：Rhythm control versus rate control for atrial fibrillation and heart failure. N Engl J Med 358：2667-2677, 2008

13) Anselmino M, Matta M, D'Ascenzo F et al：Catheter ablation of atrial fibrillation in patients with left ventricular systolic dysfunction：a systematic review and meta-analysis. Circ Arrhythm Electrophysiol 7：1011-1018, 2014

14) Marrouche NF, Brachmann J, Andresen D et al：Catheter ablation for atrial fibrillation with heart failure. N Engl J Med 378：417-427, 2018

186 Ⅲ．ICU 特有の病態・合併症

は，左室リモデリング抑制を通じて慢性に進行する予後悪化を防ぐ手法と，前項で述べた心不全増悪を機に予後悪化を助長させる発作性心房細動の撲滅という 2 つの役割を中心に，心不全例での心房細動アブレーションが検討されることになるであろう．

▶ 腫瘍心臓病学の視点

ガン診療はその特殊性から，専門病院として独立できてしまう素地を有する．言い換えれば，すべての科が用意された総合病院のなかでガン診療が行われているとは限らない．特に循環器領域では悪性疾患が皆無に等しく，結果としてセンター化したガン専門病院には循環器科が存在しない，あるいは，循環器科の常勤医を揃えていないことが珍しくない．そのような環境で，ガン治療に伴う心疾患とどう対峙するかが問われる．そのひとつとして注目されているのが，免疫チェックポイント阻害薬による免疫関連有害事象（irAE）としての心筋炎である．

irAE 心筋炎の発症は極めて稀であり，当初の報告ではニボルマブで 0.06％，イピリムマブとの併用で 0.27％であった[15]．ただし，近年の報告ほどその発症率は上昇しており，未診断例が隠れていたことが伺える．稀少疾患にもかかわらず，本症が重要視されるのはその重篤性による．劇症型心筋炎と呼ばれる致死例が散見されるからである．

irAE 心筋炎といえども，心筋炎管理の基本は変わらない．すなわち，炎症極期での循環動態の破綻を的確に把握・補助することが第一である．しかし，一般的な急性心筋炎と異なるのは，原病に積極的に介入する点である．すなわち，ステロイドパルスをはじめとする免疫抑制療法を積極的に行うことが推奨される[16]．ただし最近では，ステロイド治療抵抗性の症例も散見され，各種免疫調整治療の有効性が検討されつつある[17]．irAE 心筋炎では免疫チェックポイント阻害薬を原則中止するが，その抗腫瘍効果が有効かつ他の代替薬が期待できない場合，心筋炎の再発を危惧しながらも同薬を再開せざるを得ない状況が存在し[17]，その予見・予防対策が今後の課題である．一般的な急性心筋炎は，CD4 陽性 T 細胞が心筋組織へ浸潤する炎症細胞の主体であるが，irAE 心筋炎では CD8 陽性 T 細胞が目立つ[15]．現在，irAE 心筋炎の発症機序は十分に解明されていない．末梢の免疫トレランスの破綻や腫瘍との共通抗原を介した免疫作働などが提唱されている[18]が，心筋炎の病理学的病型が多岐にわたる事実から，その発症機序が複数存在することが予想される．

▶ 超高齢者心不全

2025 年問題－団塊の世代のすべてが 75 歳以上の後期高齢者となり，死を迎える場所すら十分に確保できないかもしれない．病院完結型の医療から，予防

15) Johnson DB, Balko JM, Compton ML et al：Fulminant myocarditis with combination immune checkpoint blockade. N Engl J Med 375：1749-1755, 2016

16) Brüstle K, Heidecker B：Checkpoint inhibitor induced cardiotoxicity：managing the drawbacks of our newest agents against cancer. Oncotarget 8：106165-106166, 2017

17) Tajmir-Riahi A, Bergmann T, Schmid M et al：Life-threatening autoimmune cardiomyopathy reproducibly induced in a patient by checkpoint inhibitor therapy. J Immunother 41：35-38, 2018

18) Tajiri K, Aonuma K, Sekine I：Immune checkpoint inhibitor-related myocarditis. Jpn J Clin Oncol 48：7-12, 2018

集中治療医学レビュー 2020⁻²¹

や介護も含めた地域完結型の医療への転換が急務である．そのなかで，心血管病の終末期病態である心不全は老年期に急増し，循環器疾患の中で最も見据えるべき疾患である．2016年に日本心不全学会より「高齢心不全患者の治療に関するステートメント」が公表された[19]．ただし，「ガイドライン」ではなく「ステートメント」へ軟着陸せざるをえなかったのは，介入そのものが難しく，指針と呼べる手法がいまだ確立できていないからである．いずれにせよ，超高齢化社会では「心不全はcommon disease」とまず共通認識すべきである．

　高齢者心不全の治療標的では，「キュアか，ケアか」のどちらを主軸に置くかで，医療者の人間的センスが問われる．病診連携では，急性期治療と慢性期治療を双方向でシェアするシステムが望ましい．多疾患有病者には，集約的医療が必要である．個々の患者特性に合わせ，妥当な診療法を選択し，円滑なシステムを構築する．病態説明も大切な作業である．患者の最たる希望を聴取し，治療の利益・不利益を的確に天秤にかける．2018年版「人生の最終段階における医療の決定プロセスに関するガイドライン」[20]に基づき，心不全も緩和ケアの対象疾患として列挙された．これらプロセスは，アドバンスケアプランニングをはじめ意志決定支援の根底をなす．集中治療の現場でも，無視できない重要な課題である．

19) 日本心不全学会ガイドライン委員会 編：高齢心不全患者の治療に関するステートメント．
http://www.asas.or.jp/jhfs/pdf/Statement_HeartFailure1.pdf

20) 厚生労働省：人生の最終段階における医療の決定プロセスに関するガイドライン改訂版．
https://www.mhlw.go.jp/stf/houdou/0000197665.html

III. ICU特有の病態・合併症

5. 急性冠症候群の診断と治療

嘉嶋勇一郎, 今村 浩
信州大学医学部 救急集中治療医学

最近の動向とガイドライン

　2018～2019年を中心に, 急性冠症候群 (acute coronary syndrome：ACS) に関して話題となった臨床試験についてまとめる. ACSは, primary PCI (percutaneous coronary intervention) という治療方針の大枠が完成し, 治療成績が著しく向上し劇的な進歩がみられた分野である. それでも, 心原性ショックや心停止に至る重症例, 広範梗塞後の超低左心機能の慢性心不全の症例はいまだに極めて予後不良であり, ステント内血栓症, 心血管疾患の二次予防など急性期管理だけでなく慢性期にかけての解決すべき臨床的課題は多い. また, 近年ではACSに関しては"prevention (予防)"が注目され, 大きな比重を占めるようになってきている.

　高齢者に限らず, 入院理由が冠動脈疾患の患者が心臓疾患のみならず複数臓器疾患を抱えることは少なくない. 特に重症例では, 大規模臨床試験の結果が必ずしも各患者に正しい治療方針となるとは限らない. 近年の膨大な情報量を持つガイドラインや大規模臨床試験の結果は, 全体として有効あるいは無効なことが多いということが示されているのであって, ルーチンとして行うのではなく, 目の前の患者ごとにさまざまな状況を踏まえて治療方針を選択するということが大切ではないだろうか.

予防 (prevention)

　まず二次予防における脂質管理と抗血小板療法について, 最後に一次予防に関する臨床試験をまとめる.

1. 脂質管理

　スタチンに proprotein convertase subtilisin/kexin type 9 (PCSK9) 阻害薬を併用するLDLコレステロール管理は, 心筋梗塞後の予後を改善させるだろうか. 急性心筋梗塞発症後1～12ヵ月以内の, スタチンの最高用量でもLDLコレステロール値＞70 mg/dL, non-LDLコレステロール値＞100 mg/dL, またはアポプロテインB値＞80 mg/dLの患者を対象に, alirocumab 75 mg/2 weeks (9,462人) またはプラセボ群 (9,462人) にランダム化割り付けを行った[1]. Alirocumabの容量は, LDLコレステロール値が20～50 mg/dLとなるように調整された. 主要エンドポイントは, 複合死亡, 冠動脈疾患, 心

1) Schwartz GG, Steg PG, Szarek M et al：Alirocumab and cardiovascular outcomes after acute coronary syndrome. N Engl J Med 379：2097-2107, 2018

筋梗塞，脳血管疾患，または入院加療を要する不安定狭心症に設定された．

中央値 2.8 年間の経過観察が行われ，主要エンドポイント発生率は，alirocumab 群がプラセボ群より有意に低かった〔903 人 9.5 ％ vs. 1,052 人 11.1 ％，hazard ratio（HR）：0.85，95 ％ confidence interval（CI）：0.78 to 0.93，$p < 0.001$〕．複合死亡においても，alirocumab 群がプラセボ群より有意に低かった（334 人 3.5 ％ vs. 392 人 4.1 ％，HR：0.85，95 ％ CI：0.73 to 0.98）．有害事象は，2 群間で有意差はみられなかった（3.8 ％ vs. 2.1 ％）．このことから，急性心筋梗塞後の患者のスタチン高用量＋PCSK9 阻害薬による脂質管理の有用性が示されたとされ，高リスク患者では有用な治療方針かもしれない．

高トリグリセリド血症は虚血性心疾患の危険因子であるが，魚オイル icosapent ethyl の有用性について検討されたプラセボとのランダム化二重盲検比較試験[2] が行われた．スタチン内服患者でトリグリセリド値が 135〜499 mg/dL かつ LDL コレステロール値が 41〜100 mg/dL の 8,179 人の患者（70.7 ％は心血管疾患の二次予防目的）を，icosapent ethyl 2 g × 1 日 2 回群またはプラセボ群に割り付けた．主要エンドポイントは，複合心血管死亡，急性心筋梗塞，死亡に至る脳血管疾患，虚血性心疾患，または不安定狭心症に設定され，中央値 4.9 年経過観察された．

主要エンドポイントは，icosapent ethyl 群がプラセボ群より有意に低かった（17.2 ％ vs. 22.0 ％，HR：0.75，95 ％ CI：0.68 to 0.83，$p < 0.001$）．有害事象として懸念される出血イベントは，2 群間で有意差はみられなかった（2.7 ％ vs. 2.1 ％，$p = 0.06$）．このことから，スタチン内服中の高トリグリセリド血症の患者において，icosapent ethyl 2 g × 2 回/day を内服は有用であると結論された．

PCI 前にスタチン高用量を内服は急性心筋梗塞患者の予後を改善するか，これは以前にその有用性を示唆した臨床試験が知られており [3, 4]，古くて新しい問題といえる．SECURE-PCI trial では，4,191 人の急性冠症候群の患者を，PCI 後 24 時間までに atorvastatin 80 mg またはプラセボを使用する群に無作為割り付けを行い比較した [5]．主要エンドポイントは，30 日までの MACE，すなわち複合死亡，急性心筋梗塞，脳血管疾患，予定外の再冠動脈血行再建術施行に設定された．30 日 MACE は，atorvastatin 群とプラセボ群では 2 群間に有意差はみられなかった（それぞれ 130 人 6.2 ％ vs. 149 人 7.1 ％，absolute difference：0.85 ％，95 ％ CI：−0.70 ％ to 2.41 ％，HR：0.88，95 ％ CI：0.69〜1.11，$p = 0.27$）．また，有害事象にも 2 群間に有意差はみられなかった．本試験の結果からは，スタチン高用量を急性冠症候群の PCI 前後に初期ローディングする意義は少ないものと考えられる．

2. 抗血小板療法

現行ガイドラインでは，薬剤溶出性ステント（drug-eluting stents：DES）

2) Bhatt DL, Steg PG, Miller M et al：Cardiovascular risk reduction with icosapent ethyl for hypertriglyceridemia. N Engl J Med 380：11-22, 2019

3) Pasceri V, Patti G, Nusca A et al：Randomized trial of atorvastatin for reduction of myocardial damage during coronary intervention：results from the ARMYDA（Atorvastatin for Reduction of MYocardial Damage during Angioplasty）study. Circulation 110：674-678, 2004

4) Briguori C, Visconti G, Focaccio A et al：Novel approaches for preventing or limiting events（Naples）II trial：impact of a single high loading dose of atorvastatin on periprocedural myocardial infarction. J Am Coll Cardiol 54（23）：2157-2163, 2009

5) Berwanger O, Santucci EV, de Barros E Silva PGM et al：Effect of loading dose of atorvastatin prior to planned percutaneous coronary intervention on major adverse cardiovascular events in acute coronary syndrome：the secure-pci randomized clinical trial. JAMA 319：1331-1340, 2018

留置後には 12ヵ月間のアスピリン＋ P2Y$_{12}$ 阻害薬の dual antiplatelet therapy（DAPT）が推奨されている．しかし，出血性イベントなどの合併症が増加することから短期間の DAPT でも十分ではないかと考えられており，本試験[6]では DAPT が 6ヵ月間の群における 12ヵ月以上の群との非劣勢を示す目的で行われた．不安定狭心症，非 ST 上昇型または ST 上昇型の急性心筋梗塞により PCI が施行され DES が留置された 2,712 人を対象に，DAPT を 6ヵ月または 12ヵ月以上の 2 群の無作為割り付けを行った．主要エンドポイントは，18ヵ月時までの全死亡，急性心筋梗塞，または脳血管疾患に設定された．

主要エンドポイントの発生率は，6ヵ月群が 63 人で 12ヵ月以上群が 56 人であった（cumulative event rate 4.7 ％ vs. 4.2 ％，absolute risk difference：0.5 ％，upper limit of one-sided 95 ％ CI：1.8 ％，$p_{non-inferiority}$ = 0.03 with a predefined non-inferiority margin of 2.0 ％）．全死亡（35 人 2.6 ％ vs. 39 人 2.9 ％，HR：0.90，95 ％ CI：0.57〜1.42，p = 0.90）と脳血管疾患〔11 人 0.8 ％ vs. 12 人 0.9 ％，HR：0.92（95 ％ CI：0.41〜2.08），p = 0.84〕については 2 群間で有意差はみられなかったものの，急性心筋梗塞に関しては 6ヵ月群は 12ヵ月以上群より有意に高かった〔24 人 1.8 ％ vs. 10 人 0.8 ％，HR：2.41（95 ％ CI：1.15〜5.05），p = 0.02〕．本試験では，DAPT 期間を 6ヵ月に短縮させることは急性心筋梗塞発症リスクを高め，12ヵ月以上群との非劣勢を示すことができなかった．この臨床試験では，P2Y$_{12}$ 阻害薬として clopidogrel が 7 割以上の症例で用いられていた．他の薬剤ではどうか，検討が必要とされた．

DAPT 期間短縮は，ticagrelor の場合はどうだろうか．この試験[7]では，アスピリン 100 mg/day ＋ ticagrelor 90 mg × 2 回/day を 12ヵ月継続しその後はアスピリン単剤にする標準治療群と，アスピリン 100 mg/day ＋ ticagrelor 90 mg × 2 回/day を 1ヵ月後に ticagrelor 単剤に変更する DAPT 短期間群に割り付けし，23ヵ月まで経過観察を行った．主要エンドポイントは，2 年時の全死亡または新規 Q 波形成を伴う心筋梗塞発症に設定された．

15,968 人を DAPT 短期間群（7,980 人）と標準治療群（7,988 人）に無作為割り付けを行った．2 年後の主要エンドポイント発生率は，DAPT 短期間群 304 人（3.81 ％），標準治療群 349 人（4.37 ％）では 2 群間で有意差はみられなかった（rate ratio：0.87，95 ％ CI：0.75〜1.01，p = 0.073）．この試験は非劣勢を目的とした試験デザインではなかったため，結果の解釈としては DAPT 短期間が標準治療より優れているとはいえないということになる．なお，出血イベントは 2 群間で有意差はみられなかった．

3．一次予防

近年の大規模臨床試験は，心血管疾患における一次予防に関する比重が大きくなってきていることが特徴である．その重要性はもちろんだが，二次予防に関する話題が飽和してきたことの反面でもあろう．代表的と思われる試験を 3

6) Hahn JY, Song YB, Oh JH et al：6-month versus 12-month or longer dual antiplatelet therapy after percutaneous coronary intervention in patients with acute coronary syndrome（SMART-DATE）：a randomised, open-label, non-inferiority trial. Lancet 391：1274-1284, 2018

7) Vranckx P, Valgimigli M, Jüni P et al：Ticagrelor plus aspirin for 1 month, followed by ticagrelor monotherapy for 23 months vs aspirin plus clopidogrel or ticagrelor for 12 months, followed by aspirin monotherapy for 12 months after implantation of a drug-eluting stent：a multicentre, open-label, randomised superiority trial. Lancet 392：940-949, 2018

つあげる.

1) ASCOT Legacy study

高血圧, 脂質異常症の管理について, 英国で行われた長期追跡調査の結果について報告している[8]. デザインはやや複雑で, まず高血圧をアムロジピンまたはアテノロールによる治療群の2群にランダム化割り付けを行い, さらにその中でLDLコレステロール値>6.5 mmol/Lの患者をアトルバスタチンまたはプラセボの2群にランダム化割り付けを行った. 全死亡を主要エンドポイントに設定し, 中央値約16年の経過観察を行っている.

全体では8,580人の患者のうち, 3,282人 (38.3%) が死亡した. まず高血圧管理については, アテノロール群1,640人 (38.4%) とアムロジピン群1,642人 (38.1%) で2群間に有意差はみられなかったが (adjusted HR:0.90, 95% CI:0.81〜1.01, p = 0.0776), 脳血管イベントはアムロジピン群で有意に低かった (adjusted HR:0.71, 95% CI:0.53〜0.97, p = 0.0305). さらに, アトルバスタチンによるLDLコレステロール管理を追加すると, 心血管イベントが有意に減少していた (HR:0.85, 95% CI:0.72〜0.99, p = 0.0395). 以上の結果より, 高血圧および脂質管理が長期心臓血管死亡リスクを低下させることが確認され, アムロジピンによる血圧管理とスタチンによる脂質管理を行うことで脳血管イベント発生率が低下するとされた.

2) ARRIVE trial

アスピリンによる心血管疾患の一次予防については結論がついておらず, その安全性と有効性について検討が行われたランダム化二重盲検比較試験[9]である. 主要エンドポイントは, 有効性については心血管死亡, 心筋梗塞, 不安定狭心症, 脳血管疾患または一過性脳虚血発作の発症で, 安全性については出血イベントである.

12,546人をアスピリン群 (n = 6,270) とプラセボ群 (n = 6,276) にランダム化割り付けを行い, 中央値60ヵ月の経過観察を行った. 主要イベントは, アスピリン群269 (4.29%), プラセボ群281 (4.48%) で2群間に有意差はみられなかった (HR:0.96, 95% CI:0.81〜1.13, p = 0.6038). 消化管出血は, アスピリン群の方が有意に高くみられたが (61人0.97% vs. 29人0.46%, HR:2.11, 95% CI:1.36〜3.28, p = 0.0007), 全体での有害事象には2群間で有意差はみられなかった (アスピリン群1,266人20.19% vs. プラセボ群1,311人20.89%). この結果を単純に解釈すると, アスピリンによる一次予防効果は否定的な印象だが, イベント発生率が非常に低い低リスク群での試験結果であり, 中等度以上の心血管疾患リスク患者を対象にした検討が今後は必要であろう.

3) ASCEND study

ARRIVE trialに続いて, 糖尿病患者での心血管疾患に対するアスピリンの

8) Gupta A, Mackay J, Whitehouse A et al: Long-term mortality after blood pressure-lowering and lipid-lowering treatment in patients with hypertension in the Anglo-Scandinavian Cardiac Outcomes Trial (ASCOT) legacy study: 16-year follow-up results of a randomised factorial trial. Lancet 392: 1127-1137, 2018

9) Gaziano JM, Brotons C, Coppolecchia R et al: Use of aspirin to reduce risk of initial vascular events in patients at moderate risk of cardiovascular disease (ARRIVE): a randomised, double-blind, placebo-controlled trial. Lancet 392: 1036-1046, 2018

192　Ⅲ．ICU特有の病態・合併症

一次予防に関する報告[10]がなされた．糖尿病は心血管疾患発症のリスクを高め，アスピリンは心血管疾患の予防効果が期待されるが，一方でアスピリンは出血性合併症を高めることが知られており，効果と有害事象の観点からその有用性については明らかではない．

心血管疾患を発症していない糖尿病患者を，アスピリン100 mg/day内服する群とプラセボ群にランダム化割り付けを行った．主要エンドポイントは，効果については心血管疾患（心筋梗塞，脳血管疾患，一過性脳虚血発作など），安全性は出血イベント（脳出血，消化管出血など）に設定された．15,480人を対象に，中央値7.4年の経過観察を行った．

心血管疾患の発症は，アスピリン群で有意に低かった（658人8.5% vs. 743人9.6%，RR：0.88，95% CI：0.79 to 0.97，$p = 0.01$）．しかしながら，出血イベント（多くは消化管出血）は，アスピリン群で有意に高かった（314人4.1% vs. 245人3.2%，RR：1.29，95% CI：1.09 to 1.52，$p = 0.003$）．本試験は，アスピリン内服は糖尿病患者の心血管疾患発症リスクを低下させるが，主に消化管出血の有害事象の発生率も高まるため，その効果が相殺されてしまうと結論された．ただし，全体としてはアスピリンの有用性は証明できなかったものの，個々の症例では有用であることもあろうし，このあたりは臨床試験の限界かもしれない．有意差がないことは，すなわち実臨床において無意味とは限らないように思われる．

▶ 診　断

ACSは，見逃しが重大な転帰に直結する可能性が高い疾患のひとつであり，救急外来などでの胸痛患者の評価は重要な問題のひとつである．来院直後と1時間ないし3時間後の高感度心筋トロポニン値測定などがガイドライン上で推奨されているが，決定的な方法がないのが現状ではなかろうか．

ACSが疑われ心筋トロポニンⅠを測定された連続する48,282人の中で，10,360人（21%）の患者が現在の通常基準により心筋トロポニンⅠが陽性と判断され，この患者群を調査対象とした[11]．高感度アッセイでは，通常基準では陰性であった群の中の1,771（17%）に心筋障害または心筋梗塞を検出することができた．この新たに高感度アッセイで陽性となった群を1年間経過観察し，その他の患者群と比較を行ったが，1年後までの心筋梗塞発症または心臓血管死亡については，群間の有意差はみられなかった（adjusted odds ratio for implementation vs. validation phase 1.10，95% CI：0.75 to 1.61，$p = 0.620$）．本試験では，高感度アッセイは17%の患者において心筋の障害または梗塞を新たに検出することができたが，それが1年後までの心筋梗塞または心血管死亡の発症率の低下につながることはなかった．

冠動脈CT（coronary computed tomographic angiography：CTA）は，冠

10) ASCEND Study Collaborative Group, Bowman L, Mafham M et al：Effects of aspirin for primary prevention in persons with diabetes mellitus. N Engl J Med, 379：1529-1539, 2018

11) Shah ASV, Anand A, Strachan FE et al：High-sensitivity troponin in the evaluation of patients with suspected acute coronary syndrome：a stepped-wedge, cluster-randomised controlled trial. Lancet 392：919-928, 2018

動脈疾患の診断率が向上してきているが，胸痛患者の長期予後についての有用性は知られていない．本試験[12]は，4,146人の胸痛患者を標準治療＋CTA施行群と標準治療群の2群にランダム化割り付けを行い，主要エンドポイントは5年までの冠動脈疾患による死亡または心筋梗塞発症に設定された．

4,146人の患者を対象に，中央値4.8年間の経過観察が行われた．主要エンドポイントの発症率は，CTA施行群（2,073人）は標準治療群（2,073人）より有意に低かった（48人2.3％ vs. 81人3.9％，HR：0.59，95％CI：0.41 to 0.84，$p = 0.004$）．緊急冠動脈造影術の施行率はCTA群の方が有意に高かったが，5年時点での冠動脈造影施行率には2群間で有意差はみられず（491人 vs. 502人，HR：1.00，95％CI：0.88 to 1.13），また，冠動脈形成術施行率についても2群間で有意差はみられなかった（279人 vs. 267人，HR：1.07，95％CI：0.91 to 1.27）．しかしながら，CTA群の方が予防的治療の導入率は高く〔odds ratio（OR）：1.40，95％CI：1.19 to 1.65〕，狭心症の加療が開始されていた（OR：1.27，95％CI：1.05 to 1.54）．全死亡に関しては，2群間で有意差はみられなかった．

本試験では，胸痛患者において標準治療にCTAを追加した群では，冠動脈造影および形成術を増やすことなく5年後の冠動脈疾患または心筋梗塞による死亡率の低下がみられた．CTAの長期予後を初めて示した，CTA有用性をさらに補強する結果であったことは注目に値するものと思われる．

▶ 血行再建術のストラテジー

ここでは，多枝病変を有する心原性ショックなど重症患者等で，心筋梗塞の責任病変のみ治療を行うか，あるいは非責任病変まで含めた冠動脈血行再建術を行うのか，どちらが優れた治療法なのだろうかという問いに対して行われた臨床試験をまとめ，その後に新世代ステント，冠動脈バイパス術に関する報告をあげる．血行再建術の方法は，いずれも責任病変のみをPCIするというストラテジーが有利ではないかという結論となってはいるが，それはルーチンで行う必要性がないということを意味するものであって，患者によっては完全血行再建術が最良の治療法であるということが必ずあるはずだ．

急性心筋梗塞の予後はprimary PCI等の初期管理の進歩とともに著しい改善がみられているが，心原性ショックに至る重症の急性心筋梗塞患者ではいまだに予後は極めて不良である．特に多枝病変を有する心原性ショックに至る急性心筋梗塞では，PCI施行を責任病変のみにとどめるべきか完全血行再建を目指すのか，治療のストラテジーは議論が分かれている．

本試験[13]では，心原性ショックに至る重症の急性心筋梗塞患者706人を，責任病変のみPCIを行う群と，責任病変以外を含めてprimary PCI時または待機的にPCIを施行し完全血行再建を行う群とにランダム化比較試験を行い，

12) SCOT-HEART Investigators, Newby DE, Adamson PD et al：Coronary CT angiography and 5-year risk of myocardial infarction. N Engl J Med 379：924-933, 2018

13) Thiele H, Akin I, Sandri M et al：PCI strategies in patients with acute myocardial infarction and cardiogenic shock. N Engl J Med 377：2419-2432, 2017

主要エンドポイントを 30 日後までの複合死亡または腎代替療法を必要とする腎機能障害の発症に設定して検討している.

　主要イベント発生率は, 責任病変のみ群では 158/344 人 (45.9％), 完全血行再建術群では 189/341 (45.9％) で, 完全血行再建術群の方が高かった 〔relative risk (RR)：0.83, 95％ CI：0.71 to 0.96, p = 0.01〕. 責任病変のみ群の完全血行再建術群に対する 30 日死亡の相対危険率は 0.84 (95％ CI：0.72 to 0.98, p = 0.03) で, 30 日以内の腎機能障害は 0.71 (95％ CI：0.49 to 1.03, p = 0.07) で, いずれも責任病変のみ群の方が有意に低かった. このことから, 多枝病変を有する心原性ショックに至る急性心筋梗塞の患者では, 責任病変のみ PCI 施行する治療ストラテジーが全体としては良いものと結論されている.

　なお, 前述の臨床試験[13] は, 1 年後までの追跡結果が続報されている[14]. そこでは, 死亡については, 責任病変のみ群では 172/344 人 (50.0％), 完全血行再建術群では 194/341 (56.9％) で, 責任病変のみ群の方が低い傾向がみられたが (RR：0.88, 95％ CI：0.76 to 1.01), 2 群間で有意差はみられなかった. 心筋梗塞の再発は, 責任病変のみ群で 1.7％, 完全血行再建術群では 2.1％ と, 完全血行再建術群の方が高く (RR：0.85, 95％ CI：0.29 to 2.50), 複合死亡または心筋梗塞再発はそれぞれ 50.9％ vs. 58.4％ と完全血行再建術群の方が高かったが (RR：0.87, 95％ CI：0.76 to 1.00), いずれも有意差はみられていない. 以上のことから, 30 日までの死亡, 腎機能障害のリスクは完全血行再建群より責任病変のみ群の方が低いが, 1 年後の死亡率には差がみられないと結論され, 単純にいずれかの治療ストラテジーが優れているというものではなく, 症例ごとの判断が必要ということであろう.

　急性心筋梗塞の治療ストラテジーとして, 責任病変以外の冠動脈病変を治療することは現在のところ全体としては有益ではなさそうだが, 虚血が証明される場合には PCI を非責任病変に施行することは有益ではないだろうか. この疑問に対して, FFR (fractional flow reserve) による評価を行い急性心筋梗塞患者に対する治療ストラテジーを決定する試験が行われた[15]. 885 人の多枝病変を有する急性心筋梗塞患者を, 非責任病変に対して FFR を施行し完全血行再建術を考慮した群 (295 人) と, 責任病変のみ PCI を施行する群 (590 人) に 1：2 の割合でランダム化比較試験を行った. 主要エンドポイントは, 12 ヵ月時の複合死亡, 急性心筋梗塞, 再血行再建術施行, 脳血管障害の発症とされた. 主要エンドポイントの発生は, FFR 施行完全血行再建術群では 23 人, 責任病変のみ群では 121 人と, 有意に FFR 群で低かった (HR：0.35, 95％ CI：0.22 to 0.55, p < 0.001). しかし, この内訳を見ると, 死亡は 1.4％ vs. 1.7％, HR：0.80, 95％ CI：0.25 to 2.56, 心筋梗塞再発は 2.4％ vs. 4.7％, HR：0.50, 95％ CI：0.22 to 1.13 で, いずれも 2 群間で有意差はみられていない. 結局, 大きな差がみられたものは再血行再建術施行のみであった (6.1％

14) Thiele H, Akin I, Sandri M et al：One-year outcomes after PCI strategies in cardiogenic shock N Engl J Med 379：1699-1710, 2018

15) Smits PC, Abdel-Wahab M, Neumann FJ et al：Fractional flow reserve-guided multivessel angioplasty in myocardial infarction. N Engl J Med 376：1234-1244, 2017

vs. 17.5%，HR：0.32，95% CI：0.20 to 0.54）．このことから，FFRによる多枝病変を有する急性心筋梗塞患者の非責任病変へのPCI施行という治療ストラテジーが，実臨床において有用とは言い難いようだが，今後は他の虚血評価方法により急性心筋梗塞患者への完全血行再建術施行の有用性が示されることはあるかもしれないし，明らかに完全血行再建術を施行することが有益な症例は実際にあるはずで，臨床試験での有意差のみで語れる問題ではないのかもしれない．

ST上昇型ではない，非ST上昇型心筋梗塞（non-ST-elevation myocardinal infarction：NSTEMI）での治療ストラテジーに関する報告[16]である．NSTEMIに対する血行再建術は，現在のガイドラインでは72時間以内に施行することが推奨されている．しかしながら，血行再建術施行のタイミングはいまだに議論の分かれるところである．Kofoed KFらは，診断から12時間以内に積極的に血行再建術を行うことの有用性について検討した．

2,147人のNSTEMI患者を，12時間以内に血行再建術を行う早期積極群（1,075人）と，48〜72時間以内に血行再建術を行う現行加療群（1,072人）の2群にランダム化した．主要エンドポイントは，複合死亡，心筋梗塞再発，心筋虚血による入院，心不全入院に設定され，中央値4.3年の経過観察が行われた．

主要エンドポイントは，早期積極群296（27.5%），現行加療群316（29.5%）で有意差はみられなかった（HR：0.92，95% CI：0.78〜1.08）．GRACE risk score＞140の症例に限ったサブ解析では，早期積極群の方がイベント発生率は有意に低かった（HR：0.81，95% CI：0.67〜1.01，p value for interaction ＝ 0.023）．このことから，NSTEMI患者への12時間以内の早期積極的な血行再建術施行は，全体としては予後を改善させることはなかったが，高リスク群では予後を改善させると結論されている．

生体吸収性ステント（bioresorbable scaffolds：BRS）は，現在一般的に使用されているDESより高率なデバイス不良が報告されているが，本試験[17]では急性心筋梗塞に対するBRS vs. DESを，ステントに起因する複合心臓死亡，責任血管の心筋梗塞発症について調査された．

BRSとDES（ここではdurable polymer everolimus-eluting stent：EES）を2：1に無作為割り付けを行い，それぞれ173人と89人を12ヵ月間追跡しBRSの非劣勢を示す目的で行われた．留置された平均ステント径は，BRS群が24.6 ± 12.2 %，DES群が27.3 ± 11.7 %で有意差はみられなかった（P-inferiority＜0.001）．12ヵ月後に冠動脈造影術が施行され，イベント発症率はBRS群12人（7.0%）とDES群6人（6.7%）であり，2群間に有意差はみられなかった（HR：1.04，95% CI：0.39〜2.78）．BRSの非劣勢を示すにはイベント発症率を十分に検出する規模の臨床試験といえないものの，今後の

16) Kofoed KF, Kelbæk H, Hansen PR et al： Early versus standard care invasive examination and treatment of patients with non-ST-segment elevation acute coronary syndrome. Circulation 138：2741-2750, 2018

17) Byrne RA, Alfonso F, Schneider S et al： Prospective, randomized trial of bioresorbable scaffolds vs. everolimus-eluting stents in patients undergoing coronary stenting for myocardial infarction：the Intracoronary Scaffold Assessment a Randomized evaluation of Absorb in Myocardial Infarction（ISAR-Absorb MI）trial. Eur Heart J 40：167-176, 2019

BRS の可能性を示唆すると結論されている.

Primary PCI を施行した ST 上昇型心筋梗塞（STEMI）患者 1,300 例を対象に，超薄型ストラットと生分解性ポリマーを使用したシロリムス溶出性ステントの安全性と有効性を単盲検無作為化優越性試験で，薄型ストラットと耐久性ポリマーを使用したエバロリムス溶出性ステントと比較した（BIOSTEMI 試験）[18].

その結果，主要評価項目に規定した 12 ヵ月時の標的病変不全（心臓死，標的血管心筋梗塞，標的病変血行再建術の複合）発生率は生分解性ステント群 4 %，耐久性ステント群 6 % となり（差 -1.6 パーセントポイント，率比 0.59，95 % CI：0.37〜0.94，優越性の事後確率 0.986），生分解性ステントの優越性が示された.

長期成績はなお冠動脈バイパス移植（CABG）が優位な報告が多い中で，ステントの性能が向上してきている．本試験[19]では左冠動脈主幹部疾患があり解剖学的な複雑性が中程度以下の患者 1,905 例を対象に，エベロリムス溶出ステントによる PCI と冠動脈バイパス移植（CABG）による長期転帰を多国籍非盲検無作為化試験で比較検討した.

主要評価項目（死亡，脳卒中および心筋梗塞の複合転帰）の 5 年時発生率は，PCI 群 22.0 %，CABG 群 19.2 % だった（差 2.8 パーセントポイント，$p = 0.13$）．全死因死亡は PCI 群の方が CABG 群よりも多かった（13.0 % vs. 9.9 %）が，心血管死（5.0 % vs. 4.5 %）および心筋梗塞（10.6 % vs. 9.1 %）には有意差がなかった．脳血管の全イベントは PCI 群の方が少なかった（3.3 % vs. 5.2 %）が，脳卒中は両群間に有意差はなかった（2.9 % vs. 3.7 %）．解剖学的な複雑性が中程度以下の患者では，PCI は治療選択肢となり得ることを示している.

最後に，直近の話題として 2019 年のヨーロッパ心臓病学会で発表された，注目すべき ACS 関連の臨床試験についてまとめる.

1) ISAR REACT 5 study[20]

主要エンドポイントは 1 年後までの複合死，心筋梗塞，脳血管疾患のイベント発生率，主要 2 次エンドポイントは出血イベントとして，急性心筋梗塞にて primary PCI を施行された 4,018 名の患者を ticagrelor 群と prasugrel 群にランダム化比較試験を行った．1 次エンドポイントは，ticagrelor 群 9.3 % vs. ticagrelor 群 6.9 % であった（HR：1.36，95 % CI：1.09 to 1.70，$p = 0.006$）．それぞれの ticagrelor 群と prasugrel 群のイベント発症率は，死亡 4.5 % vs. 3.7 %，心筋梗塞 4.8 % vs. 3.0 %，脳血管疾患 1.1 % vs. 1.0 % であった．重大な出血イベントは，ticagrelor 群 5.4 % vs. ticagrelor 群 4.8 %（HR：1.12，95 % CI：0.83 to 1.51，$p = 0.46$）であった．以上より，ST 上昇また非上昇にかかわらず，急性冠症候群において死亡，心因梗塞，脳血管傷害の発症率は，

18) Iglesias JF, Muller O, Heg D et al：Biodegradable polymer sirolimus-eluting stents versus durable polymer everolimus-eluting stents in patients with ST-segment elevation myocardial infarction（BIOSTEMI）：a single-blind, prospective, randomised superiority trial. Lancet 394：1243-1253, 2019

19) Stone GW, Kappetein AP, Sabik JF et al：Five-year outcomes after PCI or CABG for left main coronary disease. N Engl J Med 381：1820-1830, 2019

20) Schüpke S, Neumann FJ, Menichelli M et al：Ticagrelor or prasugrel in patients with acute coronary syndromes. N Engl J Med 381：1524-1534, 2019

ticagrelor 群より prasugrel 群の方が有意に低く，出血イベントはほとんど変わらないことが示された．Open-label 試験であることが本試験の弱点ではあるが，次回のガイドライン改訂に大きなインパクトをもたらす研究として注目された．

2）ACS 患者に酸素は有用？

本試験[21]では，ニュージーランド国内において ACS を疑われた全患者を対象とし，救急車内，ER，CCU，血管造影室において酸素流量と 30 日全死亡の関係を調査した．Liberal 群では SpO_2 にかかわらず高流量（マスク 6〜8 L/min）酸素を使用し，conservative 群では SpO_2 が 90％以下の場合に SpO_2 90〜94％となるように酸素流量を調整するようにし，2 群比較を行った（それぞれ 20,304 名 vs. 20,568 名）．ACS が疑われた全患者の 30 日全死亡は，liberal 群 613 名（3.02％），conservative 群 642 名（3.12％）であった（OR：0.97，95％ CI：0.86 to 1.08，$p = 0.55$）．ER 到着時の SpO_2 が 95％以下の患者で生存率が高い傾向がみられた．さらに ACS と診断された患者の解析では（$n = 4,159$ 名），30 日死亡率は liberal 群 178 名（8.8％），conservative 群 225 名（10.6％）であり（OR：0.81，95％ CI：0.66 to 1.00），有意差はみられなかった．著者らは，ACS を疑う患者に対する高流量酸素は，SpO_2 が 95％以下の場合に限り予後を改善する可能性があるが，低酸素血症のない場合の有用性は期待できないと結論付けている．

3）ACS 患者では，スタチンを用いた積極的な LDL コレステロール低下が推奨されているが，PCSK9 阻害薬である evolocumab（商品名：レパーサ®）の有効性は検討されておらず，プラセボとのランダム化二群盲検比較試験が行われた[22]．主要エンドポイントは，8 週後の LDL コレステロール低下率であった．LDL-C 値＜1.8 mmol/L は evolocumab 群で 95.7％，プラセボ群は 37.6％であり，有害事象は 2 群間で差がなかった．本試験は ACS 患者の LDL コレステロール低下に対して PCSK9 阻害薬を用いた最初の試験であり，evolocumab は 95％以上の患者において現行のガイドライン推奨レベルまで LDL コレステロールを低下させることが示された．

4）高感度トロポニンは，救急外来での実臨床において ACS が疑われる患者に対して 3 時間後に再検するという，現行ガイドライン上で標準とされる方法（0/3 hour プロトコル）に対する 0/1 hour プロトコルの非劣勢を示す試験が，実臨床における無作為比較試験として行われた[23]．

本試験は，3,378 名の患者が無作為に 0/1 hour 群と 0/3 hour 群にランダム化され，30 日全死亡を主要エンドポイントとした．0/1 hour 群の非劣勢を示すことを目的としている．0/1 hour 群は，0/3 hour 群に比して救急外来滞在時間が短く〔4.6（interquartile range：3.4〜6.4）hours vs. 5.6（interquartile range：4.0〜7.1）hours，$p < 0.001$〕，心機能を評価する検査の施行率は低

21）Silber S：Highlights from the ESC Congress 2019 in Paris.e-Journal of Cardiology Practice 18：No.1-20, Nov 2019 https://www.escardio.org/Journals/E-Journal-of-Cardiology-Practice/Volume-18/highlights-from-the-esc-congress-2019-in-paris

22）Koskinas KC, Windecker S, Pedrazzini G et al：Evolocumab for early reduction of LDL cholesterol levels in patients with acute coronary syndromes（EVOPACS）. J Am Coll Cardiol 74：2452-2462, 2019

23）Chew DP, Lambrakis K, Blyth A et al：A randomized trial of a 1-hour troponin T protocol in suspected acute coronary syndromes：the Rapid Assessment of Possible Acute Coronary Syndrome in the Emergency Department With High-Sensitivity Troponin T Study（RAPID-TnT）. Circulation 140：1543-1556, 2019

かった（0/1-hour 群 7.5% vs. 0/3 hour 群 11.0%，$p < 0.001$）．30 日全死亡は，0/1 hour 群の 0/3 hour 群に対する非劣勢が示された〔0/1 hour 群 17/1,646 名，1.0 % vs. 16/1,642 名，1.0 %，incidence rate ratio：1.06（0.53〜2.11），noninferiority p value = 0.006，superiority p value = 0.867〕．0/1 hour により救急外来から帰宅した患者の 30 日死亡または心筋梗塞の陰性的中立は 99.6%（95% CI：99.0〜99.9%）であった．この試験から，救急外来において ACS が疑われる患者が 0/1 hour による評価で，現行より早期に帰宅可能ではないかと示唆されるとしている．

6）多枝病変を有する STEMI において，非責任病変への PCI はその後の心血管死と心筋梗塞のリスクを低下させるかどうかは明らかではない．本試験[24] は，多枝病変を有する STEMI 患者を，責任病変のみ PCI する群と非責任病変まで含む完全血行再建を行う群の 2 群にランダム化し，主要エンドポイントを心血管死亡または心筋梗塞発症として比較試験を行った．中央値 3 年の経過観察中に，完全血行再建群では 158/2,016 人（7.8%）の患者にイベント発症がみられ，これは責任病変のみ群の 213/2,025 人（10.5%）より有意に低かった（HR：0.74，95% CI：0.60 to 0.91，p = 0.004）．これまで急性心筋梗塞に対する完全血行再建術は，死亡や心筋梗塞発症という hard endpoint を検出するには不十分な規模の臨床試験しかなかったが，実臨床ではその有用性が示唆されており，そのギャップを補完する最初の臨床試験として注目された．多枝病変を有する STEMI 患者において，今後は可能な限り完全血行再建術を施行することが推奨される可能性が高い．

7）PCI 後の抗血小板および抗凝固療法については，さまざまな臨床試験が報告され続けている．心房細動を有する場合には通常の DAPT（dual antiplatelet therapy）に抗凝固療法（特に近年では DOAC）を追加する TAPT（triple antiplatelet therapy）療法になるが，出血イベント発症率が上昇することが懸念される．そこで，本試験では急性心筋梗塞または狭心症にて PCI 後に，edoxaban 60 mg/day + P2Y$_{12}$ 阻害薬（アスピリンは使用しない）の DAPT 群と，ビタミン K 拮抗薬（ワーファリンなど）+ P2Y$_{12}$ 阻害薬 + アスピリンの TAPT 群において，12 ヵ月後までの安全性と DAPT 群の非劣勢を検証する多施設ランダム化比較試験[25] が行われた．

　Edoxaban の DAPT 群 751 人と TAPT 群 755 人の比較において，出血イベント発症率は DAPT 群 128 人（20%）のほうが TAPT 群 152 人（25.6%）より有意に低かった（HR：0.83，95% CI：0.65〜1.05，p = 0.001）．心房細動を有する PCI 施行患者において，PCI 直後から edoxaban + P2Y$_{12}$ 阻害薬による DAPT 療法による出血および塞栓症の発症予防における非劣勢が示された．

24）Mehta SR, Wood DA, Storey RF et al：Complete revascularization with multivessel PCI for myocardial infarction. N Engl J Med 381：1411-1421, 2019

25）Vranckx P, Valgimigli M, Eckardt L et al：Edoxaban-based versus vitamin K antagonist-based antithrombotic regimen after successful coronary stenting in patients with atrial fibrillation (ENTRUST-AF PCI)：a randomised, open-label, phase 3b trial. Lancet 394：1335-1343, 2019

III. ICU特有の病態・合併症

6. 不整脈の診断と治療

里見和浩
東京医科大学病院 不整脈センター

最近の動向とガイドライン

不整脈の治療では，近年，カテーテルアブレーションや心臓植込み型デバイスの進歩が著しい．新たな治療システムやデバイスが続々発売され，さらに新しい機能が付加されてきている．一方，薬物治療においては，新たな抗不整脈薬は，全世界的にも発売されていないし，開発も進んでいないのが現状である．薬物が治療の主体であった時代から，アブレーションによる根治的治療や，デバイスによる治療という非薬物治療が主体への時代へと移行してきていることが明らかである．しかし，現在，また将来においても，薬剤，アブレーション，デバイスの3つの治療選択を駆使して不整脈治療にあたるべきであることはいうまでもない．

2019年春に不整脈非薬物治療ガイドラインが改訂され，また2020年春には，不整脈薬物治療に関するガイドラインが改訂予定となっている．本稿では，最近のエビデンスに基づくトピックを，ガイドラインを振り返りながら概説する．

心不全と心房細動

心房細動は心不全の進行とともに出現し，逆に心房細動は心不全発症のトリガーとなりうる．心不全患者において，心房細動の合併は予後規定因子の一つであり，両者の発症は相互に関連しあっており，それぞれが増悪因子である．

心不全患者において，洞調律維持で生命予後が改善できるのではないかとの期待から，左室駆出率35％未満，NYHAクラスII～IVの心不全患者において，洞調律維持治療と心拍数コントロール治療を比較するランダム化試験が施行された（AF-CHF試験[1]）．洞調律維持効果が高く，陰性変力作用が弱いとされるアミオダロンが82％の患者で用いられたこの試験においても，洞調律維持療法は心拍数コントロール治療と比べて，有意な予後改善効果が示されなかった．これは抗不整脈薬に伴う陰性変力作用や，催不整脈作用のため，洞調律維持の効果が相殺されたためと考えられている．

カテーテルアブレーションは，心不全に対してネガティブな作用をもつ抗不整脈薬を使用せずとも洞調律維持が可能であり，洞調律維持に伴う予後改善効

1) Roy D, Talajic M, Nattel S et al：Rhythm control versus rate control for atrial fibrillation and heart failure. N Engl J Med 358：2667-2677, 2008

果が期待された．この仮説を検証するため，左室駆出率（left ventricular ejection fraction：LVEF）35％未満，NYHA ⅡからⅣの心不全例を対象として，カテーテルアブレーションと薬物治療を無作為に割り付け比較したCASTLE-AF 試験が，2018 年に発表された[2]．本試験はプライマリーエンドポイントを，全死亡および心不全による入院の複合エンドポイントとされたが，カテーテルアブレーション群で主要エンドポイントが38％抑制された．さらに，全死亡，心不全入院単独でも有意なイベント減少効果があった（死亡は47％，心不全入院は44％減少）．

NYHA ⅢよりもNYHA Ⅱで，LVEF ＜25％よりも≧25 でというふうに，比較的軽症例において予後良好であった．

本試験で特徴的なのは，すべての患者で植込み型除細動器（ICD）もしくは除細動機能付き心室同期療法（CRT-D）が使用されており，その記録から心房細動の再発率や発生頻度（AF burden）が厳密に評価できることである．30 秒以上の心房性頻拍を心房細動と定義すると，薬物治療群20％に対して，アブレーション群における洞調律維持率は60％であった．言い換えれば，その程度の洞調律維持効果であっても，アブレーションは心不全患者の予後を改善しうることが示唆された．

本研究では，アブレーション群においても，術後，最終フォローアップ時にアミオダロンが25％使用されている．薬物治療群では31％程度で有意な差はない．この試験は，アブレーションと薬物治療を直接比較したものではなく，薬物治療に対するアブレーションの付加的効果を検討したものといえるかもしれない．

前述したように，周術期の合併症さえ乗り切れば，抗不整脈薬にみられるような陰性変力作用や催不整脈作用といったネガティブな要素がアブレーションにはない．薬剤を用いず洞調律維持が可能なアブレーションは，薬剤がなし得なかった予後改善効果を期待されてきた．本試験は，心房細動に対するカテーテルアブレーションが生命予後を改善することを示した，初めての臨床試験である．

これまでのアブレーションの効果を示した臨床試験は，すべて心機能が低下した心不全例（HFrEF）に対する検討である．近年のデータでは，心不全の約半数は心機能が維持されたHFpEF であるとされる．拡張能の低下したHFpEF 例では，心房細動の発症により，容易に左房圧が上昇し，クリニカルシナリオ（CS）1 の心不全にいたる．

HFpEF 133 例，HFrEF 97 例でアブレーション施行，比較した検討で，両者の洞調律維持効果，心不全症状の改善も同等であった．今後のデータの蓄積が期待される[3]．

最新の不整脈非薬物治療ガイドラインにおいて，心不全を伴う心房細動への

2) Marrouche NF, Brachmann J, Andresen D et al：Catheter ablation for atrial fibrillation with heart failure. N Engl J Med 378：417-427, 2018

3) Black-Maier E, Ren X, Steinberg BA et al：Catheter ablation of atrial fibrillation in patients with heart failure and preserved ejection fraction. Heart Rhythm 15：651-657, 2018

アブレーション適応はクラスⅡaである[4]．今後，さらなる検証が必要ではあるが，心機能が低下した心房細動患者では，積極的にアブレーションの適応を考慮する時代になっていく可能性がある．

急性心筋梗塞患者に対する除細動器の効果

急性心筋梗塞後患者，特に低心機能の患者では心臓突然死のリスクがある．過去，急性心筋梗塞患者の突然死一次予防効果を目指して，ICD の効果が検討されたが，いずれも生命予後の改善効果が得られなかった[5]．心室のリバースリモデリングにより，心機能が改善し，心臓突然死のリスクが慢性期には低下する患者群が存在することが，ICD による突然死の予防効果を相殺させている可能性がある．現在のガイドラインでは急性心筋梗塞後発症後 40 日以前の患者には ICD の適応はない[6]．しかし，発症後亜急性に心室性頻拍を発症した患者など，いまだリスクが高い患者への対応に悩むことは多い．

着用型自動除細動器（WCD）は装着型の自動除細動器で，ICD 適応となる前に使用でき，ICD へのブリッジが期待されたデバイスである．VEST 試験は，LVEF35％以下の急性心筋梗塞患者で，退院時に薬物治療のみを行うコントロール群と，WCD を装着するデバイス群に分類され，90 日以内の突然死，もしくは不整脈死（心室性不整脈による非突然死）を一次エンドポイントとして比較された[7]．

残念なことに，90 日時点で主要転帰に両群間で有意な差はみられなかった〔デバイス群 1.6％と対照群 2.4％，相対リスク（RR）：0.67，95％信頼区間（CI）：0.37〜1.21，p = 0.18〕．WCD の突然死予防効果には期待できるが，患者のアドヒアランスが低かったこと（装着時間は 1 日あたり平均 14 時間にとどまった）が原因としてあげられる．実際に，デバイス群の死亡のほとんどがデバイスを装着していないあいだに起こった（48 例中 36 例）．また洞頻拍などに対して不適切感知によるアラームが頻回になることにより，アドヒアランスが低下した可能性があった．本試験では，10％近くの患者でアラーム件数が 100 件を超えていたことが判っている．WCD の治療では，患者の病識が効果に左右する可能性が高い．リスクのある患者では，十分にその意義を理解してもらい，治療を導入する必要がある．

さまざまな病態における ICD の突然死予防効果

植込み型除細動器の突然死一次予防効果は，さまざまな病態で生存期間が延長することが示されてきた．

虚血性心疾患については，MADIT Ⅱ試験などで，一次予防効果が示されてきた．一方，非虚血性心疾患については，相反する結果が報告されている．DEFINITE 試験，SCD-HeFT 試験では突然死を減少させたが，有意な総死亡

4) 日本循環器学会　他：日本循環器学会／日本不整脈心電学会合同ガイドライン：不整脈非薬物治療ガイドライン（2018 年改訂版）
http://www.j-circ.or.jp/guideline/pdf/JCS2018_kurita_nogami.pdf

5) Hohnloser SH, Kuck KH, Dorian P et al：Prophylactic use of an implantable cardioverter-defibrillator after acute myocardial infarction. N Engl J Med 351：2481-2488, 2004

6) Al-Khatib SM, Stevenson WG, Ackerman MJ et al：2017 AHA/ACC/HRS guideline for management of patients with ventricular arrhythmias and the prevention of sudden cardiac death. J Am Coll Cardiol 72：e91-e220, 2018

7) Olgin JE, Pletcher, MJ, Vittinghoff E et al：Wearable cardioverter-defibrillator after myocardial infarction. N Engl J Med 379：1205-1215, 2018

減少効果を示せなかった．さらに，2016 年に，DANISH 試験では，LVEF35％以下，NYHA Ⅱ～Ⅲの非虚血性心筋症に対する突然死一次予防目的の ICD の効果が否定された[8]．

Kołodziejczak らは，無作為化比較試験 11 試験（非虚血性心筋症患者 1,781 例を対象とした 4 試験，虚血性心筋症患者 4,414 例を対象とした 6 試験，いずれかの患者 2,521 例を対象とした 1 試験）のメタ解析を実施した[9]．

平均左室駆出率（LVEF）は 26％であり，ほとんどの患者で NYHA 分類Ⅱ度またはⅢ度の心不全の既往があった．従来の治療法と比較し，ICD は全死亡率の低下におおむね関連した〔ハザード比（HR）：0.81〕．この効果は非虚血性心筋症患者で有意であったが（$p = 0.006$），虚血性心筋症患者では有意ではなかった（$p = 0.063$）．抗不整脈薬との比較では，ICD では全死亡率が低下したが，有意差が認められたのは虚血性心筋症患者のみであった（$p = 0.002$，非虚血性心筋症患者では $p = 0.071$）．当然ながら，心臓突然死（sudden cardiac death：SCD）のリスクは ICD 植込み患者で低下した．死亡率は性別，年齢，LVEF，心不全重症度，QRS 時間の影響を受けなかったが，ICD 植込みと糖尿病および心筋梗塞のあいだには相互に影響がみられた．糖尿病患者では ICD 植込みで死亡率は低下しなかったが，心筋梗塞発生後 18ヵ月以上経ってから ICD を植え込んだ患者では死亡率が低下した．冠動脈バイパス術または心筋梗塞直後の ICD 植込みでは死亡率は低下しなかった．

このような結果から，今回のガイドラインでは，LVEF ≦ 35％，NYHA Ⅱ以上の心不全症状があり，十分な薬物治療を行っても非持続性心室頻拍を伴う非虚血性心疾患患者では，ICD の一次予防目的の植込みがクラスⅠ適応とされた[4]．

Bansal らは，透析や腎移植は受けておらず，LVEF40％以下で，心不全と慢性腎臓病（chronick kidney disease：CKD）（推算糸球体濾過量 60 mL/min/1.73 m² 未満）を合併する患者 18,925 例を後ろ向きに検討した．ICD を植え込まれた患者は 3,380 例であった．ICD を植え込まれていない患者 4,321 例と ICD が植え込まれた患者 1,556 例（平均年齢 73 歳）とプロペンシティスコアでマッチさせ，両群を比較した．ICD 群では平均 LVEF が低く（26.8％対29.4％），冠動脈性心疾患の発症率が高く（37.1％対 30.1％），ループ利尿薬の使用率が高く（82.8％対 73.5％），認知症である割合が低かった（2.8％対3.8％）．ICD 群では，より死亡率は高く，平均で 3.1 年のフォローアップ中に43％が死亡した．ICD の植込みは全死亡率に影響を及ぼさなかった[10]．

このように，低心機能を有する CKD 患者においても，突然死リスクは高いものと考えられる．しかし，心疾患患者の突然死の原因は様々で，不整脈死のみによる生命予後延長効果には限界がある．複数の競合する死亡リスクを有する患者では，ICD により全死亡率が低下する可能性は低い．結局，患者ごと

8) Køber L, Thune JJ, Nielsen JC et al：Defibrillator implantation in patients with nonischemic systolic heart failure. N Engl J Med 375：1221-1230, 2016

9) Kołodziejczak M, Andreotti F, Kowalewski M et al：Implantable cardioverter-defibrillators for primary prevention in patients with ischemic or nonischemic cardiomyopathy：a systematic review and meta-analysis. Ann Intern Med 167：103-111, 2017

10) Bansal N, Szpiro A, Reynolds K et al：Long-term outcomes associated with implantable cardioverter defibrillator in adults with chronic kidney disease. JAMA Intern Med 178：390-398, 2018

に綿密な適応検討をしていかざるを得ないと考えられる.

▶ 左心耳閉鎖システム

　左心耳閉鎖システムは,心房細動の血栓形成に起因する左心耳を経カテーテル的に閉鎖し,心原性脳塞栓症を予防するデバイスである.WATCHMAN®左心耳閉鎖システムは,2019年に日本で初めて薬事承認を取得した.左心耳内に固定させるためのアンカーと呼ばれる骨組みの部分と,左心耳の左房側に留置され,血栓を防ぎ,被膜生成を促進させるためのフィルターからなる.

　PROTECT-AF試験,PREVAIL試験によりワルファリンに比較し,WATCHMAN®群の出血性イベントの減少効果の有意性が報告されてきた[11].

　さらに両試験のメタ解析により,WATCHMAN®留置期間が長いほど,出血性イベントが軽減し,WATCHMAN®群はワルファリン群に比較して,6ヵ月後の大出血が72%少ないことが報告された[12].

　左心耳閉鎖システムは,心房細動による全身性塞栓症のリスクが高く,抗凝固療法が推奨されるが,出血リスクが高く長期間の抗凝固療法が継続できない患者が植え込み対象である.

　SALUTE試験は,日本で行われたWACTHMAN®に関する初めての臨床試験である.CHA$_2$DS$_2$-VASc2点以上の非弁膜症性心房細動患者54例に対して,WACTHMAN®が留置された.全例で植込みに成功し,急性期の合併症は認めなかった.6ヵ月のフォローアップ中,1例で虚血性脳卒中が発生した.日本においてもWATCHMAN®の有効性と安全性が示された[13].

　しかし,留置後45日間はワルファリンとアスピリンの併用,6ヵ月間はアスピリンとチエノピリジン系薬剤の併用,さらに6ヵ月以降もアスピリンの継続が必要であることから,出血既往例においては,周術期の出血に注意が必要である.

▶ 心室頻拍に対する薬物治療

　血行動態が不安定な持続性心室頻拍（ventricular tachycardia：VT）に対しては,心肺蘇生の手順に従って電気ショックを行う.再発予防としては,アミオダロンないしニフェカラントの静脈内投与が主に用いられてきた.

　血行動態が安定しているVTの場合には,12誘導心電図を記録し,血行動態に注意した上で,薬物による停止を試みてよい.PROCAMIO試験は,血行動態が安定したVT（疑いも含む）を対象に,アミオダロンとプロカインアミドの静注のVT停止効果を無作為に比較した.プロカインアミド群39例,アミオダロン群35例にそれぞれ割り付けられ,プロカインアミド10 mg/kgを20分で,アミオダロンは5 mg/kgを20分かけて静注した.静注開始から40分間での有効と有害事象の有無を比較した.プロカインアミドは,アミオダロ

11) Reddy VY, Doshi SK, Kar S et al：5-year outcomes after left atrial appendage closure：from the PREVAIL and PROTECT AF trials. J Am Coll Cardiol 70：2964-2975, 2017

12) Holmes DR Jr, Doshi SK, Kar S et al：Left atrial appendage closure as an alternative to warfarin for stroke prevention in atrial fibrillation. A patient-level meta-analysis. J Am Coll Cardiol 65：2614-2623, 2015

13) Aonuma K, Yamasaki H, Nakamura M et al：Percutaneous WATCHMAN left atrial appendage closure for japanese patients with nonvalvular atrial fibrillation at increased risk of thromboembolism-first results from the SALUTE trial. Circ J 82：2946-2953, 2018

ンと比較して，有害事象が有意に少なく〔9 vs. 41%，オッズ比（OR）= 0.1，95% CI：0.03〜0.6，*p* = 0.006〕，VT 停止率が高かった（53 vs. 38%，OR = 3.3，95% CI：1.2〜9.3，*p* = 0.026）．アミオダロンの主な有害事象は，血圧低下であった[14]．

2020 年 3 月には，不整脈薬物治療ガイドラインの改訂が発表される予定であり，VT 治療におけるプロカインアミドの立ち位置が変わる可能性がある．

J-Land Ⅱ study において，アミオダロンやニフェカラントなどのⅢ群薬が無効な再発性 VT に対して，ランジオロールの有効性が示された[15]．Ⅲ群薬投与下でも血行動態安定な VT もしくは心室細動が出現した患者 29 例に対して，ランジオロール 1 μg/kg/min で開始し，2.5/5/10 μg/kg/min と 1 時間で増量していき，VT/VF が再発した場合には，40 μg/kg/min まで増量可とした．最大投与量まで達してから 49 時間以内の VT/VF の再発率を検討した．77.8% で VT/VF が抑制された．最も頻度の高い副作用は血圧低下であり，20% に認めた．2019 年，心室細動，血行動態不安定な心室頻拍に対する適応追加になったことから，難治性 VT/VF に対する新たな選択枝となった．

当然，現在の薬物治療ガイドラインでは，これらの臨床試験の結果は反映されていない[16]．2020 年改訂予定の不整脈薬物治療に関するガイドラインでは，大きな変更があることが予想される．

14) Ortiz M, Martín A, Arribas F et al：Randomized comparison of intravenous procainamide vs. intravenous amiodarone for the acute treatment of tolerated wide QRS tachycardia：the PROCAMIO study. Eur Heart J 38：1329-1335, 2017

15) Ikeda T, Shiga T, Shimizu W et al：Efficacy and safety of the ultra-short-acting β1-selective blocker landiolol in patients with recurrent hemodynamically unstable ventricular tachyarrhymias-outcomes of J-Land Ⅱ Study. Circ J 83：1456-1462, 2019

16) 日本循環器学会 他：循環器病の診断と治療に関するガイドライン（2008 年合同研究班報告）：不整脈薬物治療に関するガイドライン（2009 年改訂版）
http://www.j-circ.or.jp/guideline/pdf/JCS2009_kodama_h.pdf

III. ICU 特有の病態・合併症

7. 敗血症の診断と治療

松田直之
名古屋大学大学院医学系研究科 救急・集中治療医学分野

最近の動向とガイドライン

　敗血症の定義と診断が，2016年にSepsis-3[1]として変更され，Sepsis-1[2]における全身性炎症反応症候群（systemic inflammatory response syndrome：SIRS）と重症敗血症（severe sepsis）とは異なる概念として敗血症診療が行われるようになった[3]．Sepsis-3では，敗血症は，敗血症と敗血症性ショックの2つの区分とされ，敗血症は感染症あるいは感染症が疑われる状態における臓器障害の進行と定義された．また，敗血症性ショックは，敗血症において輸液と血管作動薬に反応しない急性循環不全として，乳酸値≧ 2 mmoL/Lの細胞障害および代謝異常を合併した病態と定義された．

　このSepsis-3[1]において診断に用いるquick Sequential [Sepsis-related] Organ Failure Assessment（qSOFA）（意識変容，呼吸数≧ 22回/min，収縮期血圧≦ 100 mmHgのうち2つ以上を満たす）に関する報告が各国から続いている．「感染症」と区分して「敗血症」という用語を用いる方向性は，まさに感染症に併発する臓器障害の診療に焦点を当てたものとして区分されようとしている．そのような潮流の中で，敗血症の遷延や死亡に影響する因子として，背景病態の多様性が重視されてきている．Sepsis-1[2]では全身性炎症からの回復を目標としたが，Sepsis-3[2]における多臓器不全からの回復を目標とする方策においては，癌，脳卒中，慢性心不全，肝不全，慢性腎不全などの背景疾患との関連の中で臓器再生や死亡率を考える必要がある．

　敗血症を多臓器不全病態として敗血症の診断と治療に当たるには，罹患した背景因子の修飾を考慮する必要がある．そのような中で，敗血症や敗血症性ショックに対する診断と治療として，qSOFAに対する評価，抗菌薬の適正使用，ショックに対する診療，敗血症に随伴する播種性血管内凝固（disseminated intravascular coagulation：DIC）に対する対応などが引き続き検討されている．

敗血症の定義と診断における qSOFA

　Sepsis-3の定義[1,3]により，敗血症は感染症あるいは感染症が疑われる状態における臓器不全の進行と定義され，臓器不全の進行をqSOFAがどの程度まで予測できるかについて，各国で検討されている．Sepsis-1[2]やSepsis-3[1]における敗血症の定義の違い，およびSIRS基準やqSOFAを用いた敗血症診断や治療の概要については，日本版敗血症診療ガイドライン2016[3]を参照して

1) Singer M, Deutschman CS, Seymour CW et al：The third international consensus definitions for sepsis and septic shock (Sepsis-3). JAMA 315：801-810, 2016
2) American College of Chest Physicians/Society of Critical Care Medicine Consensus Conference：definitions for sepsis and organ failure and guidelines for the use of innovative therapies in sepsis. Crit Care Med 20：864-874, 1992

頂きたい.

　そのうえで，Chest 誌に公表された SIRS 基準と qSOFA を比較する 2018 年までのシステマティックレビュー[4] では，2016 年 2 月 23 日から 2017 年 6 月 30 日までの MEDLINE，CINAHL および Web of Science のデータベースにおける敗血症診断，および集中治療室（intensive care unit：ICU）や病院内における入院期間と死亡率が評価されている．4,022 件の研究から 10 件の研究が選択基準に適合し，合計 229,480 例の解析として，敗血症の診断の感度は SIRS を支持するものだった〔リスク比（RR）：1.32，95％信頼区間（CI）：0.40〜2.24，p＜0.0001〕．一方，qSOFA と SIRS を比較する 6 つの研究のメタ解析において，院内死亡の予測については SIRS スコアではなく qSOFA スコアを支持するものとなった（RR：0.03，95％ CI：0.01〜0.05，p＝0.002）．ここで私たちが留意すべきことは，SIRS スコア[2] は全身性炎症としての敗血症を拾い上げるものであり，臓器不全を直接に拾い上げるものではないことである．そして，qSOFA スコア[1,3] は，臨床統計学的手法より臓器不全としての敗血症を予測するものとして開発されていることである．SIRS スコアを用いた Sepsis-1 の重症敗血症は，全身性炎症を併発した臓器不全であり，qSOFA は全身性炎症の併発を前提としていない臓器不全の予測であるという，概念の差異に依然として留意が必要である．一方，2020 年 1 月においても，SIRS の再定義や SIRS をより厳格に予測する臨床統計学的スコアリングの開発は行われていない．

　qSOFA を用いた敗血症性臓器不全の予測については，日本[5]，タイ[6]，ロシア[7]，パキスタン[8]，タンザニア[9]，中国[10] などを含むさまざまな国から，報告が続いている．日本からは，日本救急医学会が主導した敗血症レジストリデータ[5] が報告されており，2010 年 6 月から 2011 年 5 月までの 1 年間において，日本の 15 施設の ICU データとして Sepsis-1[2] の定義に従う重症敗血症 387 例が 2 定点以上で qSOFA を評価できるデータとして解析されている．この重症敗血症 387 例において，57 例（約 14.7％）が qSOFA 1 点であり，また qSOFA 0 点は 6 例（約 1.6％）であり，臓器障害のある敗血症と評価されている．このような qSOFA1 点の敗血症において，5 例（8％）が院内死亡していると報告されている．qSOFA2 点以上が満たされない敗血症性臓器不全があることにも注意が必要である．また，qSOFA の院内死亡に対するリスク比は 2.3 と高いものの，さらに低体温は 3.2 と qSOFA 以上に高いことも報告されている[5,11].

　また，中国集中治療医学会などを中心として，中国でも敗血症診療の認知が高まっている．2015 年 12 月 1 日から 2016 年 1 月 31 日までの中国の 44 の病院を対象として実施された Sepsis-1 の定義に従う敗血症の疫学調査では，ICU 入院 100 回あたり 20.6 例レベルで敗血症管理が行われており，90 日死亡率は

3) 日本版敗血症診療ガイドライン 2016 作成特別委員会：日本版敗血症診療ガイドライン 2016. 日集中医誌 24：S1-S232, 2017 https://www.jsicm.org/pdf/jjsicm24Suppl2-2.pdf

4) Serafim R, Gomes JA, Salluh J et al：A comparison of the quick-SOFA and systemic inflammatory response syndrome criteria for the diagnosis of sepsis and prediction of mortality：A systematic review and meta-analysis. Chest 153：646-655, 2018

5) Umemura Y, Ogura H, Gando S et al：Assessment of mortality by qSOFA in patients with sepsis outside ICU：a post hoc subgroup analysis by the Japanese Association for Acute Medicine Sepsis Registry Study Group. J Infect Chemother 23：757-762, 2017

6) Khwannimit B, Bhurayanontachai R, Vattanavanit V：Comparison of the performance of SOFA, qSOFA and SIRS for predicting mortality and organ failure among sepsis patients admitted to the intensive care unit in a middle-income country. J Crit Care 44：156-160, 2018

7) Tian H, Zhou J, Weng L et al：Accuracy of qSOFA for the diagnosis of sepsis-3：a secondary analysis of a population-based cohort study. J Thorac Dis 11：2034-2042, 2019

8) Baig MA, Sheikh S, Hussain E et al：Comparison of qSOFA and SOFA score for predicting mortality in severe sepsis and septic shock patients in the emergency department of a low middle income country. Turk J Emerg Med 18：148-151, 2018

9) Boillat-Blanco N, Mbarack Z, Samaka J et al：Prognostic value of quick SOFA as a predictor of 28-day mortality among febrile adult patients presenting to emergency departments in Dares Salaam, Tanzania. PLoS One 13：e0197982, 2018

10) Astafieva MN, Rudnov VA, Kulabukhov VV et al：qSOFA score for prediction of outcome in surgical patients in intensive care units. Post hoc analysis of the Russian multi-center trial Rises. Khirurgiia (Mosk) 58-65, 2019

11) Kushimoto S, Abe T, Ogura H et al：Impact of body temperature abnormalities on the implementation of sepsis bundles and outcomes in patients with severe sepsis：a retrospective sub-analysis of the focused outcome research on emergency care for acute respiratory distress syndrome, sepsis and trauma study. Crit Care Med 47：691-699, 2019

35.5％と報告されている[12]．このような状況における 2012 年 7 月 1 日から 2014 年 6 月 30 日までの中国北京地域に入院した 1,716 人の成人感染症の医療データベースでは，qSOFA が 1 点以下の敗血症としての院内死亡は 7.3％と報告されている．日本救急医学会敗血症レジストリー解析[5]と同等の qSOFA 基準を満たさない敗血症の死亡率解析データである．

▶ Sepsis-3 の敗血症における背景因子の多様性

Sepsis-3 の定義により，敗血症と臓器不全が結び付けられた際に，臓器不全を独立して進行させる可能性のある基礎病態の多様性に，十分に留意して管理する必然性がある．

Sepsis Endotyping in Emergency Care（SENECA），Genetic and Inflammatory Markers of Sepsis（GenIMS），A Controlled Comparison of Eritoran in Severe Sepsis（ACCESS），Activated Protein C Worldwide Evaluation in Severe Sepsis（PROWESS），Protocol-Based Care for Early Septic Shock（ProCESS）をデータベースとして用いた敗血症のレトロスペクティブ解析[13]では，臨床転帰を予測する 4 つの臨床表現型（α，β，γ，δ）が提案され，Sepsis-3 の定義と診断において敗血症病態の不均一性が存在することが確認されている．敗血症の臨床表現型，例えば機能低下が認められる臓器選択性やサイトカイン産生の特徴などについては，原疾患，併存疾患および遺伝的要因の影響を考慮する必要がある．

現在，癌の予後においても，敗血症の早期発見と治療が予後改善の要因として確認され始めている．米国の 20,975 例の敗血症コホート調査[14]では，癌（固形 61.7％，血液 38.3％）を背景とするのは 7,489 例（35.7％）であり，癌患者の敗血症関連死亡率は 2003〜2005 年の 31.3％から，2012〜2014 年には 26.0％に減少したと報告されている．癌を背景とする敗血症においても，敗血症罹患の予測のため qSOFA の有効性が検討されており，qSOFA の評価は賛否両論として展開されている[15〜17]．

また，肝不全に合併する敗血症の予後は，他の基礎疾患以上に高い．フランスの敗血症性ショックを伴う肝硬変の後向き解析[18]では，ICU 死亡率は 54％，1 年死亡率は 73％と報告されている．ICU 死亡を予測する独立因子は，腎代替療法の早期必要性〔オッズ比（OR）：13.95，95％ CI：3.30〜59.03〕，乳酸値＞ 5 mmol/L（OR：7.27，95％ CI：2.92〜18.10），および人工呼吸の早期開始（OR：3.05，95％ CI：1.08〜8.58）だった．1 年死亡の独立因子は，ICU 滞在中の腎代替療法（OR：9.60，95％ CI：2.90〜31.82），プロトロンビン時間 ≦ 40％（OR：3.47，95％ CI：1.43〜8.43），およびチャールソン併存疾患指数（Charlson Risk Index，OR：1.36，95％ CI：1.11〜1.67）だった．さらに，2014 年 1 月から 2016 年 5 月までの米国ノースカロライナの敗血症レジストリ

12) Xie J, Wang H, Kang Y et al：The epidemiology of sepsis in chinese ICUs：a national cross-sectional survey. Crit Care Med, 2019 Dec 5 ［Online ahead of print］

13) Seymour CW, Kennedy JN, Wang S et al：Derivation, validation, and potential treatment implications of novel clinical phenotypes for sepsis. JAMA 321：2003-2017, 2019

14) Cooper AJ, Keller S, Chan C et al：Improvements in sepsis-associated mortality in hospitalized cancer vs non-cancer patients：a 12-year analysis using clinical data. Ann Am Thorac Soc, 2019 Dec 4 ［Online ahead of print］

15) Nathan N, Sculier JP, Ameye L et al：Sepsis and septic shock definitions in patients with cancer admitted in ICU. J Intensive Care Med 885066619894933, 2019 Dec 23 ［Online ahead of print］

16) Costa RT, Nassar AP Jr, Caruso P：Accuracy of SOFA, qSOFA, and SIRS scores for mortality in cancer patients admitted to an intensive care unit with suspected infection. J Crit Care 45：52-57, 2018

17) Chae BR, Kim YJ, Lee YS：Prognostic accuracy of the sequential organ failure assessment（SOFA）and quick SOFA for mortality in cancer patients with sepsis defined by systemic inflammatory response syndrome（SIRS）. Support Care Cancer 28：653-659, 2019

18) Baudry T, Hernu R, Valleix B et al：Cirrhotic patients admitted to the ICU with septic shock：Factors predicting short and long-term outcome. Shock 52：408-413, 2019

208　Ⅲ．ICU 特有の病態・合併症

ーデータ[19] では，2,584 例の敗血症性ショックが登録され，末期肝臓病を 161
例（6.2 %）に認め，末期肝臓病のない群と比較して死亡率は 36.6 %（対
21.2 %，$p < 0.001$）とされている．末期肝臓病の敗血症性ショックは，体温が
低く，乳酸値が高く，急性腎障害の発生率が高いと報告されている．

　以上において，高齢者では併存疾患や疾患予備力に加えて個人差がより強く
反映される．日本においても 2025 年には国民の 3 人に 1 人が 65 歳以上，5 人
に 1 人が 75 歳以上の少子高齢社会を迎えるにあたり，小児に加えて高齢者の
敗血症診断にも工夫が必要とされる．2012 年から 2016 年の 4 年間のオランダ
ICU に入室した敗血症の後向きコホート研究[20] では，5,969 例のうち 935 例が
80 歳以上の高齢者である．年齢別の院内死亡率は，18～65 歳で約 19 %，65～
80 歳で約 28 %，80 歳以上で約 39 % であり，また 80 歳以上における qSOFA
の識別パフォーマンスは低い結果だった〔area under the curve（AUC）
0.596〕．高齢者においては，併存する基礎疾患に加えて，高齢者自身の敗血症
反応性を理解して対応する必要がある．

▶ 敗血症性ショックにおける乳酸値測定

　敗血症性ショックは，敗血症において輸液と血管作動薬に反応しない急性循
環不全であり，Sepsis-3 の定義では乳酸値 ≧ 2 mmoL/L の細胞障害および代
謝異常を合併した病態と定義される[1, 3]．2018 年から 2019 年においても，敗
血症性ショックと乳酸値に関する多くの報告が認められる．

　敗血症性ショックは，敗血症の心血管系への侵襲の表現型である．血圧低下
と頻脈あるいは不整脈を特徴とし，生命の危機として緊急性の高い状態であ
る．また，カテコラミン過負荷，低体温，およびアシデミアは不整脈や心拡張
不全の要因となり，敗血症性心不全の重要な要因となる．直ちに血液 2 セット
および疑わしき感染部位の検体を採取し，培養検査に提出するとともに，細菌
感染に対して広域かつ適切に抗菌薬を用いる．

　この血液培養検査において，血液培養陽性敗血症性ショックと血液培養陰性
敗血症性ショックの臨床的特徴を後向きに解析した 1997 年から 2010 年までの
米国，カナダ，サウジアラビアの 3ヵ国 28 施設の ICU の Cooperative
Antimicrobial Therapy of Septic Shock（CATSS）データベースを用いたコ
ホート研究[21] が報告されている．培養陰性敗血症性ショック（$n = 2,651$，
30.6 %）および培養陽性敗血症性ショック（$n = 6,019$，69.4 %）の ICU 生存率
は 58.3 % 対 59.5 %（$p = 0.276$）で有意差を認めず，生存退院率についても
47.3 % 対 47.1 %（$p = 0.976$）と有意差を認めず，血液培養検査の結果によら
ず，敗血症性ショックの生存率は低いという結果だった．

　このような敗血症性ショックの初期蘇生では，一般に乳酸値と代謝性アシド
ーシスの改善を目標とするが，毛細血管再充満時間（capillary refill time：

19）Okonkwo E, Rozario N, Heffner AC：Presentation and outcomes of end stage liver disease patients presenting with septic shock to the emergency department. Am J Emerg Med, 2019 Nov 28〔Online ahead of print〕

20）Haas LEM, Termorshuizen F, de Lange DW et al：Performance of the quick SOFA in very old ICU patients admitted with sepsis. Acta Anaesthesiol Scand, 2019 Dec 29〔Online ahead of print〕

21）Kethireddy S, Bilgili B, Sees A et al：Culture-negative septic shock compared with culture-positive septic shock：A retrospective cohort study. Crit Care Med 46：506-512, 2018

CRT，正常＜2秒）の評価も有用である．ANDROMEDA-Shock 試験[22] は，2017 年 3 月から 2018 年 3 月まで 5 ヵ国 28 の ICU で実施された多施設無作為化試験であり，敗血症性ショックの治療として CRT を用いる群と，8 時間の時間内に乳酸値を 2 時間レベルで評価し，乳酸クリアランスが 20％を超える比率で乳酸値を正常化または低下させる治療群とを比較した前向き臨床研究である．ランダム化された 416 例の 28 日死亡は，CRT 群で 74 例（34.9％），乳酸クリアランス群で 92 例（43.4％）であり，死亡率に有意差がつかなかった〔ハザード比（HR）：0.75，95％CI：0.55〜1.02，$p = 0.06$〕．一方，CRT は乳酸クリアランスより，72 時間後の SOFA スコアを有意に改善していた（平均 SOFA スコア 5.6 対 6.6）．2019 年に再解析された ANDROMEDA-Shock 試験のベイジアン解析[23] では，CRT を用いた敗血症性ショック管理は，乳酸クリアランスを目標とした敗血症性ショック管理よりも 28 日生存と 90 日生存を高めると結論されている．この研究に用いられた乳酸クリアランス法は，surviving sepsis campaign guidelines 2016[24] で推奨されている 2〜4 時間ごとに乳酸値レベルを評価するという方法である．乳酸クリアランス法よりも CRT による管理が優れているという結果は，CRT 法が①ベッドサイドで簡便に頻回に施行できることと，②末梢組織循環を評価できること，③連続的に実行できるなどが利点として関与している．パルスオキシメータの波形改善を目標とした管理も，本 CRT 法に準じる傾向がある．

　敗血症性ショックにおける乳酸値測定に関する研究では，動脈圧ラインからの動脈血と中心静脈路からの静脈血で乳酸値は相関するという研究[25] も報告されている．敗血症性ショック 100 例のベースラインと 6 時間後の測定で静脈と動脈の乳酸値に相関があり，静脈濃度は動脈濃度よりも一貫して約 0.076 mmoL/L（0.684 mg/dL）ほど高く，動脈血乳酸値＞ 3.2 mmol/L および 6 時間乳酸クリアランス＜ 20％が敗血症性ショックの死亡リスクのカットオフと評価されている．初期乳酸値＞ 2 mmol/L を超える状態では，乳酸値測定の 1 時間ずつの遅れにより約 2％ずつ，院内死亡が高まることも報告されている[26]．

　このような乳酸値の正常化までの時間は，敗血症性ショックの予後に関与する．2015 年 10 月から 2017 年 2 月までの韓国の敗血症性ショックデータベースの評価[27] において，28 日死亡率は全体で 21.4％と報告されている．このデータベースの解析では，敗血症性ショックの管理開始 6 時間後に乳酸値が 2 mmol/L 未満に正常することで 28 日死亡率が 42.4％から 23.4％へ低下し，24 時間後の正常化では 28 日死亡率が 60.2％から 31.2％に低下しているという結果が示されている．敗血症性ショックの管理においては，CRT の正常化も参考としながら，結果として早急に乳酸値の正常化を目指す方針に変わりはない．

22) Hernández G, Ospina-Tascón GA, Damiani LP et al：Effect of a resuscitation strategy targeting peripheral perfusion status vs serum lactate levels on 28-day mortality among patients with septic shock：The ANDROMEDA-SHOCK randomized clinical trial. JAMA 321：654-664, 2019

23) Zampieri FG, Damiani LP, Bakker J et al：Effects of a resuscitation strategy targeting peripheral perfusion status vs serum lactate levels among patients with septic shock：a Bayesian reanalysis of the ANDROMEDA-SHOCK trial. Am J Respir Crit Care Med, 2019 Oct 1 ［Online ahead of print］

24) Rhodes A, Evans LE, Alhazzani W et al：Surviving sepsis campaign：international guidelines for management of sepsis and septic shock：2016. Crit Care Med 45：486-552, 2017

25) Mahmoodpoor A, Shadvar K, Sanaie S et al：Arterial vs venous lactate：Correlation and predictive value of mortality of patients with sepsis during early resuscitation phase. J Crit Care, 2019 May 28 ［Online ahead of print］

26) Han X, Edelson DP, Snyder A et al：Implications of centers for medicare & medicaid services severe sepsis and septic shock early management bundle and initial lactate measurement on the management of sepsis. Chest 154：302-308, 2018

27) Ryoo SM, Ahn R, Shin TG et al：Lactate normalization within 6 hours of bundle therapy and 24 hours of delayed achievement were associated with 28-day mortality in septic shock patients. PLoS One 14：e0217857, 2019

210 　Ⅲ. ICU 特有の病態・合併症

　一方，乳酸値の正常化のために，輸液や血管作動薬などの一般的な循環管理に加えて，ビタミンや微量元素や栄養の重要性がある．敗血症などの重症例においてチアミン（ビタミン B_1）欠乏症が含まれていることはこれまでも知られていたが，初日におけるビタミン B_1 補充療法が乳酸クリアランスと 28 日死亡を改善するという後向きコホート研究[28]が報告されている．敗血症性ショックの治療として注目されていたレボカルニチン[29]の第Ⅱ相試験は，米国 16 の医療センターで 2013 年 3 月から 2018 年 2 月まで施行されたが，残念ながらレボカルニチン補充により SOFA スコアや乳酸値の改善に有効な結果を認めなかった．

▶ 敗血症性ショックにおける血圧管理と血管作動薬

　敗血症性ショックにおける血圧管理および血管作動薬に関する論文も，2 年間で 200 を超える多くの論文が報告されている．Australasian Resuscitation In Sepsis Evaluation（ARISE）トライアルにおける 1,588 例において，敗血症性ショックとして任意の時点で血管作動薬が併用された 1,102 例（約 69％）が解析された[30]．敗血症性ショックの管理より血管作動薬併用までの中央値は 4.4 時間であり，その 38％が中心静脈路の確保前から末梢静脈より開始されており，重症度に一致して早期に血管作動薬が開始されていたという．このような報告の一方で，敗血症性ショックにおいてノルエピネフリンなどの血管作動薬を輸液療法と同時にできるだけ早く併用し始めようとする潮流がある．

　タイのバンコクのシリラート病院の単施設研究[31]は，早期ノルエピネフリン投与（$n = 155$）と標準治療（$n = 155$）の敗血症性ショックの 2 群を比較した前向きランダム化比較試験である．敗血症性ショックの蘇生開始時に，輸液療法とともにノルエピネフリン投与（早期ノルエピネフリン群）または溶媒である 5％デキストロースのみのプラセボ投与（標準治療群）を割付し，その 2 群を比較している．このショック管理開始の 6 時間までのショック離脱率は，ショック蘇生のはじめからノルエピネフリンを併用する早期ノルエピネフリン群で有意に高かった（76.1％対 48.4％，$p < 0.001$）．一方，28 日死亡率に差は認めなかったが，早期ノルエピネフリン群で尿量＞ 0.5 mL/kg/hr が維持され，心原性肺水腫の発生率低下（14.4％対 27.7％，$p = 0.004$）および新たな不整脈発現低下（11％対 20％，$p = 0.03$）が確認された．懸念される消化管，指先および足先などの虚血性変化は早期ノルエピネフリン群で 3.2％レベルに生じていたが，統計学的には標準治療群の発症率の 1.9％と有意差は認められていない（$p = 0.47$）．敗血症性ショック患者におけるノルエピネフリン早期投与は，血圧依存性に舌下微小循環の微小血管の密度と血流を改善することも報告されている[32]．

　また，同様の研究として，2017 年 1 月から 2018 年 12 月までエジプトの El-

28）Woolum JA, Abner EL, Kelly A et al：Effect of thiamine administration on lactate clearance and mortality in patients with septic shock. Crit Care Med 46：1747-1752, 2018

29）Jones AE, Puskarich MA, Shapiro NI et al：Effect of levocarnitine vs placebo as an adjunctive treatment for septic shock：the rapid administration of carnitine in sepsis（RACE）randomized clinical trial. JAMA Netw Open 1：e186076, 2018

30）Udy AA, Finnis M, Jones D et al：Incidence, patient characteristics, mode of drug delivery, and outcomes of septic shock patients treated with vasopressors in the Arise trial. Shock 52：400-407, 2019

31）Permpikul C, Tongyoo S, Viarasilpa T et al：Early Use of Norepinephrine in Septic Shock Resuscitation（CENSER）. A Randomized Trial. Am J Respir Crit Care Med 199：1097-1105, 2019

32）Fiorese Coimbra KT, de Freitas FGR, Bafi AT et al：Effect of increasing blood pressure with noradrenaline on the microcirculation of patients with septic shock and previous arterial hypertension. Crit Care Med 47：1033-1040, 2019

Araby 病院に敗血症性ショックで救急搬入された 101 例の前向きランダム化比較試験がある[33]．この試験では，輸液療法と同時にノルエピネフリンを開始した早期ノルエピネフリン群は，少ない輸液量でショックを離脱できたとしている（25 mL/kg 対 32.5 mL/kg，$p = 0.001$）．この研究の早期ノルエピネフリン群の院内生存率は 71.9％であり，標準治療の院内生存率 45.5％より生存率を有意に改善させたとしている（$p = 0.007$）．

敗血症病態における血液分布異常性ショックにおいては，血管トーヌスの適正化が必要であるが，過剰産生された一酸化窒素などによる血管拡張領域に適切にアドレナリン作動性 α1 受容体やバソプレシン V1a 受容体が存在し，機能的に作用するかについても患者血管の多様性の検討が必要である．その上で，成人敗血症性ショックにおけるバソプレシン 0.03 U/min（1.8 U/hr）の静脈内持続投与は，現在の Sepsis-3 における乳酸値 2 mmoL/L（18 mg/dL）以上のショックではなく，乳酸値 2 mmoL/L 未満に有効であると評価されている[34]．鎮静されていない状態では，内因性カテコラミン濃度が上昇しており，追加補充する血管収縮薬としてはバソプレシンが望ましいのかもしれない．

2019 年 1 月までのランダム化臨床試験の 1,453 例の解析[35]では，バソプレシンはノルエピネフリンと比較して 28 日生存を同等に改善させており，腸間膜虚血や急性冠症候群などの重篤な有害事象を増加させることはなく，一方で不整脈発症率を 2.8％レベルで減少させること，および腎代替療法が減少することが確認され，ノルエピネフリンと異なる特徴が認められている．

現在，このようなノルエピネフリンやバソプレシンの適正使用の中で，アドレナリン作動性 β 遮断薬の有用性[36]，ポリミキシン吸着カラムの有効性[37]などもまとめられている．短時間作用型 β 遮断薬エスモロール塩酸塩については，5 件のランダム化比較試験と関連する計 6 件の研究が敗血症 363 例のシステマティックレビュー[36]として解析され，対照群と比較して 28 日死亡率の有意低下と関連していた（RR：0.59，95％ CI：0.48〜0.74，$p < 0.00001$）．依然として，敗血症性ショックにおけるドブタミンなどの選択的アドレナリン作動性 β 受容体刺激薬の有効性は確認されていない．

▶ おわりに

敗血症は，感染症あるいは感染症が疑われる状態において臓器障害が進行する病態である．臓器不全の管理として，神経集中治療，鎮静・鎮痛・せん妄の管理，呼吸管理，循環管理，腎電解質管理，血液凝固線溶系管理，また PICS の病態と治療などの他の項目の管理の動向も参考とされると良い．2020 年を迎えるにあたっての敗血症診療の潮流についての文献レビューとした．

33) Elbouhy MA, Soliman M, Gaber A et al：Early use of norepinephrine improves survival in septic shock：earlier than early. Arch Med Res 50：325-332, 2019

34) **Russell JA, Lee T, Singer J, et al. The septic shock 3.0 definition and trials：a vasopressin and septic shock trial experience. Crit Care Med 45：940-948, 2017**

35) Nagendran M, Russell JA, Walley KR et al：Vasopressin in septic shock：an individual patient data meta-analysis of randomised controlled trials. Intensive Care Med 45：844-855, 2019

36) Li J, Sun W, Guo Y et al：Prognosis of β-adrenergic blockade therapy on septic shock and sepsis：A systematic review and meta-analysis of randomized controlled studies. Cytokine 126：154916, 2020

37) Yamashita C, Moriyama K, Hasegawa D et al：Evidence and perspectives on the use of polymyxin B-immobilized fiber column hemoperfusion among critically ill patients. Contrib Nephrol 196：215-222, 2018

III. ICU特有の病態・合併症

8. PICSの病態と治療（含むICU-AW）

福家良太
イムス明理会仙台総合病院 内科

最近の動向とガイドライン

　PICSの提唱から10年ほどが経ち，PICSに関する研究は確実に増加し，PICSという用語を用いる論文も増えてきた印象があるが，現時点ではPubMedのMeSH termにはPICSは取り入れられていない．ここ2年間では大規模な観察研究も報告されるようになった一方で，RCTに関してはいまだn数が少ないものが多く，そのためか有意差がつかなかった介入が多いのはこれまでと同様の傾向である．また，システマティックレビュー論文が非常に多いのも特徴であり，新たにRCTを行うにしても事前に規定する検出力を推定するための手探りの状況が続いている印象がある．今後も疫学を中心とした研究報告が継続されていくことになるが，新たにPICSのガイドラインが作られるにはまだまだエビデンスが不足しているのが現状であろう．ただし，疼痛・不穏・せん妄のPADガイドラインが改訂され，睡眠障害と不動が加わったPADISになったことは，今後のPICSの動向にも影響を与えることが予想される．また，この2年間をみても，まだ日本からはシステマティックレビュー論文以外で英文でpublishされた研究はほぼ見当たらない．長期予後を考える以上，各国のさまざまな背景の違いの影響は大きいと考えられることから，本邦でのPICSの研究は急務であると思われる．

PICS（Post-Intensive Care Syndrome）の実態

　PICSは重症疾患の集中治療中および治療後に生じる身体，認知，精神の新たな懸念すべき問題として推奨すべき概念であり，この概念は生存者のみならず患者家族（PICS-F）にも適用される．入院前は機能障害を有していなかった，人工呼吸管理をICUで受けた患者743例の観察研究[1]では，入院前の機能レベルまで回復した患者は1年後で61％，5年後で53％であった．1年時点で新たに機能障害を有した患者71例のうち，55％は改善し，5年後まで機能障害を呈しなかった．1年時の新規の機能障害および死亡の予測因子は，年齢，併存疾患，自宅以外への退院，7日以上の人工呼吸器装着期間，脳卒中であった．このように，ICU生存退院患者の半数前後がなんらかの機能障害を呈しており，これはこれまでの既知の報告とも矛盾しない数値である．その一方で，我々医療従事者は，患者の長期予後を楽観視しすぎている部分もあるの

1) Wilson ME, Barwise A, Heise KJ et al：Long-term return to functional baseline after mechanical ventilation in the ICU. Crit Care Med 46：562-569, 2018

かもしれない．ICU 生存者の 1 年後の生存や健康関連 QOL を ICU 退室時に医師が予測したところ，医師の経験によらず 36％は不正確であり，その 99％は楽観的予測であった[2]．長期の PICS のケアを考えるうえでもより正確な予後予測が求められる．これまでの PICS 研究では，観察研究がほとんどで RCT が非常に少なかったが，徐々に増加してきている傾向がうかがえる．

1. 運動機能障害

運動機能障害では ICU-AW（ICU-acquired weakness）の報告が多い．Diaz Ballve ら[3] の ICU 患者 111 例の観察研究では，66 例（59％）が ICU-AW を発症しており，背景因子で調整すると，年齢，3 日以上の高血糖，せん妄，5 日を超える人工呼吸器装着期間が ICU-AW の独立した予測因子であった．Kelmenson ら[4] の ICU 患者 95 例の観察研究では，ICU-AW の中でも CIPNM（critical illness polyneuromyopathy）を検討しており，発生率は 18％であった．この検討では，CIPNM に対する腓骨運動神経伝導速度測定は感度 94％，特異度 91％，腓腹神経伝導速度測定は感度 100％，特異度 42％であった．また，超音波検査での異常な筋のエコー輝度は感度 82％，特異度 57％であり，低い自宅退院率，少ない ICU 非在室日数，高い ICU 死亡率と関連していた．また，Kelmenson ら[5] は ICU-AW 発症例と非発症例の 3,436 組傾向スコアマッチング解析を行い，発症者の方が 28 日非入院日数，28 日人工呼吸器非装着日数が短く，入院費用が高く，自宅退院が少なかったと報告している．Wolfe ら[6] は，人工呼吸器装着患 172 例に対する早期の理学療法・作業療法と標準的治療を比較した RCT の二次解析を行い，ロジスティック回帰解析で，血管作動薬が ICU-AW の独立した有意な危険因子と報告している．また，この報告では，血管作動薬投与日数やノルアドレナリン累積投与量も ICU-AW と関連していた．Sevin ら[7] は，PICS ハイリスク患者のための ICU リカバリーセンター利用者を調査したところ，3 人に 1 人は自立歩行ができず，6 分間歩行距離は予測値の 56％であった．

Yang らのシステマティックレビュー 2 報[8,9] では，メタ解析の結果，APACHE Ⅱ スコア，神経筋遮断薬，アミノグリコシド系抗菌薬，グルココルチコイドが ICU-AW の有意なリスク因子と報告しており，各研究ごとでは，女性，多臓器不全，全身性炎症反応症候群，電解質異常，敗血症，高血糖，高浸透圧，高い乳酸値，人工呼吸器装着期間，静脈栄養，ノルアドレナリン使用がリスク因子として報告されているとしている．ただし，このシステマティックレビューの研究のほとんどが観察研究であることに注意が必要である．特にリスク因子にあげられている医療介入については，重症度が高い患者ほど受けているものがほとんどのため，交絡である可能性も高いと思われる．

2. 認知機能障害

2004 年から 2015 年までのメイヨークリニックの ICU 患者 98,227 例コホー

2) Soliman IW, Cremer OL, de Lange DW et al：The ability of intensive care unit physicians to estimate long-term prognosis in survivors of critical illness. J Crit Care 43：148-155, 2018

3) Diaz Ballve LP, Dargains N, Urrutia Inchaustegui JG et al：Weakness acquired in the intensive care unit. Incidence, risk factors and their association with inspiratory weakness. Observational cohort study. Rev Bras Ter Intensiva 29：466-475, 2017

4) Kelmenson DA, Quan D, Moss M：What is the diagnostic accuracy of single nerve conduction studies and muscle ultrasound to identify critical illness polyneuromyopathy：a prospective cohort study. Crit Care 22：342, 2018

5) Kelmenson DA, Held N, Allen RR et al：Outcomes of ICU patients with a discharge diagnosis of critical illness polyneuromyopathy：a propensity-matched analysis. Crit Care Med 45：2055-2060, 2017

6) Wolfe KS, Patel BK, MacKenzie EL et al：Impact of vasoactive medications on ICU-acquired weakness in mechanically ventilated patients. Chest 154：781-787, 2018

7) Sevin CM, Bloom SL, Jackson JC et al：Comprehensive care of ICU survivors：Development and implementation of an ICU recovery center. J Crit Care 46：141-148, 2018

8) Yang T, Li Z, Jiang L et al：Risk factors for intensive care unit-acquired weakness：a systematic review and meta-analysis. Acta Neurol Scand 138：104-114, 2018

9) Yang T, Li Z, Jiang L et al：Corticosteroid use and intensive care unit-acquired weakness：a systematic review and meta-analysis. Crit Care 22：187, 2018

トの検討[10]では，2.5％がICU入室後に認知機能障害を新規発症していた．慢性の併存疾患と複数のICU入室経験は，年齢に関係なくICU退室後の認知機能障害のリスクに関連していた．背景因子で調整すると，新規発症のリスク因子はICUにおける急性脳障害の頻度，重度の低血圧曝露，低酸素血症，高体温，血糖値の変動，キノロン系抗菌薬またはバンコマイシンによる治療であった．一方，PICSハイリスク患者が利用するICUリカバリーセンターでの検討[7]では，64％の患者が臨床的に意義のある認知機能障害を呈していた．

Sakusicら[11]の28報システマティックレビューでは，せん妄発生およびせん妄期間は長期の認知機能障害と関連しており，その他に弱い，または一貫性のない関連がある因子としては，低血糖，高血糖，血糖値の変動，院内急性ストレス症状であった．一方で，ほとんどの研究では，人工呼吸器，鎮静薬，血管作動薬，鎮痛薬，経腸栄養，低酸素血症，ECMO，収縮期血圧，心拍数，ICU在室期間は有意な関連性がみられなかった．Kouら[12]の49報のシステマティックレビューでは，ICU患者においてベンゾジアゼピンが認知機能障害に関連していると報告している．

3. 精神障害

ICU患者における精神障害では，特にPTSDに関する研究が多い．また，不安，抑うつのアウトカムとしてはHADS（hospital anxiety and depression scale）スコアを用いた研究が多い．

Righyら[13]の48報システマティックレビューでは，ICU生存患者のPTSD発症率は19.83％〔95％信頼区間（CI）：16.72〜23.13，$I^2 = 90$％，低い質のエビデンス〕と報告している．ICU生存患者1,447例の前向き観察研究FROG-ICU study[14]では，PTSD，不安，抑うつ症状の訴えはいずれも3割ずつであった．Wendlandtら[15]の重症患者の90日時点でのPTSDとの関連性の検討では，背景因子で調整すると，10日目のHADSスコアと患者の無反応が，高いIES-R（impact of events score-revised）スコアと関連していた．Miltonら[16]のICU生存患者の前向き観察研究では，ICU退室から1週間以内のHADSおよびPTSS-10（post-traumatic stress symptoms checklist-10）は3ヵ月後の精神障害と相関していた．Kokら[12]の49報システマティックレビューでは，ベンゾジアゼピンがPTSD，不安，抑うつ症状と関連していると報告している．

身体機能障害と精神障害の関連性を報告した研究もみられた．Brownら[17]は，ARDS生存患者の解析で，身体機能障害と精神障害との間に関連性がみられ，軽度の身体機能障害と精神障害が22％，中等度の身体機能障害と精神障害が39％，重度の身体機能障害と中等度の精神障害が15％，重度の身体機能障害と精神障害が24％であった．女性，ヒスパニック/ラテン系，喫煙者は身体および精神の障害の重症化との関連がみられた．Wintermannら[18]は，

---

10) Sakusic A, Gajic O, Singh TD et al：Risk factors for persistent cognitive impairment after critical illness, nested case-control study. Crit Care Med 46：1977-1984, 2018

11) Sakusic A, O'Horo JC, Dziadzko M et al：Potentially modifiable risk factors for long-term cognitive impairment after critical illness：a systematic review. Mayo Clin Proc 93：68-82, 2018

12) Kok L, Slooter AJ, Hillegers MH et al：Benzodiazepine use and neuropsychiatric outcomes in the ICU：a systematic review. Crit Care Med 46：1673-1680, 2018

13) Righy C, Rosa RG, da Silva RTA et al：Prevalence of post-traumatic stress disorder symptoms in adult critical care survivors：a systematic review and meta-analysis. Crit Care 23：213, 2019

14) Bastian K, Hollinger A, Mebazaa A et al：Association of social deprivation with 1-year outcome of ICU survivors：results from the FROG-ICU study. Intensive Care Med 44：2025-2037, 2018

15) Wendlandt B, Ceppe A, Choudhury S et al：Risk factors for post-traumatic stress disorder symptoms in surrogate decision-makers of patients with chronic critical illness. Ann Am Thorac Soc 15：1451-1458, 2018

16) Milton A, Brück E, Schandl A et al：Early psychological screening of intensive care unit survivors：a prospective cohort study. Crit Care 21：273, 2017

17) Brown SM, Wilson EL, Presson AP et al：Understanding patient outcomes after acute respiratory distress syndrome：identifying subtypes of physical, cognitive and mental health outcomes. Thorax 72：1094-1103, 2017

18) Wintermann GB, Rosendahl J, Weidner K et al：Risk factors of delayed onset post-traumatic stress disorder in chronically critically ill patients. J Nerv Ment Dis 205：780-787, 2017

ICU 生存患者で ICU-AW を有した患者のうち，24.7％は3ヵ月後・6ヵ月後に PTSD を発症しており，疾患重症度，ICU での死の恐怖，ICU での外傷記憶，冠動脈疾患の訴えが晩期 PTSD 発症と関連していた．

その他精神障害に関連しうるアウトカムを検討した研究を以下に示す．Dziadzko ら[19] の検討では，ICU 退院後の，48 時間以上の人工呼吸管理を受けた患者は相当な精神的苦痛を受けており，70％の患者が死の恐怖を，38％がその他の恐怖を，48％が幻覚を経験していた．懸念は，意思疎通困難（34％），環境要因（30％），処置と拘束（24％），挿管（12％）などであった．家族／友人／スタッフ／聖職者の精神的サポート（86％），および理学療法／歩行（14％）が重要な緩和要因であると認識されていた．非常に建設的であると感じられた臨床医の行動には，安心感（54％），病状説明（32％），身体的接触（8％）があげられた．Bashar ら[20] は，75 日を超えて ICU に在室し，40 日以上のせん妄を有した ICU 生存患者 181 例の検討で，疾患重症度はせん妄期間とは相関しておらず，PTSS-14 ＜ 49 点のみがせん妄と有意に相関していた．49％は ICU 在室中のことを明確に記憶し，47％が妄想的記憶，50％が侵入記憶，44％がパニックまたは不安の原因不明の感情を訴えていた．

4. 健康関連 QOL，ADL

ICU 生存患者の健康関連 QOL の指標に関するシステマティックレビュー2報[21, 22] では，いずれも健康関連 QOL の指標としてはほとんどの研究でEuroQol（特に EQ-5D）か Short Form Health Survey（特に SF-36）の2種類が用いられているとしており，これらは質問紙法形式である．PICS 患者の追跡期間は6ヵ月〜6年で，特に多いのは6ヵ月間または1年間の追跡であった．生存患者は，健常者集団と年齢，性別でマッチさせての比較で低かった．退院から1年後の QOL は改善していた．ただし，研究の質は全体として低いと評価されている．この質問紙法の大きな弱点として，回答率の低さが挙げられる．敗血症性ショック生存患者 308 例の1年後の SF-36 の検討[23] においては，108 例（35％）が調査に対して非回答であった．非回答と関連していたのは若年，長い入院期間であった一方で，教育レベルや職業とは関連していなかった．非回答者の1年死亡リスクは回答者と有意差はないが高い傾向がみられた〔ハザード比（HR）：1.63，95％ CI：0.97〜2.72〕．

Griffith ら[24] の，人工呼吸管理を受けた ICU 生存患者のコホート研究では，ICU 入室前の合併症の多さは 12 ヵ月後の低い健康関連 QOL（SF-36）や身体症状の独立した有意なリスク因子であり，一方で APACHE Ⅱ スコアや人工呼吸器装着期間は，健康関連 QOL と関連していなかった．Hayhurst ら[25] の，ICU 生存患者 295 例の検討では，退院から3ヵ月後の疼痛遷延患者は 77％におよび，12 ヵ月後でも 74％であった．日常生活に疼痛の影響があると回答した患者も3ヵ月後で 59％，12 ヵ月後で 62％であった．Altman ら[26] は，重症

19) Dziadzko V, Dziadzko MA, Johnson MM et al：Acute psychological trauma in the critically ill：patient and family perspectives. Gen Hosp Psychiatry 47：68-74, 2017

20) Bashar FR, Vahedian-Azimi A, Hajiesmaeili M et al：Post-ICU psychological morbidity in very long ICU stay patients with ARDS and delirium. J Crit Care 43：88-94, 2018

21) Fontela PC, Abdala FANB, Forgiarini SGI et al：Quality of life in survivors after a period of hospitalization in the intensive care unit：a systematic review. Rev Bras Ter Intensiva 30：496-507, 2018

22) Gerth AMJ, Hatch RA, Young JD et al：Changes in health-related quality of life after discharge from an intensive care unit：a systematic review. Anaesthesia 74：100-108, 2019

23) Kjaer MN, Mortensen CB, Hjortrup PB et al：Factors associated with non-response at health-related quality of life follow-up in a septic shock trial. Acta Anaesthesiol Scand 62：357-366, 2018

24) Griffith DM, Salisbury LG, Lee RJ et al：Determinants of health-related quality of life after ICU：importance of patient demographics, previous comorbidity, and severity of illness. Crit Care Med 46：594-601, 2018

25) Hayhurst CJ, Jackson JC, Archer KR et al：Pain and its long-term interference of daily life after critical illness. Anesth Analg 127：690-697, 2018

26) Altman MT, Knauert MP, Pisani MA：Sleep disturbance after hospitalization and critical illness：a systematic review. Ann Am Thorac Soc 14：1457-1468, 2017

疾患の生存患者における睡眠障害を検討した 22 報のシステマティックレビューを行い，睡眠異常は，退院から 1 ヵ月以内で 50～66.7％，1～3 ヵ月で 34～64.3％，3～6 ヵ月で 22～57％，6 ヵ月以上で 10～61％であったとしている．睡眠障害のリスク因子としては，入院前因子として慢性併存疾患，入院前の睡眠障害，入院中の因子として急性疾患重症度，入院中の睡眠障害，鎮痛薬使用，ICU での急性ストレス障害であった．睡眠障害は，退院後の精神障害合併や QOL の低下と関連していた．

5. PICS-F

Beesley ら[27]は，ICU に入室した患者の家族 100 例の前向き観察研究を行い，3 ヵ月時点で不安症状が 32％，抑うつ症状が 16％，PTSD が 15％にみられた．家族の 5 回採取した唾液中コルチゾルの反応面積は，不安症状とは相関しなかったが，起床時反応は有意に相関していた．Torres ら[28]は，ICU 生存患者の退院後 3 ヵ月時点での不安や抑うつは介護者の負担を増加させるが，身体機能障害は負担に影響しなかったと報告している．

▶ PICS の予防，治療，ケア

Gaudry ら[29]は，2013 年に報告された重症疾患患者を対象とした 112 報 RCT のシステマティックレビューを行い，患者の重要な主要評価項目として PICS に関連したアウトカムを報告した研究は 5％しかなく，副次評価項目においても 7％しかなかったとしている．PICS をアウトカムとする RCT の絶対数としては，この頃（2013 年）よりここ 2 年間の方が増加してきている．

1. 運動機能障害

運動機能障害に関しては早期リハビリテーションが推奨されているが，どの期間に開始するのが早期なのかについては，いまだに国際的に定まってはいない状況にある[30]．リハビリテーションの筋力評価においては，主に Medical Research Council（MRC）スケールと握力が用いられている[31]．ここ 2 年間の報告は，標準的強度よりさらに強化したリハビリテーションを検討した RCT がほとんどであるが，ことごとくネガティブな結果になっている．筋力回復において重要となる栄養管理がどの程度なされていたのかは，論文を見てもあまり記載されていないが，特に強度の強いリハビリテーション介入がポジティブになっていない傾向がみられることから，栄養と運動とのバランスの破綻をきたしているのではないかと思われる．実際にリハビリテーションと栄養を組み合わせた 2 報の RCT は，ポジティブな結果を出している[32]．

Eggmann ら[33]は，人工呼吸管理を受けている重症患者において，標準的理学療法（早期モビライゼーション）に早期からの持久力とレジスタンストレーニングを組み合わせた介入を検討した 115 例 RCT を行ったが，退院時の 6 分間歩行距離や機能的自立性に差はみられなかった．Fossat ら[34]は，標準的

27) Beesley SJ, Hopkins RO, Holt-Lunstad J et al : Acute physiologic stress and subsequent anxiety among family members of ICU patients. Crit Care Med 46 : 229-235, 2018

28) Torres J, Carvalho D, Molinos E et al : The impact of the patient post-intensive care syndrome components upon caregiver burden. Med Intensiva 41 : 454-446, 2017

29) Gaudry S, Messika J, Ricard JD et al : Patient-important outcomes in randomized controlled trials in critically ill patients : a systematic review. Ann Intensive Care 7 : 28, 2017

30) Clarissa C, Salisbury L, Rodgers S et al : Early mobilisation in mechanically ventilated patients : a systematic integrative review of definitions and activities. J Intensive Care 7 : 3, 2019

31) Roberson AR, Starkweather A, Grossman C et al : Influence of muscle strength on early mobility in critically ill adult patients : systematic literature review. Heart Lung 47 : 1-9, 2018

32) Kou K, Momosaki R, Miyazaki S et al : Impact of nutrition therapy and rehabilitation on acute and critical illness : a systematic review. J UOEH 41 : 303-315, 2019

33) Eggmann S, Verra ML, Luder G et al : Effects of early, combined endurance and resistance training in mechanically ventilated, critically ill patients : a randomised controlled trial. PLoS One 13 : e0207428, 2018

34) Fossat G, Baudin F, Courtes L et al : Effect of in-bed leg cycling and electrical stimulation of the quadriceps on global muscle strength in critically ill adults : a randomized clinical trial. JAMA 320 : 368-378, 2018

リハビリテーションにベッド上足漕ぎペダルと神経筋電気刺激を追加した強化リハビリテーションを行う介入群と，標準的リハビリテーションのみを行う対照群を比較した312例RCTを行ったが，介入群は標準群と比較してICU退室時の筋力に有意差がなく，死亡率は有意差はないものの介入群の方が5.3%高かった．Sarfatiら[35]の，標準的リハビリテーションに受動的立位訓練を加えた介入群と標準的リハビリテーションのみの対照群を比較した145例RCTでも，主要評価項目であるICU退室時のMRCスコアに差はみられなかった．ただし，患者背景として，介入群の方がICU-AW患者が有意に多く，筋肉回復は介入群の方がよかったと報告している．Patsakiら[36]は，ICU患者に対する神経筋電気刺激と個別化されたリハビリテーションと標準ケアを比較した128例RCTを行ったが，退院時のMRC，握力，身体機能を改善させなかった．

　ICU患者への早期リハビリテーションのシステマティックレビューはこの2年間だけでも多数でているが，登録されたRCT数がかなり異なっており，研究抽出基準にも違いがみられるため，解釈に注意が必要である．おおむね共通するのは，筋力やMRCといった短期指標は改善するが，QOLに関しては有意に改善する・しないに分かれており，特に抽出基準を絞っている報告はQOLを改善しないとしている．もっとも，比較的多数のRCTを登録したシステマティックレビューは，質の低さに加え，待機手術患者が多数含まれていたり，リハビリテーション開始時期がばらばらであったりといった特徴がある．もっとも厳しい基準であるコクランレビュー[37]や，待機手術患者を除外したシステマティックレビュー[38]では，早期リハビリテーションが，標準ケアや早期でないリハビリテーションと比較して，長期のQOLを有意には改善しないと報告している．リハビリテーションのアウトカムとして，短期指標が長期指標のサロゲートマーカーにはなりえない可能性もあり，今後はどのようなアウトカムを評価することが妥当なのかも検討する必要があるだろう．リハビリテーションと栄養の組み合わせのシステマティックレビュー[39]では2報のRCTが登録されており，Jonesらの研究は3ヵ月後の6分間歩行距離，不安，抑うつを改善させたが，QOLは改善せず，Hegerivaらの検討では筋肉量，ADLを改善させたとしている．

2. 精神障害

　精神障害に対する介入としては，ICU日記がトピックスになりつつある．PTSDに有効そうであるが，どちらかというと不安や抑うつの改善のほうがみられるようである．また，理学療法が精神障害に対して良い効果を示すという報告も散見される．

　ICU患者58例に対するICU日記と心理教育を検討したpilot RCT[40]では，90日時点でICU日記を受けた患者は，HADSにおける不安，抑うつ症状のス

35) Sarfati C, Moore A, Pilorge C et al：Efficacy of early passive tilting in minimizing ICU-acquired weakness：a randomized controlled trial. J Crit Care 46：37-43, 2018

36) Patsaki I, Gerovasili V, Sidiras G et al：Effect of neuromuscular stimulation and individualized rehabilitation on muscle strength in Intensive Care Unit survivors：a randomized trial. J Crit Care 40：76-82, 2017

37) Doiron KA, Hoffmann TC, Beller EM：Early intervention（mobilization or active exercise）for critically ill adults in the intensive care unit. Cochrane Database Syst Rev 3：CD010754, 2018

38) Fuke R, Hifumi T, Kondo Y et al：Early rehabilitation to prevent postintensive care syndrome in patients with critical illness：a systematic review and meta-analysis. BMJ Open 8：e019998, 2018

39) Kou K, Momosaki R, Miyazaki S et al：Impact of nutrition therapy and rehabilitation on acute and critical illness：a systematic review. J UOEH 41：303-315, 2019

40) Kredentser MS, Blouw M, Marten N et al：Preventing posttraumatic stress in ICU survivors：a single-center pilot randomized controlled trial of ICU diaries and psychoeducation. Crit Care Med 46：1914-1922, 2018

コアがいずれも有意に低かった．ICU 日記を検討した 8 報のシステマティックレビュー[41]では，ICU 日記は PTSD を減少させないが，不安や抑うつ症状は有意に改善させ，SF-36 で見た ICU 生存患者の健康関連 QOL も有意に改善させた．人工呼吸管理を受けている重症患者において，標準的理学療法（早期モビライゼーション）に早期からの持久力とレジスタンストレーニングを組み合わせた介入を検討した 115 例 RCT[33]では，6ヵ月後のメンタルヘルスが有意に改善した．Post-ICU フォローアップのシステマティックレビュー[42]でも，理学療法は抑うつ症状を減少させ，精神的な健康関連 QOL を改善させたと報告している．一方で，待機手術患者を除外した ICU 患者の早期リハビリテーションを検討した RCT のシステマティックレビュー[38]では，HADS でみた精神障害を改善させなかった．

3. PICS-F

PICS-F に関してはさまざまな介入を RCT で検討しているものの，主要評価項目でポジティブな結果を示せた研究はほぼない．RAPIT study の二次解析[43]で，リカバリープログラム施行された ICU 生存患者の家族の健康関連 QOL は改善していない．ICU で人工呼吸管理を受ける患者の家族に，特に重要な 21 の質問・回答リストを手渡した 394 例 RCT[44]でも，5 日目時点での家族の十分な理解が得られていた率，家族の満足度や不安，抑うつ症状にも差はみられなかった．ICU 患者 1,420 例の家族への多職種からなる ICU チームでの家族サポート介入を検討したクラスター RCT（PARTNER trial）[45]では，介入は家族の精神症状を改善しないが，意思疎通の質や患者・家族中心のケアはよく，ICU 入室期間も短縮していた．ICU 日記を検討した 8 報システマティックレビュー[41]では，家族の PTSD は改善するが，不安や抑うつ症状，健康関連 QOL は改善しなかった．人工呼吸管理を受ける患者の家族を，週 6 回の対処スキルトレーニングの電話とウェブサイトへのアクセスを行う群と，重症疾患教育プログラムを受ける群を比較した 175 例 RCT[46]では，3ヵ月後の患者の HADS に差はなく，3ヵ月および 6ヵ月後の患者および家族の HADS サブスケールにも差はみられなかった．事前に規定された，ベースラインの苦痛が大きい患者に限定したサブ解析では，6ヵ月後の HADS スコアは有意に改善していた．人工呼吸期間が 7 日以上の患者では，重症疾患教育プログラム群の方が 3ヵ月後の HADS スコアが有意に改善していた．

41) McIlroy PA, King RS, Garrouste-Orgeas M et al：The effect of ICU diaries on psychological outcomes and quality of life of survivors of critical illness and their relatives：a systematic review and meta-analysis. Crit Care Med 47：273-279, 2019

42) Rosa RG, Ferreira GE, Viola TW et al：Effects of post-ICU follow-up on subject outcomes：a systematic review and meta-analysis. J Crit Care 52：115-125, 2019

43) Bohart S, Egerod I, Bestle MH et al：Reprint of Recovery programme for ICU survivors has no effect on relatives' quality of life：secondary analysis of the RAPIT-study. Intensive Crit Care Nurs 50：111-117, 2019

44) Azoulay E, Forel JM, Vinatier I et al：Questions to improve family-staff communication in the ICU：a randomized controlled trial. Intensive Care Med 44：1879-1887, 2018

45) White DB, Angus DC, Shields AM et al：A randomized trial of a family-support intervention in Intensive Care Units. N Engl J Med 378：2365-2375, 2018

46) Cox CE, Hough CL, Carson SS et al：Effects of a telephone-and web-based coping skills training program compared with an education program for survivors of critical illness and their family members. a randomized clinical trial. Am J Respir Crit Care Med 197：66-78, 2018

IV章 トピックス

1 Rapid Response System における
集中治療連携 ·· 220

2 集中治療における看護 ································· 225

3 集中治療における薬剤師の役割 ············· 230

4 集中治療における早期離床と
リハビリテーション ································ 235

IV. トピックス

1. Rapid Response System における集中治療連携

吉田 徹[1], 藤谷茂樹[2]
[1] 聖マリアンナ医科大学 救急医学
[2] 聖マリアンナ医科大学 救急医学集中治療部

最近の動向とガイドライン

　Rapid Response System（RRS）は，医療安全全国共同行動にもとりあげられ，日本全国に普及しつつある．しかし，入院患者の予期せぬ心停止は，アメリカのデータでは10年前の約1.5倍になっているとされ[1]，日本でも同傾向であることが推測される．高齢化や合併疾患など他の要因の関与も考えられるが，重症化する前の対応を旨とするRRSを考えるにあたり，これは容易に看過できる問題ではない．院内心停止に至る前の適切な段階で，入院患者の状態悪化傾向を適切に検出することが望まれる．
　RRSの4要素として，afferent activities（起動要素），efferent response（対応要素），self-evaluation and quality improvement（システム改善要素），administration and governance（指揮運営要素）の4つがある[2]．RRSにおける集中治療部門との連携については，一般病棟と集中治療部門をつなぐafferent activities，efferent responseが重要であり，track and triggerの考え方に基づいたearly warning systemの構築とその検証などの進展がみられる．これらを中心としつつ，それぞれ最近の動向をみていきたい．

afferent activities（起動要素）

　RRSの4要素のうち，患者状態悪化の気づきによるRRS起動はafferent activitiesの重要なコンポーネントである．入院患者の急変の多くには前兆があるとされ，数時間前から何らかの徴候が出現するとされる．患者急変リスク要因は予測不能のものもあるが，バイタルサインから予測可能なものがあるとされる[2]．RRSの大きな目的は，この前兆を捉えて早期に対応し，予期せぬ心停止や死亡を未然に防ぐことである[3]が，現状ではRRS起動の遅れはしばしば起こっており，病院における主治医制など社会的・慣習的な問題と関連していると考えられ，夜間に患者状態の悪化が見逃されている可能性も指摘されている[4]．また，国内ではRRS起動基準として，血圧，脈拍，呼吸数，体温，SpO_2などいくつかのバイタルサインのうち一つでも基準を満たす，あるいは主観的ではあるが患者に関して臨床的に何らかの「懸念」を感じる場合，とするようなシングルパラメーター基準が採用されることが多い．シングルパラメ

---

1) Andersen LW, Holmberg MJ, Berg KM et al：In-hospital cardiac arrest：a review. Jama 321：1200-1210, 2019
2) Lyons PG, Edelson DP, Churpek MM：Rapid response systems. Resuscitation 128：191-197, 2018
3) 藤谷茂樹，下澤信彦：院内急変対応システム（RRS）の概論. 聖マリアンナ医大誌 45：85-93, 2017
4) Naito T, Fujiwara S, Kawasaki T et al：First report based on the online registry of a Japanese multicenter rapid response system：a descriptive study of 35 institutions in Japan. Acute Med Surg 7：e454, 2019

ーター基準では，起動者側の意思により起動が行われることになるが，これに対して，海外では，track and trigger の考え方に基づいて，複数のバイタルサインから算出される early warning score（EWS）による RRS 起動が用いられていることが多くなっている．比較的多く検討されているのは英国で開発された national early warning score（NEWS）であり，最近でもその効果が評価され続けている[5] が，Fernando らは EWS の一つである Hamilton early warning score（HEWS）と，NEWS の発展形である NEW2 を，多施設（the Ottawa Hospital network：病床数計 1,163 床，入院数年間約 5 万件，ICU 入室年間約 2,500 件）を対象とし，アウトカムを院内死亡として比較し[6]，HEWS では感度 95.9％，特異度 44.6％，NEWS2 では感度 95.9％，特異度 49.0％を報告している．Wood らは看護師にとっての EWS の意義についてレビューし，EWS は病棟の看護師にとって患者状態の悪化を捉えるのに有用な道具であるが，個々の看護師の患者への主観的評価や，それまでの RRS 起動で来た medical emergency team（MET）に対する低評価といった過去の経験により，EWS による RRS 起動が妨げられる場合があるとしている[7]．また，Peterson らは，MET に対する病棟看護師の信頼感の欠如がある場合が RRS 起動の障壁になりうると指摘しており[8]，RRS 起動に関する人的要因に対してどのように対応するかが問題である．

　これに対して，患者状態の悪化を自動的に検出して RRS 起動につなげることが試みられ始めており，Green らはオーストラリアのニューサウスウェールズで用いられていたシングルパラメーターシステムと，medified EWS（MEWS），NEWS，そして機械学習を用いた eCART（electric Cardiac Arrest Risk Triage）のシステムの比較を，アウトカムとして心停止，ICU 入室，24 時間以内の死亡を用いて試みている[9]．eCART は，バイタルサインと臨床検査（白血球数，血中ヘモグロビン，血小板数，ナトリウム濃度，クロール濃度，重炭酸イオン濃度，アニオン・ギャップ，BUN，Cr，血糖，カルシウム濃度，総蛋白，アルブミン，総ビリルビン，AST，ALP）を用いた機械学習のアルゴリズムである．area under the curve（AUC）での比較では，シングルパラメーターシステムの AUC が 0.663〔95％信頼区間（CI）：0.661〜0.664〕，NEWS が 0.718（95％ CI：0.716〜0.720），MEWS が 0.698（95％ CI：0.696〜0.700）を示す一方で，eCART スコアは 0.801（95％ CI：0.799〜0.802）と良好な結果を示した．さらに，early warning score について機械学習を当てはめて精度を上昇させる可能性について，Lee らが報告している．彼らは機械学習に基づいた EWS（Deep learning based early warning score：Deep EWS）を 7 年間の単一施設の入院患者 56,076 人に当てはめ，発生した 415 件の心停止の予測において AUC 0.850 を示し，MEWS が 0.603 であったのに対して高い精度を示している[10]．また，Shamout らはオックスフォード大学関

5) Lee YS, Choi JW, Park YH et al：Evaluation of the efficacy of the national early warning score in predicting in-hospital mortality via the risk stratification. J Crit Care 47：222-226, 2018

6) Fernando SM, Fox-Robichaud AE, Rochwerg B et al：Prognostic accuracy of the Hamilton early warning score（HEWS）and the national early warning score 2（NEWS2）among hospitalized patients assessed by a rapid response team. Crit Care 23：60, 2019

7) Wood C, Chaboyer W, Carr P：How do nurses use early warning scoring systems to detect and act on patient deterioration to ensure patient safety? A scoping review. Int J Nurs Stud 94：166-178, 2019

8) Petersen JA, Rasmussen LS, Rydahl-Hansen S：Barriers and facilitating factors related to use of early warning score among acute care nurses：a qualitative study. BMC Emerg Med 17：36, 2017

9) Green M, Lander H, Snyder A et al：Comparison of the Between the Flags calling criteria to the MEWS, NEWS and the electronic Cardiac Arrest Risk Triage（eCART）score for the identification of deteriorating ward patients. Resuscitation 123：86-91, 2018

10) Lee Y, Kwon JM, Lee Y et al：Deep learning in the medical domain：predicting cardiac arrest using deep learning. Acute Crit Care 33：117-120, 2018

222 Ⅳ. トピックス

連の4病院のデータのうち，5つのバイタルサイン（心拍数，収縮期血圧，呼吸数，体温，SpO_2）と，意識状態（AVPU），酸素投与状況，について **deep learning** を当てはめ，AUC が 0.820（95 % IC：0.818〜0.822）を示し，これは比較対象の NEWS の AUC0.760（95 % CI：0.757〜0.762）より良好であった[11]．これらの研究は，既に蓄積されているデータセットによる後ろ向きの検討が主であり，これを前向きに検討，あるいは実際の RRS 起動につなげた研究はまだ少ない．今後，医療者による直接観察を併用しつつ，スコア方式による機械診断から自動的に RRS 起動につなげる方向性で進むのではないかと考えられる．

▶ efferent response（対応要素）

RRS の4要素のうち，状態悪化の徴候を示し RRS が起動された患者に対応する efferent response は，患者急変を未然に防ぐための重要な要素である．RRS が起動された場合，特に集中治療部門から派遣される MET がどのくらいの時間で現場に着き，活動に入れるかは重要なファクターであり，Yang らは年間10万件以上の入院のある2つの病院で約2年半に渡り検討し，RRS 起動が385件あり，MET が現場に到着するのに平均 2.4 ± 0.1 分かかったとしている[12]．シングルパラメーター基準での起動であるが，起動理由は意識障害が 34.5 % を占めていた．また，Trikkonen らのレビューでは，RRS の対象となった患者では，LMOT（limitation of medical treatment）の対象となるかあるいは ICU 入室となることが多く，その結果として院内および30日死亡が高くなると報告している[13]．ただし，これらの患者の機能的予後や長期予後についてはデータがない．さらに，彼らは，RRS が起動された後に発症した院内心停止17例についてケースコントロール研究を行い，RRS 起動時（シングルパラメーター基準）の NEWS の高さを指摘し，RRS 起動されたケースについては，そのまま病棟で経過観察する際も，RRS により行われた介入で十分安定化したかどうか，バイタルサインを確認するなどについて慎重な考慮が必要としている[14]．

また，RRS が起動されるようなケースにおいては，患者の治療方針，特に終末期医療が関わるような場合に，advanced care planning（ACP）との関連が問題となると考えられる．Cardona らは，RRS が起動されたケースのうち，80歳以上である，RRS 起動時または起動後に死亡，not-for-resuscitation や not-for-RRS オーダーがあった，といった場合を near the end of life（nEOL）と定義して，これに当てはまる場合は予後がより悪く，80歳以上では ICU 入室になると最終的な入院費用がより高額となることを報告している[15]．また，Morgan らは半分以上を悪性疾患の患者が占める集団を対象に，オーストラリアのタスマニア，ヴィクトリア，西オーストラリアで導入されている ACP の

11) Shamout FE, Zhu T, Sharma P et al：Deep interpretable early warning system for the detection of clinical deterioration. IEEE J Biomed Health Inform, 2019 Sep 19［Online ahead of print］

12) Yang M, Zhang L, Wang Y et al：Improving rapid response system performance in a Chinese Joint Commission International Hospital. J Int Med Res 47：2961-2969, 2019

13) Tirkkonen J, Tamminen T, Skrifvars MB：Outcome of adult patients attended by rapid response teams：a systematic review of the literature. Resuscitation 112：43-52, 2017

14) Tirkkonen J, Huhtala H, Hoppu S：In-hospital cardiac arrest after a rapid response team review：a matched case-control study. Resuscitation 126：98-103, 2018

15) Cardona M, Turner RM, Chapman A et al：Who benefits from aggressive rapid response system treatments near the end of life? a retrospective cohort study. Jt Comm J Qual Patient Saf 44：505-513, 2018

一つの形態である goals-of-care（GOC，入院中に継続的に今後の方針について議論し改定し明文化する方法）について，単なる「蘇生を望まない」という希望の有無の確認と比較しているが，GOC ではオーダー未確認の結果としての蘇生施行が減り，治療制限付きの ICU 入室や，RRS が起動するものの一般病棟でのケアを選ぶ割合が増える，という結果になっている[16]．文化的背景の異なるわが国と単純に比較はできないが，高齢化や ACP の普及が RRS のあり方を変え，また，RRS の方向性を変えていく可能性を示唆していると思われ，今後の注意が必要と思われる．

▶ patient safety/process improvement limb（システム改善要素）

シングルパラメーター方式にせよ，スコアリングシステムにせよ，機械診断にせよ，そのもととなるバイタルサインの収集は一般病棟看護師によるところが大きい．Dukes らは，RRS に関して先進的な病院と中程度の病院を比較し，ベッドサイドの看護師への患者スクリーニング教育や RRS 起動の判断やデブリーフィング実施に関する差を認めている[17]．RRS 運用のために適切な起動数は 1,000 件の入院で少なくとも 25 件とされ，40 件が理想的とされるが，国内においては種々の要因により RRS の症例数の伸び悩みが認められており[4]，この点についても問題を抱えていると考えられる．また，入院患者の原傷病や入院病棟の種類にかかわらず RRS 起動理由に一定割合を占めると思われる敗血症に関して，qSOFA の併用が有用と考えられることを LeGuen らは示している[18]．また，RRS が起動した患者のうち，より高齢な患者については予後が悪いと推測されるが，これに関して Trikkonen らは 3 年間の単一施設での前向き観察研究で RRS が起動された心停止例を除く 1,372 名を対象として 30 日死亡率を比較し，年齢 75 歳以上が独立した危険因子であること[19]，また，Fernando らは約 4 年間の複数施設で RRS 起動症例 6,132 例を前向きに観察し，年齢 75 歳以上は院内死亡の独立した予測因子であることを報告しており[20]，患者層別化による起動基準の使い分けなどの方策も検討すべきかもしれない．

▶ governance/administrative structure（指揮運営要素）

RRS は，病院全体にわたり，予期せぬ心停止や急変を減らすことで患者安全に寄与すると考えられている．Oh らは，単一病院ではあるが術後患者 207,054 症例を対象に，RRS の導入前後で比較し，10,000 件手術あたり心肺停止発生が 7.46（5.72〜9.19）〔中央値（四分位範囲）〕から 5.19（3.85〜6.52）への減少（$p = 0.103$）を認める程度であったが，平日日中を中心として設定し

16) Morgan DJR, Eng D, Higgs D et al：Advance care planning documentation strategies；goals-of-care as an alternative to not-for-resuscitation in medical and oncology patients. A pre-post controlled study on quantifiable outcomes. Intern Med J 48：1472-1480, 2018

17) Dukes K, Bunch JL, Chan PS et al：Assessment of rapid response teams at top-performing hospitals for in-hospital cardiac arrest. JAMA Intern Med. 2019 Jul 29 〔Online ahead of print〕

18) LeGuen M, Ballueer Y, McKay R et al：Frequency and significance of qSOFA criteria during adult rapid response team reviews：A prospective cohort study. Resuscitation 122：13-18, 2018

19) Tirkkonen J, Setälä P, Hoppu S：Characteristics and outcome of rapid response team patients ≧ 75 years old：a prospective observational cohort study. Scand J Trauma Resusc Emerg Med 25：77, 2017

20) Fernando SM, Reardon PM, McIsaac DI et al：Outcomes of older hospitalized patients requiring rapid response team activation for acute deterioration. Crit Care Med 46：1953-1960, 2018

た RRS の稼働時間に限ると 4.52（3.17〜5.87）から 2.77（1.80〜3.75）（$p =$ 0.008）を認め，心肺停止発生の減少効果を認めている[21]．しかし，Haegdorens らはベルリンにおける，年間 850 件以上の入院があり，最低でもそれぞれ 2 つの内科病棟と外科病棟，1 つの ICU と 24 時間体制の蘇生チームをもちながら RRS や EWS が行われていない 14 の急性期病院を対象として，NEWS と SBAR による介入について，予期せぬ死亡や心停止による心肺蘇生の施行，予定外の ICU 入室をアウトカムとした RCT により RRS の効果を評価したが，有意な差はみられなかった[22]．しかし，この研究では，統計的有意には達していないものの，RRS を導入した病棟で 1,000 件入院あたりについて一貫して予期せぬ死亡については低下傾向，予定外の ICU 入室については増加傾向を認めている．このように，RRS とそれによる早期対応，ICU 入室についての効果についての結論は得られておらず，議論が続いている．Lyons らはその総説で，テクノロジーとヒューマン・ファクター双方のさらなる発展の可能性を指摘している[2]．

■ おわりに

RRS と集中治療の関連について，RRS の 4 要素の観点を中心にみてきた．主に一般病棟で発生する予期せぬ患者急変に対して，集中治療部門がいかに早期対応するかが RRS の中心であるが，早期に対応する方法，患者予後の改善の有無，また，病院全体としての位置づけ，など議論が続いている．集中治療部門との連携を含め，さらなる発展が期待される．

21) Oh TK, Kim S, Lee DS et al：A rapid response system reduces the incidence of in-hospital postoperative cardiopulmonary arrest：a retrospective study. Can J Anaesth 65：1303-1313, 2018

22) Haegdorens F, Van Bogaert P, Roelant E et al：The introduction of a rapid response system in acute hospitals：A pragmatic stepped wedge cluster randomised controlled trial. Resuscitation 129：127-134, 2018

Ⅳ. トピックス

2. 集中治療における看護

宇都宮明美
京都大学大学院医学研究科人間健康科学系専攻
臨床看護学講座クリティカルケア看護学分野

最近の動向とガイドライン

　2017〜2019年の看護に関する国内文献をレビューしてみると，家族看護・リハビリテーション・呼吸ケア，ターミナルケア，口腔ケア，チーム医療などの看護ケアに関するものがあり，その中でもリハビリテーションに関する文献が多く抽出された．また看護ケアの1つではあるが，苦痛緩和を主題として，せん妄，鎮痛・鎮静，身体拘束，苦痛・ストレス，PICSが論文化されていた．この2年でPICSというテーマが出てきたことがトピックスといえる．そしてもう1つが倫理に関するテーマである．蘇生に関すること，意思決定支援は以前からも研究目的として取り組まれていたが，看護師の困難感という主題が新たに認められ，倫理をテーマとする研究では最も多くみられた．集中治療看護は，呼吸や循環のような身体的ケア，いわゆるキュアから，患者の長期予後，つまりQOLを考えたケアのあり方にシフトしていることが明らかになった．その一方で，集中治療における終末期患者・家族に対するケアに対しての困難を抱えながら看護実践する看護師の様相が新たな課題といえる．

早期リハビリテーション

　2017年に日本集中治療医学会から「集中治療における早期リハビリテーション 〜根拠に基づくエキスパートコンセンサス〜」[1]が発刊され，集中治療における早期リハビリテーションへの取り組みは拡大している．早期リハビリテーションの開始基準や中止基準が示されただけでなく，早期リハビリテーションに関わる医師・看護師・理学療法士などの役割までもが記述されている．しかし，本田[2]らの研究では，リハビリテーションに関する開始基準や中止基準の認識にはばらつきが存在し，その差は経験によるものと指摘している．この経験年数によるばらつきをなくすためには，業務の1つとして，リハビリテーションを実施するのではなく，早期リハビリテーションの短期的・長期的効果や具体的な取り組み方法についての勉強会が必要であると考える．吉田ら[3]は，早期リハビリテーションの取り組みを促進するため，リハビリチームを組織し，集中治療室でのクリニカルパスの導入や勉強会の開催，クリニカルインジケーターとしてのデータ収集と結果の周知を実施している．その結

1) 日本集中治療医学会 編：集中治療における早期リハビリテーション 根拠に基づくエキスパートコンセンサス ダイジェスト版．医歯薬出版，2017

2) 本田美加，吉田美香，福井陵太 他：看護師の日常生活援助に対する意識調査．日看会論集：急性期看 47：59-62, 2016

3) 吉田茉弥，橋田由史，尾上初恵：ICUにおける消化器外科定期手術後患者の術後1日目の離床の動向．香川県看護学会誌 8：1-4, 2017

果，看護師の離床に対する意識が高まり，消化器外科手術患者の術後 1 日目の立位・歩行率は向上したと報告している．つまり，組織の中で介入を変革していくには，経験年数に関係なく，誰でも実施可能なツールを作成することも重要といえる．

　一方で，集中治療室における離床の影響因子として，理学療法士の介入の有無，せん妄の発症，性別を明らかにしている[4]．また過去の文献では，人工呼吸器の装着時間，重症度，カテコラミンの使用，看護職員のマンパワーもあげている[5,6]．自施設の調査報告が多いため一般化はできないが，影響因子に対しても，人工呼吸器装着中でも離床への取り組みや，重症患者でも中止基準を明確にするなどの対策を講じ，リハビリテーション介入の阻害因子とならないような試みをしている．このためには看護師だけで早期リハビリテーションを実施するのではなく，多職種協働が必要であると考える．加藤ら[7]は早期リハビリテーションを実施するために，心臓血管外科医師，理学療法士とのケアカンファレンスの実施，JPAD ガイドラインに沿ったケアの継続，看護師間でのウォーキングカンファレンスによる看護ケア介入に取り組み，ADL の拡大や，ICU 在室日数および入院期間の短縮が図れたと報告している．

　集中治療室での早期リハビリテーション実施のためには，多職種が連携し，開始基準や中止基準を明確化し，重症者であればあるほど，リハビリテーション時には多職種協働の実践が重要となる．国内では単施設の看護研究が多く，エビデンスの構築には至っていない．対象を選別しながら標準化したプログラムを多施設で導入し，その成果をまとめることが急務といえる．

▶ 集中治療後症候群（post intensive care syndrome：PICS）

　ICU を退室した重症疾患後の患者の QOL は，同世代の健常人と比べて低いという報告があり[8]，その一因として考えられるのが，集中治療後症候群（post intensive care syndrome：PICS）である．看護系論文では 2017 年までは発表されていないテーマであったが，2018 年から論文として発表され始めている．松井らは，敗血症患者の ICU 退室後の転帰の実態調査を 1 施設ではあるが実施している[9]．調査では，退院後に身体機能，精神面，認知機能のいずれかに問題のあった患者は 72％存在したと報告している．患者の QOL を測定する SF36 においても身体機能，身体的健康で低値を示したとしている．また HADS スコアは入院中が最も高く，入院中の患者の多くが記憶の欠損があったとしている．入院していることの理由がわからないなど，自分に何が起こっているのかわからないという，「現状を認識できないで募る不安や恐怖」を感じていることを明らかにしている．そして医療者とのコミュニケーションが十分に取れないことによる医療者の行動が精神状態に影響し，先行きの見え

4) 森山祐輔，千田頼成，伊波久美子：A 病院 ICU における離床の影響因子．砂川病医誌 30：51-54, 2017

5) 藤原　直，岡和田愛実，小林雅之 他：当院 SCU における早期離床阻害因子と病型・重症度の関係．理学療法学 42：581, 2014

6) 座間順一，山田　亨：早期モビライゼーション．重症集中ケア 14：16-23, 2015

7) 加藤麻子，本田周司，和田望美 他：当院 ICU での心臓血管外科術後における早期リハビリテーションの取り組みについて．全国自治体病院協誌 57：786-790, 2018

8) Oeyen SG, vandijck DM, Benoit DD et al：Quality of life after intensive care：a systematic review of the literature. Crit Care Med 38：2386-2400, 2010

9) 松井憲子，井上昌子，工藤大介 他：敗血症患者の ICU 退室後の転帰の実態調査と看護支援の検討．木村看護教育振興財団看研録 25：160-177, 2018

ない現状を感じ，「孤独感・閉塞感・焦燥感」を感じていた．と同時に，身体機能の低下を自覚し，「身体機能低下に伴う絶望的な苦悩」を感じていることがインタビューから明らかにされている．

ICUでの記憶の欠損とともに，妄想的記憶を吉野[10]は指摘している．妄想的記憶は「夢，悪夢，幻覚，誰かに傷つけられるような感覚の4つを指し，真実ではない誤った記憶」と定義されている[11,12]．妄想的記憶とPTSD症状との関連をJones[11]が指摘し，妄想的記憶のある患者は復職率が低いことも指摘されている[13]．吉野[10]は妄想的記憶に関する海外文献からの文献レビューを報告している．その中では，妄想的記憶のある患者は26％〜73％と，調査によってばらつきがみられている．またICU退室後患者における妄想的記憶とPTSD関連症状の関係は示唆されたが一定の見解は得られなかったこと，妄想的記憶の要因として，ICU入室中の深鎮静やせん妄発症との関連が示唆されたと報告している．

PICS予防に対しては，①PICSの原因となる要因の除去，②早期リハビリテーションプログラム，③退院後のフォローアッププログラム，④早期の精神的介入，⑤ICU日記，⑥ケアによる環境調整，⑦機能回復チェックリストなどがあるとされているが，いずれもエビデンスレベルは低い．ICU日記は記憶の欠損や妄想的記憶の修正，家族とのやり取りには良いかもしれないが，ICU入室重症患者全例に対して実施するには，患者を傷つける可能性もあることを医療者が自覚し，慎重さが求められると考える．

PICS予防・介入およびPICS-Fに関しては，国内での文献は数が少なく，実施しての効果とともに，上手くいかなかった事例も共有しつつ，これからの調査が必要と考える．

◤ 看護師の患者・家族ケアに対する困難感

救急・集中治療の目的は患者の救命にあるが，一方で回復の見込みがない重症例も存在する．集中治療に従事する看護師は，終末期にある患者・家族に対して，無益な治療の回避を含めた説明と，本人の推定意思を考慮した家族の代理意思決定の支援，そして苦痛緩和を多職種チームで実践することが求められる．終末期に至るプロセスや，患者・家族の価値や信念は多様であり，個別の状況に応じたケアが求められる．

このような状況に対して，2011年に「集中治療における終末期患者家族のこころのケア指針」が策定され，終末期患者家族に対して，権利擁護・意思決定支援を含む家族ケアと，重要な家族を失うという悲嘆ケアの実践の必要性を述べている．しかし，臨床現場でのこのようなケアは倫理的問題に直面することが多く，それによる看護師の倫理的ジレンマや，それに伴う不快な感情も同時に引き起こす．

10）吉野靖代：集中治療室（ICU）退室後患者における妄想的記憶に関する文献検討．関東学院大看会誌5：19-25, 2018

11）Jones C, Griffiths RD, Humphris G et al：Memory, delusions, and the development of acute posttraumatic stress disorder-related symptoms after intensive care. Crit Care Med 29：573-580, 2001

12）Skirrow P：Delusional memories of ICU. "Intensive Care Aftercare" eds. Griffiths R, Jones C. Butterworth-Heinemann, Oxford, pp27-35, 2002

13）Ringdal M, Johansson L, Lundberg D et al：Delusional memories from the intensive care unit-Experienced by patients with physical trauma. Intensive Crit Care Nurs 22：1226-1233, 2009

西開地らは，救急・集中治療領域の終末期患者の家族支援に対して困難を感じる状況に関する文献検討を行っている[14]．その中で，①緊急入室が多く，治療方針の決定や看取りまでに時間的制約がある状況，②家族の心理的動揺が強く患者の死を受容できない状況，③意識がない，あるいは短期間で亡くなる患者や家族のニーズを捉えにくい状況，④医師主導で終末期への治療方針を決定している状況，⑤患者に苦痛を与える過剰な延命治療の継続に葛藤している状況，⑥救命できないことに対して無力感や割り切れない思いがある状況，⑦看護師として家族支援の役割認識に対して踏み出せない状況，⑧救急・集中治療領域のケアシステムにおける終末期ケア環境を整えにくい状況，⑨終末期ケアに関して学習や支援環境がない状況の9つが抽出されている．9つの状況は救急・集中治療現場では，看護師が必ず経験すると言っても過言ではない状況であるといえる．

さらに，長田ら[15]は「クリティカルケア」「家族看護」を検索語にして，8件の質的研究のメタ統合を用いてクリティカルケア看護師の家族看護に関する困難感の様相を明らかにするという目的で文献検討を行っている．そこでは，家族看護の構造として，「家族看護の重みと躊躇」「家族の思いの共有とその難しさ」「家族への接近と家族から感じる圧力」「限局した空間と時間での家族への積極的なかかわりと葛藤」があげられ，その一つひとつに肯定的認識と否定的認識が存在していた．つまり，家族に介入の必要性は感じているが，十分な学習をしていない，自信がない，コミュニケーションスキルがないなどの理由から，患者家族と向き合えないでいる看護師像がみえてくる．家族に関わりたいけれども，それが十分に行えない状況は，看護師にジレンマを発生させるであろうということは容易に推察できる．

他方，春名らは救急看護師に対して，Oncologic Emergency 患者とその家族に対する関わりで抱く困難とその要因のインタビュー調査を実施している[16]．明らかになった困難は，①がん患者・家族への告知支援の難しさ，②患者の意思に沿ったケアの難しさ，③短期間でがん患者の精神的苦痛緩和を実践する難しさ，④がん患者に対するアセスメントの難しさ，⑤がん性疼痛ケアの難しさ，⑥がん患者の家族支援に対する自信のなさと躊躇であった．また困難の要因として，①がん看護では発揮できない実践能力，②不足しているがん看護の専門知識，③理想とするがん看護と現状の差異，④看護師が認識している救命センターの役割と機能，を示している．救急看護師の Oncology Emergency 患者に対する救命に対する援助と終末期ケアの間の中で，がん看護に対する知識や技術の不足，終末期ケアを提供する環境にないことへの葛藤などのジレンマを感じていることが明らかとなっている．

ここまでの文献から，集中治療領域という救命の現場でありながら救えない命の存在と，終末期と診断されてからの尊厳ある死へのケアの実践という，相

14) 西開地由美，吉本照子：救急・集中治療領域の看護師が終末期患者の家族支援に対して困難を感じる状況に関する文献研究．千葉看会誌 24：1-9, 2019

15) 長田艶子，入江安子，多川聖子：質的メタ統合 クリティカルケア看護師の家族看護の構造における困難感の様相．家族看護学研究 24：3-13, 2018

16) 春名純平，城丸瑞恵，仲田みぎわ：救急看護師が Oncologic Emergency 患者とその家族に対する関わりで抱く困難とその要因．日救急看会誌 19：42-51, 2017

反するケアの実践を行わなければならない看護実践の現状が明らかになっている．集中治療領域では，心筋梗塞などでの突然死や，敗血症などにより多臓器不全に陥り急激な悪化からの死，慢性心不全や呼吸不全のように悪化と寛解を繰り返しながら迎える死など，多様な死へのプロセスへの理解とそれに応じた終末期ケアが求められる．これまでは，終末期ケアを構成する意思決定支援や家族ケアに注目して看護研究がされてきた．しかし近年は，終末期ケアを実践する看護師の内面に着目したmoral distress（倫理的苦悩）に着目した研究が散見されるようになったと考える．moral distressはバーンアウトの要因ともなり，離職へと繋がりやすいともいわれている[17〜19]．このため看護師が抱える困難感やmoral distressの存在を察知し，組織的に看護師をケアしていく必要がある．

ICU看護師の終末期ケアに関するmoral distressを測定する21項目からなる尺度を，Hamricらは2007年，その改訂版を2012年に開発している[19, 20]．石原らは日本語版倫理的悩み測定尺度の開発とその検証を実施している[21]．尺度の因子としては，「尊厳の欠如」「質担保が困難な協働」「非倫理的行為の黙認」の3つで構成されている．このような尺度を使用し，看護師自身のメンタルヘルスに関心を寄せる集中治療領域の職場文化の醸成が望まれる．

▶ まとめ

文献レビューから，集中治療における看護は，看護師独自のケアではなく，多職種連携が中心になっている現状が明らかとなった．多職種連携は，情報共有にとどまることなく，集学的チームから学際的チームへの発展が必要であるといわれている．チーム医療の効果を上げるためには，チームとしての目標を共有し，患者にアウトカムを示すこと，チームメンバーのメンタルヘルスが良いということ，アウトカムを共有することと言われている．チーム医療が促進され，患者のQOLが向上したというような研究の蓄積が望まれる．

17) Epstein EG, Hamric AB：Moral distress, moral residue, and the crescendo effect. J Clin Ethics 20：330-342, 2009

18) Gutierres KM：Critical care nurses' perceptions of and responses to moral distress. Dimens Crit Care Nurs 24：229-241, 2005

19) Hamric AB, Blackhall LJ. Nurse-physician perspective on the care of dying patients in intensive care units：collaboration, moral distress, and ethical climate. Crit Care Med 35：422-429, 2007

20) Hamric AB, Borchers CT, Epstein EG：Development and testing of an instrument to measure moral distress in healthcare professionals. AJOB Prim Res 3：1-9, 2012

21) 石原逸子，赤田いづみ，福重春菜 他：急性期病院看護師の日本語版改訂倫理的悩み測定尺度（JMDS-R）開発とその検証．日看倫理会誌 10：60-66, 2018

Ⅳ. トピックス

3. 集中治療における薬剤師の役割

入江利行
一般財団法人平成紫川会 小倉記念病院 薬剤部

最近の動向とガイドライン

　2016年の診療報酬改定により，救命救急入院料，特定集中治療室管理料などを算定している患者に対して薬剤師が薬剤関連業務を実施している場合に，病棟薬剤業務実施加算2の算定が可能となった．これにより，集中治療領域に従事する薬剤師は増加し，救急・集中治療領域の薬剤師業務の有用性に関する論文も散見されるようになった．しかし，日本における集中治療における薬剤師業務はまだ歴史が浅く，これらはいずれも単施設による調査研究である．一方，海外では，薬剤師による介入研究，多施設共同研究，システマティックレビュー，メタアナリシスなどから，薬剤師の関与による患者予後や費用削減などに対する効果が実証されてきた．

日本の集中治療領域での薬剤師の業務

　日本では，集中治療室における病棟薬剤師の業務について，明確な業務指針が示されていないことから，それぞれの施設が試行錯誤のうちに業務を進めているところである．飯田らは，集中治療における薬剤師の薬物治療への介入内容の明確化を目的として，疑義紹会を含めた医薬品情報提供の系統的分類を作成し，介入内容の評価を行った．その結果，用量や投与方法などの治療に関するもの，副作用および治療薬物モニタリング（therapeutic drug monitoring：TDM）などの安全性有効性に関する情報提供が多く，これらの8割以上の医薬品情報提供が受諾されたことから，薬剤師による介入が薬物療法に反映されていることが示唆されたと報告している[1]．集中治療室における薬物療法への関与の特徴を一般病棟と1年間比較した研究では，集中治療室では，業務内容として「TDM」「相互作用確認」の割合が高く，薬効別では「抗生物質製剤」「抗真菌剤」「抗てんかん薬」の割合が高かった．また，業務内容別と薬効別の集計で最も件数が多かった「投与量・投与方法・投与期間」と「抗生物質製剤」の内訳の比較から，ICU専任薬剤師はTDMに関わる薬物動態や薬物相互作用，抗生物質，抗真菌剤，抗てんかん薬等の知識が求められ，増量提案を含む投与量の調節に重要な役割を担っていた[2]．TDMや副作用，相互作用の

1) 飯田　遥，男全昭紀，井口恵美子 他：集中治療室における病棟薬剤師による医薬品情報提供の系統的分類の作成と介入内容の評価．医療薬学 43：654-660, 2017

2) 長水正也，佐藤由美子，森下修行 他：集中治療センターにおける薬物療法への関与の特徴～一般病棟との比較から～．日病薬師会誌 54：553-560, 2018

情報提供は薬剤師の得意とするところである．まずは，得意な知識を生かした業務から開始することで，他職種からの信頼を得ることが重要と考えられる．

▶ 集中治療におけるチーム医療とタスクシフト

集中治療室における多職種共同チーム回診に薬剤師が参加することで，1日当たりの薬学的介入件数は約2倍に増加し，全インシデントに占める医薬品関連インシデントの割合は有意に低下した（26.6% vs. 20.0%，$p = 0.02$）[3]．周術期管理チームの一員として，術前麻酔科外来への薬剤師介入の実態調査から，薬剤師の介入により抗血栓薬の休薬指示が遵守されない事例が有意に減少し，患者の安全性が向上することが示されている[4]．総合周産期母子医療センター105施設の薬剤師を対象に行われたアンケート調査では，NICUに薬剤師が関与している施設は89.1%（49/55施設），小児薬物療法認定薬剤師がいる施設は67.3%（33/49施設）であり，中心静脈栄養輸液あるいは注射薬の調製は67.3%（33/49施設），TDMは82%（41/50施設）で行われていた．また，安全対策として，処方提案の他にも独自の取り組みの工夫や連携が多数行われていた．NICUにおいても薬剤師の積極的な職能の発揮が期待されている[5]．集中治療室に常駐する薬剤師は，患者状態に応じた投与量の適正化や，副作用の発現や重篤化回避などの薬学的介入により薬物療法適正化に寄与しており，能動的介入の95.4%が受諾され，これらについて行うプロトコルに基づいた代行オーダーは，医師の負担軽減に非常に有用である[6]．救急外来においては，ER担当薬剤師による「持参薬鑑別」について，その迅速性と薬剤起因性疾患の早期診断支援の可能性が評価され，さらに救急医の薬歴把握にかかる業務負担を1日当たり1.9時間軽減することが示されている[7]．チーム医療の中に常に薬剤師が存在することが，タスクシフトをすすめることにもつながることがわかる．

▶ 感染症診療支援と antimicrobial stewardship program（ASP）

集中治療室に薬剤師が常駐し，積極的にバンコマイシン（VCM）のTDM介入を行うことの効果として，TDM介入までの日数は5.2日から2.3日に短縮（$p < 0.01$）し，VCM血中濃度測定実施率は86.2%から96.5%に増加（$p < 0.05$）した．さらに，シュミレーション解析実施率は24.1%から95.4%へ有意な増加（$p < 0.01$）を認め，トラフ値10 μg/mL未満の割合が24.1%から15.1%へ減少（$p < 0.01$）したとする報告がある[8]．一方，日本集中治療医学会感染管理委員会ワーキンググループは，日本集中治療医学会評議員に向けたantimicrobial stewardship program（ASP）アンケートを実施した．「ASPにおいて感染管理チームが関与すべき必須の5項目」を，①抗菌薬選択，②PK

3) 立石裕樹，宮津大輔，後藤貴央 他：集中治療室における多職種協働チーム回診の評価—薬学的介入に与える影響—．日病薬師会誌 55：71-76, 2019

4) 大森崇行，阿部 猛，川名賢一郎 他：周術期管理チームにおける薬剤師による術前麻酔科外来業務介入の実態調査と効果の検証．日病薬師会誌 55：631-636, 2019

5) 越智奈津子，櫻井浩子：NICUにおける薬剤師と医師・看護師との連携について—NICUにおける薬剤師介入の実態および医薬品の安全性確保に関するアンケート調査より—．周産期医 48：745-749, 2018

6) 篠﨑浩司，稲野祥宗，竹内美由紀 他：集中治療室常駐薬剤師による薬物療法適正化への寄与およびプロトコルに基づく処方支援における医師の評価．日臨救急医会誌 21：721-728, 2018

7) 齋藤靖弘，成田拓弥，徳留 章 他：ER専従薬剤師による持参薬鑑別の有用性．日臨救急医会誌 22：493-498, 2019

8) 田坂 健，東恩納司，三上奈緒子 他：集中治療室専任薬剤師の常駐体制によるバンコマイシンTDMの介入効果．日臨救急医会誌 20：638-643, 2017

（pharmacokinetics）/PD（pharmacodynamics），③ de-escalation，④抗菌薬中止，⑤ TDM として検証したところ，薬剤師が毎日ラウンドする施設では，PK/PD，TDM に関与する頻度が有意に高く，感染管理チームが毎日ラウンドする ICU では，TDM 以外の４項目に関与する頻度が有意に高かったことから，ICU における ASP に関しては，感染管理チームが毎日 ICU をラウンドすることが重要であるとしている[9]．しかし，これは薬剤師が単独でラウンドする場合と薬剤師の有無にかかわらず感染管理チームがラウンドする場合とを比較したものであり，薬剤師の存在を否定するものではない．ASP のチームラウンドにおいても薬剤師は積極的に参加すべきであると考える．

▶ 海外の集中治療における薬剤師の専門性に対する評価

　Lee らは，集学的な集中治療チームへ集中治療専門薬剤師が参加，介入することによる患者アウトカムへの影響を評価するために，**体系的なレビューとメタ分析を行った**．その結果，**死亡率は低下し〔オッズ比（OR）：0.78，95%信頼区間（CI）：0.73〜0.83，$p < 0.00001$〕，ICU の滞在期間は平均 1.33 日短縮し（95% CI：− 1.75〜− 0.90，$p < 0.00001$），薬物有害事象の発生率は減少する（予防可能な薬物有害事象の OR：0.26，95% CI：0.15〜0.44，$p < 0.00001$ および予防不可能な薬物有害事象の OR：0.47，95% CI：0.28〜0.77，$p = 0.003$）と報告した**[10]．

　英国で実施された多施設共同研究である PROTECTED-UK コホートから，20,758 件の処方に対する臨床薬剤師による 3,375 件の介入効果が調査された（介入率 16.1%）．臨床薬剤師は，直接患者ケアに１日 3.5 時間を費やし，１日当たり 10.3 人の患者を評価し，１回の評価に 22.5 分を費やしていた．臨床薬剤師は安全で最適な薬物療法に不可欠な存在であったが，介入率には，薬剤師が集中治療に費やした時間と中程度の逆相関が，処方の最適化率は１日当たりに評価される処方の総数と強い逆相関が認められたため，**臨床薬剤師が処方の評価と治療最適化のための時間を確保するために，十分な人員配置が必要であるとされた**[11]．さらに，投薬過誤の減少については，集中治療におけるレベルの高い薬剤師が最も重要なランクに位置づけられた[12]．

　フランスの２つの ICU（内科的と外科的）では，鎮静薬とその投与量，人工呼吸器のモード設定の選択，抗菌薬のデエスカレーション，中心静脈および尿道留置カテーテルの抜去についてのクオリティバンドル実施患者に対して，集中治療薬剤師による推奨が患者の予後とコストに与える影響が，観察期間と介入期間で比較された．薬剤師の介入期間において平均入院期間は 3.7 日短縮（95% CI：5.21〜2.27，$p < 0.001$），ICU 入室期間は 1.4 日短縮（95% CI：2.3〜0.5，$p < 0.005$），人工呼吸器使用期間は 1.2 日短縮（95% CI：2.1〜0.3，$p < 0.01$）したが，ICU 入室中と入院期間中の死亡率には差が認められなかっ

9）日本集中治療医学会ワーキンググループ：集中治療医学会評議員に向けた antimicrobial stewardship program（ASP）アンケート結果報告．日集中医誌 24：641-649，2017

10）Lee H, Ryu K,Sohn Y et al：Impact on patient outcomes of pharmacist participation in multidisciplinary critical care teams：a systematic review and meta-analysis. Crit Care Med 47：1243-1250, 2019

11）Rudall N, McKenzie C, Landa J et al：PROTECTED-UK-Clinical pharmacist interventions in the UK critical care unit：exploration of relationship between intervention, service characteristics and experience level. Int J Pharm Pract 25：311-319, 2017

12）Bourne RS, Shulman R, Jennings JK et al：Reducing medication errors in critical care patients：pharmacist key resources and relationship with medicines optimization. Int J Pharm Pract 26：534-540, 2018

た[13]．また，経済的利益に関する研究もあり，薬剤師の処方の確認と介入による集中治療室入室期間と入院日数の減少により，公共医療費が削減された[14]，あるいは，ICU でトレーニングを受けた薬剤師による投薬指示の見直しと回診への参加による有害事象の回避により，費用便益が発生することが示された[15]．

これらは集中治療に関する専門知識を有する薬剤師が，集中治療室で行われる治療に大きな影響を与え，経済的な利益も生まれることを実証したものであり，その存在意義は確立したものと考えられる．日本でも同様の調査を行う必要があると思われるが，同時に集中治療領域で働く薬剤師の専門性とそれを維持するための教育についても考える必要があることを忘れてはならないであろう．

▶ さまざまな医療環境での薬剤師の評価

1. 脳卒中ケアチーム

急性脳卒中，一過性脳虚血発作（TIA），TIA の既往のある患者の転帰に対する薬剤師の介入についてのシステマティックレビューが報告された．薬剤師の関与は，エビデンスに基づいた治療法の増加，服薬アドヒアランス，リスク因子の目標達成，および健康に関連したクオリティオブライフの維持と関連していた．救急部門，入院，外来，薬局など，さまざまな場面での薬剤師の介入が脳卒中患者の転帰にプラスの影響を与える可能性があることが示唆されたことから，薬剤師は，脳卒中患者ケアチームの不可欠なメンバーであると報告された[16]．

2. 小児科領域

小児病院患者への臨床薬剤師の介入に関するシステマティックレビューが行われた．臨床薬剤師の介入には，処方における投与量の間違いや薬歴との違い，服薬ミス，アレルギーなどが含まれ，これらの提案の 95％以上が医師に受け入れられた．薬剤師の関与の利点は，処方段階での投薬エラーをより迅速に特定し，処方医にその場でアドバイスができること，と評価された[17]．

3. 救急部門

1）薬剤師の有用性

救急部門の臨床薬剤師は，カナダ，スペイン，イギリス，フランスなど国際的にその有用性が認められている．その活動として，救急蘇生チームへの参加，薬物療法の支援（薬の選択，投与量設定など），副作用・相互作用の確認，薬剤識別，ワクチン投与などがある．スペインの病院（400 床）の救急部において，6ヵ月の観察期間中，薬剤師は 2,984 人の患者の薬物療法と投薬オーダーを確認し，557 人の患者で合計 991 件の介入を行った．介入症例の 64.9％は投薬過誤と関連があり，投薬過誤の重症度と薬剤師の介入の臨床的意義は相関

13) Leguelinel-Blache G, Nguyen TL, Louart et al：Impact of quality bundle enforcement by a critical care pharmacist on patient outcome and costs. Crit Care Med 46：199-207, 2018

14) Jourdan JP, Muzard A , Goyer I et al：Impact of pharmacist interventions on clinical outcome and cost avoidance in a university teaching hospital. Int J Clin Pharm 40：1474-1481, 2018

15) Bosma BE, van den Bemt PMLA, Melief PHGJ et al：Pharmacist interventions during patient rounds in two intensive care units：clinical and financial impact. Neth J Med 76：115-124, 2018

16) Basaraba JE, Picard M, George-Phillips K et al：Pharmacists as care providers for stroke patients：a systematic review. Can J Neurol Sci 45：49-55, 2017

17) Drovandi A, Robertson K, Tucker M et al：A systematic review of clinical pharmacist interventions in paediatric hospital patients. Eur J Pediatr 177：1139-1148, 2018

していた（スピアマンの $p = 0.728$, $p < 0.001$）．これらのことから，救急部門の臨床薬剤師は効果的かつ効率的な救急医療の実践のために不可欠なメンバーであると考えられた[18]．

2) 肺炎に対する抗菌薬療法

救急部門の臨床薬剤師（EM 薬剤師）が市中肺炎（CAP）と医療関連肺炎（HCAP）に対する経験的抗菌薬療法のタイミングと適切性を改善する，という仮説を検証するための調査研究が行われた．EM 薬剤師が救急室にいた時間には，肺炎の種類に関係なく，適切な抗菌薬療法を受ける可能性が有意に高かった（CAP：77.7 % vs. 52.9 %，$p = 0.008$，HCAP：47.7 % vs. 28.8 %，$p = 0.005$）．このことから，EM 薬剤師の存在は，救急部門で肺炎を呈する患者に対する適切な経験的抗菌薬療法の可能性を著しく高めると報告された[19]．

3) 患者の転帰に関連する薬剤師の役割

オーストラリアの救急医療において，患者の転帰に関連する薬剤師の役割を定量化するための体系的なレビューが行われた．救急部門の薬剤師による患者転帰に確実に関連する 3 つの重要な業務は，重病患者の管理への関与，抗菌薬適正使用における役割，および救急部門における家庭薬のオーダーであった[20]．

▶ 海外と日本の違い

このように，海外では，集中治療領域のさまざまな分野においても，その専門性を磨いた薬剤師が活躍しており，その存在はチームに欠かすことのできない存在として認知されている．法や制度の違いから，日本において海外の薬剤師と同様の業務を行うことが困難な場面も存在すると思われるが，集中治療チームの中で行われる専門性の高い薬剤師による活動や介入が，患者の予後を改善し，チームに欠かすことのできない存在になることは明らかである．日本においても，集中治療領域で働く薬剤師を増加させること，そして，薬剤師が集中治療における専門性を高めるための教育体制を整備することが必要である．

18) Morgan SR, Acquisto NM, Coralic Z et al：Clinical pharmacy services in the emergency department. Am J Emerg Med 36：1727-1732, 2018

19) Faine BA, Mohr N, Dietrich J et al：Antimicrobial therapy for pneumonia in the emergency department：the impact of clinical pharmacists on appropriateness. West J Emerg Med 18：856-863, 2017

20) Roman C, Edwards G, Dooley M et al：Roles of the emergency medicine pharmacist：A systematic review. Am J Health-Sys Pharm 75：796-806, 2018

IV. トピックス

4. 集中治療における早期離床とリハビリテーション

對東俊介
広島大学病院 診療支援部 リハビリテーション部門

最近の動向とガイドライン

日本では「集中治療における早期リハビリテーション 根拠に基づくエキスパートコンセンサス」が発表された．早期離床・リハビリテーション加算も新設され，早期リハビリテーションの重要性が認知されつつある．海外の複数のガイドラインでも早期リハビリテーションは推奨されているが，根拠となる系統的レビューではさらなる研究が必要であると述べられている．日本からの報告でも，プロトコルに沿った早期リハビリテーション介入の安全性と費用面を含めた効果が報告されている．早期リハビリテーション単独の効果というよりも，ABCDEFバンドルを用いて適切に患者管理を行ったうえで効果を検証する必要がある．床上自転車エルゴメータや神経筋電気刺激を用いた介入については，機器を有する施設でしか実施することができず，その効果も大きなものではない可能性がある．小児重症患者に対する早期リハビリテーションについては，今後効果の検証が進んでいくことが期待される．

エキスパートコンセンサス・ガイドラインおよび系統的レビュー

日本の集中治療領域で行われている早期リハビリテーションは，経験的に行われていることが多く，その内容や体制は施設により大きな違いがあった．そのため，日本集中治療医学会の早期リハビリテーション検討委員会から2017年に，「集中治療における早期リハビリテーション 根拠に基づくエキスパートコンセンサス」[1]が発表された．このエキスパートコンセンサスの中では，早期リハビリテーションを「疾患の新規発症，手術または急性増悪から48時間以内に開始される運動機能，呼吸機能，摂食嚥下機能，消化吸収機能，排泄機能，睡眠機能，免疫機能，精神機能，認知機能などの各種機能の維持，改善，再獲得を支援する一連の手段」と定義している．このエキスパートコンセンサスでは，日本人患者を対象とした質の高い治療のエビデンスを集めることは困難であることを主な理由として，エビデンスレベルのランク付けはされていない．しかし，前述の早期リハビリテーションの定義や早期リハビリテーションの効果，さらには早期リハビリテーションの禁忌や開始基準・中止基準，早期

---

1) 高橋哲也，西田修，宇都宮明美 他：集中治療における早期リハビリテーション 根拠に基づくエキスパートコンセンサス．日集中医誌 24：255-303, 2017

リハビリテーションの体制について解説されており，集中治療領域での早期リハビリテーションの現状をまとめ，集中治療領域における早期リハビリテーションの内容や体制の標準化に向けた第一歩を踏み出すことに貢献している．

一方，海外では複数のガイドラインが出されている．成人ICU入室患者に対するPain（痛み），Agitation/Sedation（不穏／鎮静），Delirium（せん妄），Immobility（不動），Sleep Disruption（睡眠障害）予防管理ガイドライン[2]では，Immobilityの項目の中で早期リハビリテーションに関して述べられている．メタアナリシスの結果，早期リハビリテーション・早期離床によりICU退室時の筋力のスコアは6.24ポイント高値となり〔95%信頼区間（CI）：1.67 to 10.82〕（エビデンスの質：低），人工呼吸期間は1.31日減少した（95% CI：−2.44 to −0.19）（エビデンスの質：低）．一方で健康関連の生活の質（quality of life：QOL）や院内死亡については有意差を認めていない．これらの結果を踏まえ，成人重症患者に対するリハビリテーションを実施することは条件付き推奨となっている（エビデンスの質：低）．米国胸部学会／米国胸部医師学会のガイドライン[3]では，24時間以上人工呼吸管理された急性期の成人患者において，早期離床を目指したプロトコル化したリハビリテーションを実施することを推奨している（エビデンスの質：低）．その中のメタアナリシスでは，プロトコル化したリハビリテーションは，人工呼吸患者の人工呼吸期間を2.7日減少させ（95% CI：−1.19 to −4.21），退院時の歩行自立の割合を増加させる〔64.0% vs. 41.4%，リスク比（RR）：1.56，95% CI：1.15 to 2.10〕とされている．早期リハビリテーションに関する系統的レビューはそれ以降も報告されているが，エビデンスの質は低いものであり，さらなる研究が望まれている[4,5]．早期リハビリテーションにより筋力や歩行能力は改善し，ICU在室日数は短縮するが，死亡率の減少には寄与せず，QOLへの効果は不明であるというのが現状である．介入頻度の高い研究に限るとQOLが改善するため[4]，今後は介入頻度や時間などの検証が必要となると考える．

▶ 早期離床・リハビリテーションに関する研究

オーストリア，ドイツ，アメリカの計5つの術後ICUに入室した患者200名に対して，SICU optimal mobilisation score（SOMS）を用いた早期目標指向型離床を実施した多施設無作為化比較試験（RCT）[6]では，早期目標指向型離床群に，より高い離床レベルの介入を達成しており〔平均達成SOMS 2.2［標準偏差（SD）1.0］vs. 1.5［0.8］，$p < 0.0001$〕，ICU入室日数は有意に短縮し〔中央値7（5〜12）vs. 10（6〜15）日，$p = 0.0054$〕，退院時の移動機能も有意に改善した．有害事象は早期目標指向型離床群で多かったが，重大な有害事象は認めていない．多職種間のコミュニケーションを促し離床の障壁をクリアするために，この研究ではファシリテーターという役割が目標を達成するた

2) Devlin JW, Skrobik Y, Gélinas C et al：Clinical practice guidelines for the prevention and management of pain, agitation/sedation, delirium, immobility, and sleep disruption in adult patients in the ICU. Crit Care Med 46：e825-e873, 2018

3) Girard TD, Alhazzani W, Kress JP et al：An official american thoracic society/american college of chest physicians clinical practice guideline：liberation from mechanical ventilation in critically ill adults. rehabilitation protocols, ventilator liberation protocols, and cuff leak tests. Am J Respir Crit Care Med 195：120-133, 2017

4) Tipping CJ, Harrold M, Holland A et al：The effects of active mobilisation and rehabilitation in ICU on mortality and function：a systematic review. Intensive Care Med 43：171-183, 2017

5) Doiron KA, Hoffmann TC, Beller EM：Early intervention（mobilization or active exercise）for critically ill adults in the intensive care unit. Cochrane Database Syst Rev 3：CD010754, 2018

6) Schaller SJ, Anstey M, Blobner M et al：Early, goal-directed mobilisation in the surgical intensive care unit：a randomised controlled trial. Lancet 388：1377-1388, 2016

めに重要な役割を担っていたと考えられる．この研究の post hoc 解析[7]として，リハビリテーション開始時の意識レベルの違いによる効果を検証している．Glasgow Coma Scale（GCS）が8以下の群と9以上の群に分けて検証したところ，GCSが8以下の対象では，初回のリハビリテーション・離床の介入までの日数が有意に長かった（0.7 ± 0.2 日 vs 0.2 ± 0.1 日，$p = 0.008$）．一方，GCS8以下の患者のうち，早期目標指向型離床群では，退院時の機能自立患者は有意に多かった〔オッズ比（OR）：3.67，95%：CI 1.02 to 13.14，$p = 0.046$〕．GCS8未満の患者のうち従命動作が可能であった割合は提示されていないが，GCS8以下の患者に対しても，プロトコルに沿って早期リハビリテーション・離床を開始することは効果的であると結論づけている．

日本における早期離床の取り組みとして，医師主導型の早期離床・リハビリテーションプロトコルの安全性について報告されている[8]．232名，587回のリハビリテーション回数のうち，有害事象は2.2%（95% CI：1.2 to 3.8%）で発生したが，治療を要するものはなかった．387回（66%）の介入で端座位以上のレベルの介入を実施し，2日以内にすべての患者がベッド外への離床を実施できた（中央値1.2日，四分位範囲0.1〜2.0日）としており，医師主導の離床プロトコルは，安全であると結論づけている．また，同じ施設における質改善プロジェクトの結果，早期離床・リハビリテーション導入後は院内死亡率が有意に減少し〔ハザード比（HR）：0.25，95% CI：0.13 to 0.49，$p < 0.01$〕，入院中の医療費は29,220ドルから22,706ドルに減少し，一患者あたり27%の減少で医療費の削減があった[9]．あわせて，在院日数の減少，人工呼吸期間の減少や退院時の身体機能の改善も認めた．早期離床・リハビリテーションプログラム介入は，院内死亡率の減少と医療費の削減につながる可能性がある．

血管作動薬は重症患者の治療において一般的に使用されているが，血管作動薬を使用している患者に対する早期リハビリテーション介入が避けられる場合もある．人工呼吸患者に対する早期理学療法・作業療法の効果を報告した研究[10]の post hoc 解析として，血管作動薬がICU-AW（ICU-acquired weekness）に与える影響について検討がなされており，その結果，循環作動薬の使用の有無はICU-AW発症と関連があり（OR：3.2，95% CI：1.29 to 7.95，$p < 0.01$），血管作動薬使用日数とも関連した（OR：1.35，95% CI：1.1 to 1.35，$p < 0.004$）[11]．早期離床・リハビリテーション介入によりICU-AW発症は減少するが（OR：0.38，95% CI：0.17 to 0.85），早期リハビリテーション介入の有無にかかわらず，血管作動薬使用症例についてはICU-AW発症リスクが高いということを改めて認識する必要がある．

2017年までに，対象者を敗血症患者に限ってリハビリテーションの効果について検討したRCTは2報のみである[12]．2018年に敗血症性ショックの患者19名を対象に，骨格筋に対する早期リハビリテーションの影響を検討した

7) Schaller SJ, Scheffenbichler FT, Bose S et al：Influence of the initial level of consciousness on early, goal-directed mobilization：a post hoc analysis. Intensive Care Med 45：201-210, 2019

8) Liu K, Ogura T, Takahashi K et al：The safety of a novel early mobilization protocol conducted by ICU physicians：a prospective observational study. J Intensive Care 6：10, 2018

9) Liu K, Ogura T, Takahashi K et al：A progressive early mobilization program is significantly associated with clinical and economic improvement：a single-center quality comparison study. Crit Care Med 47：e744-e752, 2019

10) Schweickert WD, Pohlman MC, Pohlman AS et al：Early physical and occupational therapy in mechanically ventilated, critically ill patients：a randomised controlled trial. Lancet 373：1874-1882, 2009

11) Wolfe KS, Patel BK, MacKenzie EL et al：Impact of vasoactive medications on ICU-acquired weakness in mechanically ventilated patients. Chest 154：781-787, 2018

12) Taito S, Taito M, Banno M et al：Rehabilitation for patients with sepsis：a systematic review and meta-analysis. PloS One 13：e0201292, 2018

RCT[13] が出されている．介入群では1日2回，対照群では1日1回の理学療法介入を実施しており，介入の詳細は論文の supplemental video file から動画で確認できる．初日と7日目に筋生検を実施したところ，対照群では Type Ⅰ，Type Ⅱa，Type Ⅱb 線維すべての断面積が有意に減少したが，介入群では初日と7日後に有意差を認めず，断面積の変化量は群間に有意差を認めた．早期の頻度の高い介入により，筋委縮を予防できる可能性が示唆されている．

心臓血管術後の60歳以上の高齢者を対象とした研究[14]では，対象者264名（平均年齢 77.1 ± 9.3 歳，うち34％がフレイル）の入院前，ICU 入室時，ICU 退室時の移動機能を評価している．フレイル群は非フレイル群と比べ，入院前，ICU 入室時，ICU 退室後のすべてで機能レベルが有意に低かったが，ICU 入室中の平均の移動機能レベルの改善の程度は，フレイルの有無で有意差を認めなかった．高齢者においてフレイル群の方が移動機能のレベルが低い傾向にあるが，フレイルの有無で早期リハビリテーションの効果に差はない可能性が示唆されている．

通常のリハビリテーションに加え，機器を使用した受動立位運動が ICU-AW を予防するかどうか，125名の術後 ICU 患者で検討されている[15]．介入群では，通常のリハビリテーションに加え1時間の受動立位を行った．筋力の指標である MRC sum score は2群間で有意差を認めなかったが〔受動立位群 50（45〜56）vs. 対照群 48（45〜54），$p = 0.555$〕，リハビリテーション前に ICU-AW であった患者の数は受動立位群の方が多く（受動立位群60人，対照群48名，$p = 0.045$），筋力の改善の程度は受動立位群で高値であった（$p = 0.004$）．受動的な姿勢変換も筋力改善に寄与する可能性が示されている．

人工呼吸患者の早期離床・リハビリテーションに関してスイスで1 day point prevalence study が実施された[16]．35の ICU に入室していた161名の人工呼吸患者のうち，33％が端座位以上の高いレベルの離床を実施していたが，歩行を行えていたのはわずかに2％（4名）のみであった．挿管患者のうち端座位以上の介入が行えていたのは7％のみであり，気管切開患者（58％）や非侵襲的陽圧換気患者（50％）よりも低い割合であった．人工呼吸器患者への早期離床・リハビリテーションの効果の検証は多く行われているが，実際に人工呼吸患者に対して端座位以上の介入を行っている割合はまだ少ない現状がある．

▶ ABCDEF バンドルに関する研究

ABCDEF バンドルとは，重症患者に対して実施されるべき管理のバンドル（束）である．Assess, Prevent, and Manage Pain（疼痛の評価，予防と管理），Both Spontaneous Awakening Trials and Spontaneous Breathing Trials（覚醒トライアルと自発呼吸トライアル），Choice of analgesia and Sedation（鎮痛と鎮静の選択），Delirium：Assess, Prevent and Manage（せん妄の評

13) Hickmann CE, Castanares-Zapatero D, Deldicque L et al：Impact of very early physical therapy during septic shock on skeletal muscle：a randomized controlled trial. Crit Care Med 46：1436-1443, 2018

14) Goldfarb M, Afilalo J, Chan A et al：Early mobility in frail and non-frail older adults admitted to the cardiovascular intensive care unit. J Crit Care 47：9-14, 2018

15) Sarfati C, Moore A, Pilorge C et al：Efficacy of early passive tilting in minimizing ICU-acquired weakness：A randomized controlled trial. J Crit Care 46：37-43, 2018

16) Sibilla A, Nydahl P, Greco N et al：Mobilization of mechanically ventilated patients in switzerland. J Intensive Care Med 885066617728486, 2017

価，予防と管理），Early Mobility and exercise（早期離床と運動療法），Family Engagement and Empowerment（家族の力の活用・促進）から構成される．ABCDEFバンドルに関するオンライン調査では，47ヵ国1,521名から回答があり，57％がABCDEFバンドルを実施していると回答している[17]．特にEの早期離床・リハビリテーションに関しては回答者の82％が指示すると回答しているが，一方で69％の回答者の施設で離床・リハビリテーションチームはないと回答しており，79％は標準的な活動度スケールを使用しておらず，回答者の36％しかICU-AWを評価していなかった．早期離床・リハビリテーションの重要性は認識しているが，それに関する評価・介入システムは整備できていないという現状が明らかになっている．

ABCDEFバンドル実施の影響としては，米国のカリフォルニア州の7つの地域病院ICUを対象に6,064名の入室患者を調査した結果が報告されている[18]．すべてのバンドル項目の順守割合が増加するごとに院内生存率は増加し（OR：1.07，95％CI：1.04 to 1.11，$p < 0.001$）し，一部のバンドル項目の順守割合の増加でも同様に院内生存率は増加した（OR：1.15，95％CI：1.09 to 1.22，$p < 0.001$）．バンドルの順守割合が増加するとせん妄でない期間も増加した．さらに，米国の29の州およびプエルトリコの大学病院や地域病院の68のICUで，15,226名の患者を対象に同様の研究が行われている[19]．ABCDEFバンドルの順守と，1週間以内の死亡（adjusted hazard ratio：0.32，95％CI：0.17 to 0.62），翌日の人工呼吸管理〔adjusted odds ratio（aOR）：0.28，95％CI：0.22 to 0.36〕，昏迷（aOR：0.35，95％CI：0.22 to 0.56），やせん妄（aOR：0.60，95％CI：0.49 to 0.72）発症，身体抑制の使用（aOR：0.37，95％CI：0.30 to 0.46），ICU再入室（aOR：0.54，95％CI：0.37 to 0.79），自宅以外への退院（aOR：0.64，95％CI：0.51 to 0.80）と関連を認めた．さらに別の研究[20]ではコストについても検討されており，AとBとDの項目のみを実施した期間よりも，ABDに加えCとE（早期離床・リハビリテーション）を追加した時期の方が，人工呼吸期間（−22.3％，95％CI：−22.5％ to −22.0％，$p < 0.001$），ICU在室日数（−10.3，％，95％CI：−15.6％ to −4.7％，$p = 0.028$），在院日数（−7.8％，95％CI：−8.7％ to −6.9％，$p = 0.006$）が減少し，ICUのコストを24.2％（95％CI：−41.4％ to −2.0％，$p = 0.03$），入院コストを30.2％（95％CI：−46.1％ to −9.5％，$p = 0.007$）減少させている．Eの早期離床・リハビリテーションのみが良い効果をもたらすのではなく，すべての管理をバンドルとして実施することで，患者を早期離床・リハビリテーションが実施できるような状態で管理するということが重要と考える．

▶ 床上自転車エルゴメータ・神経筋電気刺激

通常の標準化された早期リハビテーションに加え，床上自転車エルゴメータ

17) Morandi A, Piva S, Ely EW et al：Worldwide survey of the "Assessing pain, Both spontaneous awakening and breathing trials, Choice of drugs, Delirium monitoring/management, Early exercise/mobility, and Family empowerment"（ABCDEF）Bundle. Crit Care Med 45：e1111-e1122, 2017

18) Barnes-Daly MA, Phillips G, Ely EW：Improving hospital survival and reducing brain dysfunction at seven california community hospitals：implementing PAD guidelines via the ABCDEF bundle in 6,064 patients. Crit Care Med 45：171-178, 2017

19) Pun BT, Balas MC, Barnes-Daly MA et al：Caring for critically ill patients with the ABCDEF bundle：results of the ICU liberation collaborative in over 15,000 adults. Crit Care Med 47：3-14, 2019

20) Hsieh SJ, Otusanya O, Gershengorn HB et al：Staged implementation of Awakening and Breathing, Coordination, Delirium monitoring and management, and Early mobilization bundle improves patient outcomes and reduces hospital costs. Crit Care Med 47：885-893, 2019

と神経筋電気刺激を追加で実施することで筋力低下を予防できるか検討した単施設RCT[21]がある。314名を対象に、介入群のMRC sum scoreは48（29〜58）、対照群が51（37〜58）であり、有意差を認めなかった（平均差−3.0、95% CI：−1 to 2、p = 0.52）。この研究では、6ヵ月後の日常生活動作（ADL）やQOLや死亡も有意差を認めていない。別の研究では、神経筋電気刺激と運動療法を併用することの有用性が報告されている[22]。ICUに入室した人工呼吸患者51名を、神経筋電気刺激群、運動療法群、神経筋電気刺激＋運動療法群、通常ケア（対照）群の4つの群に分けICU入室中介入を実施した。結果、人工呼吸期間は通常ケア群（14.8 ± 5.4日）と比べ、神経筋電気刺激＋運動療法群（5.7 ± 1.1日）と神経筋電気刺激群（9.0 ± 7.0日）で有意に短かった。床上で行われる、他動関節可動域運動や他動の床上自転車エルゴメータ、大腿四頭筋の神経筋電気刺激は呼吸循環動態に負荷がかからず、電気刺激を併用した自転車エルゴメータでのみ心拍出量が1 L/min（15%）増加したという報告がある[23]。床上自転車エルゴメータや神経筋電気刺激療法は運動療法としての負荷が不十分であり、標準化された早期リハビリテーションが行えれば、追加でこれらの介入を行う必要性は低い可能性がある。一方で、循環動態が不安定なため端座位など標準的な早期リハビリテーションを実施することが困難な患者に適応することを考慮する。

▶ 小児重症患者に対する早期リハビリテーション

近年、小児重症患者を対象とした早期リハビリテーションに関する報告がされ始めている。小児ICUに入室した生後1日〜17歳までの小児重症患者200名を対象とした質改善プロジェクトにより、PICU入室3日目までの理学療法及び作業療法のコンサルテーションは増加した[24]。その結果、入室3日目までのリハビリテーションの回数は、中央値で3回から6回に増加し、早期リハビリテーションに関する有害事象は発生しなかった。小児ICUに入室した30名を対象に、pilot RCTが実施されている[25]。通常の理学療法を実施した群と、通常の理学療法に床上自転車エルゴメータ運動を加えた介入を実施した群で比較したところ、介入群は1.5日から早期リハビリテーションを開始し、対照群は入室2.5日から介入を開始し、PICUのリハビリテーションの時間は介入群210（152〜380）分、対照群136（42〜314）分であった。有害事象は発生せず、早期リハビリテーション介入の実行可能性が確認されている。小児ICUでの早期リハビリテーションに関する報告は少なく、医療従事者、患者とその家族は安全性に懸念を抱いていることも報告されている[26]。小児に対する早期リハビリテーションの安全性や効果については、今後さらなる検討がなされることを期待する。

21) Fossat G, Baudin F, Courtes L et al：Effect of in-bed leg cycling and electrical stimulation of the quadriceps on global muscle strength in critically ill Adults：a randomized clinical trial. JAMA 320：368-378, 2018

22) Dos Santos FV, Cipriano G, Jr., Vieira L et al：Neuromuscular electrical stimulation combined with exercise decreases duration of mechanical ventilation in ICU patients：a randomized controlled trial. Physiother Theory Pract 1-9, 2018

23) Medrinal C, Combret Y, Prieur G et al：Comparison of exercise intensity during four early rehabilitation techniques in sedated and ventilated patients in ICU：a randomised cross-over trial. Crit Care 22：110, 2018

24) Wieczorek B, Ascenzi J, Kim Y et al：PICU Up!：Impact of a quality improvement intervention to promote early mobilization in critically ill children. Pediatr Crit Care Med 17：e559-e566, 2016

25) Choong K, Awladthani S, Khawaji A et al：Early exercise in critically ill youth and children, a preliminary evaluation：The wEECYCLE Pilot Trial. Pediatr Crit Care Med 18：e546-e554, 2017

26) Zheng K, Sarti A, Boles S et al：Impressions of early mobilization of critically ill children-clinician, patient, and family perspectives. Pediatr Crit Care Med 19：e350-e357, 2018

索引

あ 行

アミオダロン　203
アラーム脳波　7
アンチトロンビン　75

移植片対宿主病　74
一酸化窒素　33
遺伝子組換えトロンボモジュリン　66
遺伝子組換えヒトアンチトロンビン製剤　76
医薬品情報提供　230
医療的ケア児　95

植込み型除細動器　200
ウリモレリン　42
運動機能障害　213，216

エキスパートコンセンサス　235
エクリズマブ　69
エネルギー投与量　85
エリスロポエチン（EPO）製剤　75
エリスロマイシン　42
遠隔集中治療　105

横隔膜機能不全　101
横隔膜負荷　21
横隔膜ペーシング　22

か 行

下肢挙上試験　104
過剰輸液　52
カテーテル関連血流感染防止　79
鎌状赤血球症　73
癌　207
環境制御　78
肝硬変　59
患者・家族ケア　227
感染管理　77
感染管理チーム　232
感染関連の人工呼吸器関連合併症　163
感染症診療支援　231
感染性心内膜炎　29
感染性膵壊死　49，50
肝胆膵　44
肝不全　207

気管支肺胞洗浄　164
気管切開　159
気管挿管　118，174
気管内吸引　164
気道確保　126，155
気道確保困難症　155

起動要素　220
機能予後　85
急性冠症候群　25，188
急性冠症候群ガイドライン　23
急性肝不全　44
急性呼吸窮迫症候群　142
急性呼吸不全　72
急性腎機能障害　141
急性心筋梗塞　24，25，201
急性腎障害　24
急性心不全　28
急性膵炎　48
急性膵炎診療ガイドライン　44
急性胆管炎　47
急性胆管炎・胆囊炎診療ガイドライン2018　44，47
急性胆囊炎胆囊摘出術　47
急性脳障害　72
急性・慢性心不全診療ガイドライン　183
局所脳酸素飽和度　151
筋弛緩薬　20

くも膜下出血　5，7
グリコカリックス　76
クロストディフィシル感染症　37
クロルヘキシジンアルコール　110
クロルヘキシジングルコン酸塩　80

経管栄養　22
経胸壁心エコー　122
経験的抗菌薬療法　234
経験的治療　165
軽症胆石性膵炎　49
経食道エコー　104
経肺圧　102
経肺熱希釈（TPTD）デバイス　103
経鼻高流量療法　114
痙攣　7
痙攣予測スコア　7
血液検査　141
血液浄化量　137
血液浄化療法　73
血液培養検査　208
血管内留置カテーテル　107
血行再建術　193
血栓性微小血管症　69
血糖管理　57
健康関連QOL　215
言語指示に従えない　6

抗菌薬起因性腸炎　41

高クロール性アシドーシス　53
抗血小板療法　189
後天性　72
高度気道確保　174
高頻度振動換気　19
高密度リポ蛋白質コレステロール　60
高流量鼻カニューラ　114
高流量鼻カニューラ酸素療法　155
呼気終末二酸化炭素（EtCO$_2$）モニター　103
国際血栓止血学会（International Society on Thrombosis Haemostasis, ISTH）DIC診断基準　65
骨髄間葉系幹細胞　153
コルチゾール　59
コルチゾール結合グロブリン　61

さ 行

細菌性感染症　77
再挿管回避　117
細胞解析　145
左心耳閉鎖システム　203
サルコペニア　84

指揮運営要素　223
自己心拍再開　177
視床下部-下垂体-副腎系　60
システマティックレビュー　233
システム改善要素　223
死戦期呼吸　176
持続時間　180
持続脳波モニタリング　4，7
至適PEEP　18
自動定量的瞳孔記録計　151
自動瞳孔計　2
自発呼吸の温存　21
社会復帰率　18
重症化に伴う副腎機能不全　61
重症急性胆囊炎　44
重症敗血症　123
重炭酸の投与　51
集中治療看護　225
集中治療後症候群　13，226
集中治療専門薬剤師　232
手術部位感染予防　58
手術部位感染予防のためのガイドライン2017　58
出血　35
出血性ショック　72
腫瘍心臓病学　186
循環管理　23

索 引

循環血液量　122
消化管蠕動促進薬　42
消化管不全　42
床上自転車エルゴメータ　240
小児重症頭部外傷　94
小児集中治療　91
静脈炎　109
除細動器　201
除細動機能付き心室同期療法　200
ショック　23
ショック患者で EN　88
腎うっ血　52
シングルセル解析　145
シングルパラメーターシステム　221
神経学的転帰　175
神経筋電気刺激　240
心原性ショック　24，60
心原性肺水腫　116，125
人工呼吸関連肺炎予防バンドル　166
人工呼吸器関連症状　163
人工呼吸器関連肺炎　37，162
人工呼吸器離脱　125
人工呼吸離脱促進　116
人工知能　105
心室頻拍　203
腎障害での蛋白投与　87
心臓アミロイドーシス　184
心臓手術 ERAS　31
心臓・大血管　31
深鎮静　20
心停止後症候群　179
シンバイオティクス　40
心肺蘇生　124
深部静脈血栓症　127
心不全　183，185，199
心房細動　185，199

水素ガス　182
頭蓋内圧　4，5
頭蓋内圧（ICP）測定　101
頭蓋内圧亢進　7
頭蓋内圧上昇　127
頭蓋内出血　127
ストレス潰瘍予防　37
ストレス性高血糖症　58

制酸剤　88
精神障害　214，217
生理食塩水　53
絶食　22
喘息　115

選択的消化管除菌　40
先天性心疾患　72
せん妄　32，74

造影剤　55
早期 RRT　135
早期胆嚢摘出術　44
臓器保護　34
早期目標指向型離床　236
早期離床　236，237
早期リハビリテーション　22，225，235

た 行
対応要素　222
体温管理療法　2，179
体外式膜型人工肺　73
代謝性アシドーシス　51
大動脈内バルーンパンピング　29
タイミング　7
多剤耐性菌　164
多職種共同チーム　231
胆嚢炎　47
蛋白投与量　86

チアミン　210
遅発性脳虚血　3，7
着用型自動除細動器　201
中心静脈圧　104，124
中心静脈カテーテル　108
中東呼吸器症候群　21
超音波ガイド下　113
超高齢者心不全　186
治療撤退の判断　2
鎮痛優先の鎮静法　9
鎮痛を基盤とした鎮静法　9

デキスメデトミジン　152
鉄欠乏性貧血　74

糖尿病　57
動脈カテーテル　108
動脈瘤の再破裂　7
突然死　201
突然死予防効果　201
トラネキサム酸　69

な 行
内頸静脈酸素飽和度　4
内分泌・代謝管理　57

日本救急医学会急性期 DIC 診断基準　65

日本版敗血症診療ガイドライン　205
乳酸値　208
認知機能障害　31，32，213

脳灌流圧　5
脳死　96
脳組織酸素分圧　4，5
脳組織酸素飽和度　4
脳組織低酸素状態　5
脳波自動学習解析ソフト　6
脳波の解析ソフト　7
脳波モニタリング　100
ノルエピネフリン　210

は 行
肺エコー　102
バイオマーカー　135，141
敗血症　77，143，205
敗血症重症度　144
敗血症診断　143
敗血症性 AKI　55
敗血症性 DIC　75
敗血症性ショック　59，123，208
肺胞リクルートメント手技　19
肺保護　167
拍動型コルチゾール分泌　61
バソプレシン　211
抜管後呼吸不全　117
パルスオキシメータ　209
バンドル　108

非出血性ショック　72
非侵襲的人工呼吸　114
非侵襲的陽圧換気　114
ヒスタミン H_2 受容体拮抗薬　38
ヒストン　68
ビタミンC　34，89
ビタミンD　90
ビデオ喉頭鏡　155，158
費用対効果　176
病的自然免疫凝固炎症反応　68
病棟薬剤師　230
費用便益　233

フォーカス心エコー　123
賦活　6
腹腔鏡下胆嚢摘出術　44，47
副腎機能不全　59
不整脈　199
不整脈非薬物治療ガイドライン　199
不整脈薬物治療に関するガイドライン　199

部分筋弛緩　21
フレイル　32
プレセプシン　43
プロカインアミド　203
プロカルシトニンガイド　81
フローサイトメーター　145
プロトンポンプ阻害薬　37
プロバイオティクス　39
糞便微生物移植法　41

ベイズ解析　132
ヘモグロビン A1c　58

補助心臓　73

ま　行
末梢静脈カテーテル　109

慢性腎臓病　202

無呼吸下酸素投与　159

メトクロパミド　42
免疫介在性肝炎　44
免疫チェックポイント阻害薬　44
免疫不全　21，118

毛細血管再充満時間　208
目標血糖値　57
目標指向型管理法　31

や　行
薬剤師の評価　233
薬剤性肝障害　46

輸液制限　19
輸液反応性　123
輸血療法　31，35

予後　173
予後評価　178

ら　行
ラリンジアルチューブ　174

リコンビナント AT　67
緑膿菌アウトブレイク　82

レボカルニチン　210

A
ABCDEF バンドル　15，238
ACLF　45
ACS　188
ACTH 負荷試験後　59
activation　6
acute coronary syndrome　188
acute kidney injury　134，141
acute-on-chronic liver failure　45
acute respiratory distress syndrome　131，142
ADL　215
aEEG　100
afferent activities　220
AGI（acute gastrointestinal injury）grade　42
aHUS　69
AKI　134，141
Alpha Delta Ratio 評価　7
amplitude-integrated EEG　100
AN69ST 膜　139
AnaConDa　12
ARDS　131，142，167
ARRIVE trial　191
ASCEND study　191
ASCOT Legacy study　191
AT　67
atypical HUS　69

B
Behavioral Pain Scale　10
B-HYPO　152
BIS モニタリング　178
BLUE プロトコル　125
BPS　10
Brain Computer Interface　6

C
CASTLE-AF 試験　200
CIRCI　61
cisatracurium　20
CKD　202
Clinical Pulmonary Infection Score　163
Cognitive - Motor dissociation　6
Confusion Assessment Method for the Intensive Care Unit　15
continuous pattern　4
continuous renal replacement therapy　136
COPD　114
cost-benefit　176
CPIS　163
CPOT　10
CRASH-3　69
CRBSI 予防　108
Critical-Care Pain Observation Tool　10
critical illness-related corticosteroid insufficiency　61

D
DCI　7
deep learning　222
de-escalation　165
delayed cerebral ischemia　7
dysbiosis　39

CRRT　54，136
CRT　209

E
early brain injury　3
early warning score　221
eCART　221
$ECCO_2R$　132
ECMO　128，167
ECPR　130，175
ECPR 開始までの時間　177
efferent response　222
EIT　18
electrical impedance tomography　18
ELSO　129
EM 薬剤師　234
EOLIA　132
E-PRE-DELIRIC　14
$ETCO_2$　177
Eurotherm3235　152
EWS　221

索引

extracellular vasicles　146
extracorporeal CO_2 removal　132

G
G-CSF　153
GDT　31
governance/administrative structure　223
Granulocyte-colony stimulating factor　153

H
heterogeneous　6
HFNC　92
HFpEF　183, 200
HFrEF　200
High Flow Nasal Cannula　92
HMB　87

I
IABP　128
ICD　201
ICU-aquired weakness　213, 237
ICU-AW　212, 237, 238
ILCOR　173
Impella®　128
IMPRESS in Severe Shock　131
induced pluripotent stem cell　153
infection-related ventilation-associated condition　163
Intensive Care Delirium Screening Checklist　15
intermittent renal replacement therapy　136
iPS 細胞　153
IRRT　136
IVAC　163

J
Japanese Association for Acute Medicine (JAAM)-Out-of-hospital cardiac arrest (OHCA) study　150
J-SSCG2016　64

L
Lindegaard ratio　3
LV unloading　130

M
MET　222

micro RNA　146
miRNA　146
MIRUS system　12
MRSA　77
multimodal monitoring　4

N
NETs　68
neutrophil extracellular traps　68
NEWS　221
NFκB　146
NHFT　119
non-renal indication　138
non-shockable rhythm　149

P
PADIS ガイドライン　9
PALM スコア　43
PARDS　92
patient safety/process improvement limb　223
$PbtO_2$　4, 5
PCAS　179, 181
PCT　143
Pediatric ARDS　92
percutaneous coronary intervention　188
PICC　111
PICS　13, 212, 226
PICS-F　218
PICU　91, 212
PMMA　139
PMX-DHP　138
polymethyl methacrylate　139
pooled data analysis　148
post intensive care syndrome　13, 212, 226
PRE-DELIRIC　14
Presepsin　143
primary PCI　188
PRINCESS trial　151
Procalcitonin　143
PROTECTED-UK コホート　232
P-SEP　143

Q
qSOFA スコア　206

R
Rapid Response System　220
RASS　11
regional oxygen saturation　151
relative alpha variability　7
Richmond Agitation-Sedation Scale　11
ROSC　179
ROX index　119
RRS　220
rSO_2　151

S
SCARLET　66
Sepsis-1　205
Sepsis-3　205
sepsis-induced coagulopathy　68
SIC　68
SIRS スコア　206
SOS-KANTO 2012　149
SSCG2016　64
SUPERNOVA study　132
suppression　4
synchronous pattern　4

T
The Brain Hypothermia　152
Tokyo Guidelines 2018　44, 47
track and trigger　220
trophic feeding　88
TTM　148, 179

V
VAC　163
VAE　163
VA-ECMO　129
ventilation-associated condition　163
ventilator-associated events　163
VV-ECMO　131

W
WATCHMAN®　203
WCD　201

16S rRNA 解析　39

集中治療医学レビュー2020-'21

—最新主要文献と解説—

2020 年 3 月 4 日　発行　　　　　　　　　　　　　　　　　　　　　　第 1 版第 1 刷Ⓒ

監修者　岡　元　和　文

編集者　大　塚　将　秀
　　　　佐　藤　直　樹
　　　　松　田　直　之

発行者　渡　辺　嘉　之

発行所　株式会社　総合医学社
　　　　〒101-0061　東京都千代田区神田三崎町 1-1-4
　　　　電話　03-3219-2920　　FAX　03-3219-0410　　　URL　https://www.sogo-igaku.co.jp

Printed in Japan　　　　　　　　　　　　　　　　　　　　　　　　壮光舎印刷株式会社
ISBN978-4-88378-683-1　　　　　　　　　　　　　　　　　　　　　検印省略

・本書に掲載する著作物の複製権・翻訳権・上映権・譲渡権・公衆送信権（送信可能化権を含む）は株式会社総合医学社が保有します．
・ JCOPY 〈出版者著作権管理機構 委託出版物〉
　本書の無断複製は著作権法上での例外を除き禁じられています．複写される場合は，そのつど事前に，出版者著作権管理機構
　（電話 03-5244-5088，FAX 03-5244-5089，e-mail：info@jcopy.or.jp）の許諾を得て下さい．

新刊

救急・集中治療 最新ガイドライン 2020-'21

編著：**岡元 和文** 信州大学名誉教授
丸子中央病院 特別顧問，救急・総合診療科長

- 救急・集中治療に必須の「診療ガイドライン」131項目を網羅！
- 要点をまとめ，最新の知見がひと目で判る！
- Emergency & Intensive Care 必携の1冊

主要目次

- I. 緊急処置・蘇生・手技
- II. 救急外来（ER）での対応
- III. ショックの治療
- IV. 外傷・熱傷の診断・治療
- V. 脳神経系疾患の診断・治療・ケア
- VI. 呼吸器系疾患の診断・治療・ケア
- VII. 心血管系疾患の診断・治療・ケア
- VIII. 消化器系疾患の診断・治療・ケア
- IX. 代謝疾患の診断・治療・ケア
- X. 泌尿器・生殖器系疾患の診断・治療・ケア
- XI. 産婦人科系疾患の診断・治療・ケア
- XII. 急性中毒の診断・治療・ケア
- XIII. 環境障害・電解質異常・皮膚障害の診断・治療・ケア
- XIV. 感染性疾患の診断・治療・ケア
- XV. 精神障害・法医学・倫理の診断・治療・ケア

B5判／本文484頁
定価（本体12,000円＋税）
ISBN978-4-88378-684-8

総合医学社 〒101-0061 東京都千代田区神田三崎町 1-1-4
TEL 03(3219)2920　FAX 03(3219)0410　https://www.sogo-igaku.co.jp

救急・集中治療

2020年度 年間購読受付中

◆ *Critical Care*の総合誌 ◆

季刊 年4冊（3・6・9・12月）／B5判／本文平均400頁

■ 2020年（32巻）の特集予定 ■
通常号：定価（本体10,000円＋税）

- 1号　呼吸管理 2020-'21
  ―ガイドライン，スタンダード，論点，そして私見―
- 2号　急性血液浄化法 2020-'21（仮）
  ―ガイドライン，スタンダード，論点，そして私見―
- 3号　循環管理（仮）
  ⋮（以下続刊）

■ 2019年（31巻）の特集 ■
通常号：定価（本体7,600～12,000円＋税）

- 1号　Point-of-Care 超音波
  ― basic から advanced skill まで ―
- 2号　ICU 治療指針 Ⅰ
- 3号　ICU 治療指針 Ⅱ
- 4号　ICU 治療指針 Ⅲ

● Honorary Editors
天羽 敬祐†
早川 弘一
島崎 修次
相馬 一亥
山科 章
（†＝故人）

● Editors
岡元 和文
行岡 哲男
横田 裕行
久志本 成樹
大塚 将秀
志馬 伸朗
松田 直之
山本 剛

● Critical Care にたずさわる ICU，救急，麻酔，外科，内科の医師を対象に，解説と情報を満載！

2020年度 年間購読料 40,000円（税込）〈通常号4冊〉

■年間購読をお申込の場合 4,000円の割引です．
■直送雑誌の送料は弊社負担．毎号刊行次第，確実にお手元に直送いたします．
■本誌のFAX送信書に必要事項をお書き込みのうえ，お申し込み下さい．

総合医学社　〒101-0061　東京都千代田区神田三崎町 1-1-4
TEL 03(3219)2920　FAX 03(3219)0410　https://www.sogo-igaku.co.jp

2020年5月刊行予定

最新主要文献とガイドラインでみる
麻酔科学レビュー 2020

監修　山蔭 道明　札幌医科大学医学部麻酔科学講座　教授
　　　廣田 和美　弘前大学大学院医学研究科麻酔科学講座　教授

麻酔科学領域の最新文献
約1,200を渉猟し,
各領域における進歩と論点を,
第一人者がわかりやすくレビュー!
待望の2020年度版!

◆AB判 / 本文約360頁
◆定価(本体 12,000 円＋税)
◆ISBN978-4-88378-696-1

総合医学社　〒101-0061　東京都千代田区神田三崎町 1-1-4
TEL 03(3219)2920　FAX 03(3219)0410　https://www.sogo-igaku.co.jp

臨床に欠かせない 1 冊！

好評発売中

最新主要文献でみる

脳神経外科学レビュー

監修 新井 一
順天堂大学 学長

齊藤 延人
東京大学 脳神経外科 教授

若林 俊彦
名古屋大学 脳神経外科 教授

● 直近 1～2 年に発表された
国内外の約 1,200 論文を網羅！

● 脳外科領域を 10 章 59 項目に
分けて，エキスパートがレビュー！

最新主要文献でみる
脳神経外科学レビュー

監修 新井 一
齊藤 延人
若林 俊彦

総合医学社

目 次

I. 脳腫瘍	VI. 脊髄・脊椎・末梢神経
II. 脳血管障害	VII. 水頭症
III. 脳外傷	VIII. 神経科学
IV. 定位・機能	IX. 手術・手技
V. 小 児	X. 画像診断

◆AB 判 / 本文 382 頁
◆定価（本体 15,000 円＋税）
◆ISBN978-4-88378-679-4

S 総合医学社 〒101-0061 東京都千代田区神田三崎町 1-1-4
TEL 03(3219)2920 FAX 03(3219)0410 https://www.sogo-igaku.co.jp